RÉCITS FANTASTIQUES

THÉOPHILE GAUTIER

RÉCITS
FANTASTIQUES

Chronologie, introduction et notes
par
Marc EIGELDINGER
professeur aux Universités
de Neuchâtel et de Berne

FLAMMARION

Pour recevoir régulièrement, sans aucun engagement de votre part, l'Actualité Littéraire Flammarion, il vous suffit d'envoyer vos nom et adresse à :

Flammarion, Service ALF, 26, rue Racine, 75278 PARIS Cedex 06

Pour le CANADA à :

Flammarion Ltée, 163 Est, rue Saint-Paul, Montréal PQ H2Y 1G8

Vous y trouverez présentées toutes les nouveautés mises en vente chez votre libraire : romans, essais, sciences humaines, documents, mémoires, biographies, aventures vécues, livres d'art, livres pour la jeunesse, ouvrages d'utilité pratique...

CHRONOLOGIE

1808 (22 mai) : Naissance de Gérard de Nerval.

1810 (5 décembre) : Mariage de Jean-Pierre Gautier (né en 1778), employé du cadastre à Tarbes, et d'Antoinette-Adélaïde Cocard (née en 1783). Le mariage est célébré au château d'Artagnan, propriété de la famille de Montesquiou.

1811 (30 août) : Naissance à Tarbes de Pierre-Jules-Théophile Gautier, qui aura deux sœurs : Émilie (née le 14 janvier 1817) et Zoé (née le 12 mars 1820).

1814 : Protégé par l'abbé de Montesquiou, Jean-Pierre Gautier est nommé chef de bureau aux octrois de Paris. Théophile Gautier dira de lui-même : « Quoique, sauf le temps des voyages, j'aie passé toute ma vie à Paris, j'ai gardé un fond méridional. »

1819 (28 juin) : Naissance de Carlotta Grisi à Visinada, près de Mantoue.

1821 (9 avril) : Naissance de Charles Baudelaire.

1822 (janvier) : Gautier entre au Collège Louis-le-Grand comme interne.
(octobre) : Il continue ses études comme externe au Collège Charlemagne, où il se lie d'amitié avec Nerval.

1829 : Bien qu'il n'ait pas terminé sa philosophie, il fréquente l'Académie du peintre Rioult, mais ne tarde pas à renoncer à la peinture pour se vouer à la littérature. Il habite place Royale (place des Vosges), où Victor Hugo viendra s'installer l'année suivante.

1830 (25 février) : Gautier participe à la bataille d'*Hernani*, vêtu de son célèbre gilet rouge.
Publication (désormais abrégée en P.) : *Poésies*.

1832 : Gautier se rallie au « Petit Cénacle », formé d'écrivains et d'artistes, dont Gérard de Nerval, Pétrus Borel, Célestin Nanteuil, Philothée O'Neddy.
P. : *Albertus ou l'âme et le péché, légende théologique*.

1833 : P. : *Les Jeunes-France, romans goguenards*, que Gautier qualifiera d'« espèce de *Précieuses ridicules* du romantisme ».

1834 : Gautier s'installe dans l'impasse du Doyenné, « la Thébaïde au milieu de Paris », où demeuraient Gérard de Nerval, Arsène Houssaye et le peintre Camille Rogier. Il entreprend la publication des *Exhumations littéraires*, consacrées à des écrivains des XVᵉ, XVIᵉ et XVIIᵉ siècles.

1835 : P. : *Mademoiselle de Maupin*, dont le premier volume paraît en novembre, tandis que le second paraîtra l'année suivante. Le roman est précédé de la célèbre préface, manifeste de la liberté esthétique.

1836 (février) : Début de la liaison de Gautier avec Eugénie Fort.
(juillet-août) : Voyage en Belgique en compagnie de Nerval pour « chercher la femme blonde », voyage qui sera rapporté dans *Zigzags* et transposé dans *La Toison d'or*.
(fin août) : Gautier fait ses débuts de chroniqueur dramatique à *La Presse*, dirigée par Émile de Girardin, et collabore plus ou moins régulièrement au *Figaro*, à *La Chronique de Paris*, à la *Revue de Paris* et à la *Revue des Deux Mondes*.
(29 novembre) : Eugénie Fort donne naissance à Théophile Gautier fils.

1838 : P. : *La Comédie de la mort, Fortunio*.

1839 : P. : *La Toison d'or* et *Une larme du diable*, réunissant le *mystère* théâtral, et divers récits, dont *Omphale*, *La Morte amoureuse* et *Une nuit de Cléopâtre*.

1840 (28 février) : Carlotta Grisi danse à Paris au Théâtre de la Renaissance dans *Le Zingaro*.

(5 juin) : Gautier part pour l'Espagne avec Eugène Piot. Il visite entre autres Madrid, Tolède, le sud du pays et revient par la Catalogne.

(7 octobre) : Il est de retour à Paris.

1841 (28 juin) : Création à l'Opéra de Paris du ballet de *Giselle ou les Wilis*, musique d'Adam et livret de Gautier. Le rôle principal est interprété par Carlotta Grisi, qui sera une des inspiratrices du poète.

1842 (mars) : Voyage à Londres pour assister à la représentation de *Giselle* et retour par la Belgique.

1843 (17 juillet) : Le ballet, *La Péri*, livret de Gautier, est créé à l'Opéra avec le concours de Carlotta Grisi.

(novembre) : Gautier se rend à Londres à l'occasion de la représentation de *La Péri*.

P. : *Tra los Montes*, qui s'intitulera par la suite *Voyage en Espagne*.

1844 (avril) : Début de la liaison, qui durera plus de vingt ans, avec la cantatrice Ernesta Grisi, sœur de Carlotta.

P. : *Les Grotesques*, réunissant en deux volumes les *Exhumations littéraires*.

1845 (7 avril) : Représentation du *Tricorne enchanté* aux Variétés.

(juin?) : Première rencontre de Gautier et de Baudelaire.

(juillet-septembre) : Voyage en Algérie en compagnie de Noël Parfait.

(25 août) : Naissance de Judith Gautier, fille d'Ernesta Grisi.

P. : *Poésies complètes*, comprenant *Albertus, La Comédie de la mort, Poésies diverses* et *Poésies nouvelles*, dont *España, Zigzags*, qui deviendra en 1852 *Caprices et Zigzags, Nouvelles*, contenant en particulier *Fortunio, La Toison d'or, Omphale, La Morte amoureuse, Une nuit de Cléopâtre* et *Le Roi Candaule, La Croix de Berny* en collaboration avec Delphine de Girardin, Joseph Méry et Jules Sandeau.

1846 (juin-juillet) : Voyage à Londres en passant par la Belgique et la Hollande.

(octobre) : Nouveau voyage en Espagne.

(12 novembre) : Représentation de *La Juive de Constantine* à la Porte-Saint-Martin.

1847 (4 octobre) : Création de *Pierrot posthume* au Vaudeville.

(28 novembre) : Naissance d'Estelle, seconde fille d'Ernesta Grisi et de Gautier.

P. : *Militona, Les Roués innocents*.

1848 (26 mars) : Mort de la mère de l'écrivain.

1849 (mai-juin) : Gautier entreprend un nouveau voyage à Londres, par la Belgique et la Hollande.

(août-septembre) : Troisième voyage en Espagne.

(octobre) : Liaison avec Marie Mattei.

(21 décembre) : Carlotta Grisi danse à l'Opéra de Paris pour la dernière fois.

1850 (17 mars) : Représentation de *Le Sélam* — musique de Reyer — au Théâtre-Italien.

(31 juillet) : Départ de Gautier pour l'Italie en compagnie de Louis de Cormenin. Il visite Venise, où il retrouve Marie Mattei, Florence, Rome et Naples, d'où il est expulsé le 4 novembre.

P. : *Jean et Jeannette*.

1851 (août) : Voyage à Londres pour visiter l'Exposition universelle.

(1er octobre) : Gautier fait partie du comité de rédaction de *La Revue de Paris*.

P. : *Partie carrée*, qui s'intitulera en 1865 *La Belle Jenny*.

1852 (16 mai) : Gautier adhère à la Société des gens de lettres.

(9 juin) : Il part pour l'Orient, visite Constantinople, revient par Athènes et Venise. Rupture avec Marie Mattei.

Retour à Paris en octobre.

P. : *Italia*, publié plus tard sous le titre de *Voyage en Italie*, *Émaux et camées*, recueil augmenté de nouveaux poèmes dans les éditions de 1853, 1858, 1863, 1866 et 1872 ; *Un trio de romans*, contenant *Militona*, *Jean et Jeannette* et *Arria Marcella*, *La Peau de tigre*, recueil de récits.

1853 P. : *Constantinople*.

1854 : Carlotta renonce définitivement à la scène.
(31 mai) : Représentation à l'Opéra du ballet *Gemma*.
(juillet-août) : Voyage en Allemagne.
(22 août) : Mort du père de Gautier.

1855 (26 janvier) : Mort de Gérard de Nerval.
(avril) : Gautier interrompt toute collaboration à *La Presse* pour entrer au *Moniteur universel*, journal officiel de l'Empire.
P. : *Théâtre de poche*, *Les Beaux-Arts en Europe*, parus en fait en 1856.

1856 (10 avril) : Premier échec à l'Académie française.
P. : *L'Art moderne*.

1857 (printemps) : Gautier et sa famille s'installent à Neuilly-sur-Seine.
(juin) : Publication des *Fleurs du mal*, dédiées « au poète impeccable », Théophile Gautier.
(septembre) : Voyage en Allemagne.
P. : *Avatar*, *Jettatura*.

1858 (22 avril) : Représentation de *Yanko le bandit*, ballet-pantomime, à la Porte-Saint-Martin.
(mai-juin) : Voyage sur les rives du Rhin.
(14 juillet) : Représentation de *Sacountalâ* à l'Opéra, ballet-pantomime, musique de Reyer.
(15 septembre) : Gautier part pour la Russie dans l'intention de préparer un ouvrage sur les trésors artistiques du pays.
(novembre) : Publication de la plaquette de Baudelaire, *Théophile Gautier*.
P. : *Histoire de l'art dramatique en France depuis vingt-cinq ans*, 6 vol. (1858-1859).

1859 (27 mars) : Retour de Gautier à Paris.
P. : *Trésors d'art de la Russie ancienne et moderne*, ouvrage inachevé.

1861 (août) : Second voyage en Russie avec son fils.
(octobre) : A son retour de Russie, Gautier séjourne à la villa Saint-Jean, près de Genève, chez Carlotta Grisi.

1862 (mai) : Gautier visite l'Exposition de Londres.
(août) : Voyage en Algérie à l'occasion de l'inauguration du chemin de fer de Blida.

1863 (avril) : Gautier reçoit du ministère d'État une pension de 3 000 francs.
(septembre) : Séjour à Nohant auprès de George Sand.
P. : *Romans et contes,* comprenant *Avatar, Jettatura, Arria Marcella* et des récits fantastiques, *Le Capitaine Fracasse.*

1864 (août) : Voyage en Espagne pour l'inauguration du chemin de fer du Nord.
(septembre-octobre) : Séjour à Genève auprès de Carlotta Grisi.

1865 (juillet-novembre) : Nouveau séjour chez Carlotta, durant lequel il écrit *Spirite,* roman qu'elle a inspiré et qui lui est destiné.

1866 (février-mars) : Séjour à Genève, renouvelé en avril, en septembre, en novembre et à la fin de l'année.
(17 avril) : Mariage de Judith Gautier avec Catulle Mendès, auquel Gautier s'abstient d'assister.
(14 mai) : Ernesta Grisi se retire à Villiers-sur-Marne.
P. : *Spirite, nouvelle fantastique.*

1867 (2 mai) : Deuxième échec à l'Académie française.
(31 août) : Mort de Charles Baudelaire.
(septembre) : Gautier séjourne à Genève, il y retournera à la fin de l'année.
(fin septembre) : Invitation à Saint-Gratien, chez la princesse Mathilde.
P. : *Voyage en Russie, Guide de l'amateur au Musée du Louvre.*

1868 (7 mai) : Troisième échec à l'Académie française.
(septembre) : Voyage à Genève et dans le Nord de l'Italie.
(novembre) : Gautier est nommé bibliothécaire de la princesse Mathilde.

(décembre) : Publication de la troisième édition des *Fleurs du mal*, précédées de la notice de Théophile Gautier.

1869 (29 avril) : Quatrième échec à l'Académie française.
(27 mai) : Gautier offre à la princesse Mathilde le recueil de poèmes *Un douzain de sonnets*.
(septembre) : Séjour à Genève.
(8 octobre) : Gautier s'embarque à Marseille à destination de l'Égypte, où il participe à l'inauguration du canal de Suez.
(décembre) : Retour en France par l'Italie.
P. : *Ménagerie intime*.

1870 (26 février) : Mariage du fils de Théophile Gautier avec Élise Portal.
(15 juillet) : Début de la guerre franco-allemande.
(4 septembre) : Chute de l'Empire.
(septembre) : Gautier quitte Neuilly pour s'installer à Paris avec ses deux sœurs.
P. : *La Nature chez elle*.

1871 (mars) : Gautier occupe à Versailles l'appartement d'Eugénie Fort.
(juin) : Séjour à Bruxelles chez son fils et rencontre du vicomte de Spoelberch de Lovenjoul, puis départ pour Genève.
P. : *Tableaux de siège, 1870-1871*.

1872 (15 mai) : Mariage d'Estelle Gautier et d'Émile Bergerat.
(23 octobre) : Mort de Théophile Gautier.
(25 octobre) : Funérailles officielles et inhumation au cimetière Montmartre.
P. : *Histoire du romantisme*, ouvrage inachevé.

1873 : Lemerre publie *Le Tombeau de Théophile Gautier*, comprenant *A Théophile Gautier* de Hugo et *Toast funèbre* de Mallarmé.

1874 : P. : *Portraits contemporains*.

1875 : Inauguration au cimetière Montmartre du monument édifié à la mémoire de Théophile Gautier.

1887 : Publication de l'*Histoire des œuvres de Théophile Gautier* par Spoelberch de Lovenjoul.

1899 (22 mai) : Mort de Carlotta Grisi à Genève.

INTRODUCTION

Une théorie éparse du fantastique

Deux caractères distinguent l'œuvre narrative de Gautier : la permanence de son attachement à la littérature fantastique et sa fidélité à Hoffmann. Il a pratiqué le récit fantastique pendant trente-cinq années de sa carrière littéraire, de *La Cafetière* (1831), qui porte le sous-titre de *conte fantastique*, à *Spirite* (1866), intitulé *nouvelle fantastique,* soit selon une durée et avec une fréquence supérieures à celles des autres écrivains du XIXᵉ siècle : Nodier, Balzac, Mérimée, Villiers de l'Isle-Adam et Maupassant. Cette constance répond à un projet qui s'inscrit dans l'exigence de la création littéraire. Gautier prétend, dans son poème, *Albertus*, retrouver « la réalité des contes fantastiques », en se référant à Hoffmann, et, dans l'introduction aux *Jeunes-France*, il se déclare voué à écrire « des préfaces et des contes fantastiques » ; le narrateur d'*Omphale* adopte la « profession » de « conteur fantastique » et celui de *Fortunio* s'attribue la « qualité de romancier fantastique », l'épithète intervenant de manière récurrente dans l'œuvre comme pour brosser un décor propice à persuader le lecteur. Non seulement il a exercé le « genre » avec une rare opiniâtreté, mais il l'a perfectionné dans la technique narrative et par la transposition de l'expérience personnelle. De 1831 à 1841 Gautier écrit des contes fantastiques déterminés par l'ascendant d'Hoffmann, tandis qu'à partir du *Club des hachichins* (1846) il introduit une dimension subjective par laquelle il s'affranchit de son modèle. Cette émancipation par la

métamorphose du vécu atteint à son achèvement dans
Arria Marcella (1852), *Avatar* (1856) et, après un silence
de dix ans, dans *Spirite* (1866), où le fantastique naît de
la substance de son affectivité : son amour durable et
contrarié pour Carlotta Grisi.

Tout en se libérant de l'influence d'Hoffmann, Gautier
ne lui est pas moins demeuré fidèle, contrairement aux
autres conteurs fantastiques du XIXe siècle, et n'a cessé de
se référer à lui par l'allusion et l'intertextualité. Hoffmann est présent dans la plupart de ses récits soit qu'il
serve d'archétype du merveilleux ou du fantastique, soit
que le personnage, Onuphrius, se présente comme « un
admirateur d'Hoffmann », soit que le narrateur renvoie le
lecteur aux *Fantaisies à la manière de Callot,* aux *Contes
nocturnes* ou aux *Contes des frères Sérapion.* Gautier lui
a en outre consacré trois articles, témoignant de l'intérêt
permanent qu'il a prêté à l'œuvre du conteur berlinois [1].
Mais Hoffmann ne constitue pas la source unique du
fantastique chez Gautier, fasciné par les scènes surnatu-
ralistes du *Faust,* puis par les récits d'Achim d'Arnim,
dont il préfaça la traduction française (1856). Certains
contes de Nodier, *Smarra ou les démons de la nuit* et *Inès
de las Sierras,* ont frappé son imagination ; le génie visionnaire de Hugo, la voyance balzacienne et l'expérience onirique de Nerval ont contribué à aiguiser son
sentiment du fantastique. Quant à la révélation d'Edgar
Poe, elle fut tardive, postérieure aux traductions de Baudelaire, et n'exerça aucun ascendant sur ses récits. Le
nom de Poe n'intervient que dans *Spirite,* où le narrateur
traduit sa distance en face d'un projet trop intellectuel. Il
n'y a pas lieu de s'en étonner : la logique implacable de
Poe, sa rigueur géométrique et sa conception abstraite du
fantastique — assez proche de la science-fiction —
n'étaient pas faites pour séduire l'esprit de Gautier, solli-
cité par l'irruption des mystères et la manifestation des

---

1. Le premier article, datant de 1831 et demeuré inédit, a été publié
par Spoelberch de Lovenjoul dans *Histoire des œuvres de Théophile
Gautier,* le deuxième a paru dans la *Chronique de Paris* du
14 août 1836 et le troisième, datant d'avril 1851, figure dans le to-
me VI de l'*Histoire de l'art dramatique en France.*

présages, par l'émergence des énergies affectives et irrationnelles.

Dans un premier mouvement, la théorie du fantastique procède chez Gautier de la confrontation d'Hoffmann et d'Achim d'Arnim. Le premier, plus connu en France qu'en Allemagne, pratique le merveilleux, réductible à une explication naturelle, semblable à l'art de Callot par le caprice et la fantaisie ; le second, à peu près inconnu en France en raison du tour germanique de son génie, cultive le fantastique pur, qui se soustrait à tout effort d'élucidation et «procède plutôt à la manière de Goya» par le contraste violent des jeux de l'obscurité et de la lumière. «Le Français, observe Gautier, n'est pas naturellement fantastique» ou ne prend intérêt à la littérature fantastique qu'à la condition qu'elle satisfasse à la vraisemblance et impose à l'imaginaire une cohérence conforme aux lois de la nature. Hoffmann a enraciné le fantastique dans le réel par ses dons d'observation, l'exactitude de ses descriptions d'objets et son attention aux circonstances de la vie quotidienne. Il a créé le réalisme fantastique, qui équilibre le surgissement du mystère par le souci de la vérité concrète. Telle est, au regard de Gautier, la raison de la fortune d'Hoffmann en France.

> La cause de la rapidité du succès d'Hoffmann [...] est dans le sentiment vif et vrai de la nature qui éclate à un si haut degré dans ses compositions les moins explicables.
> Hoffmann, en effet, est un des écrivains les plus habiles à saisir la physionomie des choses et à donner les apparences de la réalité les plus invraisemblables. [...]
> Sa manière de procéder est très logique, et il ne chemine pas au hasard dans les espaces imaginaires [2].

Le recours au surnaturel, aux magies occultes et aux délires de l'hallucination est compensé par la solidité du décor et la présence de l'humain ; «l'impossibilité du fond» est *masquée* par la réalité de la forme, attachée à la notation des détails concrets et déterminée par l'écriture de l'humour. Hoffmann est «un réaliste violent», grâce à

---

2. «Les Contes d'Hoffmann» dans *Souvenirs de théâtre, d'art et de critique*, Charpentier, 1904, p. 43-44.

son sens de la caricature, à la précision de son dessin et à la vigueur de ses couleurs. Il incarne « le positif et le plausible du fantastique » ou plus exactement le merveilleux qui conserve « toujours un pied dans le monde réel », dans la mesure où ce type de merveilleux, à l'encontre du fantastique, obéit à une logique de l'imaginaire qui ne contredit pas les exigences d'une interprétation rationnelle [3]. L'art d'Hoffmann satisfait aux constantes de l'esprit français, parce qu'il introduit « dans la fantaisie la plus folle et la plus déréglée une apparence de raison, un prétexte quelconque, un plan, des caractères et une conduite [4] ». « Dans un genre où tout est permis », le conteur berlinois écarte l'intrusion de l'arbitraire et de la gratuité, il représente les fantasmes de l'imaginaire dans l'épaisseur du réel et soumet le désir à l'organisation de la vie extérieure de sorte qu'il n'enfreint pas les lois de la vraisemblance.

Il en est tout autrement d'Achim d'Arnim, « écrivain fantastique » dans la ligne la plus authentique du romantisme allemand, dont les récits inspirent le sentiment d'« un singulier malaise » en même temps qu'« un frisson de terreur involontaire » par l'invention de personnages fantomatiques, issus des espaces de l'outre-tombe. Les objets et les êtres qu'il crée : la mandragore, le golem, le mannequin ou le double sont doués d'« une animation surprenante » qui compromet l'ordonnance de l'univers et le cours de l'existence. Il récuse le caprice et l'humour chers à Hoffmann pour pratiquer un fantastique du sacrilège, de la transgression, qui repose sur la croyance à la réalité fantasmatique des spectres ; il tient ses rêves et ses visions pour authentiques, en se refusant à les réduire à un jeu ou à les éclairer par un commentaire logique.

Ce qui caractérise surtout Achim d'Arnim, c'est son entière bonne foi, sa profonde conviction ; il raconte ses hallucinations comme des faits certains ; [...] il n'a pas la manie si commune aux Français d'expliquer son fantastique par quelque supercherie ou quelque tour de passe-

---

3. On voit que le merveilleux de Gautier correspond à la catégorie de l'étrange chez T. Todorov.
4. *Ibid.*, p. 48.

passe; chez lui, le spectre est bien un spectre. [...] Sa terreur n'est pas machinée, et ses apparitions rentrent dans les ténèbres sans avoir dit leur secret [5].

Arnim « sait les mystères de la tombe », il invente des fantômes vrais en relation avec le fantastique de la mort. Il est un *voyant* — il a été le premier avec Novalis à établir l'identité du poète et du voyant — pour qui « la vie et la mort, le réel et l'imaginaire, le passé et le futur [...] cessent d'être perçus contradictoirement [6] », parce qu'ils ont rompu leurs cloisons à la faveur de l'irruption soudaine du fantastique.

Gautier partage avec Hoffmann et Achim d'Arnim la certitude que le magnétisme animal constitue l'un des ferments du fantastique en lui conférant une caution scientifique. L'hypothèse, selon Mesmer, d'un sens interne branché sur la vie cosmique, les phénomènes du somnambulisme, du fluide et de la communication magnétiques attestent l'existence de présences occultes qui dépassent l'intelligence pour s'adresser à une clairvoyance secrète que l'esprit porte en lui. Le magnétisme nous persuade que le mystère nous envahit du dehors et nous pénètre du dedans, que nous côtoyons sans cesse les franges de l'obscur et que la perception de l'infini nous est ouverte; il nous révèle des abîmes, assimilables aux manifestations de l'inconscient, et il habite les *caves* de notre *âme,* où il projette les vertiges de l'inconnu.

Le magnétisme animal est un fait désormais acquis à la science et dont il n'est pas plus permis de douter que du galvanisme et de l'électricité. [...] Nous sommes entourés de merveilles, de prodiges, de mystères auxquels nous ne comprenons rien et qui nous semblent tout simples par l'habitude; en nous-mêmes gravitent des mondes ténébreux dont nous n'avons pas la conscience : l'infini et l'inconnu nous pressent et nous obsèdent [...]. Le magnétisme nous paraît la chose du monde la plus simple; et, s'il n'est pas accepté depuis longtemps, c'est que son utilité d'application n'est pas encore bien déterminée, et que ses appa-

5. « Achim d'Arnim » dans *Portraits et souvenirs littéraires,* Charpentier, 1885, p. 316-317.
6. André Breton, *Manifestes du surréalisme,* J.-J. Pauvert, 1962, p. 154.

rences fantastiques et singulières effrayent beaucoup de gens pour qui l'inconnu est la chose la plus terrible [7].

Le fantastique de Gautier est conçu à partir de la puissance du regard fixé par la médiation de l'écriture. L'œil est un foyer d'irradiation, exprimant le contenu de la pensée et de la sensation, il produit un rayonnement spatial et un magnétisme lumineux par lesquels le Je prend possession des objets et instaure une relation avec le Tu sous la forme d'une conquête ou d'une fascination — relation qui peut d'ailleurs être inversée pour devenir une domination du Je par le Tu. Il tend à « accaparer l'infini » par la dilatation de la vision et à se soumettre la personne humaine par son fluide. Le regard est un acte de déchiffrement auquel rien ne résiste, une radiographie qui saisit, au-delà des apparences corporelles, les mouvements de la pensée et les énergies de la vie psychique.

> Rien n'est plus opaque pour mes yeux ; mon regard traverse tout ; je vois distinctement les rayons de la pensée, et comme on projette les spectres solaires sur un écran, je peux les faire passer par mon prisme invisible et les forcer à se réfléchir sur la toile blanche de mon cerveau [8].

Le regard ne possède pas seulement la faculté de la transparence, il est défini par son aptitude au dédoublement : « l'œil charnel » en tant qu'organe de la vue externe et « l'œil de l'âme », capable de percevoir la vision intérieure. Ce don de la voyance permet de décrypter le sens des choses du passé, de découvrir par divination la vérité du futur et d'enrichir le réel de la dimension de l'imaginaire. « L'œil visionnaire du poète sait dégager le fantôme de l'objet, et mêler le chimérique au réel dans une proportion qui est la poésie même [9]. » Gautier, de même que Hugo, considère que le vrai voyant est aveugle afin d'être ouvert aux révélations de la seconde vue et qu'à ce titre Homère demeure l'archétype du poète : « Il est aveu-

7. *Histoire de l'art dramatique en France*, Genève, Slatkine Reprints, 1968, t. I, p. 201-202. Ce texte est de décembre 1838.
8. Dit le Dr Cherbonneau dans *Avatar*, p. 312.
9. *Les Progrès de la poésie française* dans *Histoire du romantisme*, Charpentier, 1874, p. 393.

gle pour montrer que le poète doit procéder non par la
vision immédiate, mais par l'intuition, par l'œil intérieur [10]. » Le conteur fantastique dispose de ce pouvoir
visionnaire qui fait éclater les frontières de l'espace et du
temps pour se projeter dans l'infini et il use de cette force
hypnotique dont le regard est chargé. Clarimonde, dans
La Morte amoureuse, séduit Romuald par la phosphorescence de ses prunelles. Cette puissance surnaturelle ou
maléfique du regard se retrouve dans *Le Chevalier double*, *Avatar* et surtout *Jettatura*, où Paul d'Aspremont
détruit la vie de sa fiancée par l'action du mauvais œil.
De son regard émane une «électricité intellectuelle», qui,
assimilable à un fluide magnétique, ronge les énergies
physiques et spirituelles à la manière de la peau de chagrin. Ainsi le regard est investi d'une double fonction : il
déchiffre les secrets de l'espace du dedans et du dehors et
simultanément il consume en s'identifiant avec un acte de
vampirisme. Il s'ouvre sur l'inconnu des êtres, de l'univers et peut engendrer le meurtre psychique.

Gautier considère comme Nerval que «le rêve est une
seconde vie», d'une réalité aussi irréfutable que la première — «à un certain point de vue, le rêve existe autant
que la réalité», déclare le narrateur dans *Jettatura* — et
qu'il est nécessaire à l'éclosion du fantastique. Dans son
étude sur Nerval, il définit «la force de projection du
rêve» comme «cette puissance de créer hors du temps et
du possible, une vision presque palpable» qui a la propriété de mêler inextricablement l'imaginaire au réel,
d'établir par les fantasmes du désir une communication
entre l'existence diurne et l'existence nocturne. Le rêve
suscite la vision fantastique, il crée par un mouvement
compensateur un univers où les frontières entre le possible et l'impossible sont abolies; il devient un mode de vie
soumis à des forces souterraines qui donnent au personnage le sentiment d'être dans un état de *somnambulisme*.

Ce que je fais a toujours l'apparence d'un rêve; mes actions semblent
plutôt le résultat du somnambulisme que celui d'une libre volonté;

10. *L'Art moderne*, Michel Lévy, 1856, p. 36.

quelque chose est en moi, que je sens obscurément à une grande profondeur, qui me fait agir sans ma participation et toujours en dehors des lois communes [11].

Ces paroles de d'Albert s'appliquent à l'aventure onirique, vécue par Octavien dans *Arria Marcella*. L'onirisme, omniprésent dans les récits fantastiques de Gautier, favorise le phénomène du dédoublement et la perte du sentiment de l'identité : le héros, à travers le rêve ou la drogue, devient « le spectateur de la vie » et « l'espion de lui-même », absorbé dans la contemplation de ses chimères. Il ne discerne plus l'illusion de la réalité, l'imaginaire du vécu et il est coupé du présent, soit qu'il se réfugie dans un passé immémorial, soit plus rarement qu'il anticipe sur la vision de l'avenir. Le rêve peut résulter de la réminiscence ou il peut être prémonitoire, tissé d'obscurs pressentiments. « L'homme n'invente rien, et chacun de ses rêves est une divination ou un souvenir [12] », projeté dans un temps et un espace éclatés, créés à la dimension de l'infini du désir.

La primauté du regard et de la vision onirique situe le fantastique dans l'irrationnel, contrairement à cet héritage voltairien — dénoncé par Gautier — qui l'intellectualise en le ramenant à quelque explication logique ou matérielle. La vérité du fantastique doit faire l'objet d'une croyance, soustraite au cheminement discursif de la raison. Elle correspond à un sentiment, à une intuition, à ce que Louis Vax appelle « la participation affective », qui s'inscrit dans le contexte du sacré [13]. Gautier a perçu que le fantastique impliquait un rapport d'analogie avec le sacré, parce qu'il postule la certitude de l'immortalité de l'âme. L'existence des spectres et des fantômes suppose un univers de l'au-delà, une vie éternelle où l'âme errante est dépouillée de son enveloppe corporelle, comme il

---

11. *Mademoiselle de Maupin*, Garnier, 1966, p. 243.
12. *Avatar*, p. 314.
13. « Le fantastique littéraire ou populaire cultive l'affectivité à l'état pur », *La Séduction de l'étrange*, p. 125. « Plus qu'à la notion cérébrale du surnaturel, c'est aux notions affectives du numineux et du sacré que l'idée de fantastique s'apparente », *Les Chefs-d'œuvre de la littérature fantastique*, p. 20.

l'exprime à propos d'un opéra extrait d'*Inès de las Sierras* :

> Pourquoi les histoires de revenants, d'apparitions, produisent-elles un effet si profond ? C'est qu'elles sont basées sur le désir que l'âme a d'être immortelle, désir qui est la preuve la plus certaine de son immortalité. [...] La croyance aux apparitions n'est donc qu'un corollaire de l'immortalité de l'âme et une vague aperception du monde aromal qui nous entoure, et que nous ne pouvons découvrir sans être dans des conditions de vision particulière.
>
> Il ne faut pas, si l'on veut produire de l'effet avec une donnée fantastique, procéder en incrédule [14].

Cette foi qui fonde les manifestations du fantastique appartient dans son projet esthétique à une ambition prométhéenne, à une volonté de transgresser les interdits, en ravissant « au ciel ou à l'enfer la flamme qui doit animer ces fantômes de terre ». Langage de la rupture, le fantastique est à ce carrefour où le sentiment du sacré et le penchant au sacrilège s'affrontent pour recréer le feu de la vie, apte à mouvoir les objets inanimés et à ressusciter les êtres en les arrachant pour un temps au royaume des ombres.

Formes et thématique du fantastique

Dans la préface de *Mademoiselle de Maupin,* Gautier invite le lecteur à considérer que, dans l'œuvre narrative, « c'est le personnage qui parle et non l'auteur » et plus généralement il s'efforce de valoriser la distance entre le narrateur et le romancier. Il importe de ne pas substituer l'auteur à l'œuvre et de respecter l'autonomie du narrateur en tant que personnage fictif, assumant la responsabilité du récit. C'est pourquoi Spirite est amenée à distinguer l'*auteur subjectif* de l'*auteur objectif*. Le premier s'exprime en fonction de son affectivité et de son idéologie, il focalise le récit, s'identifie avec le narrateur et commande au destin des personnages. Le second s'efface

14. *Histoire de l'art dramatique en France,* t. V, p. 285. Ce texte date de juin 1848.

devant les objets qu'il peint et devant les personnages
qu'il crée afin de leur communiquer une réalité indépendante ; il recourt à un narrateur, qui se distingue de lui,
prend en charge le récit, décrit à l'aide d'*images* et cède
la parole aux personnages. Dans le premier cas, le narrateur n'est qu'un double de l'auteur, dans le second il
remplit la fonction de témoin et de réflecteur, destiné à
fixer la trame du récit et à en produire le texte.

Il est moins difficile de connaître un auteur subjectif qu'un auteur
objectif : le premier exprime ses sentiments, expose ses idées et juge la
société et la création en vertu d'un idéal ; le second présente les objets
tels que les offre la nature ; il procède par images, par descriptions ; il
amène les choses sous les yeux du lecteur ; il dessine, habille et colore
exactement ses personnages, leur met dans la bouche les mots qu'ils ont
dû dire et réserve son opinion [15].

Ainsi le récit fantastique peut s'écrire selon le point de
vue subjectif par le truchement du Je de l'auteur ou selon
le point de vue objectif, qui recourt soit à la première
personne assimilée au personnage principal soit à la troisième personne. Spirite signifie qu'il est préférable
d'opter pour le second type de la perspective narrative,
parce qu'il maintient l'*impartialité*, qu'il préserve l'impassibilité derrière laquelle l'auteur masque ses émotions. Il est aisé de deviner que l'optique défendue par
Spirite correspond à celle que Gautier adopte dans la
plupart de ses récits.

Chacun s'accorde à reconnaître que dans la littérature
fantastique l'énonciation est le plus souvent confiée à un
narrateur, jouant le rôle de témoin et chargé d'accroître le
sentiment de la plausibilité dans l'esprit du lecteur. Cette
observation générale ne doit réduire ni la diversité des
points de vue ni les variations possibles dans le statut du
narrateur et dans les modalités de ses interventions. Chez
Gautier, ce statut peut revêtir quatre aspects, selon que le
récit est écrit à la première ou à la troisième personne.
1. Le Je du narrateur se confond avec celui de l'auteur ou
    avec le second moi de l'auteur, qui raconte une aven-

15. *Spirite*, Nizet, 1970, p. 118.

ture personnelle, assumée comme telle. C'est le cas des récits fantastiques qui se présentent sous la forme d'une chronique, d'un reportage, relatant des événements ou des expériences auxquels Gautier a participé : *La Pipe d'opium* et *Le Club des hachichins*. Dans ce dernier conte, l'auteur déclare : « Il faudra vous contenter pour cette fois du récit de mes simples impressions personnelles. »

2. Le narrateur s'identifie avec le Je d'un personnage fictif, le héros qui prend en charge le récit, dont il a été l'acteur. Il ne saurait remplir la fonction de témoin, puisqu'il raconte sa propre histoire imaginaire, tout en demeurant capable de la juger avec la distance de l'humour. Ce type de narration est adopté par Gautier dans *La Cafetière, Omphale, Le Pied de momie* et également dans *La Morte amoureuse,* confession du Je, personnage et narrateur, adressée à Vous, le destinataire qui reste extérieur à l'action.

3. Si le récit est fait à la troisième personne, il convient de distinguer deux types : que le narrateur soit représenté ou qu'il ne le soit pas. Figuré dans le texte par la première personne, Je ou Nous, il joue le rôle d'observateur et de témoin autonome, séparé de l'auteur et du personnage, en même temps qu'il devient l'instance narrative, autorisée à formuler des jugements, à développer de brèves digressions ou à brosser des descriptions. Dans *Onuphrius*, le narrateur est représenté par un Je, témoin lucide et ironique de la folie du héros, tandis qu'à partir d'*Arria Marcella,* dans *Avatar* et *Jettatura* il est incarné par Nous, assumant la responsabilité de conduire le récit, de fixer le décor et de signifier les réflexions idéologiques, en évitant d'enfreindre les lois de l'objectivité. Le Nous du narrateur, sans s'effacer pour autant, privilégie la présence des personnages et la relation de leur aventure. C'est la forme à laquelle Gautier se rallie dès 1852 comme la plus adéquate à l'expression du fantastique, adressée au Vous du lecteur.

4. Dans le récit à la troisième personne, le narrateur peut être non représenté, dépourvu d'une personne prono-

minale, tout en servant de médiateur entre le texte et le
lecteur. C'est ce qui se produit dans *Le Chevalier
double* et *Deux acteurs pour un rôle* [16].

Ces quatre aspects de l'énonciation dans les récits fantastiques de Gautier peuvent se résumer par le schéma suivant :

1re personne ⟶ auteur-narrateur
⟶ personnage-narrateur } acteur

3e personne ⟶ narrateur représenté
(Je ou Nous)
⟶ narrateur non représenté } témoin

Le fantastique n'est pas seulement déterminé par la
fonction du narrateur, il est également lié à certains procédés de l'écriture. Tout d'abord le récit s'accompagne
de la description, qui localise l'action et situe les personnages dans un milieu approprié qui crée le climat propice
au surgissement du fantastique. «Il faut peindre le décor
des scènes que l'on raconte», affirme Gautier dans *Jettatura,* en cédant à un penchant personnel dont tout son
œuvre témoigne. La description procède du regard du
personnage ou du narrateur, et, en recourant au langage
de la métaphore, elle construit un univers auquel adhère
l'âme humaine, elle tisse un réseau de correspondances
entre le monde extérieur et le monde intérieur. Les évocations de la nuit dans *La Morte amoureuse* et du «jour
nocturne» dans *Arria Marcella* constituent des modèles
de description fantastique en suscitant une véritable participation psychique. Gautier est aussi préoccupé d'ordon-
ner son récit selon la loi de l'accroissement de la tension
dramatique ; le fantastique n'atteint son effet que s'il obéit
à un *crescendo* qui fait passer le lecteur «de la curiosité
incrédule à la terreur la plus intense, du haussement

---

16. J. Bellemin-Noël discerne chez Gautier trois formes de l'énonciation narrative : 1. le narrateur est «un témoin objectif» qui *observe,
note* et devient «le moteur du fantastique», 2. il s'assimile au héros en
représentant «la même instance» et «la même voix», 3. «l'auteur [...]
sans le dire s'octroie la position du narrateur», la suppression du *relais*
tendant à ramener le fantastique au romanesque. *Notes sur le fantastique, Littérature,* n° 8, p. 14.

d'épaules du doute au frisson de l'épouvante [17] ». Il ne peut convaincre qu'en adoptant le parcours d'une progression qui culmine dans le paroxysme. Le narrateur-témoin ou le personnage emprunte le ton de l'humour pour se distancer des *avatars* ou des *vexations* qu'il subit en pénétrant dans les sphères ambiguës du fantastique ; toutefois la dimension de l'humour s'amenuise dans *La Morte amoureuse* et s'efface dès *Arria Marcella*, comme si Gautier avait pressenti qu'elle contribuait à détruire le fantastique, en le contestant dans sa nature. Enfin le fantastique est indissociable de certains instruments sémantiques tels que l'intertextualité et ce que T. Todorov appelle l'«emploi du discours figuré». Gautier multiplie les références au *Faust*, aux contes d'Hoffmann ou de Nodier, il use dans *Avatar* d'une intertextualité extraite du romantisme allemand, il aime à citer divers traités de sciences occultes et divinatoires. Il utilise les ressources sémantiques du fantastique, comparaisons et métaphores, afin de l'intérioriser plus solidement ; il pratique les contrastes chromatiques en opposant le noir au blanc, l'ombre à la lumière, le vert au rouge. Le narrateur recourt aux instruments de cette « rhétorique de l'indicible » (J. Bellemin-Noël) qui fonde le langage du fantastique par l'expressivité suggestive.

On ne peut manquer de s'étonner que T. Todorov, après avoir critiqué l'approche thématique, ait établi dans son *Introduction à la littérature fantastique* deux réseaux sémantiques du Je et du Tu, d'autant plus que cette division n'est pas pertinente, malgré l'utilisation des critères formels. Cette réduction introduit une disjonction qui contredit la nature du fantastique, puis elle a le tort d'évacuer la troisième personne — la *non-personne* telle que la définit Benvéniste — sans laquelle la littérature fantastique est inconcevable, puisqu'elle lui sert de support et qu'elle le véhicule. Les *Il, Lui, On, Cela*, etc. sont des outils grammaticaux nécessaires à l'écriture du fantastique. Louis Vax l'a clairement discerné : « Le vé-

---

17. *Histoire de l'art dramatique en France*, t. V, p. 284. Cette remarque est formulée à propos d'*Inès de las Sierras* de Nodier.

ritable fantôme n'existe qu'à la troisième personne [18] »,
qui ne saurait être gommée, parce qu'elle fonde l'existence scripturale du fantastique autant que le Je et le Tu.
Aussi est-on autorisé à se demander si les classifications
thématiques du fantastique, en dépit de leur impossibilité
d'atteindre à l'exhaustivité, ne sont pas plus éclairantes
qu'une division de type purement formel. Le fantastique
ne se perçoit pas uniquement au niveau du signifiant, il
est un langage impliquant une sémantique et un signifié.
Il est établi sur la complémentarité de la forme et du
contenu de telle sorte qu'il ne convient pas de privilégier
la première au détriment du second. La poétique de Gautier postule la réciprocité de l'idée et de la forme, qui fait
que celle-ci ne saurait se rendre indépendante du contenu.
«La forme ne peut se produire sans l'idée, et l'idée sans
la forme [19]. » Elle suppose le primat de l'idée en quête des
signes du langage, bien qu'ils soient prisonniers de leurs
limites et de leur imperfection. «L'être a toujours la
forme de ses idées. » «Les mots ne sont que l'ombre de
l'idée [20]. » Il apparaît vain de prétendre dresser une liste
de tous les thèmes fantastiques, toujours incomplète et
réductrice, mais peut-être est-il possible de la fixer dans
le contexte d'une œuvre et de ses moyens spécifiques,
organisés autour de leur récurrence ? Tentons d'établir les
catégories propres aux récits de Gautier, sans perdre de
vue qu'elles ne peuvent être détachées ni de la puissance
du regard ni des formes du langage.

1. La première catégorie est constituée par les récits
   fantasmatiques, inspirés par les projections du désir et
   les mouvements psychiques, tendant à créer un imaginaire dans un passé mythique. Ce sont exemplairement *La Morte amoureuse* et *Arria Marcella,* à un
   moindre degré *Omphale* et *Le Pied de momie,* c'est-
   à-dire les contes déterminés par la composante érotique.

2. La plupart des récits fantastiques de Gautier mettent

---

18. *La Séduction de l'étrange,* p. 217. *La Vénus d'Ille* et *Le Horla*
en sont, parmi d'autres, des exemples déterminants.

19. «Du Beau dans l'art » dans *L'Art moderne,* p. 151.

20. *Caprices et zigzags,* Hachette, 1856, p. 206 et *Spirite,* p. 110.

en scène des visions oniriques et hallucinatoires qui sont dues à l'usage de la drogue (*La Pipe d'opium* et *Le Club des hachichins*), aux imprévus du rêve nocturne (*La Cafetière, Omphale, La Morte amoureuse, Le Pied de momie* et *Arria Marcella*) ou au délire qui confine à la maladie mentale (*Onuphrius*). Ils se passent sur ces frontières indécises où le rêve et la réalité, le sommeil et la lucidité se confondent dans le somnambulisme.

3. Une autre catégorie s'ordonne autour de la thématique du dédoublement (*Onuphrius, La Morte amoureuse, Le Chevalier double, Deux Acteurs pour un rôle* et *Avatar*). Le moi du héros perd le sentiment de son identité, subit le drame de la rupture ontologique et de l'existence partagée entre deux pôles irréconciliables.

4. Plusieurs des premiers récits fantastiques de Gautier se regroupent autour du thème de l'objet d'art qui s'anime soudainement. La cafetière et le pied de momie se meuvent, les portraits sortent de leur cadre et les personnages descendent de la tapisserie pour donner un concert, Omphale s'échappe de sa tapisserie pour devenir une amante nocturne; la drogue a la propriété d'animer l'inanimé.

5. Le thème le plus spécifique du fantastique chez Gautier est celui de la résurrection de la femme morte par l'action du désir. Il est déjà amorcé dans *La Cafetière*, développé dans *Omphale, La Pipe d'Opium, Le Pied de momie* et il occupe la place centrale dans *La Morte amoureuse, Arria Marcella* et surtout dans *Spirite*. Il s'agit là d'une hantise psychique, celle du *désir rétrospectif*, qui gouverne l'œuvre de Gautier, reprenant à son compte l'affirmation du *Cantique des cantiques* «l'amour est fort comme la mort».

6. Le fantastique est parfois lié à la présence du diable et à la figure de Méphistophélès. C'est le cas dans *Onuphrius*, où le héros est, dans sa folie, fasciné par Satan qui le persécute, dans *Le Chevalier double* et surtout dans *Deux Acteurs pour un rôle*, où le diable endosse la «redoutable doublure».

7. Gautier a illustré le thème de l'acte vampirique sous

deux formes : l'une traditionnelle dans *La Morte amoureuse* où Clarimonde entretient le principe de vie en suçant le sang de Romuald durant son sommeil, l'autre identifiée avec le vampirisme oculaire dans *Jettatura*, où le regard consume l'être aimé par sa puissance maléfique.

8. Dans ses derniers récits, *Avatar* et *Jettatura*, Gautier a puisé les sources du fantastique dans les sciences occultes, le magnétisme, le magisme, la métempsycose et les superstitions en tant qu'ils permettent de traduire les phénomènes de la métamorphose : la substitution des âmes, l'action meurtrière de l'œil et de la pensée, la quête démiurgique de l'absolu au seuil de l'interdit. Les références au savoir occulte plus ou moins constantes dans l'œuvre de Gautier, prennent leur sens profond dans *Avatar*, qui est son récit le plus audacieux, celui qui est le plus directement confronté aux vertiges et aux abîmes de l'impossible.

La représentation de l'impossible

La plupart des récits fantastiques de Gautier apparaissent comme des récits du désir impossible, inaccompli dans l'ici-bas et projeté par la sublimation dans les espaces de l'imaginaire ou dans un passé inaccessible. Ou bien le désir se décante, s'immatérialise jusqu'à s'aventurer dans l'*extra-monde*, ou bien il devient *rétrospectif* en se retranchant dans la réminiscence mythique. Tout l'œuvre de Gautier est dominé par ce qu'il appelle dans *Caprices et zigzags* « la fièvre de l'impossible ». Le héros de *Mademoiselle de Maupin* déclare : « L'impossible m'a toujours plu » et il se sent mû par cette passion qui lui est attachée comme une maladie ontologique. Et Tiburce, dans *La Toison d'or*, « s'entête à poursuivre une folle chimère, un rêve impossible » qui côtoie les gouffres par son aspiration à la conquête de l'infini. « L'abîme n'a-t-il pas son magnétisme et l'impossible sa fascination [21] ? »

21. *Nouvelles*, Charpentier, 1879, p. 205.

Dans la lettre à Nerval, où il analyse le projet de *La Péri*, Gautier exprime à travers le personnage d'Achmet son désir de l'impossible, d'une passion extatique qui ne parviendrait à son achèvement que dans une espèce d'incarnation solaire, détachée des entraves terrestres et des obstacles physiques.

> Comme tous les grands voluptueux, il est amoureux de l'impossible ; il voudrait s'élancer, dans les régions idéales, à la recherche de la beauté sans défaut ; l'ivresse ne lui suffit pas, il lui faut l'extase ; [...] il demande à l'hallucination ce que la réalité lui refuse. [...] Ce qu'il appelle de toutes ses forces, c'est l'esprit, c'est l'âme, c'est le rayon. Il veut d'un amour avec des ailes de flamme, un corps de lumière qui se meuve dans l'infini et dans l'éternité comme un oiseau dans l'air [22].

L'impossible n'exerce pas seulement sur l'imagination de Gautier une *fascination* magnétique, mais il agit sur le désir comme une *provocation* qui incite à la création d'un univers fantastique où l'imaginaire emprunte les aspects de la réalité psychique. Le fantastique est la contrée où l'impossible devient virtuel par l'alliance du regard et de l'écriture. De même que le Dr Cherbonneau dans *Avatar*, il produit « des merveilles à troubler toutes les notions du possible ou de l'impossible » dans le sens d'une représentation qui découvre sa plausibilité en un espace ouvert sur la communication entre le dedans et le dehors.

C'est à travers le contexte de cette nostalgie que le thème de la femme morte et ressuscitée occupe une place centrale dans les récits fantastiques de Gautier. Le poète et le conteur possèdent le privilège d'éprouver plus fortement que quiconque le *désir rétrospectif* et d'arracher par la voyance les figures aimées à l'empire des ténèbres. « Le poète a, comme la pythonisse d'Endor, la puissance de faire apparaître et parler les ombres [23]. » Le désir et le langage disposent, comme Orphée, d'un pouvoir d'évocation qui ramène la femme aimée de l'obscurité à la

---

22. *Histoire de l'art dramatique en France*, t. III, p. 78-79.
23. *Ibid.*, t. III, p. 6, à propos des *Burgraves* de Hugo. Le thème récurrent de « la morte amoureuse » légitimerait une approche psychanalytique, mais on peut conjecturer qu'il est pour une part dicté à Gautier par son amour impossible pour Carlotta Grisi.

lumière de la vie. Dans *La Cafetière* déjà, le fantôme d'Angéla renaît et participe à la danse, alors qu'elle était morte deux ans auparavant après un bal ; Omphale, qui sort de la « tapisserie mythologique » pour jouer le rôle d'amante nocturne, est la marquise Antoinette de T***, vivant jadis à l'époque de la Régence. Toutefois *La Morte amoureuse* est le premier récit où Gautier approfondit la thématique de la résurrection, en la plaçant sous le signe du dédoublement et de l'ambivalence : Romuald est partagé entre la vie diurne vouée à la chasteté et la vie nocturne habitée par les songes de la volupté, Clarimonde appartient simultanément à la mort et à la vie, à la nature démoniaque par son regard et à la nature angélique par la transparence de sa chair. « Morte ou vivante, statue ou femme, ombre ou corps, sa beauté était toujours la même. » La courtisane est ressuscitée par le baiser de Romuald et elle prolonge son existence par l'acte vampirique de sucer le sang. C'est dans le somnambulisme, l'indistinction entre la veille et le rêve, l'écartèlement tragique de son être que Romuald fait l'expérience que les fantasmes du désir peuvent ranimer le cadavre de la femme aimée.

> Je ne pouvais plus distinguer le songe de la veille, et je ne savais pas où commençait la réalité et où finissait l'illusion. [...] Deux spirales enchevêtrées l'une dans l'autre et confondues sans se toucher jamais représentent très bien cette vie bicéphale qui fut la mienne [24].

Mais les vertiges de la métamorphose onirique sont illusoires comme l'objet d'une imagination portée à la nécromancie et le cadavre de Clarimonde finit par se réduire à « un mélange affreusement informe de cendres et d'os à demi calcinés ». La mort anéantit les chimères de l'amour et les rejette vers l'empyrée de l'impossible. Dans *La Pipe d'opium*, le narrateur fait revivre Carlotta au cours d'une sorte de voyage initiatique vers la « Ville noire » et dans *Le Pied de momie* la princesse Hermonthis ressuscite pour retrouver son pied embaumé qui servait de presse-papier.

---

24. *La Morte amoureuse*, p. 143.

Arria Marcella est, avec *Spirite*, le récit exemplaire de *l'amour rétrospectif*, transposé dans l'espace imaginaire, soustrait aux contingences de la durée. Octavien est fasciné au musée de Naples par un morceau de lave portant l'empreinte d'un sein, synecdoque à partir de laquelle il se compose le type de la femme parfaite, conforme aux impulsions de son désir chimérique. Son tempérament poétique l'incite à se créer « un sérail idéal », une mythologie féminine organisée autour des archétypes mémoriaux.

Il eût voulu enlever son amour du milieu de la vie commune et en transporter la scène dans les étoiles. Aussi s'était-il épris tour à tour d'une passion impossible et folle pour tous les grands types féminins conservés par l'art ou l'histoire [25].

La vision hallucinatoire et le désir vainqueur du temps transportent Octavien dans le passé mythique, où il ressuscite Arria Marcella par les seuls prestiges de son « idéal rétrospectif », doué d'une énergie recréatrice qui confère à l'imaginaire une réalité intemporelle. L'*évocation*, dictée par la violence du désir, produit la renaissance de l'amante et lui garantit la survie. Il ne s'agit pas uniquement d'un acte de résurrection amoureuse, mais d'une véritable palingénésie, par laquelle les phénomènes du sentiment, de la réflexion et du langage s'acheminent vers l'éternité. L'amour est habité par l'aspiration à rejoindre l'immortalité, selon un mouvement analogue à celui de la dialectique platonicienne.

La croyance fait le dieu, et l'amour fait la femme. On n'est véritablement morte que quand on n'est plus aimée, ton désir m'a rendu la vie, la puissante évocation de ton cœur a supprimé les distances qui nous séparaient.

Et le narrateur ajoute ce commentaire aux paroles d'Arria Marcella :

En effet, rien ne meurt, tout existe toujours ; nulle force ne peut anéantir ce qui fut une fois. Toute action, toute parole, toute forme,

25. *Arria Marcella*, p. 250.

toute pensée tombée dans l'océan universel des choses y produit des cercles qui vont s'élargissant jusqu'aux confins de l'éternité [26].

Pourtant Octavien ne réalisera pas plus que Romuald sa passion de l'impossible : une « formule d'exorcisme » prononcée par son père, converti au christianisme, réduit Arria Marcella à « une pincée de cendres mêlée de quelques ossements calcinés ». Octave de Saville ne parviendra pas non plus, malgré l'*avatar* de l'échange des âmes, à dissoudre le couple d'Olaf et de Prascovie Labinski, comparable aux « morceaux de l'Androgyne de Platon », recomposant « cette dualité dans l'unité, qui est l'harmonie complète ». Parmi les héros des récits fantastiques de Gautier, seul Guy de Malivert dans *Spirite* pourra satisfaire son amour impossible au-delà de la mort, dans l'*extra-monde,* délivré des liens de la chair. La dernière « nouvelle fantastique » s'ouvre à la manière d'un testament spirituel sur la conquête permanente de la transparence.

Le fantastique est communément défini par son irruption soudaine dans le réel, par la rupture qu'il introduit dans l'ordre cosmique, la force de transgression qui conteste et compromet toute harmonie. Cette définition n'est que partiellement vraie, appliquée à Gautier, qui est plus profondément préoccupé de rompre avec la réalité, d'altérer les notions du temps et de l'espace afin de s'affranchir de leurs contraintes. Le temps et l'espace sont intériorisés, tantôt altérés par la dilatation, tantôt abolis par le songe, la drogue ou l'activité de l'imagination. Dans *La Cafetière,* la perception du monde est anéantie par la vision onirique et l'âme éprouve le sentiment de se délivrer de son enveloppe charnelle :

Je n'avais plus aucune idée de l'heure ni du lieu ; le monde réel n'existait plus pour moi, et tous les liens qui m'y attachent étaient rompus ; mon âme, dégagée de sa prison de boue, nageait dans le vague de l'infini [27].

---

26. *Arria Marcella*, p. 266.
27. *La Cafetière*, p. 61-62.

Le cas d'*Onuphrius* est différent : le héros, esprit chimérique en proie à l'angoisse métaphysique, vit la dichotomie du réel et de l'imaginaire au point d'être dépossédé de son moi et de sa pensée. Si son âme se détache de son corps, c'est que son imagination cède au délire d'interprétation et se coupe de la réalité. Son être ne lui appartient plus, il se dédouble et sort de « l'arche du réel » sous la poussée de la démence et de la folie de la persécution. La fiction est ici connotée négativement, dénoncée avec une teinte d'humour noir comme la source de périls et du déséquilibre mental, menaçant certains esprits de la génération romantique [28].

Le Club des hachichins ne décrit pas seulement les phases engendrées par l'expérience de la drogue : la naissance des hallucinations, le déclenchement de l'hilarité, l'épanouissement de l'extase paradisiaque, détachée des obstacles du corps et de la matière, puis la métamorphose des visions en cauchemar, il considère les effets du haschisch avec la perception de la durée. Le *kief* est éprouvé comme une anticipation heureuse de l'éternité, puis le hachichin, en s'éveillant, est saisi par l'angoisse de la mort du temps et de l'*usure* de l'éternité. Mais la musique, jouée par le *voyant,* anéantit Daucus-Carota, « l'homme-mandragore », et opère la résurrection du temps, qui met un terme au supplice par la conscience du retour à la vie.

Alors que *Le Club des hachichins* célèbre la renaissance du temps, *Arria Marcella* exprime l'espérance de franchir les limites de la temporalité, la volonté de supprimer la distance entre les siècles, de s'installer par l'énergie du désir dans le temps circulaire et mythique, « car rien ne devait être impossible à un amour qui avait eu la force de faire reculer le temps, et passer deux fois la même heure dans le sablier de l'éternité [29]. » Octavien ne possède plus dans son aventure onirique la notion distincte de la durée et il ne peut aimer « que hors du temps

---

28. Dans « Fantasque Onuphrius », J. Bellemin-Noël diagnostique un cas de *paranoïa* et de « névrose obsessionnelle », *Romantisme* 6, 1973, p. 38-48.

29. *Arria Marcella*, p. 256.

et de l'espace», par une projection dans un univers idéal, dépouillé de l'imperfection des formes. Le passé lointain devient un présent intemporel, actualisé par l'imagination mémoriale.

> Pour lui, la roue du temps était sortie de son ornière, et son désir vainqueur choisissait sa place parmi les siècles écoulés! Il se trouvait face à face avec sa chimère, une des plus insaisissables, une chimère rétrospective [30].

La vision hallucinatoire d'Octavien sera brisée, mais, contrairement à d'autres personnages de Gautier, il en conservera un souvenir qui modèlera toute son existence. Si le fantastique de Gautier tend parfois à refuser l'insertion dans le réel, non par un mouvement de refoulement, mais de sublimation, il n'en répond pas moins à cette loi de l'*adualisme,* de «cette indivision du dedans et du dehors», établie par Louis Vax [31]. Il promeut une espèce de monisme, analogue au *point suprême* d'André Breton, où éclatent les frontières et les contradictions. Le sujet communique avec l'objet, l'esprit avec la matière, le rêve et la veille remplissent la fonction de «vases communicants», le monde intérieur et le monde extérieur s'interpénètrent par l'écriture métaphorique. Le fantastique de Gautier, en rompant les cloisons du temps et de l'espace, affirme la réalité de l'impossible comme l'objet d'une croyance mythique.

Vers un fantastique solaire

Le fantastique se déploie généralement dans un espace nocturne et Gautier ne déroge pas à cette loi dans ses premiers récits. La nuit est le milieu naturel et cosmique dans lequel s'épanouissent les traditions, les légendes et les phénomènes occultes parce qu'elle favorise de ses ombres protectrices le raffermissement de la croyance, nécessaire à l'émergence du fantastique.

---

30. *Arria Marcella*, p. 262-263. Le Dr Cherbonneau dira dans *Avatar,* en accomplissant l'échange des âmes : «Les notions de temps et d'espace se perdent, la conscience du moi s'efface.»
31. *La Séduction de l'étrange*, p. 209.

La vraisemblance des légendes paraît beaucoup plus grande la nuit, dans ces ténèbres traversées de reflets incertains qui prêtent à tous les objets vaguement ébauchés des apparences fantastiques : le doute est fils du jour, la foi est fille de la nuit [32].

La nuit revêt une «apparence fantastique», elle suscite l'attente du mystère et de l'étrangeté, elle est le temps propice au surgissement des spectres et des démons. Le fantastique naît de ces franges de l'obscur qui ont la propriété de transformer les objets et les êtres, de les accroître par l'expansion de la vision poétique. «Les formes se troublaient dans l'ombre et prenaient des apparences spectrales. La vision se substituait à la réalité avec les grossissements et les métamorphoses des ténèbres [33].» La nuit est complice du fantastique par les songes qu'elle éveille, par les apparitions et les *métamorphoses* qu'elle engendre, par l'occasion qu'elle offre aux puissances secrètes et invisibles de se manifester dans la réalité. Aussi Gautier écrit-il d'abord des récits, représentant des scènes nocturnes et oniriques. Lorsqu'il prétend, dans son étude sur Balzac, que «*La Morte amoureuse* [...] fut notre seule œuvre nocturne», il ne traduit pas l'exacte vérité, puisque la plupart de ses contes, de *La Cafetière* au *Club des hachichins,* se passent dans le temps de la nuit par la relation qu'ils entretiennent avec l'univers des rêves. Mais ce que Gautier, tempérament solaire, a éprouvé, c'est que la nuit, au-delà de sa *poésie,* de sa *mélancolie* et de son *mystère,* contient de «grands clairs» à côté de ses «grandes ombres», qu'elle dissimule derrière les ténèbres un clair-obscur et qu'elle possède une lumière spécifique. La nuit de Gautier, toujours soucieux de conjurer l'angoisse que lui inspire l'absolu du noir, s'ouvre sur la perception de la clarté et de la diaphanéité, elle a une irradiation lumineuse, où le fantastique se meut familièrement.

La nuit n'est pas si noire qu'elle en a l'air. [...] Il y a peu de nuits complètement obscures, même dans nos climats du Nord. Outre la lune,

32. *Voyage en Espagne,* Club des libraires de France, 1954, p. 234.
33. *Tableaux de siège,* Charpentier, 1872, p. 326.

espèce de soleil blanc, vous avez les rayons des étoiles, mille vagues
reflets du jour disparu ou qui va renaître, je ne sais quelle phosphorescence des objets [34].

L'une des originalités de Gautier consiste en la découverte que le fantastique n'est pas nécessairement associé à
l'opacité, mais qu'il peut l'être à la transparence nocturne — ou même à la solarité. A partir d'*Arria Marcella* et
dans ses derniers récits, Gautier en vient, à l'encontre de
la tradition, à concevoir un fantastique inscrit dans un
décor solaire. La première partie d'*Arria Marcella* est
sous le signe de « cette lumière d'or et d'azur » propre à la
nature méditerranéenne, tandis que la deuxième se situe
dans le climat du « jour nocturne », oxymoron analogue
au « soleil noir », qui devient l'espace-temps de la vision
onirique et de la représentation métaphorique. La lumière
lunaire et stellaire estompe les contours précis des objets
dans la demi-teinte et les colore de reflets bleuâtres ; le
soleil de minuit, dépouillé de sa « clarté crue », suscite la
présence de l'invisible et répand un éclat mystérieux qui
rend illusoire l'obscurité nocturne. Le jour devient durant
la nuit la réalité, tandis que les ombres se réduisent à de
fallacieuses apparences.

Le ciel s'éclaircissait sur les bords ; on eût dit que le jour allait
paraître. Octavien tira sa montre ; elle marquait minuit. [...] Il était bien
minuit, et cependant la clarté allait toujours augmentant, la lune se
fondait dans l'azur de plus en plus lumineux ; le soleil se levait. [...]
Ce n'était pas des fantômes qui défilaient sous ses yeux, car la vive
lumière du soleil les illuminait avec une réalité irrécusable, et leurs
ombres allongées par le matin se projetaient sur les trottoirs et les
murailles [35].

Le « jour nocturne » est le lieu du non-temps, de l'abolition du présent qui permet au désir de remonter le cours
des siècles pour s'installer dans un passé circulaire et
mythique. La durée, affranchie du devenir, est intériori-
sée et fixée dans la perception de l'éternité.

Au début d'*Avatar*, le narrateur évoque la gravure de

34. *Caprices et zigzags*, p. 181.
35. *Arria Marcella*, p. 254 et 256.

Dürer, *La Mélancolie*, et sa représentation du *soleil noir*, marquant de son sceau l'ensemble du récit[36]. Le personnage du Dr Cherbonneau, qui accomplit l'échange des âmes d'Octave de Saville et d'Olaf Labinski, s'est initié à la sagesse brahmanique sous « le dévorant soleil de l'Inde » et il a été tant physiquement que mentalement « cuit, recuit et comme calciné aux fournaises du soleil ». La connaissance secrète qu'il a acquise est associée à la doctrine du *verbe primordial*, « qui a fait jaillir la lumière des antiques ténèbres ». La quête du *Verbe créateur* lui dispense les formules d'incantation, le langage par lequel il accomplit ses opérations magiques; elle décuple l'irradiation de sa pensée et multiplie en lui les pouvoirs de la métamorphose. *Thaumaturge*, *résurrectionniste* et *magnétiseur*, Balthazar Cherbonneau détient la puissance de dissocier l'âme du corps par l'intermédiaire de l'énergie solaire, contenue dans la Parole divine. « Le Verbe qui a créé la lumière peut bien déplacer une âme. » Tous les personnages d'*Avatar*, le docteur, Octave, Olaf et la comtesse Labinski, « ange se détachant en clair sur un soleil », les pouvoirs démiurgiques qui sont mis en scène orientent le récit vers l'invention d'un fantastique solaire à la faveur de la métempsycose et d'une cosmologie panthéiste. Le fantastique, écartant le décor familier de la nuit, est actualisé par le langage de la lumière.

Jettatura, dont l'action se passe à Naples, prolonge le projet de Gautier de situer le fantastique dans un espace diurne, de l'arracher à l'angoisse des ténèbres sans lui dérober son efficacité. Le narrateur-auteur entend se soustraire à son inquiétude nocturne, sans renoncer à promouvoir la littérature fantastique, inspirée par les intersignes, la magie et les superstitions.

La lumière a ce privilège de dissiper le malaise causé par les visions nocturnes. Smarra, offusqué, s'enfuit en agitant ses ailes membraneu-

---

36. La métaphore, empruntée à l'*Apocalypse* (VI, 12) et à l'alchimie, a été introduite par Gautier dans la littérature française. Voir la note 3 d'*Avatar*.

ses, lorsque le jour tire ses flèches d'or dans la chambre par l'interstice des rideaux [37].

Le mauvais œil de Paul d'Aspremont dévore la vie de sa fiancée par une action diurne et le héros, avant de se priver volontairement de sa vue meurtrière, s'emplit le regard de la lumière cosmique, élevée à la dignité de représentation mythique de la vie. « Ses yeux se noyaient dans l'espace et la lumière, se renversaient comme en extase, s'imprégnaient de lueurs, s'imbibaient de soleil [38] ! » Mais ce qui importe plus encore, c'est la présence du soleil intérieur éclairant en permanence, sans être soumis à la succession cyclique des aubes et des crépuscules. Devenu aveugle comme le voyant, Paul d'Aspremont peut s'écrier dans son « monologue intérieur » : « Quand on a l'amour, on possède le vrai soleil, la clarté qui ne s'éteint pas ! » A travers le récit fantastique, Gautier est en quête de ce soleil aux clartés inaltérables qui ne se conquiert qu'aux frontières de l'impossible, dans la réalité du mythe et le royaume de l'imaginaire. Il note cette parole dans son *Voyage en Russie* (chap. IV) : « L'œil entrevoit, l'imagination achève », elle achève par l'intermédiaire du désir. Le regard aiguise le désir qui nourrit et stimule l'imagination, portée à inventer le territoire de l'éternel soleil, là où le cheminement du fantastique efface les frontières entre le possible et l'impossible, l'écriture solaire étant douée de la force de réconcilier les contraires dans sa substance cristalline.

Marc EIGELDINGER.

37. *Jettatura*, p. 423.
38. *Ibid.*, p. 465.

BIBLIOGRAPHIE

I. *Études sur le fantastique*

BELLEMIN-NOËL (Jean), « Des formes fantastiques aux thèmes fantasmatiques », *Littérature*, N° 2, 1971, p. 103-118.

BESSIÈRE (Irène), *Le Récit fantastique, la poétique de l'incertain*, Larousse, 1974 (absence de Gautier).

CALLOIS (Roger), *Images, images...*, José Corti, 1966, repris dans *Obliques*, Stock, 1975 (absence de Gautier).

CASTEX (Pierre-Georges), *Le Conte fantastique en France de Nodier à Maupassant*, José Corti, 1951.

SCHNEIDER (Marcel), *La Littérature fantastique en France*, Fayard, 1964.

TODOROV (Tzvetan), *Introduction à la littérature fantastique*, Le Seuil, 1970 et « Points », 1976.

VAX (Louis), *La Séduction de l'étrange, étude sur la littérature fantastique*, P.U.F., 1965.

VAX (Louis), *Les Chefs-d'œuvre de la littérature fantastique*, P.U.F., 1979 (absence de Gautier).

II. *Gautier et le fantastique*

BAUDELAIRE (Charles), *Théophile Gautier* dans *Œuvres complètes*, Gallimard, Pléiade, 1976, t. II, p. 103-128.

BELLEMIN-NOËL (Jean), « Notes sur le fantastique (textes de Théophile Gautier) », *Littérature*, N° 8, 1972, p. 3-23.

BELLEMIN-NOËL (Jean), « Fantasque Onuphrius », *Romantisme*, N° 6, 1973, p. 38-48, repris dans *Vers l'inconscient du texte*, P.U.F., 1979.

BENESCH (Rita), *Le Regard de Théophile Gautier*, Zurich, Juris Verlag, 1969.

BOSCHOT (Adolphe), *Théophile Gautier*, Desclée de Brouwer, 1933.

CHAMBERS (Ross), *Spirite de Théophile Gautier, une lecture*, Archives des lettres modernes, Minard, 1974.

EIGELDINGER (Marc), « *Arria Marcella* et le jour nocturne », *Bulletin de la Société Théophile Gautier*, N° 1, 1979, p. 3-14.

JASINSKI (René), *Les Années romantiques de Théophile Gautier*, Vuibert, 1929.

POULET (Georges), *Théophile Gautier* dans *Études sur le temps humain*, Plon, 1950, p. 278-307.

RICHER (Jean), *Études et recherches sur Théophile Gautier prosateur*, Nizet, 1981.

SPOELBERCH DE LOVENJOUL (Charles de), *Histoire des Œuvres de Théophile Gautier*, Charpentier, 1887 et Genève, Slatkine, 1968.

VAN DER TUIN (H.), *L'Évolution psychologique, esthétique et littéraire de Théophile Gautier*, Amsterdam, Holdert, 1933.

VOISIN (Marcel), *Le Soleil et la nuit. L'imaginaire dans l'œuvre de Théophile Gautier*, Éditions de l'Université de Bruxelles, 1981.

Revue d'Histoire littéraire de la France, *Théophile Gautier*, juillet-août, N° 4, 1972 (articles de R. Chambers, M. Crouzet, J. Decottignies, M. Eigeldinger et J. Richer).

Europe, N° 601, *Théophile Gautier*, mai 1979 (articles de M.-C. Schapira et J.-L. Steinmetz).

NOTE SUR L'ÉTABLISSEMENT
DE L'ÉDITION

Si l'œuvre poétique de Théophile Gautier a fait l'objet d'éditions précises par l'établissement du texte, il n'en est pas de même des récits fantastiques, dispersés à l'origine dans plusieurs volumes et altérés par de nombreuses erreurs typographiques. J'ai utilisé pour cette édition diverses publications du XIXe siècle : d'abord *Nouvelles,* Charpentier, 1879, puis *Romans et contes,* Charpentier, 1891, tout en recourant aux deux volumes d'*Œuvres* chez Lemerre (1897 et 1898). J'ai également consulté *Un trio de romans,* V. Lecou, 1852, qui contient l'édition originale d'*Arria Marcella, La Peau de tigre,* 2e édition, Michel Lévy, 1866 pour le texte de *La Cafetière* et de *Deux acteurs pour un rôle,* ainsi que *Les Jeunes-France,* suivis de *Contes humoristiques,* Charpentier, 1875, qui comprennent *Onuphrius, La Cafetière* et *Deux acteurs pour un rôle.* J'ai modernisé l'orthographe et procédé à la correction de nombreuses fautes et irrégularités typographiques afin de présenter le texte avec plus d'homogénéité.

Étant donné l'absence d'une édition conforme aux desseins de Gautier, j'ai classé les récits fantastiques selon l'ordre de la chronologie, en éliminant *Une visite nocturne,* qui n'appartient pas au fantastique, et *Spirite.* C'est à regret qu'il a fallu écarter *Spirite,* qui, par ses proportions romanesques, aurait accru les dimensions de ce volume. Ce retranchement est toutefois compensé par l'existence de trois éditions disponibles : A. G. Nizet, 1970, introduction de M. Eigeldinger, Flammarion, 1970 et Slatkine, 1979, présentation de P. Laubriet. L'introduction d'*Avatar* et de *Jettatura* m'a incité à adopter le titre, non de *contes,* utilisé traditionnellement, mais celui de *récits,* mieux appropriés à l'ensemble de l'œuvre fantastique de Gautier. Les éditions des contes et nouvelles de Gautier ne comportent aucune note, c'est une lacune à laquelle il importe de remédier, en ce sens que le texte implique des éclaircissements et des commentaires utiles à la lecture. Il n'a pourtant pas été possible d'élucider absolument tous les éléments et les allusions, qui auraient mérité de l'être.

Enfin je tiens à dire ma reconnaissance à tous ceux qui m'ont prêté leur concours bienveillant pour l'établissement des notes, particulièrement à Mme Dominique Haesler, à Philippe Terrier et à Rodolphe Zellweger.

RÉCITS FANTASTIQUES

LA CAFETIÈRE
CONTE FANTASTIQUE [1]

1. *La Cafetière* a paru dans *Le Cabinet de lecture,* 4 mai 1831, puis dans le *Keepsake français, souvenirs de littérature contemporaine,* Louis Janet, 1834. Gautier l'a republié dans la *Revue pittoresque,* 20 juillet 1834, avant de l'insérer, sous le titre d'*Angéla,* dans *La Peau de tigre,* Hippolyte Souverain, 1852, et, sous le titre de *La Cafetière,* dans la 2ᵉ édition de *La Peau de tigre,* Michel Lévy, 1866. Le récit a été introduit dans *Les Jeunes-France* sous la rubrique de *Contes humoristiques,* Charpentier, 1873.

> J'ai vu sous de sombres voiles
> Onze étoiles,
> La lune, aussi le soleil,
> Me faisant la révérence,
> En silence,
> Tout le long de mon sommeil.
>
> *La Vision de Joseph* [2].

I

L'année dernière, je [3] fus invité, ainsi que deux de mes camarades d'atelier, Arrigo Cohic et Pedrino Borgnioli, à passer quelques jours dans une terre au fond de la Normandie.

Le temps, qui, à notre départ, promettait d'être superbe, s'avisa de changer tout à coup, et il tomba tant de pluie, que les chemins creux où nous marchions étaient comme le lit d'un torrent.

Nous enfoncions dans la bourbe jusqu'aux genoux, une couche épaisse de terre grasse s'était attachée aux semelles de nos bottes, et par sa pesanteur ralentissait tellement nos pas, que nous n'arrivâmes au lieu de notre destination qu'une heure après le coucher du soleil.

Nous étions harassés ; aussi, notre hôte, voyant les

---

2. *La Vision de Joseph*, nous n'avons pas pu identifier l'auteur de ce poème inspiré par *La Genèse* (XXXVII, 5-11).

3. *je*, dans *La Cafetière*, le Je du narrateur n'est pas identifiable avec celui de l'auteur, mais correspond à un personnage de fiction, créé par l'auteur.

efforts que nous faisions pour comprimer nos bâillements et tenir les yeux ouverts, aussitôt que nous eûmes soupé, nous fit conduire chacun dans notre chambre.

La mienne était vaste; je sentis, en y entrant, comme un frisson de fièvre, car il me sembla que j'entrais dans un monde nouveau.

En effet, l'on aurait pu se croire au temps de la Régence, à voir les dessus de porte de Boucher représentant les quatre Saisons, les meubles surchargés d'ornements de rocaille du plus mauvais goût, et les trumeaux des glaces sculptés lourdement.

Rien n'était dérangé. La toilette couverte de boîtes à peignes, de houppes à poudrer, paraissait avoir servi la veille. Deux ou trois robes de couleurs changeantes, un éventail semé de paillettes d'argent, jonchaient le parquet bien ciré, et, à mon grand étonnement, une tabatière d'écaille ouverte sur la cheminée était pleine de tabac encore frais.

Je ne remarquai ces choses qu'après que le domestique, déposant son bougeoir sur la table de nuit, m'eut souhaité un bon somme, et, je l'avoue, je commençai à trembler comme la feuille. Je me déshabillai promptement, je me couchai, et, pour en finir avec ces sottes frayeurs, je fermai bientôt les yeux en me tournant du côté de la muraille.

Mais il me fut impossible de rester dans cette position: le lit s'agitait sous moi comme une vague, mes paupières se retiraient violemment en arrière. Force me fut de me retourner et de voir.

Le feu qui flambait jetait des reflets rougeâtres dans l'appartement, de sorte qu'on pouvait sans peine distinguer les personnages de la tapisserie et les figures des portraits enfumés pendus à la muraille.

C'étaient les aïeux de notre hôte, des chevaliers bardés de fer, des conseillers en perruque, et de belles dames au visage fardé et aux cheveux poudrés à blanc, tenant une rose à la main.

Tout à coup le feu prit un étrange degré d'activité; une lueur blafarde illumina la chambre, et je vis clairement que ce que j'avais pris pour de vaines peintures était la réalité ; car les prunelles de ces êtres encadrés remuaient, scintillaient d'une façon singulière ; leurs lèvres s'ouvraient et se fermaient comme des lèvres de gens qui parlent, mais je n'entendais rien que le tic-tac de la pendule et le sifflement de la bise d'automne.

Une terreur insurmontable s'empara de moi, mes cheveux se hérissèrent sur mon front, mes dents s'entre-choquèrent à se briser, une sueur froide inonda tout mon corps.

La pendule sonna onze heures. Le vibrement du dernier coup retentit longtemps, et, lorsqu'il fut éteint tout à fait...

Oh ! non, je n'ose pas dire ce qui arriva, personne ne me croirait, et l'on me prendrait pour un fou.

Les bougies s'allumèrent toutes seules ; le soufflet, sans qu'aucun être visible lui imprimât le mouvement, se prit à souffler le feu, en râlant comme un vieillard asthmatique, pendant que les pincettes fourgonnaient dans les tisons et que la pelle relevait les cendres.

Ensuite une cafetière se jeta en bas d'une table où elle était posée, et se dirigea, clopin-clopant, vers le foyer, où elle se plaça entre les tisons.

Quelques instant après, les fauteuils commencèrent à s'ébranler, et, agitant leurs pieds tortillés d'une manière surprenante, vinrent se ranger autour de la cheminée[4].

II

Je ne savais que penser de ce que je voyais ; mais ce qui me restait à voir était encore bien plus extraordinaire.

Un des portraits, le plus ancien de tous, celui d'un gros joufflu à barbe grise, ressemblant, à s'y méprendre, à l'idée que je me suis faite du vieux sir John Falstaff, sortit, en grimaçant, la tête de son cadre, et, après de

---

4. *la cheminée,* Gautier recourt au thème fantastique des objets inanimés et du mobilier qui se meuvent soudainement, à ce que P.-G. Castex appelle « le sabbat des objets » (*Le Conte fantastique en France,* p. 218). C'est Maupassant, dans *Qui sait ?,* qui donnera sa forme la plus saisissante à cet aspect du fantastique.

grands efforts, ayant fait passer ses épaules et son ventre
rebondi entre les ais étroits de la bordure, sauta lourdement par terre.

Il n'eut pas plutôt pris haleine, qu'il tira de la poche de
son pourpoint une clef d'une petitesse remarquable ; il
souffla dedans pour s'assurer si la forure était bien nette,
et il l'appliqua à tous les cadres les uns après les autres.

Et tous les cadres s'élargirent de façon à laisser passer
aisément les figures qu'ils renfermaient.

Petits abbés poupins, douairières sèches et jaunes, magistrats à l'air grave ensevelis dans de grandes robes
noires, petits-maîtres en bas de soie, en culotte de prunelle, la pointe de l'épée en haut, tous ces personnages
présentaient un spectacle si bizarre, que, malgré ma
frayeur, je ne pus m'empêcher de rire.

Ces dignes personnages s'assirent ; la cafetière sauta
légèrement sur la table. Ils prirent le café dans des tasses
du Japon blanches et bleues, qui accoururent spontané-
ment de dessus un secrétaire, chacune d'elles munie d'un
morceau de sucre et d'une petite cuiller d'argent.

Quand le café fut pris, tasses, cafetière et cuillers
disparurent à la fois, et la conversation commença, certes
la plus curieuse que j'aie jamais ouïe, car aucun de ces
étranges causeurs ne regardait l'autre en parlant : ils
avaient tous les yeux fixés sur la pendule.

Je ne pouvais moi-même en détourner mes regards et
m'empêcher de suivre l'aiguille, qui marchait vers minuit
à pas imperceptibles.

Enfin, minuit sonna ; une voix, dont le timbre était
exactement celui de la pendule, se fit entendre et dit :

— Voici l'heure, il faut danser.

Toute l'assemblée se leva. Les fauteuils se reculèrent
de leur propre mouvement ; alors, chaque cavalier prit la
main d'une dame, et la même voix dit :

— Allons, messieurs de l'orchestre, commencez !

J'ai oublié de dire que le sujet de la tapisserie était un
concerto italien d'un côté, et de l'autre une chasse au cerf
où plusieurs valets donnaient du cor. Les piqueurs et les
musiciens, qui, jusque-là, n'avaient fait aucun geste,
inclinèrent la tête en signe d'adhésion.

Le maestro leva sa baguette, et une harmonie vive et dansante s'élança des deux bouts de la salle. On dansa d'abord le menuet.

Mais les notes rapides de la partition exécutée par les musiciens s'accordaient mal avec ces graves révérences : aussi chaque couple de danseurs, au bout de quelques minutes, se mit à pirouetter comme une toupie d'Allemagne. Les robes de soie des femmes, froissées dans ce tourbillon dansant, rendaient des sons d'une nature particulière ; on aurait dit le bruit d'ailes d'un vol de pigeons. Le vent qui s'engouffrait par-dessous les gonflait prodigieusement, de sorte qu'elles avaient l'air de cloches en branle [5].

L'archet des virtuoses passait si rapidement sur les cordes, qu'il en jaillissait des étincelles électriques. Les doigts des flûteurs se haussaient et se baissaient comme s'ils eussent été de vif-argent ; les joues des piqueurs étaient enflées comme des ballons, et tout cela formait un déluge de notes et de trilles si pressés et de gammes ascendantes et descendantes si entortillées, si inconcevables, que les démons eux-mêmes n'auraient pu deux minutes suivre une pareille mesure.

Aussi, c'était pitié de voir tous les efforts de ces danseurs pour rattraper la cadence. Ils sautaient, cabriolaient, faisaient des ronds de jambe, des jetés battus et des entrechats de trois pieds de haut, tant que la sueur, leur coulant du front sur les yeux, leur emportait les mouches et le fard. Mais ils avaient beau faire, l'orchestre les devançait toujours de trois ou quatre notes.

La pendule sonna une heure ; ils s'arrêtèrent. Je vis quelque chose qui m'était échappé : une femme qui ne dansait pas.

Elle était assise dans une bergère au coin de la cheminée, et ne paraissait pas le moins du monde prendre part à ce qui se passait autour d'elle.

Jamais, même en rêve, rien d'aussi parfait ne s'était

---

5. *en branle*, chez Gautier, le fantastique est plus d'une fois associé à la musique, aux perceptions et aux hallucinations auditives (voir *Le Club des hachichins* et *Spirite*, éd. Nizet, p. 173-177).

présenté à mes yeux; une peau d'une blancheur éblouissante, des cheveux d'un blond cendré, de longs cils et des
prunelles bleues, si claires et si transparentes, que je
voyais son âme à travers aussi distinctement qu'un caillou
au fond d'un ruisseau.

Et je sentis que, si jamais il m'arrivait d'aimer
quelqu'un, ce serait elle. Je me précipitai hors du lit, d'où
jusque-là je n'avais pu bouger, et je me dirigeai vers elle,
conduit par quelque chose qui agissait en moi sans que je
pusse m'en rendre compte; et je me trouvai à ses genoux,
une de ses mains dans les miennes, causant avec elle
comme si je l'eusse connue depuis vingt ans.

Mais, par un prodige bien étrange, tout en lui parlant,
je marquais d'une oscillation de tête la musique qui
n'avait pas cessé de jouer; et, quoique je fusse au comble
du bonheur d'entretenir une aussi belle personne, les
pieds me brûlaient de danser avec elle.

Cependant je n'osais lui en faire la proposition. Il
paraît qu'elle comprit ce que je voulais, car, levant vers le
cadran de l'horloge la main que je ne tenais pas:

— Quand l'aiguille sera là, nous verrons, mon cher
Théodore.

Je ne sais comment cela se fit, je ne fus nullement
surpris de m'entendre ainsi appeler par mon nom, et nous
continuâmes à causer. Enfin, l'heure indiquée sonna, la
voix au timbre d'argent vibra encore dans la chambre et
dit:

— Angéla[6], vous pouvez danser avec monsieur, si
cela vous fait plaisir, mais vous savez ce qui en résultera.

— N'importe, répondit Angéla d'un ton boudeur.

Et elle passa son bras d'ivoire autour de mon cou.

— *Prestissimo!* cria la voix.

Et nous commençâmes à valser. Le sein de la jeune
fille touchait ma poitrine, sa joue veloutée effleurait la
mienne, et son haleine suave flottait sur ma bouche.

---

6. *Angéla*, ce premier conte fantastique de Gautier est écrit sous le
signe d'Hoffmann, aussi est-il probable que ce prénom est emprunté à
Le Bonheur du jeu, où l'héroïne, femme du chevalier de Ménars,
s'appelle Angela.

Jamais de la vie je n'avais éprouvé une pareille émotion; mes nerfs tressaillaient comme des ressorts d'acier, mon sang coulait dans mes artères en torrent de lave, et j'entendais battre mon cœur comme une montre accrochée à mes oreilles.

Pourtant cet état n'avait rien de pénible. J'étais inondé d'une joie ineffable et j'aurais toujours voulu demeurer ainsi, et, chose remarquable, quoique l'orchestre eût triplé de vitesse, nous n'avions besoin de faire aucun effort pour le suivre.

Les assistants, émerveillés de notre agilité, criaient bravo, et frappaient de toutes leurs forces dans leurs mains, qui ne rendaient aucun son.

Angéla, qui jusqu'alors avait valsé avec une énergie et une justesse surprenantes, parut tout à coup se fatiguer; elle pesait sur mon épaule comme si les jambes lui eussent manqué; ses petits pieds, qui, une minute auparavant, effleuraient le plancher, ne s'en détachaient que lentement, comme s'ils eussent été chargés d'une masse de plomb.

— Angéla, vous êtes lasse, lui dis-je, reposons-nous.

— Je le veux bien, répondit-elle en s'essuyant le front avec son mouchoir. Mais, pendant que nous valsions, ils se sont tous assis; il n'y a plus qu'un fauteuil, et nous sommes deux.

— Qu'est-ce que cela fait, mon bel ange? Je vous prendrai sur mes genoux.

III

Sans faire la moindre objection, Angéla s'assit, m'entourant de ses bras comme d'une écharpe blanche, cachant sa tête dans mon sein pour se réchauffer un peu, car elle était devenue froide comme un marbre.

Je ne sais pas combien de temps nous restâmes dans cette position, car tous mes sens étaient absorbés dans la contemplation de cette mystérieuse et fantastique créature.

Je n'avais plus aucune idée de l'heure ni du lieu; le

monde réel n'existait plus pour moi, et tous les liens qui m'y attachent étaient rompus; mon âme, dégagée de sa prison de boue, nageait dans le vague et l'infini[7]; je comprenais ce que nul homme ne peut comprendre, les pensées d'Angéla se révélant à moi sans qu'elle eût besoin de parler; car son âme brillait dans son corps comme une lampe d'albâtre, et les rayons partis de sa poitrine perçaient la mienne de part en part.

L'alouette chanta, une lueur pâle se joua sur les rideaux.

Aussitôt qu'Angéla l'aperçut, elle se leva précipitamment, me fit un geste d'adieu, et, après quelques pas, poussa un cri et tomba de sa hauteur.

Saisi d'effroi, je m'élançai pour la relever... Mon sang se fige rien que d'y penser: je ne trouvai rien que la cafetière brisée en mille morceaux.

A cette vue, persuadé que j'avais été le jouet de quelque illusion diabolique, une telle frayeur s'empara de moi, que je m'évanouis.

IV

Lorsque je repris connaissance, j'étais dans mon lit; Arrigo Cohic et Pedrino Borgnioli se tenaient debout à mon chevet.

Aussitôt que j'eus ouvert les yeux, Arrigo s'écria:

— Ah! ce n'est pas dommage! voilà bientôt une heure que je te frotte les tempes d'eau de Cologne. Que diable as-tu fait cette nuit? Ce matin, voyant que tu ne descendais pas, je suis entré dans ta chambre, et je t'ai trouvé tout du long étendu par terre, en habit à la française, serrant dans tes bras un morceau de porcelaine brisée, comme si c'eût été une jeune et jolie fille.

— Pardieu! c'est l'habit de noce de mon grand-père, dit l'autre en soulevant une des basques de soie fond rose

7. *l'infini*, d'emblée, Gautier signifie que l'une des spécificités du fantastique est d'abolir les frontières, de dépasser les dimensions spatio-temporelles pour se projeter dans l'indéterminé du non-temps et de l'infini.

à ramages verts. Voilà les boutons de strass et de filigrane qu'il nous vantait tant. Théodore l'aura trouvé dans quelque coin et l'aura mis pour s'amuser. Mais à propos de quoi t'es-tu trouvé mal ? ajouta Borgnioli. Cela est bon pour une petite maîtresse qui a des épaules blanches ; on la délace, on lui ôte ses colliers, son écharpe, et c'est une belle occasion de faire des minauderies.

— Ce n'est qu'une faiblesse qui m'a pris ; je suis sujet à cela, répondis-je sèchement.

Je me levai, je me dépouillai de mon ridicule accoutrement.

Et puis l'on déjeuna.

Mes trois camarades mangèrent beaucoup et burent encore plus ; moi, je ne mangeais presque pas, le souvenir de ce qui s'était passé me causait d'étranges distractions.

Le déjeuner fini, comme il pleuvait à verse, il n'y eut pas moyen de sortir ; chacun s'occupa comme il put. Borgnioli tambourina des marches guerrières sur les vitres ; Arrigo et l'hôte firent une partie de dames ; moi, je tirai de mon album un carré de vélin, et je me mis à dessiner.

Les linéaments presque imperceptibles tracés par mon crayon, sans que j'y eusse songé le moins du monde, se trouvèrent représenter avec la plus merveilleuse exactitude la cafetière qui avait joué un rôle si important dans les scènes de la nuit.

— C'est étonnant comme cette tête ressemble à ma sœur Angéla, dit l'hôte, qui, ayant terminé sa partie, me regardait travailler par-dessus mon épaule.

En effet, ce qui m'avait semblé tout à l'heure une cafetière était bien réellement le profil doux et mélancolique d'Angéla.

— De par tous les saints du paradis ! est-elle morte ou vivante ? m'écriai-je d'un ton de voix tremblant, comme si ma vie eût dépendu de sa réponse.

— Elle est morte [8], il y a deux ans, d'une fluxion de poitrine à la suite d'un bal.

8. *elle est morte*, le thème de la résurrection de la femme morte est l'un des plus récurrents dans les récits fantastiques de Gautier (voir *Omphale*, *La Morte amoureuse*, *Le Pied de momie*, *Arria Marcella* et *Spirite*).

— Hélas ! répondis-je douloureusement.

Et, retenant une larme qui était près de tomber, je replaçai le papier dans l'album.

Je venais de comprendre qu'il n'y avait plus pour moi de bonheur sur la terre [9] !

9. *sur la terre*, à travers cette conclusion désabusée, le narrateur exprime le point de vue de l'auteur, enclin à projeter le bonheur de l'amour dans l'imaginaire, comme en témoigne l'ensemble de son œuvre narrative.

ONUPHRIUS
OU LES VEXATIONS FANTASTIQUES
D'UN ADMIRATEUR D'HOFFMANN [1]

1. *Onuphrius Wphly* a paru dans *La France littéraire*, août 1832, puis *L'Homme vexé, Onuphrius Wphly*, dans *Le Cabinet de lecture*, 4 octobre 1832. Gautier a inséré *Onuphrius ou les vexations fantastiques d'un admirateur d'Hoffmann* dans *Les Jeunes-France, romans goguenards*, Renduel, 1833 (ainsi que dans les éditions postérieures des *Jeunes-France*). C'est cette version du texte que nous avons adoptée.

> Croyoit que nues feussent pailles
> d'arain, et que vessies feussent lan-
> ternes.
>
> *Gargantua*, liv. I, ch. XI.

— Kling, kling, kling! — Pas de réponse. — Est-ce
qu'il n'y serait pas? dit la jeune fille.

Elle tira une seconde fois le cordon de la sonnette;
aucun bruit ne se fit entendre dans l'appartement: il n'y
avait personne.

— C'est étrange!

Elle se mordit la lèvre, une rougeur de dépit passa de sa
joue à son front; elle se mit à descendre les escaliers un à
un, bien lentement, comme à regret, retournant la tête
pour voir si la porte fatale s'ouvrait. — Rien.

Au détour de la rue, elle aperçut de loin Onuphrius, qui
marchait du côté du soleil, avec l'air le plus inoccupé du
monde, s'arrêtant à chaque carreau, regardant les chiens
se battre et les polissons jouer au palet, lisant les inscriptions de la muraille, épelant les enseignes, comme un
homme qui a une heure devant lui et n'a aucun besoin de
se presser.

Quand il fut auprès d'elle, l'ébahissement lui fit écar-
quiller les prunelles: il ne comptait guère la trouver là.

— Quoi! c'est vous, déjà! — Quelle heure est-il
donc?

— Déjà! le mot est galant. Quant à l'heure, vous
devriez la savoir, et ce n'est guère à moi à vous l'appren-

dre, répondit d'un ton boudeur la jeune fille, tout en prenant son bras ; il est onze heures et demie.

— Impossible, fit Onuphrius. Je viens de passer devant Saint-Paul, il n'était que dix heures ; il n'y a pas cinq minutes, j'en mettrais la main au feu ; je parie.

— Ne mettez rien du tout et ne pariez pas, vous perdriez.

Onuphrius s'entêta ; comme l'église n'était qu'à une cinquantaine de pas, Jacintha[2], pour le convaincre, voulut bien aller jusque-là avec lui. Onuphrius était triomphant. Quand ils furent devant le portail : — Eh bien ! lui dit Jacintha.

On eût mis le soleil ou la lune en place du cadran qu'il n'eût pas été plus stupéfait. Il était onze heures et demie passées ; il tira son lorgnon, en essuya le verre avec son mouchoir, se frotta les yeux pour s'éclaircir la vue ; l'aiguille aînée allait rejoindre sa petite sœur sur l'X de midi.

— Midi ! murmura-t-il entre ses dents ; il faut que quelque diablotin se soit amusé à pousser ces aiguilles ; c'est bien dix heures que j'ai vu !

Jacintha était bonne ; elle n'insista pas, et reprit avec lui le chemin de son atelier, car Onuphrius était peintre[3], et, en ce moment, faisait son portrait. Elle s'assit dans la pose convenue. Onuphrius alla chercher sa toile, qui était tournée au mur, et la mit sur son chevalet.

Au-dessus de la petite bouche de Jacintha, une main inconnue avait dessiné une paire de moustaches qui eussent fait honneur à un tambour-major. La colère de notre artiste, en voyant son esquisse ainsi barbouillée, n'est pas difficile à imaginer ; il aurait crevé la toile sans les exhortations de Jacintha. Il effaça donc comme il put ces insignes virils, non sans jurer plus d'une fois après le

---

2. *Jacintha* est identifiée par la critique avec Eugénie Fort, qui deviendra la maîtresse de Gautier et la mère de Théophile Gautier fils. Giacinta est en outre un personnage d'Hoffmann dans *La Princesse Brambilla*.

3. *peintre*, Onuphrius est peintre, comme Gautier a eu la velléité de l'être, et il est aussi poète — ce qui peut laisser entendre que l'auteur brosse à travers ce personnage épris d'Hoffmann une sorte d'autoportrait ironique et caricatural.

drôle qui avait fait cette belle équipée; mais, quand il voulut se remettre à peindre, ses pinceaux, quoiqu'il les eût trempés dans l'huile, étaient si roides et si hérissés, qu'il ne put s'en servir. Il fut obligé d'en envoyer chercher d'autres : en attendant qu'ils fussent arrivés, il se mit à faire sur sa palette plusieurs tons qui lui manquaient.

Autre tribulation. Les vessies étaient dures comme si elles eussent renfermé des balles de plomb, il avait beau les presser, il ne pouvait en faire sortir la couleur; ou bien elles éclataient tout à coup comme de petites bombes, crachant à droite, à gauche, l'ocre, la laque ou le bitume.

S'il eût été seul, je crois qu'en dépit du premier commandement du Décalogue, il aurait attesté le nom du Seigneur plus d'une fois. Il se contint, les pinceaux arrivèrent, il se mit à l'œuvre; pendant une heure environ tout alla bien.

Le sang commençait à courir sous les chairs, les contours se dessinaient, les formes se modelaient, la lumière se débrouillait de l'ombre, une moitié de la toile vivait déjà.

Les yeux surtout étaient admirables; l'arc des sourcils était parfaitement bien indiqué, et se fondait moelleusement vers les tempes en tons bleuâtres et veloutés; l'ombre des cils adoucissait merveilleusement bien l'éclatante blancheur de la cornée, la prunelle regardait bien, l'iris et la pupille ne laissaient rien à désirer; il n'y manquait plus que ce petit diamant de lumière, cette paillette de jour que les peintres nomment point visuel[4].

Pour l'enchâsser dans son disque de jais (Jacintha avait les yeux noirs), il prit le plus fin, le plus mignon de ses pinceaux, trois poils pris à la queue d'une martre zibeline.

Il le trempa vers le sommet de sa palette dans le blanc d'argent qui s'élevait, à côté des ocres et des terres de Sienne, comme un piton couvert de neige à côté de rochers noirs.

---

4. *point visuel* correspond dans le langage de la technique picturale à un point de vue lumineux, conçu comme le lieu de convergence des rayons visuels.

Vous eussiez dit, à voir trembler le point brillant au bout du pinceau, une gouttelette de rosée au bout d'une aiguille ; il allait le déposer sur la prunelle, quand un coup violent dans le coude fit dévier sa main, porter le point blanc dans les sourcils, et traîner le parement de son habit sur la joue encore fraîche qu'il venait de terminer. Il se détourna si brusquement à cette nouvelle catastrophe, que son escabeau roula à dix pas. Il ne vit personne. Si quelqu'un se fût trouvé là par hasard, il l'aurait certainement tué.

— C'est vraiment inconcevable ! dit-il en lui-même tout troublé ; Jacintha, je ne me sens pas en train ; nous ne ferons plus rien aujourd'hui.

Jacintha se leva pour sortir.

Onuphrius voulut la retenir ; il lui passa le bras autour du corps. La robe de Jacintha était blanche ; les doigts d'Onuphrius, qui n'avait pas songé à les essuyer, y firent un arc-en-ciel.

— Maladroit ! dit la petite, comme vous m'avez arrangée ! et ma tante qui ne veut pas que je vienne vous voir seule, qu'est-ce qu'elle va dire ?

— Tu changeras de robe, elle n'en verra rien.

Et il l'embrassa. Jacintha ne s'y opposa pas.

— Que faites-vous demain ? dit-elle après un silence.

— Moi, rien ; et vous ?

— Je vais dîner avec ma tante chez le vieux M. de ***, que vous connaissez, et j'y passerai peut-être la soirée.

— J'y serai. dit Onuphrius ; vous pouvez compter sur moi.

— Ne venez pas plus tard que six heures ; vous savez, ma tante est poltronne, et si nous ne trouvons pas chez M. de *** quelque galant chevalier pour nous reconduire, elle s'en ira avant la nuit tombée.

— Bon, j'y serai à cinq. A demain, Jacintha, à demain.

Et il se penchait sur la rampe pour regarder la svelte jeune fille qui s'en allait. Les derniers plis de sa robe disparurent sous l'arcade, et il rentra.

Avant d'aller plus loin, quelques mots sur Onuphrius. C'était un jeune homme de vingt à vingt-deux ans, quoique au premier abord il parût en avoir davantage. On distinguait ensuite à travers ses traits blêmes et fatigués quelque chose d'enfantin et de peu arrêté, quelques formes de transition de l'adolescence à la virilité. Ainsi tout le haut de la tête était grave et réfléchi comme un front de vieillard, tandis que la bouche était à peine noircie à ses coins d'une ombre bleuâtre, et qu'un sourire jeune errait sur deux lèvres d'un rose assez vif qui contrastait étrangement avec la pâleur des joues et du reste de la physionomie.

Ainsi fait, Onuphrius ne pouvait manquer d'avoir l'air assez singulier, mais sa bizarrerie naturelle était encore augmentée par sa mise et sa coiffure. Ses cheveux, séparés sur le front comme des cheveux de femme, descendaient symétriquement le long de ses tempes jusqu'à ses épaules, sans frisure aucune, aplatis et lustrés à la mode gothique, comme on en voit aux anges de Giotto et de Cimabue. Une ample simarre de couleur obscure tombait à plis roides et droits autour de son corps souple et mince, d'une manière toute dantesque. Il est vrai de dire qu'il ne sortait pas encore avec ce costume ; mais c'est la hardiesse plutôt que l'envie qui lui manquait ; car je n'ai pas besoin de vous le dire, Onuphrius était Jeune-France et romantique forcené [5].

Dans la rue, et il n'y allait pas souvent, pour ne pas être obligé de se souiller de l'ignoble accoutrement bourgeois, ses mouvements étaient heurtés, saccadés ; ses gestes anguleux, comme s'ils eussent été produits par des ressorts d'acier ; sa démarche incertaine, entrecoupée d'élans subits, de zigzags, ou suspendue tout à coup ; ce qui, aux yeux de bien des gens, le faisait passer pour un fou ou du moins pour un original, ce qui ne vaut guère mieux.

Onuphrius ne l'ignorait pas, et c'était peut-être ce qui lui faisait éviter ce qu'on nomme le monde et donnait à sa conversation un ton d'humeur et de causticité qui ne ressemblait pas mal à de la vengeance ; aussi, quand il était forcé de sortir de sa retraite, n'importe pour quel motif, il apportait dans la société une gaucherie sans

---

5. *romantique forcené*, le narrateur prend ses distances à l'endroit du personnage, en confirmant ce qui est suggéré par le sous-titre du récit.

timidité, une absence de toute forme convenue, un dédain si parfait de ce qu'on y admire, qu'au bout de quelques minutes, avec trois ou quatre syllabes, il avait trouvé moyen de se faire une meute d'ennemis archarnés.

Ce n'est pas qu'il ne fût très aimable lorsqu'il voulait, mais il ne le voulait pas souvent, et il répondait à ses amis qui lui en faisaient des reproches : A quoi bon ? Car il avait des amis ; pas beaucoup, deux ou trois au plus, mais qui l'aimaient de tout l'amour que lui refusaient les autres, qui l'aimaient comme des gens qui ont une injustice à réparer. — A quoi bon ? ceux qui sont dignes de moi et me comprennent ne s'arrêtent pas à cette écorce noueuse : ils savent que la perle est cachée dans une coquille grossière ; les sots qui ne savent pas sont rebutés et s'éloignent : où est le mal ? Pour un fou, ce n'était pas trop mal raisonné.

Onuphrius, comme je l'ai déjà dit, était peintre, il était de plus poète ; il n'y avait guère moyen que sa cervelle en réchappât, et ce qui n'avait pas peu contribué à l'entretenir dans cette exaltation fébrile, dont Jacintha n'était pas toujours maîtresse, c'étaient ses lectures. Il ne lisait que des légendes merveilleuses et d'anciens romans de chevalerie, des poésies mystiques, des traités de cabale, des ballades allemandes, des livres de sorcellerie et de démonographie ; avec cela il se faisait, au milieu du monde réel bourdonnant autour de lui, un monde d'extase et de vision où il était donné à bien peu d'entrer. Du détail le plus commun et le plus positif, par l'habitude qu'il avait de chercher le côté surnaturel, il savait faire jaillir quelque chose de fantastique et d'inattendu. Vous l'auriez mis dans une chambre carrée et blanchie à la chaux sur toutes ses parois, et vitrée de carreaux dépolis, il aurait été capable de voir quelque apparition étrange tout aussi bien que dans un intérieur de Rembrandt inondé d'ombres et illuminé de fauves lueurs, tant les yeux de son âme et de son corps avaient la faculté de déranger les lignes les plus droites et de rendre compliquées les choses les plus simples, à peu près comme les miroirs courbes ou à facettes qui trahissent les objets qui leur sont présentés, et les font paraître grotesques ou terribles.

Aussi Hoffmann et Jean-Paul le trouvèrent admirablement disposé ; ils achevèrent à eux deux ce que les légendaires avaient commencé. L'imagination d'Onuphrius s'échauffa et se déprava de plus en plus [6], ses compositions peintes et écrites s'en ressentirent, la griffe ou la queue du diable y perçait toujours par quelque endroit, et sur la toile, à côté de la tête suave et pure de Jacintha, grimaçait fatalement quelque figure monstrueuse, fille de son cerveau en délire.

Il y avait deux ans qu'il avait fait la connaissance de Jacintha, et c'était à une époque de sa vie où il était si malheureux, que je ne souhaiterais pas d'autre supplice à mon plus fier ennemi ; il était dans cette situation atroce où se trouve tout homme qui a inventé quelque chose et qui ne rencontre personne pour y croire. Jacintha crut à ce qu'il disait sur sa parole, car l'œuvre était encore en lui, et il l'aima comme Christophe Colomb dut aimer le premier qui ne lui rit pas au nez lorsqu'il parla du nouveau monde qu'il avait deviné. Jacintha l'aimait comme une mère aime son fils, et il se mêlait à son amour une pitié profonde ; car, elle exceptée, qui l'aurait aimé comme il fallait qu'il le fût ?

Qui l'eût consolé dans ses malheurs imaginaires, les seuls réels pour lui, qui ne vivait que d'imaginations ? Qui l'eût rassuré, soutenu, exhorté ? Qui eût calmé cette exaltation maladive qui touchait à la folie par plus d'un point, en la partageant plutôt qu'en la combattant ? Personne, à coup sûr.

Et puis lui dire de quelle manière il pourrait la voir, lui donner elle-même les rendez-vous, lui faire mille de ces avances que le monde condamne, l'embrasser de son propre mouvement, lui en fournir l'occasion quand elle la lui voyait chercher, une coquette ne l'eût pas fait ; mais elle savait combien tout cela coûtait au pauvre Onuphrius, et elle lui en épargnait la peine.

---

6. *de plus en plus,* nouvelle intervention du narrateur qui entend juger la « folie » de son personnage au nom de la raison lucide et de l'humour. L'ironie du narrateur, sans cesse perceptible dans le texte, tend à réduire la portée du fantastique dans *Onuphrius.*

Aussi peu accoutumé qu'il était à vivre de la vie réelle, il ne savait comment s'y prendre pour mettre son idée en action, et il se faisait des monstres de la moindre chose.

Ses longues méditations, ses voyages dans les mondes métaphysiques ne lui avaient pas laissé le temps de s'occuper de celui-ci. Sa tête avait trente ans, son corps avait six mois ; il avait si totalement négligé de dresser sa bête, que, si Jacintha et ses amis n'eussent pris soin de la diriger, elle eût commis d'étranges bévues. En un mot, il fallait vivre pour lui, il lui fallait un intendant pour son corps, comme il en faut aux grands seigneurs pour leurs terres.

Puis, je n'ose l'avouer qu'en tremblant, dans ce siècle d'incrédulité, cela pourrait faire passer mon pauvre ami pour un imbécile : il avait peur. De quoi ? Je vous le donne à deviner en cent ; il avait peur du diable, des revenants, des esprits et de mille autres billevesées ; du reste, il se moquait d'un homme, et de deux, comme vous d'un fantôme.

Le soir il ne se fût pas regardé dans une glace pour un empire, de peur d'y voir autre chose que sa propre figure ; il n'eût pas fourré sa main sous son lit pour y prendre ses pantoufles ou quelque autre ustensile, parce qu'il craignait qu'une main froide et moite ne vînt au-devant de la sienne, et ne l'attirât dans la ruelle ; ni jeté les yeux dans les encoignures sombres, tremblant d'y apercevoir de petites têtes de vieilles ratatinées emmanchées sur des manches à balai.

Quand il était seul dans son grand atelier, il voyait tourner autour de lui une ronde fantastique, le conseiller Tusmann, le docteur Tabraccio, le digne Peregrinus Tyss, Crespel avec son violon et sa fille Antonia, l'inconnue de la maison déserte et toute la famille étrange du château de Bohême ; c'était un sabbat complet, et il ne se fût pas fait prier pour avoir peur de son chat comme d'un autre Mürr [7].

7. *Mürr,* liste des personnages des *Contes* d'Hoffmann : le conseiller Tusmann dans *Le Choix d'une fiancée,* le docteur Trabacchio (et non Tabraccio) dans *Ignace Denner,* Peregrinus Tyss dans *Maître Puce,* Crespel et Antonia dans *Le Violon de Crémone.* Puis le narrateur fait

Dès que Jacintha fut partie, il s'assit devant sa toile, et se prit à réfléchir sur ce qu'il appelait les événements de la matinée. Le cadran de Saint-Paul, les moustaches, les pinceaux durcis, les vessies crevées, et surtout le point visuel, tout cela se représenta à sa mémoire avec un air fantastique et surnaturel ; il se creusa la tête pour y trouver une explication plausible ; il bâtit là-dessus un volume in-octavo de suppositions les plus extravagantes, les plus invraisemblables qui soient jamais entrées dans un cerveau malade. Après avoir longtemps cherché, ce qu'il rencontra de mieux, c'est que la chose était tout à fait inexplicable... à moins que ce ne fût le diable en personne... Cette idée, dont il se moqua d'abord lui-même, prit racine dans son esprit, et lui semblant moins ridicule à mesure qu'il se familiarisait avec elle, il finit par en être convaincu.

Qu'y avait-il au fond de déraisonnable dans cette supposition ? L'existence du diable est prouvée par les autorités les plus respectables, tout comme celle de Dieu. C'est même un article de foi, et Onuphrius, pour s'empêcher d'en douter, compulsa sur les registres de sa vaste mémoire tous les endroits des auteurs profanes ou sacrés dans lesquels on traite de cette matière importante.

Le diable rôde autour de l'homme ; Jésus lui-même n'a pas été à l'abri de ses embûches ; la tentation de saint Antoine est populaire ; Martin Luther fut aussi tourmenté par Satan, et, pour s'en débarrasser, fut obligé de lui jeter son écritoire à la tête. On voit encore la tache d'encre sur le mur de la cellule.

Il se rappela toutes les histoires d'obsession, depuis le possédé de la Bible jusqu'aux religieuses de Loudun ; tous les livres de sorcellerie qu'il avait lus : Bodin, Delrio, Le Loyer, Bordelon, le *Monde invisible* de Bekker, l'*Infernalia*, les *Farfadets* de M. de Berbiguier de Terre-Neuve-du-Thym, le *Grand et le Petit Albert* [8], et

---

allusion à *Les Brigands*, *aventures de deux amis dans un château en Bohême* et bien évidemment à *Le Chat Mürr*.

8. *Petit Albert*, Jean Bodin (1530-1596) écrivit *De la démonomanie des sorciers* (1580), le premier ouvrage en France à définir l'acte de la voyance. Martin-Antoine Delrio (1551-1608), savant hollandais et jé-

tout ce qui lui parut obscur devint clair comme le jour ;
c'était le diable qui avait fait avancer l'aiguille, qui avait
mis des moustaches à son portrait, changé le crin de ses
brosses en fils d'archal et rempli ses vessies de poudre
fulminante. Le coup dans le coude s'expliquait tout naturellement ; mais quel intérêt Belzébuth pouvait-il avoir
à le persécuter ? Était-ce pour avoir son âme ? ce n'est pas
la manière dont il s'y prend ; enfin il se rappela qu'il avait
fait, il n'y a pas bien longtemps, un tableau de saint
Dunstan [9] tenant le diable par le nez avec des pincettes
rouges ; il ne douta pas que ce ne fût pour avoir été
représenté par lui dans une position aussi humiliante que
le diable lui faisait ces petites niches. Le jour tombait, de
longues ombres bizarres se découpaient sur le plancher de
l'atelier. Cette idée grandissant dans sa tête, le frisson
commençait à lui courir le long du dos, et la peur l'aurait
bientôt pris, si un de ses amis n'eût fait, en entrant,
diversion à toutes ses visions cornues. Il sortit avec lui, et
comme personne au monde n'était plus impressionnable,
et que son ami était gai, un essaim de pensées folâtres eut
bientôt chassé ces rêveries lugubres. Il oublia totalement
ce qui était arrivé, ou, s'il s'en ressouvenait, il riait tout

---

suite, est l'auteur de *Disquisitionum magicarum libri sex,* paru à Lou-
vain en 1599 et Pierre Le Loyer, magistrat d'Angers, de *Discours et
histoires des spectres, visions et apparitions d'esprits,* paru à Paris en
1605. L'abbé Bordelon a publié des *Voyages imaginaires,* contenant
Histoire de M. Oufle, Paris, 1731. L'ouvrage de Balthazar Bekker
(1634-1698), théologien hollandais, s'intitule *Le Monde enchanté* et a
paru en 1691. Les *Infernalia,* publiés en 1822 et attribués à Charles
Nodier, sont des contes relatant des histoires de spectres, de démons et
de sorciers. Charles Berbiguier de Terre-Neuve-du-Thym (vers 1776-
1851) est un monomane de Carpentras qui se croyait possédé par les
démons. Il écrivit *Les Farfadets ou tous les démons ne sont pas dans
l'autre monde.* Enfin *Les Secrets du grand Albert et du petit Albert* sont
des manuels de sorcellerie, de magie pratique et d'astrologie populaire.
Ils ont été souvent réédités au XIXᵉ siècle et se sont répandus dans les
campagnes. Ce sont, le second surtout, des bréviaires de superstitions
naïves qu'Éliphas Lévi considère comme un « grimoire vulgaire » dans
son *Histoire de la magie.*

9. *saint Dunstan* (924-988), évêque anglais qui contribua à intro-
duire le monachisme bénédictin et joua un rôle politique important par
ses projets d'unification du royaume.

bas en lui-même. Le lendemain il se remit à l'œuvre. Il travailla trois ou quatre heures avec acharnement. Quoique Jacintha fût absente, ses traits étaient si profondément gravés dans son cœur, qu'il n'avait pas besoin d'elle pour terminer son portrait. Il était presque fini, il n'y avait plus que deux ou trois dernières touches à poser, et la signature à mettre, quand une petite peluche, qui dansait avec ses frères les atomes dans un beau rayon jaune, par une fantaisie inexplicable, quitta tout à coup sa lumineuse salle de bal, se dirigea en se dandinant vers la toile d'Onuphrius, et vint s'abattre sur un rehaut [10], qu'il venait de poser.

Onuphrius retourna son pinceau, et, avec le manche, l'enleva le plus délicatement possible. Cependant il ne put le faire si légèrement qu'il ne découvrît le champ de la toile en emportant un peu de couleur. Il refit une teinte pour réparer le dommage : la teinte était trop foncée, et faisait tache ; il ne put rétablir l'harmonie qu'en remaniant tout le morceau ; mais, en le faisant, il perdit son contour, et le nez devint aquilin, de presque à la Roxelane qu'il était, ce qui changea tout à fait le caractère de la tête ; ce n'était plus Jacintha, mais bien une de ses amies avec qui elle s'était brouillée, parce qu'Onuphrius la trouvait jolie.

L'idée du Diable revint à Onuphrius à cette métamorphose étrange ; mais, en regardant plus attentivement, il vit que ce n'était qu'un jeu de son imagination, et comme la journée s'avançait, il se leva et sortit pour rejoindre sa maîtresse chez M. de ***. Le cheval allait comme le vent : bientôt Onuphrius vit poindre au dos de la colline la maison de M. de ***, blanche entre les marronniers. Comme la grande route faisait un détour, il la quitta pour un chemin de traverse, un chemin creux qu'il connaissait très bien, où tout enfant il venait cueillir des mûres et chasser aux hannetons.

Il était à peu près au milieu quand il se trouva derrière une charrette à foin, que les détours du sentier l'avaient empêché d'apercevoir. Le chemin était si étroit, la char-

---

10. *rehaut*, retouche faite à l'aide de tons clairs afin de faire ressortir un élément dans la toile.

rette si large, qu'il était impossible de passer devant : il
remit son cheval au pas, espérant que la route, en s'élargissant, lui permettrait un peu plus loin de le faire. Son
espérance fut trompée ; c'était comme un mur qui reculait
imperceptiblement. Il voulut retourner sur ses pas, une
autre charrette de foin le suivait par-derrière et le faisait
prisonnier. Il eut un instant la pensée d'escalader les
bords du ravin, mais ils étaient à pic et couronnés d'une
haie vive ; il fallut donc se résigner : le temps coulait, les
minutes lui semblaient des éternités, sa fureur était au
comble, ses artères palpitaient, son front était perlé de
sueur.

Une horloge à la voix fêlée, celle du village voisin,
sonna six heures ; aussitôt qu'elle eut fini, celle du château, dans un ton différent, sonna à son tour ; puis une
autre, puis une autre encore ; toutes les horloges de la
banlieue d'abord successivement, ensuite toutes à la fois.
C'était un tutti de cloches, un concerto de timbres flûtés,
ronflants, glapissants, criards, un carillon à vous fendre
la tête. Les idées d'Onuphrius se confondirent, le vertige
le prit. Les clochers s'inclinaient sur le chemin creux
pour le regarder passer, ils le montraient au doigt, lui
faisaient la nique et lui tendaient par dérision leurs ca-
drans dont les aiguilles étaient perpendiculaires. Les cloches lui tiraient la langue et lui faisaient la grimace,
sonnant toujours les six coups maudits. Cela dura longtemps, six heures sonnèrent ce jour-là jusqu'à sept.

Enfin, la voiture déboucha dans la plaine. Onuphrius
enfonça ses éperons dans le ventre de son cheval : le jour
tombait, on eût dit que sa monture comprenait combien il
lui était important d'arriver. Ses pieds touchaient à peine
la terre, et, sans les aigrettes d'étincelles qui jaillissaient
de loin en loin de quelque caillou heurté, on eût pu croire
qu'elle volait. Bientôt une blanche écume enveloppa
comme une housse d'argent son poitrail d'ébène : il était
plus de sept heures quand Onuphrius arriva. Jacintha était
partie. M. de *** lui fit les plus grandes politesses, se mit
à causer littérature avec lui, et finit par lui proposer une
partie de dames.

Onuphrius ne put faire autrement que d'accepter, quoique toute espèce de jeux, et en particulier celui-là, l'ennuyât mortellement. On apporta le damier. M. de *** prit les noires, Onuphrius les blanches : la partie commença, les joueurs étaient à peu près de même force ; il se passa quelque temps avant que la balance penchât d'un côté ou de l'autre.

Tout à coup elle tourna du côté du vieux gentilhomme ; ses pions avançaient avec une inconcevable rapidité, sans qu'Onuphrius, malgré tous les efforts qu'il faisait, pût y apporter aucun obstacle. Préoccupé qu'il était d'idées diaboliques, cela ne lui parut pas naturel ; il redoubla donc d'attention, et finit par découvrir, à côté du doigt dont il se servait pour remuer ses pions, un autre doigt maigre, noueux, terminé par une griffe (que d'abord il avait pris pour l'ombre du sien), qui poussait ses dames sur la ligne blanche, tandis que celles de son adversaire défilaient processionnellement sur la ligne noire. Il devint pâle, ses cheveux se hérissèrent sur sa tête. Cependant il remit ses pions en place, et continua de jouer. Il se persuada que ce n'était que l'ombre, et, pour s'en convaincre, il changea la bougie de place : l'ombre passa de l'autre côté, et se projeta en sens inverse ; mais le doigt à griffe resta ferme à son poste, déplaçant les dames d'Onuphrius, et employant tous les moyens pour le faire perdre.

D'ailleurs, il n'y avait aucun doute à avoir, le doigt était orné d'un gros rubis. Onuphrius n'avait pas de bague.

— Pardieu ! c'est trop fort ! s'écria-t-il en donnant un grand coup de poing dans le damier et en se levant brusquement ; vieux scélérat ! vieux gredin !

M. de ***, qui le connaissait d'enfance et qui attribuait cette algarade au dépit d'avoir perdu, se mit à rire aux éclats et à lui offrir d'ironiques consolations. La colère et la terreur se disputaient l'âme d'Onuphrius : il prit son chapeau et sortit.

La nuit était si noire qu'il fut obligé de mettre son cheval au pas. A peine une étoile passait-elle çà et là le nez hors de sa mantille de nuages ; les arbres de la route avaient l'air de grands spectres tendant les bras ; de temps

en temps un feu follet traversait le chemin, le vent ricanait dans les branches d'une façon singulière. L'heure
s'avançait, et Onuphrius n'arrivait pas ; cependant les fers
de son cheval sonnant sur le pavé montraient qu'il ne
s'était pas fourvoyé.

Une rafale déchira le brouillard, la lune reparut ; mais,
au lieu d'être ronde, elle était ovale. Onuphrius, en la
considérant plus attentivement, vit qu'elle avait un serre-
tête de taffetas noir, et qu'elle s'était mis de la farine sur
les joues ; ses traits se dessinèrent plus distinctement, et il
reconnut, à n'en pouvoir douter, la figure blême et allongée de son ami intime Jean-Gaspard Deburau [11], le grand
paillasse des Funambules, qui le regardait avec une expression indéfinissable de malice et de bonhomie.

Le ciel clignait aussi ses yeux bleus aux cils d'or,
comme s'il eût été d'intelligence ; et, comme à la clarté
des étoiles on pouvait distinguer les objets, il entrevit
quatre personnages de mauvaise mine, habillés mi-partie
rouge et noir, qui portaient quelque chose de blanchâtre
par les quatre coins, comme des gens qui changeraient un
tapis de place ; ils passèrent rapidement à côté de lui, et
jetèrent ce qu'ils portaient sous les pieds de son cheval.
Onuphrius, malgré sa frayeur, n'eut pas de peine à voir
que c'était le chemin qu'il avait déjà parcouru, et que le
Diable remettait devant lui pour lui faire pièce. Il piqua
des deux ; son cheval fit une ruade et refusa d'avancer
autrement qu'au pas ; les quatre démons continuèrent leur
manège.

Onuphrius vit que l'un d'eux avait au doigt un rubis
pareil à celui du doigt qui l'avait si fort effrayé sur le
damier : l'identité du personnage n'était plus douteuse.
La terreur d'Onuphrius était si grande, qu'il ne sentait
plus, qu'il ne voyait ni n'entendait ; ses dents claquaient
comme dans la fièvre, un rire convulsif tordait sa bouche.
Une fois, il essaya de dire ses prières et de faire un signe
de croix, il ne put en venir à bout. La nuit s'écoula ainsi.

---

11. *Deburau* (1796-1846), célèbre mime qui créa au Théâtre des
Funambules le rôle de Pierrot et que Gautier évoque souvent dans son
Histoire de l'art dramatique en France.

Enfin, une raie bleuâtre se dessina sur le bord du ciel : son cheval huma bruyamment par ses naseaux l'air balsamique du matin, le coq de la ferme voisine fit entendre sa voix grêle et éraillée, les fantômes disparurent, le cheval prit de lui-même le galop, et, au point du jour, Onuphrius se trouva devant la porte de son atelier.

Harassé de fatigue, il se jeta sur un divan et ne tarda pas à s'endormir : son sommeil était agité ; le cauchemar lui avait mis le genou sur l'estomac. Il fit une multitude de rêves incohérents, monstrueux, qui ne contribuèrent pas peu à déranger sa raison déjà ébranlée. En voici un qui l'avait frappé, et qu'il m'a raconté plusieurs fois depuis.

« J'étais dans une chambre qui n'était pas la mienne ni celle d'aucun de mes amis, une chambre où je n'étais jamais venu, et que cependant je connaissais parfaitement bien : les jalousies étaient fermées, les rideaux tirés ; sur la table de nuit une pâle veilleuse jetait sa lueur agonisante. On ne marchait que sur la pointe du pied, le doigt sur la bouche ; des fioles, des tasses encombraient la cheminée. Moi, j'étais au lit comme si j'eusse été malade, et pourtant je ne m'étais jamais mieux porté. Les personnes qui traversaient l'appartement avaient un air triste et affairé qui semblait extraordinaire.

« Jacintha était à la tête de mon lit, qui tenait sa petite main sur mon front, et se penchait vers moi pour écouter si je respirais bien. De temps en temps une larme tombait de ses cils sur mes joues, et elle l'essuyait légèrement avec un baiser.

« Ses larmes me fendaient le cœur, et j'aurais bien voulu la consoler ; mais il m'était impossible de faire le plus petit mouvement, ou d'articuler une seule syllabe : ma langue était clouée à mon palais, mon corps était comme pétrifié.

« Un monsieur vêtu de noir entra, me tâta le pouls, hocha la tête d'un air découragé, et dit tout haut : "C'est fini !" Alors Jacintha se prit à sangloter, à se tordre les mains, et à donner toutes les démonstrations de la plus violente douleur : tous ceux qui étaient dans la chambre en firent autant. Ce fut un concert de pleurs et de soupirs à apitoyer un roc.

« J'éprouvais un secret plaisir d'être regretté ainsi. On me présenta une glace devant la bouche ; je fis des efforts prodigieux pour la ternir de mon souffle, afin de montrer que je n'étais pas mort : je ne pus en venir à bout. Après cette épreuve on me jeta le drap par-dessus la tête ; j'étais au désespoir, je voyais bien qu'on me croyait trépassé et que l'on allait m'enterrer tout vivant. Tout le monde sortit : il ne resta qu'un prêtre qui marmotta des prières et qui finit par s'endormir.

« Le croque-mort vint qui me prit mesure d'une bière et d'un linceul ; j'essayai encore de me remuer et de parler, ce fut inutile, un pouvoir invincible m'enchaînait : force me fut de me résigner. Je restai ainsi beaucoup de temps en proie aux plus douloureuses réflexions. Le croque-mort revint avec mes derniers vêtements, les derniers de tout homme, la bière et le linceul : il n'y avait plus qu'à m'en accoutrer.

« Il m'entortilla dans le drap, et se mit à me coudre sans précaution comme quelqu'un qui a hâte d'en finir : la pointe de son aiguille m'entrait dans la peau, et me faisait des milliers de piqûres ; ma situation était insupportable. Quand ce fut fait, un de ses camarades me prit par les pieds, lui par la tête, ils me déposèrent dans la boîte ; elle était un peu juste pour moi, de sorte qu'ils furent obligés de me donner de grands coups sur les genoux pour pouvoir enfoncer le couvercle.

« Ils en vinrent à bout à la fin, et l'on planta le premier clou. Cela faisait un bruit horrible. Le marteau rebondissait sur les planches, et j'en sentais le contrecoup. Tant que l'opération dura, je ne perdis pas tout à fait l'espérance ; mais au dernier clou je me sentis défaillir, mon cœur se serra, car je compris qu'il n'y avait plus rien de commun entre le monde et moi : ce dernier clou me rivait au néant pour toujours. Alors seulement je compris toute l'horreur de ma position.

« On m'emporta ; le roulement sourd des roues m'apprit que j'étais dans le corbillard ; car bien que je ne pusse manifester mon existence d'aucune manière, je n'étais privé d'aucun de mes sens. La voiture s'arrêta, on retira le cercueil. J'étais à l'église, j'entendais parfaitement le

chant nasillard des prêtres, et je voyais briller à travers les
fentes de la bière la lueur jaune des cierges. La messe
finie, on partit pour le cimetière ; quand on me descendit
dans la fosse, je ramassai toutes mes forces, et je crois
que je parvins à pousser un cri ; mais le fracas de la terre
qui roulait sur le cercueil le couvrit entièrement : je me
trouvais dans une obscurité palpable et compacte, plus
noire que celle de la nuit. Du reste, je ne souffrais pas,
corporellement du moins ; quant à mes souffrances morales, il faudrait un volume pour les analyser. L'idée que
j'allais mourir de faim ou être mangé aux vers, sans
pouvoir l'empêcher, se présenta la première ; ensuite je
pensai aux événements de la veille, à Jacintha, à mon
tableau qui aurait eu tant de succès au Salon, à mon
drame qui allait être joué, à une partie que j'avais projetée
avec mes camarades, à un habit que mon tailleur devait
me rapporter ce jour-là ; que sais-je, moi ? à mille choses
dont je n'aurais guère dû m'inquiéter ; puis revenant à
Jacintha, je réfléchis sur la manière dont elle s'était
conduite ; je repassai chacun de ses gestes, chacune de ses
paroles, dans ma mémoire ; je crus me rappeler qu'il y
avait quelque chose d'outré et d'affecté dans ses larmes,
dont je n'aurais pas dû être la dupe : cela me fit ressouve-
nir de plusieurs choses que j'avais totalement oubliées ;
plusieurs détails auxquels je n'avais pas pris garde,
considérés sous un nouveau jour, me parurent d'une
haute importance ; des démonstrations que j'aurais juré
sincères me semblèrent louches ; il me revint dans l'esprit
qu'un jeune homme, un espèce de fat moitié cravate,
moitié éperons, lui avait autrefois fait la cour. Un soir,
nous jouions ensemble, Jacintha m'avait appelé du nom
de ce jeune homme au lieu du mien, signe certain de
préoccupation ; d'ailleurs je savais qu'elle en avait parlé
favorablement dans le monde à plusieurs reprises, et
comme de quelqu'un qui ne lui déplairait pas.

«Cette idée s'empara de moi, ma tête commença à
fermenter ; je fis des rapprochements, des suppositions,
des interprétations : comme on doit bien le penser, elles
ne furent pas favorables à Jacintha. Un sentiment inconnu
se glissa dans mon cœur, et m'apprit ce que c'était que

souffrir ; je devins horriblement jaloux, et je ne doutai pas
que ce ne fût Jacintha qui, de concert avec son amant, ne
m'eût fait enterrer tout vif pour se débarrasser de moi. Je
pensai que peut-être en ce moment même ils riaient à
gorge déployée du succès de leur stratagème, et que
Jacintha livrait aux baisers de l'autre cette bouche qui
m'avait juré tant de fois. n'avoir jamais été touchée par
d'autres lèvres que les miennes.

« A cette idée, j'entrai dans une fureur telle que je
repris la faculté de me mouvoir ; je fis un soubresaut si
violent, que je rompis d'un seul coup les coutures de mon
linceul. Quand j'eus les jambes et les bras libres, je
donnai de grands coups de coudes et de genoux au couvercle de la bière pour le faire sauter et aller tuer mon
infidèle aux bras de son lâche et misérable galant. Sanglante dérision, moi, enterré, je voulais donner la mort !
Le poids énorme de la terre qui pesait sur les planches
rendit mes efforts inutiles. Épuisé de fatigue, je retombai
dans ma première torpeur, mes articulations s'ossifièrent :
de nouveau je redevins cadavre. Mon agitation mentale se
calma, je jugeai plus sainement les choses : les souvenirs
de tout ce que la jeune femme avait fait pour moi, son
dévouement, ses soins qui ne s'étaient jamais démentis,
eurent bientôt fait évanouir ces ridicules soupçons.

« Ayant usé tous mes sujets de méditation, et ne sachant comment tuer le temps, je me mis à faire des vers ;
dans ma triste situation, ils ne pouvaient pas être fort
gais : ceux du nocturne Young et du sépulcral Hervey [12]
ne sont que des bouffonneries, comparés à ceux-là. J'y
dépeignais les sensations d'un homme conservant sous
terre toutes les passions qu'il avait eues dessus, et j'inti-
tulai cette rêverie cadavéreuse : *La vie dans la mort* [13]. Un
beau titre, sur ma foi ! et ce qui me désespérait, c'était de
ne pouvoir les réciter à personne.

---

12. *James Hervey* (1714-1758), écrivain anglais qui appartient au
même mouvement littéraire que Young par la célébration de la nuit et de
la mort. Il publia des *Méditations parmi les tombes* (1745-1747).

13. *La vie dans la mort*, ce sera le titre de la première partie de *La
Comédie de la mort* (1838), tandis que la seconde s'intitulera « La Mort
dans la vie ».

« J'avais à peine terminé la dernière strophe, que j'entendis piocher avec ardeur au-dessus de ma tête. Un rayon d'espérance illumina ma nuit. Les coups de pioche se rapprochaient rapidement. La joie que je ressentis ne fut pas de longue durée : les coups de pioche cessèrent. Non, l'on ne peut rendre avec des mots humains l'angoisse abominable que j'éprouvai en ce moment ; la mort réelle n'est rien en comparaison. Enfin j'entendis encore du bruit : les fossoyeurs, après s'être reposés, avaient repris leur besogne. J'étais au ciel ; je sentais ma délivrance s'approcher. Le dessus du cercueil sauta. Je sentis l'air froid de la nuit. Cela me fit grand bien, car je commençais à étouffer. Cependant mon immobilité continuait ; quoique vivant, j'avais toutes les apparences d'un mort. Deux hommes me saisirent : voyant les coutures du linceul rompues, ils échangèrent en ricanant quelques plaisanteries grossières, me chargèrent sur leurs épaules et m'emportèrent. Tout en marchant ils chantonnaient à demi-voix des couplets obscènes. Cela me fit penser à la scène des fossoyeurs, dans *Hamlet* [14], et je me dis en moi-même que Shakespeare était un bien grand homme.

« Après m'avoir fait passer par bien des ruelles détournées, ils entrèrent dans une maison que je reconnus pour être celle de mon médecin ; c'était lui qui m'avait fait déterrer afin de savoir de quoi j'étais mort. On me déposa sur une table de marbre. Le docteur entra avec une trousse d'instruments ; il les étala complaisamment sur une commode. A la vue de ces scalpels, de ces bistouris, de ces lancettes, de ces scies d'acier luisantes et polies, j'éprouvai une frayeur horrible, car je compris qu'on allait me disséquer ; mon âme, qui jusque-là n'avait pas abandonné mon corps, n'hésita plus à me quitter : au premier coup de scalpel elle était tout à fait dégagée de ses entraves. Elle aimait mieux subir tous les désagréments d'une intelligence dépossédée de ses moyens de manifestation physique, que de partager avec mon corps ces effroyables tortures. D'ailleurs, il n'y avait plus es-

14. *Hamlet*, acte V, scène 1.

pérance de le conserver, il allait être mis en pièces, et
n'aurait pu servir à grand-chose quand même ce déchi-
quètement ne l'eût pas tué tout de bon. Ne voulant pas
assister au dépècement de sa chère enveloppe, mon âme
se hâta de sortir.

« Elle traversa rapidement une enfilade de chambres, et
se trouva sur l'escalier. Par habitude, je descendis les
marches une à une ; mais j'avais besoin de me retenir, car
je me sentais une légèreté merveilleuse. J'avais beau me
cramponner au sol, une force invincible m'attirait en
haut ; c'était comme si j'eusse été attaché à un ballon
gonflé de gaz : la terre fuyait mes pieds, je n'y touchais
que par l'extrémité des orteils ; je dis des orteils, car bien
que je ne fusse qu'un pur esprit, j'avais conservé le
sentiment des membres que je n'avais plus, à peu près
comme un amputé qui souffre de son bras ou de sa jambe
absente. Lassé de ces efforts pour rester dans une attitude
normale, et, du reste, ayant fait réflexion que mon âme
immatérielle ne devait pas se voiturer d'un lieu à l'autre
par les mêmes procédés que ma misérable guenille de
corps, je me laissai faire à cet ascendant, et je commençai
à quitter terre sans pourtant m'élever trop, et me maintenant dans la région moyenne. Bientôt je m'enhardis, et je
volai tantôt haut, tantôt bas, comme si je n'eusse fait
autre chose de ma vie. Il commençait à faire jour : je
montai, je montai, regardant aux vitres des mansardes des
grisettes qui se levaient et faisaient leur toilette, me servant des cheminées comme de tubes acoustiques pour
entendre ce qu'on disait dans les appartements. Je dois
dire que je ne vis rien de bien beau, et que je ne recueillis
rien de piquant. M'accoutumant à ces façons d'aller, je
planai sans crainte dans l'air libre, au-dessus du brouillard, et je considérai de haut cette immense étendue de
toits qu'on prendrait pour une mer figée au moment d'une
tempête, ce chaos hérissé de tuyaux, de flèches, de dômes, de pignons, baigné de brume et de fumée, si beau, si
pittoresque, que je ne regrettai pas d'avoir perdu mon
corps. Le Louvre m'apparut blanc et noir, son fleuve à
ses pieds, ses jardins verts à l'autre bout. La foule s'y
portait ; il y avait exposition : j'entrai. Les murailles

flamboyaient diaprées de peintures nouvelles, chamarrées de cadres d'or richement sculptés. Les bourgeois allaient, venaient, se coudoyaient, se marchaient sur les pieds, ouvraient des yeux hébétés, se consultaient les uns les autres comme des gens dont on n'a pas encore fait l'avis, et qui ne savent ce qu'ils doivent penser et dire. Dans la grand-salle, au milieu des tableaux de nos jeunes grands maîtres, Delacroix, Ingres, Decamps, j'aperçus mon tableau à moi : la foule se serrait autour, c'était un rugissement d'admiration ; ceux qui étaient derrière et ne voyaient rien criaient deux fois plus fort : Prodigieux ! prodigieux ! Mon tableau me sembla à moi-même beaucoup mieux qu'auparavant, et je me sentis saisi d'un profond respect pour ma propre personne. Cependant, à toutes ces formules admiratives se mêlait un nom qui n'était pas le mien ; je vis qu'il y avait là-dessous quelque surpercherie. J'examinai la toile avec attention : un nom en petits caractères rouges était écrit à l'un de ses coins. C'était celui d'un de mes amis qui, me voyant mort, ne s'était pas fait scrupule de s'approprier mon œuvre. Oh ! alors, que je regrettai mon pauvre corps ! Je ne pouvais ni parler, ni écrire ; je n'avais aucun moyen de réclamer ma gloire et de démasquer l'infâme plagiaire. Le cœur navré, je me retirai tristement pour ne pas assister à ce triomphe qui m'était dû. Je voulus voir Jacintha. J'allai chez elle, je ne la trouvai pas ; je la cherchai vainement dans plusieurs maisons où je pensais qu'elle pourrait être. Ennuyé d'être seul, quoiqu'il fût déjà tard, l'envie me prit d'aller au spectacle ; j'entrai à la Porte-Saint-Martin, je fis réflexion que mon nouvel état avait cela d'agréable que je passais partout sans payer. La pièce finissait, c'était la catastrophe. Dorval, l'œil sanglant, noyée de larmes, les lèvres bleues, les tempes livides, échevelée, à moitié nue, se tordait sur l'avant-scène à deux pas de la rampe. Bocage [15], fatal et silencieux, se tenait debout dans le

---

15. *Bocage*, Pierre Tousez, dit Bocage (1797-1863), acteur français qui s'est illustré avec Marie Dorval dans l'interprétation du drame romantique. Gautier parle fréquemment de lui dans son *Histoire de l'art dramatique en France* et lui consacra un article nécrologique dans *Le Moniteur*.

fond : tous les mouchoirs étaient en jeu ; les sanglots
brisaient les corsets ; un tonnerre d'applaudissements en-
trecoupait chaque râle de la tragédienne ; le parterre, noir
de têtes, houlait comme une mer ; les loges se penchaient
sur les galeries, les galeries sur le balcon. La toile tomba :
je crus que la salle allait crouler : c'étaient des battements
de mains, des trépignements, des hurlements ; or, cette
pièce était ma pièce : jugez ! J'étais grand à toucher le
plafond. Le rideau se leva, on jeta à cette foule le nom de
l'auteur.

« Ce n'était pas le mien, c'était le nom de l'ami qui
m'avait déjà volé mon tableau. Les applaudissements
redoublèrent. On voulait traîner l'auteur sur le théâtre : le
monstre était dans une loge obscure avec Jacintha. Quand
on proclama son nom, elle se jeta à son cou, et lui appuya
sur la bouche le baiser le plus enragé que jamais femme
ait donné à un homme. Plusieurs personnes la virent ; elle
ne rougit même pas : elle était si enivrée, si folle et si fière
de son succès, qu'elle se serait, je crois, prostituée à lui
dans cette loge et devant tout le monde. Plusieurs voix
crièrent : Le voilà ! le voilà ! Le drôle prit un air modeste,
et salua profondément. Le lustre, qui s'éteignit, mit fin à
cette scène. Je n'essayerai pas de décrire ce qui se passait
dans moi ; la jalousie, le mépris, l'indignation se heurtaient dans mon âme ; c'était un orage d'autant plus furieux que je n'avais aucun moyen de le mettre au-dehors :
la foule s'écoula, je sortis du théâtre ; j'errai quelque
temps dans la rue, ne sachant où aller. La promenade ne
me réjouissait guère. Il sifflait une bise piquante : ma
pauvre âme, frileuse comme l'était mon corps, grelottait
et mourait de froid. Je rencontrai une fenêtre ouverte,
j'entrai, résolu de gîter dans cette chambre jusqu'au lendemain. La fenêtre se ferma sur moi : j'aperçus assis dans
une grande bergère à ramages un personnage des plus
singuliers. C'était un grand homme, maigre, sec, poudré
à frimas, la figure ridée comme une vieille pomme, une
énorme paire de besicles à cheval sur un maître-nez,
baisant presque le menton. Une petite estafilade transversale, semblable à une ouverture de tirelire, enfouie sous
une infinité de plis et de poils roides comme des soies de

sanglier, représentait tant bien que mal ce que nous ap-
pellerons une bouche, faute d'autre terme. Un antique
habit noir, limé jusqu'à la corde, blanc sur toutes les
coutures, une veste d'étoffe changeante, une culotte
courte, des bas chinés et des souliers à boucles : voilà
pour le costume. A mon arrivée, ce digne personnage se
leva, et alla prendre dans une armoire deux brosses faites
d'une manière spéciale : je n'en pus deviner d'abord
l'usage ; il en prit une dans chaque main, et se mit à
parcourir la chambre avec une agilité surprenante comme
s'il poursuivait quelqu'un, et choquant ses brosses l'une
contre l'autre du côté des barbes ; je compris alors que
c'était le fameux M. Berbiguier de Terre-Neuve-du-
Thym, qui faisait la chasse aux farfadets ; j'étais fort
inquiet de ce qui allait arriver, il semblait que cet hétéro-
clite individu eût la faculté de voir l'invisible, il me
suivait exactement, et j'avais toutes les peines du monde
à lui échapper. Enfin, il m'accula dans une encoignure, il
brandit ses deux fatales brosses, des millions de dards me
criblèrent l'âme, chaque crin faisait un trou, la douleur
était insoutenable : oubliant que je n'avais ni langue, ni
poitrine, je fis de merveilleux efforts pour crier ; et... »

Onuphrius en était là de son rêve lorsque j'entrai dans
l'atelier : il criait effectivement à pleine gorge ; je le
secouai, il se frotta les yeux et me regarda d'un air
hébété ; enfin il me reconnut, et me raconta, ne sachant
trop s'il avait veillé ou dormi, la série de ses tribulations
que l'on vient de lire ; ce n'était pas, hélas ! les dernières
qu'il devait éprouver réellement ou non. Depuis cette nuit
fatale, il resta dans un état d'hallucination presque perpétuel qui ne lui permettait pas de distinguer ses rêveries
d'avec le vrai. Pendant qu'il dormait, Jacintha avait envoyé chercher le portrait ; elle aurait bien voulu y aller
elle-même, mais sa robe tachée l'avait trahie auprès de sa
tante, dont elle n'avait pu tromper la surveillance.

Onuphrius, on ne peut plus désappointé de ce contretemps, se jeta dans un fauteuil, et, les coudes sur la table,
se prit tristement à réfléchir ; ses regards flottaient devant
lui sans se fixer particulièrement sur rien : le hasard fit
qu'ils tombèrent sur une grande glace de Venise à bor-

dure de cristal, qui garnissait le fond de l'atelier ; aucun
rayon de jour ne venait s'y briser, aucun objet ne s'y
réfléchissait assez exactement pour que l'on pût en apercevoir les contours : cela faisait un espace vide dans la
muraille, une fenêtre ouverte sur le néant, d'où l'esprit
pouvait plonger dans les mondes imaginaires. Les prunelles d'Onuphrius fouillaient ce prisme profond et sombre, comme pour en faire jaillir quelque apparition. Il se
pencha, il vit son reflet double [16], il pensa que c'était une
illusion d'optique ; mais en examinant plus attentivement,
il trouva que le second reflet ne lui ressemblait en aucune
façon ; il crut que quelqu'un était entré dans l'atelier sans
qu'il l'eût entendu : il se retourna. Personne. L'ombre
continuait cependant à se projeter dans la glace, c'était un
homme pâle, ayant au doigt un gros rubis, pareil au
mystérieux rubis qui avait joué un rôle dans les fantasmagories de la nuit précédente. Onuphrius commençait à se
sentir mal à l'aise. Tout à coup le reflet sortit de la glace,
descendit dans la chambre, vint droit à lui, le força à
s'asseoir, et, malgré sa résistance, lui enleva le dessus de
la tête comme on ferait de la calotte d'un pâté. L'opération finie, il mit le morceau dans sa poche, et s'en
retourna par où il était venu. Onuphrius, avant de le
perdre tout à fait de vue dans les profondeurs de la glace,
apercevait encore à une distance incommensurable son
rubis qui brillait comme une comète. Du reste, cette
espèce de trépan ne lui avait fait aucun mal. Seulement,
au bout de quelques minutes, il entendit un bourdonnement étrange au-dessus de sa tête ; il leva les yeux, et vit
que c'étaient ses idées qui, n'étant plus contenues par la
voûte du crâne, s'échappaient en désordre comme des
oiseaux dont on ouvre la cage. Chaque idéal de femme
qu'il avait rêvé sortit avec son costume, son parler, son
attitude (nous devons dire à la louange d'Onuphrius
qu'elles avaient l'air de sœurs jumelles de Jacintha), les
héroïnes des romans qu'il avait projetés ; chacune de ces

---

16. *son reflet double*, il s'agit d'un héritage d'Hoffmann, mais la
scène annonce en quelque sorte *Le Horla*, à la différence que chez
Maupassant le tragique est accru du fait que le double dévore le reflet.

dames avait son cortège d'amants, les unes en cotte armoriée du Moyen Age, les autres en chapeaux et en robe de dix-huit cent trente-deux. Les types qu'il avait créés grandioses, grotesques ou monstrueux, les esquisses de ses tableaux à faire, de toute nation et de tout temps, ses idées métaphysiques sous la forme de petites bulles de savon, les réminiscences de ses lectures, tout cela sortit pendant une heure au moins : l'atelier en était plein. Ces dames et ces messieurs se promenaient en long et en large sans se gêner le moins du monde, causant, riant, se disputant, comme s'ils eussent été chez eux.

Onuphrius, abasourdi, ne sachant où se mettre, ne trouva rien de mieux à faire que de leur céder la place ; lorsqu'il passa sous la porte, le concierge lui remit deux lettres ; deux lettres de femmes, bleues, ambrées, l'écriture petite, le pli long, le cachet rose.

La première était de Jacintha, elle était conçue ainsi :

« Monsieur, vous pouvez bien avoir mademoiselle de *** pour maîtresse si cela vous fait plaisir ; quant à moi, je ne veux plus l'être, tout mon regret est de l'avoir été. Vous m'obligerez beaucoup de ne pas chercher à me revoir. »

Onuphrius était anéanti ; il comprit que c'était la maudite ressemblance du portrait qui était cause de tout ; ne se sentant pas coupable, il espéra qu'avec le temps tout s'éclaircirait à son avantage. La seconde lettre était une invitation de soirée.

— Bon ! dit-il, j'irai, cela me distraira un peu et dissipera toutes ces vapeurs noires. L'heure vint ; il s'habilla, la toilette fut longue ; comme tous les artistes (quand ils ne sont pas sales à faire peur), Onuphrius était recherché dans sa mise, non que ce fût un fashionable, mais il cherchait à donner à nos pitoyables vêtements un galbe pittoresque, une tournure moins prosaïque. Il se modelait sur un beau Van Dyck qu'il avait dans son atelier, et vraiment il y ressemblait à s'y méprendre. On eût dit le portrait descendu du cadre ou la réflexion de la peinture dans un miroir [17].

17. *dans un miroir*, le portrait qui s'échappe de son cadre est un thème traditionnel de la littérature fantastique. Quant au miroir, il

Il y avait beaucoup de monde ; pour arriver à la maîtresse de la maison il lui fallut fendre un flot de femmes,
et ce ne fut pas sans froisser plus d'une dentelle, aplatir
plus d'une manche, noircir plus d'un soulier, qu'il y put
parvenir ; après avoir échangé les deux ou trois banalités
d'usage, il tourna sur ses talons, et se mit à chercher
quelque figure amie dans toute cette cohue. Ne trouvant
personne de connaissance, il s'établit dans une causeuse à
l'embrasure d'une croisée, d'où, à demi caché par les
rideaux, il pouvait voir sans être vu, car depuis la fantastique évaporation de ses idées, il ne se souciait pas d'entrer en conversation ; il se croyait stupide quoiqu'il n'en
fût rien ; le contact du monde l'avait remis dans la réalité.

La soirée était des plus brillantes. Un coup d'œil magnifique ! Cela reluisait, chatoyait, scintillait ; cela bour-
donnait, papillonnait, tourbillonnait. Des gazes comme
des ailes d'abeilles, des tulles, des crêpes, des blondes,
lamés, côtelés, ondés, découpés, déchiquetés à jour ; toiles d'araignée, air filé, brouillard tissu ; de l'or et de
l'argent, de la soie et du velours, des paillettes, du clin-
quant, des fleurs, des plumes, des diamants et des perles ;
tous les écrins vidés, le luxe de tous les mondes à contri-
bution. Un beau tableau, sur ma foi ! Les girandoles de
cristal étincelaient comme des étoiles ; des gerbes de
lumière, des iris prismatiques s'échappaient des pierreries ; les épaules des femmes, lustrées, satinées, trempées
d'une molle sueur, semblaient des agates ou des onyx
dans l'eau ; les yeux papillotaient, les gorges battaient la
campagne, les mains s'étreignaient, les têtes penchaient,
les écharpes allaient au vent, c'était le beau moment ; la
musique étouffée par les voix, les voix par le frôlement
des petits pieds sur le parquet et le frou-frou des robes,
tout cela formait une harmonie de fête, un bruissement
joyeux à enivrer le plus mélancolique, à rendre fou tout
autre qu'un fou.

Pour Onuphrius, il n'y prenait pas garde, il songeait à
Jacintha.

---

représente chez Gautier un instrument privilégié du fantastique, particulièrement dans *Spirite* (éd. Nizet, p. 82-86).

Tout à coup son œil s'alluma, il avait vu quelque chose d'extraordinaire : un jeune homme qui venait d'entrer ; il pouvait avoir vingt-cinq ans, un frac noir, le pantalon pareil, un gilet de velours rouge taillé en pourpoint, des gants blancs, un binocle d'or, des cheveux en brosse, une barbe rousse à la Saint-Mégrin[18], il n'y avait là rien d'étrange, plusieurs merveilleux avaient le même costume ; ces traits étaient parfaitement réguliers, son profil fin et correct eût fait envie à plus d'une petite-maîtresse, mais il y avait tant d'ironie dans cette bouche pâle et mince, dont les coins fuyaient perpétuellement sous l'ombre de leurs moustaches fauves, tant de méchanceté dans cette prunelle qui flamboyait à travers la glace du lorgnon comme l'œil d'un vampire, qu'il était impossible de ne pas le distinguer entre mille.

Il se déganta. Lord Byron ou Bonarparte se fussent honorés de sa petite main aux doigts ronds et effilés, si frêle, si blanche, si transparente, qu'on eût craint de la briser en la serrant ; il portait un gros anneau à l'index, le chaton était le fatal rubis ; il brillait d'un éclat si vif, qu'il vous forçait à baisser les yeux.

Un frisson courut dans les cheveux d'Onuphrius.

La lumière des candélabres devint blafarde et verte ; les yeux des femmes et les diamants s'éteignirent ; le rubis radieux étincelait seul au milieu du salon obscurci comme un soleil dans la brume.

L'enivrement de la fête, la folie du bal étaient au plus haut degré ; personne, Onuphrius excepté, ne fit attention à cette circonstance ; ce singulier personnage se glissait comme une ombre entre les groupes, disant un mot à celui-ci, donnant une poignée de main à celui-là, saluant les femmes avec un air de respect dérisoire et de galanterie exagérée qui faisait rougir les unes et mordre les lèvres aux autres ; on eût dit que son regard de lynx et de loup-cervier plongeait au profond de leur cœur ; un satanique dédain perçait dans ses moindres mouvements, un imperceptible clignement d'œil, un pli du front, l'ondu-

---

18. *Saint-Mégrin,* Paul de Stuce de Caussade, comte de, l'un des « mignons » de Henri III et premier gentilhomme de la chambre du roi.

lation des sourcils, la proéminence que conservait toujours sa lèvre inférieure, même dans son détestable demi-sourire, tout trahissait en lui, malgré la politesse de ses manières et l'humilité de ses discours, des pensées d'orgueil qu'il aurait voulu réprimer.

Onuphrius, qui le couvait des yeux, ne savait que penser; s'il n'eût pas été en si nombreuse compagnie, il aurait eu grand-peur.

Il s'imagina même un instant reconnaître le personnage qui lui avait enlevé le dessus de la tête; mais il se convainquit bientôt que c'était une erreur. Plusieurs personnes s'approchèrent, la conversation s'engagea; la persuasion où il était qu'il n'avait plus d'idées les lui ôtait effectivement; inférieur à lui-même, il était au niveau des autres; on le trouva charmant et beaucoup plus spirituel qu'à l'ordinaire. Le tourbillon emporta ses interlocuteurs, il resta seul; ses idées prirent un autre cours; il oublia le bal, l'inconnu, le bruit lui-même et tout; il était à cent lieues.

Un doigt se posa sur son épaule, il tressaillit comme s'il se fût réveillé en sursaut. Il vit devant lui madame de ***, qui depuis un quart d'heure se tenait debout sans pouvoir attirer son attention.

— Eh bien! Monsieur, à quoi pensez-vous donc? A moi, peut-être?

— A rien, je vous jure.

Il se leva, madame de *** prit son bras; ils firent quelques tours. Après plusieurs propos:

— J'ai une grâce à vous demander.

— Parlez, vous savez bien que je ne suis pas cruel surtout avec vous.

— Récitez à ces dames la pièce de vers que vous m'avez dite l'autre jour, je leur en ai parlé, elles meurent d'envie de l'entendre.

A cette proposition, le front d'Onuphrius se rembrunit, il répondit par un *non* bien accentué; madame de *** insista comme les femmes savent insister. Onuphrius résista autant qu'il le fallait pour se justifier à ses propres yeux de ce qu'il appelait une faiblesse, et finit par céder, quoique d'assez mauvaise grâce.

Madame de ***, triomphante, le tenant par le bout du doigt pour qu'il ne pût s'esquiver, l'amena au milieu du cercle, et lui lâcha la main; la main tomba comme si elle eût été morte. Onuphrius, décontenancé, promenait autour de lui des regards mornes et effarés comme un taureau sauvage que le picador vient de lancer dans le cirque. Le dandy à barbe rouge était là, retroussant ses moustaches et considérant Onuphrius d'un air de méchanceté satisfaite. Pour faire cesser cette situation pénible, madame de *** lui fit signe de commencer. Il exposa le sujet de sa pièce, et en dit le titre d'une voix assez mal assurée. Le bourdonnement cessa, les chuchotements se turent, on se disposa à écouter, un grand silence se fit.

Onuphrius était debout, la main sur le dos d'un fauteuil qui lui servait comme de tribune. Le dandy vint se placer tout à côté, si près qu'il le touchait; quand il vit qu'Onuphrius allait ouvrir la bouche, il tira de sa poche une spatule d'argent et un réseau de gaze, emmanché à l'un de ses bouts d'une petite baguette d'ébène; la spatule était chargée d'une substance mousseuse et rosâtre, assez semblable à la crème qui remplit les meringues, qu'Onuphrius reconnut aussitôt pour des vers de Dorat, de Boufflers, de Bernis et de M. le chevalier de Pezay [19], réduits à l'état de bouillie ou de gélatine. Le réseau était vide.

Onuphrius, craignant que le dandy ne lui jouât quelque tour, changea le fauteuil de place, et s'assit dedans; l'homme aux yeux verts [20] vint se planter juste derrière lui; ne pouvant plus reculer, Onuphrius commença. A peine la dernière syllabe du premiers vers s'était-elle envolée de sa lèvre, que le dandy, allongeant son réseau avec une dextérité merveilleuse, la saisit au vol, et l'intercepta avant que le son eût le temps de parvenir à l'oreille de l'assemblée; et puis, brandissant sa spatule il lui fourra dans la bouche une cuillerée de son insipide

---

19. *Pezay*, allusion à la poésie mièvre, affectée et ornementée du xviiie siècle. Alexandre Masson, marquis de Pezay (1741-1777), fut un disciple de Dorat et se consacra à la carrière militaire.

20. *yeux verts*, dans *Onuphrius*, Gautier applique au diable les deux couleurs par lesquelles il le définit : la « barbe rouge » et les « yeux verts ».

mélange. Onuphrius eût bien voulu s'arrêter ou se sauver ; mais une chaîne magique le clouait au fauteuil. Il lui fallut continuer et cracher cette odieuse mixture en friperies mythologiques et en madrigaux quintessenciés. Le manège se renouvelait à chaque vers ; personne, cependant, n'avait l'air de s'en apercevoir.

Les pensées neuves, les belles rimes d'Onuphrius, diaprées de mille couleurs romantiques, se débattaient et sautelaient dans la résille comme des poissons dans un filet ou des papillons sous un mouchoir.

Le pauvre poète était à la torture, des gouttes de sueur ruisselaient de ses tempes. Quand tout fut fini, le dandy prit délicatement les rimes et les pensées d'Onuphrius par les ailes et les serra dans son portefeuille.

— Bien, très bien, dirent quelques hommes poètes ou artistes en se rapprochant d'Onuphrius, un délicieux pastiche, un admirable pastel, du Watteau tout pur, de la régence à s'y tromper, des mouches, de la poudre et du fard, comment diable as-tu fait pour grimer ainsi ta poésie ? C'est d'un rococo admirable ; bravo, bravo, d'honneur, une plaisanterie fort spirituelle ! Quelques dames l'entourèrent et dirent aussi : Délicieux ! en ricanant d'une manière à montrer qu'elles étaient au-dessus de semblables bagatelles quoique au fond du cœur elles trouvassent cela charmant et se fussent très fort accommodées d'une pareille poésie pour leur consommation particulière.

— Vous êtes tous des brigands ! s'écria Onuphrius d'une voix de tonnerre en renversant sur le plateau le verre d'eau sucrée qu'on lui présentait. C'est un coup monté, une mystification complète ; vous m'avez fait venir ici pour être le jouet du diable, oui, de Satan en personne, ajouta-t-il en désignant du doigt le fashionable à gilet écarlate.

Après cette algarade, il enfonça son chapeau sur ses yeux et sortit sans saluer.

— Vraiment, dit le jeune homme en refourrant sous les basques de son habit une demi-aune de queue velue qui venait de s'échapper et qui se déroulait en frétillant, me prendre pour le diable, l'invention est plaisante ! Décidément, ce pauvre Onuphrius est fou. Me ferez-vous

l'honneur de danser cette contredanse avec moi, mademoiselle ? reprit-il, un instant après, en baisant la main
d'une angélique créature de quinze ans, blonde et nacrée,
un idéal de Lawrence.

— Oh! mon Dieu, oui, dit la jeune fille avec son
sourire ingénu, levant ses longues paupières soyeuses
laissant nager vers lui ses beaux yeux couleur du ciel.

Au mot Dieu, un long jet sulfureux s'échappa du rubis,
la pâleur du réprouvé doubla; la jeune fille n'en vit rien;
et quand elle l'aurait vu? elle l'aimait!

Quand Onuphrius fut dans la rue, il se mit à courir de
toutes ses forces; il avait la fièvre, il délirait, il parcourut
au hasard une infinité de ruelles et de passages. Le ciel
était orageux, les girouettes grinçaient, les volets battaient les murs, les marteaux des portes retentissaient, les
vitrages s'éteignaient successivement; le roulement des
voitures se perdait dans le lointain; quelques piétons
attardés longeaient les maisons, quelques filles de joie
traînaient leurs robes de gaze dans la boue; les réverbères, bercés par le vent, jetaient des lueurs rouges et
échevelées sur les ruisseaux gonflés de pluie; les oreilles
d'Onuphrius tintaient; toutes les rumeurs étouffées de la
nuit, le ronflement d'une ville qui dort, l'aboi d'un chien,
le miaulement d'un matou, le son de la goutte d'eau
tombant du toit, le quart sonnant à l'horloge gothique, les
lamentations de la bise, tous ces bruits du silence agitaient convulsivement ses fibres, tendues à rompre par les
événements de la soirée. Chaque lanterne était un œil
sanglant qui l'espionnait; il croyait voir grouiller dans
l'ombre des formes sans nom, pulluler sous ses pieds des
reptiles immondes; il entendait des ricanements diaboliques, des chuchotements mystérieux. Les maisons val-
saient autour de lui; le pavé ondait, le ciel s'abaissait
comme une coupole dont on aurait brisé les colonnes; les
nuages couraient, couraient, couraient, comme si le diable les eût emportés; une grande cocarde tricolore avait
remplacé la lune. Les rues et les ruelles s'en allaient bras
dessus bras dessous, caquetant comme de vieilles portières; il en passa beaucoup de la sorte. La maison de
madame de *** passa. On sortait du bal, il y avait en-

combrement à la porte ; on jurait, on appelait les équipa-
ges. Le jeune homme au réseau descendit ; il donnait le
bras à une dame ; cette dame n'était autre que Jacintha ; le
marchepied de la voiture s'abaissa, le dandy lui présenta
la main ; ils montèrent ; la fureur d'Onuphrius était au
comble ; décidé à éclaircir cette affaire, il croisa ses bras
sur sa poitrine, et se planta au milieu du chemin. Le
cocher fit claquer son fouet, une myriade d'étincelles
jaillit du pied des chevaux. Ils partirent au galop ; le
cocher cria : Gare ! il ne se dérangea pas : les chevaux
étaient lancés trop fort pour qu'on pût les retenir. Jacintha
poussa un cri ; Onuphrius crut que c'était fait de lui ; mais
chevaux, cocher, voiture, n'étaient qu'une vapeur que
son corps divisa comme l'arche d'un pont fait d'une
masse d'eau qui se rejoint ensuite. Les morceaux du
fantastique équipage se réunirent à quelques pas derrière
lui, et la voiture continua à rouler comme s'il ne fût rien
arrivé. Onuphrius, atterré, la suivit des yeux : il entrevit
Jacintha, qui, ayant levé le store, le regardait d'un air
triste et doux, et le dandy à barbe rouge qui riait comme
une hyène ; un angle de la rue l'empêcha d'en voir davantage ; inondé de sueur, pantelant, crotté jusqu'à
l'échine, pâle, harassé de fatigue et vieilli de dix ans,
Onuphrius regagna péniblement le logis. Il faisait grand
jour comme la veille ; en mettant le pied sur le seuil il
tomba évanoui. Il ne sortit de sa pâmoison qu'au bout
d'une heure ; une fièvre furieuse y succéda. Sachant Onuphrius en danger, Jacintha oublia bien vite sa jalousie et
sa promesse de ne plus le voir ; elle vint s'établir au
chevet de son lit, et lui prodigua les soins et les caresses
les plus tendres. Il ne la reconnaissait pas ; huit jours se
passèrent ainsi ; la fièvre diminua ; son corps se rétablit,
mais non pas sa raison ; il s'imaginait que le diable lui
avait escamoté son corps, se fondant sur ce qu'il n'avait
rien senti lorsque la voiture lui avait passé dessus.

L'histoire de Pierre Schlemil, dont le diable avait pris
l'ombre ; celle de la nuit de Saint-Sylvestre, où un homme
perd son reflet, lui revinrent en mémoire [21] ; il s'obstinait

---

21. *en mémoire,* le chapitre IV et dernier des *Aventures de la nuit de
la Saint-Sylvestre* d'Hoffmann s'intitule « L'Histoire du reflet perdu ».

à ne pas voir son image dans les glaces et son ombre sur le plancher, chose toute naturelle, puisqu'il n'était qu'une substance impalpable; on avait beau le frapper, le pincer, pour lui démontrer le contraire, il était dans un état de somnambulisme et de catalepsie qui ne lui permettait pas de sentir même les baisers de Jacintha.

La lumière s'était éteinte dans la lampe; cette belle imagination, surexcitée par des moyens factices, s'était usée en de vaines débauches; à force d'être spectateur de son existence, Onuphrius avait oublié celle des autres, et les liens qui le rattachaient au monde s'étaient brisés un à un.

Sorti de l'arche du réel, il s'était lancé dans les profondeurs nébuleuses de la fantaisie et de la métaphysique; mais il n'avait pu revenir avec le rameau d'olive; il n'avait pas rencontré la terre sèche où poser le pied et n'avait pas su retrouver le chemin par où il était venu; il ne put, quand le vertige le prit d'être si haut et si loin, redescendre comme il l'aurait souhaité, et renouer avec le monde positif. Il eût été capable, sans cette tendance funeste, d'être le plus grand des poètes; il ne fut que le plus singulier des fous. Pour avoir trop regardé sa vie à la loupe, car son fantastique, il le prenait presque toujours dans les événements ordinaires, il lui arriva ce qui arrive à ces gens qui aperçoivent, à l'aide du microscope, des vers dans les aliments les plus sains, des serpents dans les liqueurs les plus limpides. Ils n'osent plus manger; la chose la plus naturelle, grossie par son imagination, lui paraissait monstrueuse.

M. le docteur Esquirol [22] fit, l'année passée, un tableau statistique de la folie.

Fous par amour	Hommes	2	Femmes	60
— par dévotion	—	6	—	20
— par politique	—	48	—	3
— perte de fortune	—	27	—	24
Pour cause inconnue.	—	1		

22. *Jean-Étienne-Dominique Esquirol* (1772-1840) fut en France l'un des créateurs de la psychiatrie. Il dirigea la Salpêtrière, puis l'hospice de Charenton. Il consacra ses recherches aux maladies mentales et fut le maître de Moreau de Tours, qui lui a dédié *Du hachisch*.

Celui-là, c'est notre pauvre ami.

Et Jacintha ? Ma foi, elle pleura quinze jours, fut triste quinze autres, et, au bout d'un mois, elle prit plusieurs amants, cinq ou six, je crois, pour faire la monnaie d'Onuphrius ; un an après, elle l'avait totalement oublié, et ne se souvenait même plus de son nom. N'est-ce pas, lecteur [23], que cette fin est bien commune pour une histoire extraordinaire ? Prenez-la ou laissez-la, je me couperais la gorge plutôt que de mentir d'une syllabe.

---

23. *lecteur,* ce n'est qu'exceptionnellement que le narrateur interpelle directement le lecteur dans les récits fantastiques de Gautier. Il use le plus souvent dans ce cas du *Vous.*

OMPHALE

HISTOIRE ROCOCO [1]

1. *Omphale ou la tapisserie amoureuse* a été publié dans le *Journal des gens du monde*, 7 février 1834, puis sous le titre d'*Omphale, histoire rococo*, dans *Une larme du diable*, Desessart, 1839 et dans *Nouvelles*, Charpentier, 1845.

Pour Gautier, le terme rococo définit un type d'art et d'architecture, correspondant à une époque qui s'étend de Louis XIII à Louis XV. «Je me sers ici du mot *rococo* faute d'un autre, sans y attacher aucun sens mauvais, pour désigner une période d'art qui n'est ni l'Antiquité, ni le Moyen Age, ni la Renaissance, et qui, dans son genre, est tout aussi originale et tout aussi admirable» (*Caprices et zigzags*, Hachette, 1856, p. 60). *Omphale* est une «histoire rococo» par le décor dans lequel elle s'inscrit.

Mon oncle, le chevalier de ***, habitait une petite maison donnant d'un côté sur la triste rue des Tournelles et de l'autre sur le triste boulevard Saint-Antoine. Entre le boulevard et le corps du logis, quelques vieilles charmilles, dévorées d'insectes et de mousse, étiraient piteusement leurs bras décharnés au fond d'une espèce de cloaque encaissé par de noires et hautes murailles. Quelques pauvres fleurs étiolées penchaient languissamment la tête comme des jeunes filles poitrinaires, attendant qu'un rayon de soleil vînt sécher leurs feuilles à moitié pourries. Les herbes avaient fait irruption dans les allées, qu'on avait peine à reconnaître, tant il y avait longtemps que le râteau ne s'y était promené. Un ou deux poissons rouges flottaient plutôt qu'ils ne nageaient dans un bassin couvert de lentilles d'eau et de plantes de marais.

Mon oncle appelait cela son jardin.

Dans le jardin de mon oncle, outre toutes les belles choses que nous [2] venons de décrire, il y avait un pavillon passablement maussade, auquel, sans doute par antiphrase, il avait donné le nom de *Délices*. Il était dans un état de dégradation complète. Les murs faisaient ventre ; de larges plaques de crépi s'étaient détachées et gisaient à terre entre les orties et la folle avoine ; une moisissure putride verdissait les assises inférieures ; les bois des volets et des portes avaient joué, et ne fermaient plus ou fort mal. Une espèce de gros pot à feu avec des effluves

2. *nous*, dans *Omphale*, le narrateur se dédouble en Je et Nous, le Je correspondant au personnage-narrateur et le Nous au narrateur proprement dit.

rayonnantes formait la décoration de l'entrée principale ; car, au temps de Louis XV, temps de la construction des *Délices,* il y avait toujours, par précaution, deux entrées. Des oves, des chicorées et des volutes surchargeaient la corniche toute démantelée par l'infiltration des eaux pluviales. Bref, c'était une fabrique assez lamentable à voir que les *Délices* de mon oncle le chevalier de ***.

Cette pauvre ruine d'hier, aussi délabrée que si elle eût eu mille ans, ruine de plâtre et non de pierre, toute ridée, toute gercée, couverte de lèpre, rongée de mousse et de salpêtre, avait l'air d'un de ces vieillards précoces, usés par de sales débauches ; elle n'inspirait aucun respect, car il n'y a rien d'aussi laid et d'aussi misérable au monde qu'une vieille robe de gaze et un vieux mur de plâtre, deux choses qui ne doivent pas durer et qui durent.

C'était dans ce pavillon que mon oncle m'avait logé.

L'intérieur n'en était pas moins *rococo* que l'extérieur, quoiqu'un peu mieux conservé. Le lit était de lampas jaune à grandes fleurs blanches. Une pendule de rocaille posait sur un piédouche incrusté de nacre et d'ivoire. Une guirlande de roses pompon circulait coquettement autour d'une glace de Venise ; au-dessus des portes les quatre saisons étaient peintes en camaïeu. Une belle dame, poudrée à frimas, avec un corset bleu de ciel et une échelle de rubans de la même couleur, un arc dans la main droite, une perdrix dans la main gauche, un croissant sur le front, un lévrier à ses pieds, se prélassait et souriait le plus gracieusement du monde dans un large cadre ovale. C'était une des anciennes maîtresses de mon oncle, qu'il avait fait peindre en Diane. L'ameublement, comme on voit, n'était pas des plus modernes. Rien n'empêchait que l'on ne se crût au temps de la Régence, et la tapisserie mythologique qui tendait les murs complétait l'illusion on ne peut mieux.

La tapisserie représentait Hercule filant aux pieds d'Omphale. Le dessin était tourmenté à la façon de Van Loo [3] et dans le style le plus *Pompadour* qu'il soit possible

<hr />

3. *Van Loo,* il existe au XVIIIe siècle quatre peintres Van Loo. La chronologie et le contexte laissent entendre qu'il doit s'agir de Charles-

d'imaginer. Hercule avait une quenouille entourée d'une faveur couleur de rose ; il relevait son petit doigt avec une grâce toute particulière, comme un marquis qui prend une prise de tabac, en faisant tourner, entre son pouce et son index, une blanche flammèche de filasse ; son cou nerveux était chargé de nœuds de rubans, de rosettes, de rangs de perles et de mille affiquets féminins ; une large jupe gorge de pigeon, avec deux immenses paniers, achevait de donner un air tout à fait galant au héros vainqueur de monstres.

Omphale avait ses blanches épaules à moitié couvertes par la peau du lion de Némée ; sa main frêle s'appuyait sur la noueuse massue de son amant ; ses beaux cheveux blond cendré avec un œil de poudre descendaient nonchalamment le long de son cou, souple et onduleux comme un cou de colombe ; ses petits pieds, vrais pieds d'Espagnole ou de Chinoise, et qui eussent été au large dans la pantoufle de verre de Cendrillon, étaient chaussés de cothurnes demi-antiques, lilas tendre, avec un semis de perles. Vraiment elle était charmante ! Sa tête se rejetait en arrière d'un air de crânerie adorable ; sa bouche se plissait et faisait une délicieuse petite moue ; sa narine était légèrement gonflée, ses joues un peu allumées ; un *assassin* [4], savamment placé, en rehaussait l'éclat d'une façon merveilleuse ; il ne lui manquait qu'une petite moustache pour faire un mousquetaire accompli.

Il y avait encore bien d'autres personnages dans la tapisserie, la suivante obligée, le petit Amour de rigueur ; mais ils n'ont pas laissé dans mon souvenir une silhouette assez distincte pour que je les puisse décrire.

En ce temps-là j'étais fort jeune, ce qui ne veut pas dire que je sois très vieux aujourd'hui ; mais je venais de sortir du collège, et je restais chez mon oncle en attendant que j'eusse fait choix d'une profession. Si le bonhomme avait pu prévoir que j'embrasserais celle de conteur fantasti-

André, dit Carle (1705-1765) ou éventuellement de Louis-Michel (1707-1771). C'est également du premier dont parle Gautier dans le *Guide de l'amateur au musée du Louvre*.

4. *assassin*, « autrefois et figurément, petite mouche noire que les femmes se mettaient au-dessous de l'œil » (Littré).

que [5], nul doute qu'il ne m'eût mis à la porte et déshérité
irrévocablement ; car il professait pour la littérature en
général, et les auteurs en particulier, le dédain le plus
aristocratique. En vrai gentilhomme qu'il était, il voulait
faire pendre ou rouer de coups de bâton, par ses gens,
tous ces petits grimauds qui se mêlent de noircir du papier
et parlent irrévérencieusement des personnes de qualité.
Dieu fasse paix à mon pauvre oncle ! mais il n'estimait
réellement au monde que l'épître à Zétulbé [6].

Donc je venais de sortir du collège. J'étais plein de
rêves et d'illusions ; j'étais naïf autant et peut-être plus
qu'une rosière de Salency [7]. Tout heureux de ne plus
avoir de *pensums* à faire, je trouvais que tout était pour le
mieux dans le meilleur des mondes possibles. Je croyais à
une infinité de choses ; je croyais à la bergère de M. de
Florian, aux moutons peignés et poudrés à blanc ; je ne
doutais pas un instant du troupeau de madame Deshoulières [8]. Je pensais qu'il y avait effectivement neuf muses,
comme l'affirmait l'*Appendix de Diis et Heroïbus* du père
Jouvency [9]. Mes souvenirs de Berquin et de Gessner [10]

5. *conteur fantastique*, de même que dans la préface des *Jeunes-
France*, dans *Onuphrius* et *Fortunio*, le narrateur assume volontairement le rôle de conteur ou de romancier fantastique. *Spirite* (1866)
portera le sous-titre de « nouvelle fantastique ».
6. *l'épître à Zétulbé*, de divers côtés, les recherches ont été vaines,
mais Jean Guillaume nous suggère avec vraisemblance qu'il s'agit
d'une anagramme : Zétulbé pour Belzé(b)ut.
7. *rosière de Salency*, fête locale instituée à Salency dans l'Oise par
saint Médard au Ve siècle, selon la légende, et qui consistait à travers un
cérémonial à couronner de roses la jeune fille reconnue la plus sage.
Cette allusion s'inscrit dans le contexte pastoral de tout le paragraphe.
8. *Mme Deshoulières*, le fabuliste Jean-Pierre Claris de Florian
(1755-1794) et Antoinette du Ligier de la Garde Deshoulières (1638-
1694) cultivèrent chacun à sa manière le genre pastoral. La seconde, qui
participa à la cabale contre la *Phèdre* de Racine, célébra « les petits
moutons » dans ses idylles, célèbres en son siècle.
9. *Jouvency*, le père Joseph de Jouvancy ou Jouvency (1643-1709),
écrivain et humaniste français qui travailla à Rome à l'histoire des
Jésuites et publia en 1704 *Appendix de Diis et Heroïbus poeticis*, abrégé
de la *mythologie antique*.
10. *Gessner*, Arnaud Berquin (vers 1747-1791) écrivit des idylles et
des romances élégiaques, puis des ouvrages destinés à la jeunesse.

me créaient un petit monde où tout était rose, bleu de ciel et vert-pomme. O sainte innocence! *sancta simplicitas!* comme dit Méphistophélès[11].

Quand je me trouvai dans cette belle chambre, chambre à moi, à moi tout seul, je ressentis une joie à nulle autre seconde. J'inventoriai soigneusement jusqu'au moindre meuble; je furetai dans tous les coins, et je l'explorai dans tous les sens. J'étais au quatrième ciel, heureux comme un roi ou deux. Après le souper (car on soupait chez mon oncle), charmante coutume qui s'est perdue avec tant d'autres non moins charmantes que je regrette de tout ce que j'ai de cœur, je pris mon bougeoir et je me retirai, tant j'étais impatient de jouir de ma nouvelle demeure.

En me déshabillant, il me sembla que les yeux d'Omphale avaient remué; je regardai plus attentivement, non sans un léger sentiment de frayeur, car la chambre était grande, et la faible pénombre lumineuse qui flottait autour de la bougie ne servait qu'à rendre les ténèbres plus visibles. Je crus voir qu'elle avait la tête tournée en sens inverse. La peur commençait à me travailler sérieusement; je soufflai la lumière. Je me tournai du côté du mur, je mis mon drap par-dessus ma tête, je tirai mon bonnet jusqu'à mon menton, et je finis par m'endormir.

Je fus plusieurs jours sans oser jeter les yeux sur la maudite tapisserie.

Il ne serait peut-être pas inutile, pour rendre plus vraisemblable l'invraisemblable histoire que je vais raconter, d'apprendre à mes belles lectrices qu'à cette époque j'étais en vérité un assez joli garçon. J'avais les yeux les plus beaux du monde : je le dis parce qu'on me l'a dit; un teint un peu plus frais que celui que j'ai maintenant, un vrai teint d'œillet; une chevelure brune et bouclée que j'ai encore, et dix-sept ans que je n'ai plus. Il ne me manquait qu'une jolie marraine pour faire un très passable Chéru-

---

Salomon Gessner (1730-1788), poète suisse, qui se rendit célèbre en Europe par la publication de deux volumes d'*Idylles* (1756 et 1772) d'inspiration bucolique et sentimentale.

11. *Méphistophélès, Faust* I, v. 3037.

bin; malheureusement la mienne avait cinquante-sept ans et trois dents, ce qui était trop d'un côté et pas assez de l'autre.

Un soir, pourtant, je m'aguerris au point de jeter un coup d'œil sur la belle maîtresse d'Hercule; elle me regardait de l'air le plus triste et le plus langoureux du monde. Cette fois-là j'enfonçai mon bonnet jusque sur mes épaules et je fourrai ma tête sous le traversin.

Je fis cette nuit-là un rêve singulier, si toutefois c'était un rêve [12].

J'entendis les anneaux des rideaux de mon lit glisser en criant sur leurs tringles, comme si l'on eût tiré précipitamment les courtines. Je m'éveillai; du moins dans mon rêve il me sembla que je m'éveillais. Je ne vis personne.

La lune donnait sur les carreaux et projetait dans la chambre sa lueur bleue et blafarde. De grandes ombres, des formes bizarres, se dessinaient sur le plancher et sur les murailles. La pendule sonna un quart; la vibration fut longue à s'éteindre; on aurait dit un soupir. Les pulsations du balancier, qu'on entendait parfaitement, ressemblaient à s'y méprendre au cœur d'une personne émue.

Je n'étais rien moins qu'à mon aise et je ne savais trop que penser.

Un furieux coup de vent fit battre les volets et ployer le vitrage de la fenêtre. Les boiseries craquèrent, la tapisserie ondula. Je me hasardai à regarder du côté d'Omphale, soupçonnant confusément qu'elle était pour quelque chose dans tout cela. Je ne m'étais pas trompé.

La tapisserie s'agita violemment. Omphale se détacha du mur et sauta légèrement sur le parquet; elle vint à mon lit en ayant soin de se tourner du côté de l'endroit. Je crois qu'il n'est pas nécessaire de raconter ma stupéfaction. Le vieux militaire le plus intrépide n'aurait pas été trop rassuré dans une pareille circonstance, et je n'étais ni

---

12. *un rêve*, le narrateur introduit dans l'esprit du personnage et du lecteur le doute et l'ambiguïté, qui sont, pour T. Todorov, les conditions et les signes du fantastique.

vieux ni militaire. J'attendis en silence la fin de l'aventure [13].

Une petite voix flûtée et perlée résonna doucement à mon oreille, avec ce grasseyement mignard affecté sous la Régence par les marquises et les gens du bon ton :

« Est-ce que je te fais peur, mon enfant? Il est vrai que tu n'es qu'un enfant; mais cela n'est pas joli d'avoir peur des dames, surtout de celles qui sont jeunes et te veulent du bien; cela n'est ni honnête ni français; il faut te corriger de ces craintes-là. Allons, petit sauvage, quitte cette mine et ne te cache pas la tête sous les couvertures. Il y aura beaucoup à faire à ton éducation, et tu n'es guère avancé, mon beau page; de mon temps les Chérubins étaient plus délibérés que tu ne l'es.

— Mais, dame, c'est que…

— C'est que cela te semble étrange de me voir ici et non là, dit-elle en pinçant légèrement sa lèvre rouge avec ses dents blanches, et en étendant vers la muraille son doigt long et effilé. En effet, la chose n'est pas trop naturelle; mais, quand je te l'expliquerais, tu ne la comprendrais guère mieux : qu'il te suffise donc de savoir que tu ne cours aucun danger.

— Je crains que vous ne soyez le… le…

— Le diable, tranchons le mot, n'est-ce pas? c'est cela que tu voulais dire; au moins tu conviendras que je ne suis pas trop noire pour un diable, et que, si l'enfer était peuplé de diables faits comme moi, on y passerait son temps aussi agréablement qu'en paradis.

Pour montrer qu'elle ne se vantait pas, Omphale rejeta en arrière sa peau de lion et me fit voir des épaules et un sein d'une forme parfaite et d'une blancheur éblouissante.

« Eh bien! qu'en dis-tu? fit-elle d'un petit air de coquetterie satisfaite.

— Je dis que, quand vous seriez le diable en personne, je n'aurais plus peur, Madame Omphale.

---

13. *l'aventure*, le paragraphe associe deux thèmes fantastiques : celui de l'objet inanimé qui s'anime et celui du personnage ou du portrait qui sort du cadre de l'œuvre d'art pour participer à la vie.

— Voilà qui est parler; mais ne m'appelez plus
ni madame ni Omphale. Je ne veux pas être madame
pour toi, et je ne suis pas plus Omphale que je ne suis le
diable.

— Qu'êtes-vous donc, alors?

— Je suis la marquise de T ***. Quelque temps après
mon mariage le marquis fit exécuter cette tapisserie pour
mon appartement, et m'y fit représenter sous le costume
d'Omphale; lui-même y figure sous les traits d'Hercule.
C'est une singulière idée qu'il a eue là; car, Dieu le sait,
personne au monde ne ressemblait moins à Hercule que le
pauvre marquis. Il y a bien longtemps que cette chambre
n'a été habitée. Moi, qui aime naturellement la compagnie, je m'ennuyais à périr, et j'en avais la migraine. Être
avec mon mari, c'est être seule. Tu es venu, cela m'a
réjouie; cette chambre morte s'est ranimée, j'ai eu à
m'occuper de quelqu'un. Je te regardais aller et venir, je
t'écoutais dormir et rêver; je suivais tes lectures. Je te
trouvais bonne grâce, un air avenant, quelque chose qui
me plaisait: je t'aimais enfin. Je tâchai de te le faire
comprendre; je poussais des soupirs, tu les prenais pour
ceux du vent; je te faisais des signes, je te lançais des
œillades langoureuses, je ne réussissais qu'à te causer des
frayeurs horribles. En désespoir de cause, je me suis
décidée à la démarche inconvenante que je fais, et à te dire
franchement ce que tu ne pouvais entendre à demi-mot.
Maintenant que tu sais que je t'aime, j'espère que...»

La conversation en était là, lorsqu'un bruit de clef se fit
entendre dans la serrure.

Omphale tressaillit et rougit jusque dans le blanc des
yeux.

«Adieu! dit-elle, à demain.» Et elle retourna à sa
muraille à reculons, de peur sans doute de me laisser voir
son envers.

C'était Baptiste qui venait chercher mes habits pour les
brosser.

«Vous avez tort, monsieur, me dit-il, de dormir les
rideaux ouverts. Vous pourriez vous enrhumer du cerveau; cette chambre est si froide!»

En effet, les rideaux étaient ouverts; moi qui croyais

n'avoir fait qu'un rêve, je fus très étonné, car j'étais sûr qu'on les avait fermés le soir.

Aussitôt que Baptiste fut parti, je courus à la tapisserie. Je la palpai dans tous les sens; c'était bien une vraie tapisserie de laine, raboteuse au toucher comme toutes les tapisseries possibles. Omphale ressemblait au charmant fantôme de la nuit comme un mort ressemble à un vivant. Je relevai le pan; le mur était plein; il n'y avait ni panneau masqué ni porte dérobée. Je fis seulement cette remarque, que plusieurs fils étaient rompus dans le morceau de terrain où portaient les pieds d'Omphale. Cela me donna à penser.

Je fus toute la journée d'une distraction sans pareille; j'attendais le soir avec inquiétude et impatience tout ensemble. Je me retirai de bonne heure, décidé à voir comment tout cela finirait. Je me couchai; la marquise ne se fit pas attendre; elle sauta à bas du trumeau et vint tomber droit à mon lit; elle s'assit à mon chevet, et la conversation commença.

Comme la veille, je lui fis des questions, je lui demandai des explications. Elle éludait les unes, répondait aux autres d'une manière évasive, mais avec tant d'esprit qu'au bout d'une heure je n'avais pas le moindre scrupule sur ma liaison avec elle.

Tout en parlant, elle passait ses doigts dans mes cheveux, me donnait de petits coups sur les joues et de légers baisers sur le front.

Elle babillait, elle babillait d'une manière moqueuse et mignarde, dans un style à la fois élégant et familier, et tout à fait grande dame, que je n'ai jamais retrouvé depuis dans personne.

Elle était assise d'abord sur la bergère à côté du lit; bientôt elle passa un de ses bras autour de mon cou, je sentais son cœur battre avec force contre moi. C'était bien une belle et charmante femme réelle, une véritable marquise, qui se trouvait à côté de moi. Pauvre écolier de dix-sept ans ! Il y avait de quoi en perdre la tête; aussi je la perdis. Je ne savais pas trop ce qui allait se passer, mais je pressentais vaguement que cela ne pouvait plaire au marquis.

« Et monsieur le marquis, que va-t-il dire là-bas sur son mur ? »

La peau du lion était tombée à terre, et les cothurnes lilas tendre glacé d'argent gisaient à côté de mes pantoufles.

« Il ne dira rien, reprit la marquise en riant de tout son cœur. Est-ce qu'il voit quelque chose ? D'ailleurs, quand il verrait, c'est le mari le plus philosophe et le plus inoffensif du monde ; il est habitué à cela. M'aimes-tu, enfant ?

— Oui, beaucoup, beaucoup... »

Le jour vint ; ma maîtresse s'esquiva.

La journée me parut d'une longueur effroyable. Le soir arriva enfin. Les choses se passèrent comme la veille, et la seconde nuit n'eut rien à envier à la première. La marquise était de plus en plus adorable. Ce manège se répéta pendant assez longtemps encore. Comme je ne dormais pas la nuit, j'avais tout le jour une espèce de somnolence qui ne parut pas de bon augure à mon oncle. Il se douta de quelque chose ; il écouta probablement à la porte, et entendit tout ; car un beau matin il entra dans ma chambre si brusquement, qu'Antoinette eut à peine le temps de remonter à sa place.

Il était suivi d'un ouvrier tapissier avec des tenailles et une échelle.

Il me regarda d'un air rogue et sévère qui me fit voir qu'il savait tout.

« Cette marquise de T *** est vraiment folle ; où diable avait-elle la tête de s'éprendre d'un morveux de cette espèce ? fit mon oncle entre ses dents ; elle avait pourtant promis d'être sage !

Jean, décrochez cette tapisserie, roulez-la et portez-la au grenier. »

Chaque mot de mon oncle était un coup de poignard.

Jean roula mon amante Omphale, ou la marquise Antoinette de T ***, avec Hercule, ou le marquis de T ***, et porta le tout au grenier. Je ne pus retenir mes larmes.

Le lendemain, mon oncle me renvoya par la diligence de B*** chez mes respectables parents, auxquels, comme on pense bien, je ne soufflai pas mot de mon aventure.

Mon oncle mourut; on vendit sa maison et les meubles; la tapisserie fut probablement vendue avec le reste.

Toujours est-il qu'il y a quelque temps, en furetant chez un marchand de bric-à-brac pour trouver des momeries, je heurtai du pied un gros rouleau tout poudreux et couvert de toiles d'araignée.

«Qu'est cela? dis-je à l'Auvergnat.

— C'est une tapisserie rococo qui représente les amours de madame Omphale et de monsieur Hercule; c'est du Beauvais, tout en soie et joliment conservé. Achetez-moi donc cela pour votre cabinet; je ne vous le vendrai pas cher, parce que c'est vous.»

Au nom d'Omphale, tout mon sang reflua sur mon cœur.

«Déroulez cette tapisserie», fis-je au marchand d'un ton bref et entrecoupé comme si j'avais la fièvre.

C'était bien elle. Il me sembla que sa bouche me fit un gracieux sourire et que son œil s'alluma en rencontrant le mien.

«Combien en voulez-vous?

— Mais je ne puis vous céder cela à moins de quatre cents francs, tout au juste.

— Je ne les ai pas sur moi. Je m'en vais les chercher; avant une heure je suis ici.»

Je revins avec l'argent; la tapisserie n'y était plus. Un Anglais l'avait marchandée pendant mon absence, en avait donné six cents francs et l'avait emportée.

Au fond, peut-être vaut-il mieux que cela se soit passé ainsi et que j'aie gardé intact ce délicieux souvenir. On dit qu'il ne faut pas revenir sur ses premières amours ni aller voir la rose qu'on a admirée la veille.

Et puis je ne suis plus assez jeune ni assez joli garçon pour que les tapisseries descendent du mur en mon honneur.

LA MORTE AMOUREUSE [1]

1. *La Morte amoureuse* a paru d'abord dans *La Chronique de Paris* des 23 et 26 juin 1836. Gautier a repris son récit dans *Une larme du diable,* Desessart, 1839, puis dans *Nouvelles,* Charpentier, 1845.

L'œuvre porte l'empreinte de l'influence des *Elixirs du diable* d'Hoffmann, ne fût-ce qu'à travers le thème du dédoublement ou de la vie dédoublée.

Vous me demandez, frère [2], si j'ai aimé ; oui. C'est une histoire singulière et terrible, et, quoique j'aie soixante-six ans, j'ose à peine remuer la cendre de ce souvenir. Je ne veux rien vous refuser, mais je ne ferais pas à une âme moins éprouvée un pareil récit. Ce sont des événements si étranges, que je ne puis croire qu'ils me soient arrivés. J'ai été pendant plus de trois ans le jouet d'une illusion singulière et diabolique. Moi, pauvre prêtre de campagne, j'ai mené en rêve toutes les nuits (Dieu veuille que ce soit un rêve !) une vie de damné, une vie de mondain et de Sardanapale. Un seul regard trop plein de complaisance jeté sur une femme pensa causer la perte de mon âme ; mais enfin, avec l'aide de Dieu et de mon saint patron, je suis parvenu à chasser l'esprit malin qui s'était emparé de moi. Mon existence s'était compliquée d'une existence nocturne entièrement différente. Le jour, j'étais un prêtre du Seigneur, chaste, occupé de la prière et des choses saintes ; la nuit, dès que j'avais fermé les yeux, je devenais un jeune seigneur, fin connaisseur en femmes, en chiens et en chevaux, jouant aux dés, buvant et blasphémant ; et lorsqu'au lever de l'aube je me réveillais, il me semblait au contraire que je m'endormais et que je rêvais que j'étais prêtre. De cette vie somnambulique il m'est resté des souvenirs d'objets et de mots dont je ne puis pas me défendre, et, quoique je ne sois jamais sorti

2. La Morte amoureuse se présente comme un récit du Je à Vous, qui appartient à la même communauté religieuse et qui est invité par cette adresse non seulement à jouer le rôle d'auditeur, mais à participer à la relation de l'aventure fantastique.

des murs de mon presbytère, on dirait plutôt, à m'entendre, un homme ayant usé de tout et revenu du monde, qui est entré en religion et qui veut finir dans le sein de Dieu des jours trop agités, qu'un humble séminariste qui a vieilli dans une cure ignorée, au fond d'un bois et sans aucun rapport avec les choses du siècle.

Oui, j'ai aimé comme personne au monde n'a aimé, d'un amour insensé et furieux, si violent que je suis étonné qu'il n'ait pas fait éclater mon cœur. Ah! quelles nuits! quelles nuits!

Dès ma plus tendre enfance, je m'étais senti de la vocation pour l'état de prêtre; aussi toutes mes études furent-elles dirigées dans ce sens-là, et ma vie, jusqu'à vingt-quatre ans, ne fut-elle qu'un long noviciat. Ma théologie achevée, je passai successivement par tous les petits ordres, et mes supérieurs me jugèrent digne, malgré ma grande jeunesse, de franchir le dernier et redoutable degré. Le jour de mon ordination fut fixé à la semaine de Pâques.

Je n'étais jamais allé dans le monde; le monde, c'était pour moi l'enclos du collège et du séminaire. Je savais vaguement qu'il y avait quelque chose que l'on appelait femme, mais je n'y arrêtais pas ma pensée; j'étais d'une innocence parfaite. Je ne voyais ma mère vieille et infirme que deux fois l'an. C'étaient là toutes mes relations avec le dehors.

Je ne regrettais rien, je n'éprouvais pas la moindre hésitation devant cet engagement irrévocable; j'étais plein de joie et d'impatience. Jamais jeune fiancé n'a compté les heures avec une ardeur plus fiévreuse; je n'en dormais pas, je rêvais que je disais la messe; être prêtre, je ne voyais rien de plus beau au monde: j'aurais refusé d'être roi ou poète. Mon ambition ne concevait pas au-delà.

Ce que je dis là est pour vous montrer combien ce qui m'est arrivé ne devait pas m'arriver, et de quelle fascination inexplicable j'ai été la victime.

Le grand jour venu, je marchai à l'église d'un pas si léger, qu'il me semblait que je fusse soutenu en l'air ou que j'eusse des ailes aux épaules. Je me croyais un ange, et je m'étonnais de la physionomie sombre et préoccupée de mes compagnons ; car nous étions plusieurs. J'avais passé la nuit en prières, et j'étais dans un état qui touchait presque à l'extase. L'évêque, vieillard vénérable, me paraissait Dieu le Père penché sur son éternité, et je voyais le ciel à travers les voûtes du temple.

Vous savez les détails de cette cérémonie : la bénédiction, la communion sous les deux espèces, l'onction de la paume des mains avec l'huile des catéchumènes, et enfin le saint sacrifice offert de concert avec l'évêque. Je ne m'appesantirai pas sur cela. Oh ! que Job a raison, et que celui-là est imprudent qui ne conclut pas un pacte avec ses yeux ! Je levai par hasard ma tête, que j'avais jusque-là tenue inclinée, et j'aperçus devant moi, si près que j'aurais pu la toucher, quoique en réalité elle fût à une assez grande distance et de l'autre côté de la balustrade, une jeune femme d'une beauté rare et vêtue avec une magnificence royale. Ce fut comme si des écailles me tombaient des prunelles. J'éprouvai la sensation d'un aveugle qui recouvrerait subitement la vue. L'évêque, si rayonnant tout à l'heure, s'éteignit tout à coup, les cierges pâlirent sur leurs chandeliers d'or comme les étoiles au matin, et il se fit par toute l'église une complète obscurité. La charmante créature se détachait sur ce fond d'ombre comme une révélation angélique ; elle semblait éclairée d'elle-même et donner le jour plutôt que le recevoir.

Je baissai la paupière, bien résolu à ne plus la relever pour me soustraire à l'influence des objets extérieurs ; car la distraction m'envahissait de plus en plus, et je savais à peine ce que je faisais.

Une minute après, je rouvris les yeux, car à travers mes cils je la voyais étincelante des couleurs du prisme, et dans une pénombre pourprée comme lorsqu'on regarde le soleil.

Oh ! comme elle était belle ! Les plus grands peintres, lorsque, poursuivant dans le ciel, la beauté idéale, ils ont rapporté sur la terre le divin portrait de la Madone, n'approchent même pas de cette fabuleuse réalité. Ni les vers du poète ni la palette du peintre n'en peuvent donner une idée. Elle était assez grande, avec une taille et un port de déesse ; ses cheveux, d'un blond doux, se séparaient sur le haut de sa tête et coulaient sur ses tempes comme deux fleuves d'or ; on aurait dit une reine avec son diadème ; son front, d'une blancheur bleuâtre et transparente, s'étendait large et serein sur les arcs de deux cils presque bruns, singularité qui ajoutait encore à l'effet de prunelles vert de mer [3] d'une vivacité et d'un éclat insoutenables. Quels yeux ! avec un éclair ils décidaient de la destinée d'un homme ; ils avaient une vie, une limpidité, une ardeur, une humidité brillante que je n'ai jamais vues à un œil humain ; il s'en échappait des rayons pareils à des flèches et que je voyais distinctement aboutir à mon cœur. Je ne sais si la flamme qui les illuminait venait du ciel ou de l'enfer [4], mais à coup sûr elle venait de l'un ou de l'autre. Cette femme était un ange ou un démon, et peut-être tous les deux ; elle ne sortait certainement pas du flanc d'Ève, la mère commune. Des dents du plus bel orient scintillaient dans son rouge sourire, et de petites fossettes se creusaient à chaque inflexion de sa bouche dans le satin rose de ses adorables joues. Pour son nez, il était d'une finesse et d'une fierté toute royale, et décelait la plus noble origine. Des luisants d'agate jouaient sur la peau unie et lustrée de ses épaules à demi découvertes, et des rangs de grosses perles blondes, d'un ton presque semblable à son cou, lui descendaient sur la poitrine. De temps en temps elle redressait sa tête avec un mouvement onduleux de couleuvre ou de paon qui se rengorge, et imprimait un léger frisson à la haute fraise brodée à jour qui l'entourait comme un treillis d'argent.

Elle portait une robe de velours nacarat, et de ses larges manches doublées d'hermine sortaient des mains patriciennes d'une délicatesse infinie, aux doigts longs et

---

3. *vert de mer*, dans *La Morte amoureuse*, valorisant la fascination du regard, la couleur verte est connotée comme un signe diabolique.
4. *du ciel ou de l'enfer*, cette ambiguïté, de même que celle de l'*ange* ou du *démon*, est déjà baudelairienne.

potelés, et d'une si idéale transparence[5] qu'ils laissaient passer le jour comme ceux de l'Aurore.

Tous ces détails me sont encore aussi présents que s'ils dataient d'hier, et, quoique je fusse dans un trouble extrême, rien ne m'échappait : la plus légère nuance, le petit point noir au coin du menton, l'imperceptible duvet aux commissures des lèvres, le velouté du front, l'ombre tremblante des cils sur les joues, je saisissais tout avec une lucidité étonnante.

A mesure que je la regardais, je sentais s'ouvrir dans moi des portes qui jusqu'alors avaient été fermées ; des soupiraux obstrués se débouchaient dans tous les sens et laissaient entrevoir des perspectives inconnues ; la vie m'apparaissait sous un aspect tout autre ; je venais de naître à un nouvel ordre d'idées. Une angoisse effroyable me tenaillait le cœur ; chaque minute qui s'écoulait me semblait une seconde et un siècle. La cérémonie avançait cependant, et j'étais emporté bien loin du monde dont mes désirs naissants assiégeaient furieusement l'entrée. Je dis oui cependant, lorsque je voulais dire non, lorsque tout en moi se révoltait et protestait contre la violence que ma langue faisait à mon âme : une force occulte m'arrachait malgré moi les mots du gosier. C'est là peut-être ce qui fait que tant de jeunes filles marchent à l'autel avec la ferme résolution de refuser d'une manière éclatante l'époux qu'on leur impose, et que pas une seule n'exécute son projet. C'est là sans doute ce qui fait que tant de pauvres novices prennent le voile, quoique bien décidées à le déchirer en pièces au moment de prononcer leurs vœux. On n'ose causer un tel scandale devant tout le monde ni tromper l'attente de tant de personnes ; toutes ces volontés, tous ces regards semblent peser sur vous comme une chape de plomb : et puis les mesures sont si bien prises, tout est si bien réglé à l'avance, d'une façon si évidemment irrévocable, que la pensée cède au poids de la chose et s'affaisse complètement.

---

5. *transparence,* dans les récits de Gautier, la transparence, opposée à l'opacité, est l'une des propriétés récurrentes du fantastique ou une qualité annonciatrice du fantastique.

Le regard de la belle inconnue changeait d'expression selon le progrès de la cérémonie. De tendre et caressant qu'il était d'abord, il prit un air de dédain et de mécontentement comme de ne pas avoir été compris.

Je fis un effort suffisant pour arracher une montagne, pour m'écrier que je ne voulais pas être prêtre ; mais je ne pus en venir à bout ; ma langue resta clouée à mon palais, et il me fut impossible de traduire ma volonté par le plus léger mouvement négatif. J'étais, tout éveillé, dans un état pareil à celui du cauchemar, où l'on veut crier un mot dont votre vie dépend, sans en pouvoir venir à bout.

Elle parut sensible au martyre que j'éprouvais, et, comme pour m'encourager, elle me lança une œillade pleine de divines promesses. Ses yeux étaient un poème dont chaque regard formait un chant.

Elle me disait :

« Si tu veux être à moi, je te ferai plus heureux que Dieu lui-même dans son paradis ; les anges te jalouseront. Déchire ce funèbre linceul où tu vas t'envelopper ; je suis la beauté, je suis la jeunesse, je suis la vie ; viens à moi, nous serons l'amour. Que pourrait t'offrir Jéhovah pour compensation ? Notre existence coulera comme un rêve et ne sera qu'un baiser éternel.

« Répands le vin de ce calice, et tu es libre. Je t'emmènerai vers les îles inconnues ; tu dormiras sur mon sein, dans un lit d'or massif et sous un pavillon d'argent ; car je t'aime et je veux te prendre à ton Dieu, devant qui tant de nobles cœurs répandent des flots d'amour qui n'arrivent pas jusqu'à lui. »

Il me semblait entendre ces paroles sur un rythme d'une douceur infinie, car son regard avait presque la sonorité [6], et les phrases que ses yeux m'envoyaient retentissaient au fond de mon cœur comme si une bouche invisible les eût soufflées dans mon âme. Je me sentais prêt à renoncer à Dieu, et cependant mon cœur accomplissait machinalement les formalités de la cérémonie. La belle me jeta un second coup d'œil si suppliant, si déses-

6. *la sonorité*, le fantastique associe souvent chez Gautier les perceptions visuelles et auditives.

péré, que des lames acérées me traversèrent le cœur, que
je me sentis plus de glaives dans la poitrine que la mère
des douleurs.

C'en était fait, j'étais prêtre.

Jamais physionomie humaine ne peignit une angoisse
aussi poignante; la jeune fille qui voit tomber son fiancé
mort subitement à côté d'elle, la mère auprès du berceau
vide de son enfant, Ève assise sur le seuil de la porte du
paradis, l'avare qui trouve une pierre à la place de son
trésor, le poète qui a laissé rouler dans le feu le manuscrit
unique de son plus bel ouvrage, n'ont point un air plus
atterré et plus inconsolable. Le sang abandonna complètement sa charmante figure, et elle devint d'une blancheur de marbre; ses beaux bras tombèrent le long de son
corps, comme si les muscles en avaient été dénoués, et
elle s'appuya contre un pilier, car ses jambes fléchissaient
et se dérobaient sous elle. Pour moi, livide, le front
inondé d'une sueur plus sanglante que celle du Calvaire,
je me dirigeai en chancelant vers la porte de l'église;
j'étouffais; les voûtes s'aplatissaient sur mes épaules, et
il me semblait que ma tête soutenait seule tout le poids de
la coupole.

Comme j'allais franchir le seuil, une main s'empara
brusquement de la mienne; une main de femme! Je n'en
avais jamais touché. Elle était froide comme la peau d'un
serpent, et l'empreinte m'en resta brûlante comme la
marque d'un fer rouge. C'était elle. « Malheureux! malheureux! qu'as-tu fait? » me dit-elle à voix basse; puis
elle disparut dans la foule.

Le vieil évêque passa; il me regarda d'un air sévère. Je
faisais la plus étrange contenance du monde; je pâlissais,
je rougissais, j'avais des éblouissements. Un de mes
camarades eut pitié de moi, il me prit et m'emmena;
j'aurais été incapable de retrouver tout seul le chemin du
séminaire. Au détour d'une rue, pendant que le jeune
prêtre tournait la tête d'un autre côté, un page nègre,
bizarrement vêtu, s'approcha de moi, et me remit, sans
s'arrêter dans sa course, un petit portefeuille à coins d'or
ciselés, en me faisant signe de le cacher; je le fis glisser
dans ma manche et l'y tins jusqu'à ce que je fusse seul

dans ma cellule. Je fis sauter le fermoir, il n'y avait que deux feuilles avec ces mots : « Clarimonde, au palais Concini. » J'étais alors si peu au courant des choses de la vie, que je ne connaissais pas Clarimonde, malgré sa célébrité, et que j'ignorais complètement où était situé le palais Concini. Je fis mille conjectures, plus extravagantes les unes que les autres ; mais à la vérité, pourvu que je pusse la revoir, j'étais fort peu inquiet de ce qu'elle pouvait être, grande dame ou courtisane.

Cet amour né tout à l'heure s'était indestructiblement enraciné ; je ne songeai même pas à essayer de l'arracher, tant je sentais que c'était là chose impossible. Cette femme s'était complètement emparée de moi, un seul regard avait suffi pour me changer ; elle m'avait soufflé sa volonté ; je ne vivais plus dans moi, mais dans elle et par elle. Je faisais mille extravagances, je baisais sur ma main la place qu'elle avait touchée, et je répétais son nom des heures entières. Je n'avais qu'à fermer les yeux pour la voir aussi distinctement que si elle eût été présente en réalité, et je me redisais ces mots, qu'elle m'avait dits sous le portail de l'église : « Malheureux ! malheureux ! qu'as-tu fait ? » Je comprenais toute l'horreur de ma situation, et les côtés funèbres et terribles de l'état que je venais d'embrasser se révélaient clairement à moi. Être prêtre ! c'est-à-dire chaste, ne pas aimer, ne distinguer ni le sexe ni l'âge, se détourner de toute beauté, se crever les yeux, ramper sous l'ombre glaciale d'un cloître ou d'une église, ne voir que des mourants, veiller auprès de cadavres inconnus et porter soi-même son deuil sur sa soutane noire, de sorte que l'on peut faire de votre habit un drap pour votre cercueil !

Et je sentais la vie monter en moi comme un lac intérieur qui s'enfle et qui déborde ; mon sang battait avec force dans mes artères ; ma jeunesse, si longtemps comprimée, éclatait tout d'un coup comme l'aloès qui met cent ans à fleurir et qui éclôt avec un coup de tonnerre.

Comment faire pour revoir Clarimonde ? Je n'avais aucun prétexte pour sortir du séminaire, ne connaissant personne dans la ville ; je n'y devais même pas rester, et j'y attendais seulement que l'on me désignât la cure que

je devais occuper. J'essayai de desceller les barreaux de
la fenêtre ; mais elle était à une hauteur effrayante, et
n'ayant pas d'échelle, il n'y fallait pas penser. Et d'ailleurs je ne pouvais descendre que de nuit ; et comment me
serais-je conduit dans l'inextricable dédale des rues ?
Toutes ces difficultés, qui n'eussent rien été pour d'autres, étaient immenses pour moi, pauvre séminariste,
amoureux d'hier, sans expérience, sans argent et sans
habits.

Ah ! si je n'eusse pas été prêtre, j'aurais pu la voir tous
les jours ; j'aurais été son amant, son époux, me disais-je
dans mon aveuglement ; au lieu d'être enveloppé dans
mon triste suaire, j'aurais des habits de soie et de velours,
des chaînes d'or, une épée et des plumes comme les
beaux jeunes cavaliers. Mes cheveux, au lieu d'être dés-
honorés par une large tonsure, se joueraient autour de
mon cou en boucles ondoyantes. J'aurais une belle
moustache cirée, je serais un vaillant. Mais une heure
passée devant un autel, quelques paroles à peine articu-
lées, me retranchaient à tout jamais du nombre des vivants, et j'avais scellé moi-même la pierre de mon tombeau, j'avais poussé de ma main le verrou de ma prison !

Je me mis à la fenêtre. Le ciel était admirablement
bleu, les arbres avaient mis leur robe de printemps ; la
nature faisait parade d'une joie ironique. La place était
pleine de monde ; les uns allaient, les autres venaient ; de
jeunes muguets et de jeunes beautés, couple par couple,
se dirigeaient du côté du jardin et des tonnelles. Des
compagnons passaient en chantant des refrains à boire ;
c'était un mouvement, une vie, un entrain, une gaieté qui
faisaient péniblement ressortir mon deuil et ma solitude.
Une jeune mère, sur le pas de la porte, jouait avec son
enfant ; elle baisait sa petite bouche rose, encore emperlée
de gouttes de lait, et lui faisait, en l'agaçant, mille de ces
divines puérilités que les mères seules savent trouver. Le
père, qui se tenait debout à quelque distance, souriait
doucement à ce charmant groupe, et ses bras croisés
pressaient sa joie sur son cœur. Je ne pus supporter ce
spectacle ; je fermai la fenêtre, et je me jetai sur mon lit
avec une haine et une jalousie effroyables dans le cœur,

mordant mes doigts et ma couverture comme un tigre à jeun depuis trois jours.

Je ne sais pas combien de jours je restai ainsi ; mais, en me retournant dans un mouvement de spasme furieux, j'aperçus l'abbé Sérapion [7] qui se tenait debout au milieu de la chambre et qui me considérait attentivement. J'eus honte de moi-même, et, laissant tomber ma tête sur ma poitrine, je voilai mes yeux avec mes mains.

« Romuald, mon ami, il se passe quelque chose d'extraordinaire en vous, me dit Sérapion au bout de quelques minutes de silence ; votre conduite est vraiment inexplicable ! Vous, si pieux, si calme et si doux, vous vous agitez dans votre cellule comme une bête fauve. Prenez garde, mon frère, et n'écoutez pas les suggestions du diable ; l'esprit malin, irrité de ce que vous vous êtes à tout jamais consacré au Seigneur, rôde autour de vous comme un loup ravissant et fait un dernier effort pour vous attirer à lui. Au lieu de vous laisser abattre, mon cher Romuald, faites-vous une cuirasse de prières, un bouclier de mortifications, et combattez vaillamment l'ennemi ; vous le vaincrez. L'épreuve est nécessaire à la vertu et l'or sort plus fin de la coupelle [8]. Ne vous effrayez ni ne vous découragez ; les âmes les mieux gardées et les plus affermies ont eu de ces moments. Priez, jeûnez, méditez, et le mauvais esprit se retirera. »

Le discours de l'abbé Sérapion me fit rentrer en moi-même, et je devins un peu plus calme. « Je venais vous annoncer votre nomination à la cure de C *** ; le prêtre qui la possédait vient de mourir, et monseigneur l'évêque m'a chargé d'aller vous y installer ; soyez prêt pour demain. » Je répondis d'un signe de tête que je le serais, et l'abbé se retira. J'ouvris mon missel, et je commençai à lire des prières ; mais ces lignes se confondirent bientôt

---

7. *Sérapion*, ce nom est apparemment emprunté à Hoffmann, qui a rassemblé une partie de son œuvre fantastique sous le titre de *Contes des frères Sérapion*.

8. *coupelle*, petit vase dans lequel s'opère la séparation de l'argent d'avec les autres métaux, à l'exception de l'or. Dans *Les Rêveries* (I), Rousseau avait écrit : « Mon cœur s'est purifié à la coupelle de l'adversité ».

sous mes yeux ; le fil des idées s'enchevêtra dans mon cerveau, et le volume me glissa des mains sans que j'y prisse garde.

Partir demain sans l'avoir revue ! ajouter encore une impossibilité à toutes celles qui étaient déjà entre nous ! perdre à tout jamais l'espérance de la rencontrer, à moins d'un miracle ! Lui écrire ? par qui ferais-je parvenir ma lettre ? Avec le sacré caractère dont j'étais revêtu, à qui s'ouvrir, se fier ? J'éprouvais une anxiété terrible. Puis, ce que l'abbé Sérapion m'avait dit des artifices du diable me revenait en mémoire ; l'étrangeté de l'aventure, la beauté surnaturelle de Clarimonde, l'éclat phosphorique de ses yeux, l'impression brûlante de sa main, le trouble où elle m'avait jeté, le changement subit qui s'était opéré en moi, ma piété évanouie en un instant, tout cela prouvait clairement la présence du diable, et cette main satinée n'était peut-être que le gant dont il avait recouvert sa griffe. Ces idées me jetèrent dans une grande frayeur, je ramassai le missel qui de mes genoux était roulé à terre, et je me remis en prières.

Le lendemain, Séparion me vint prendre ; deux mules nous attendaient à la porte, chargées de nos maigres valises ; il monta l'une et moi l'autre tant que bien que mal. Tout en parcourant les rues de la ville, je regardais à toutes les fenêtres et à tous les balcons si je ne verrais pas Clarimonde ; mais il était trop matin, et la ville n'avait pas encore ouvert les yeux. Mon regard tâchait de plonger derrière les stores et à travers les rideaux de tous les palais devant lesquels nous passions. Sérapion attribuait sans doute cette curiosité à l'admiration que me causait la beauté de l'architecture, car il ralentissait le pas de sa monture pour me donner le temps de voir. Enfin nous arrivâmes à la porte de la ville et nous commençâmes à gravir la colline. Quand je fus tout en haut, je me retournai pour regarder une fois encore les lieux où vivait Clarimonde. L'ombre d'un nuage couvrait entièrement la ville ; ses toits bleus et rouges étaient confondus dans une demi-teinte générale, où surnageaient çà et là, comme de blancs flocons d'écume, les fumées du matin. Par un singulier effet d'optique, se dessinait, blond et doré sous un rayon unique de lumière, un édifice qui surpassait en hauteur les constructions voisines, complètement noyées dans la vapeur; quoiqu'il fût à plus d'une lieue, il paraissait tout proche. On en distinguait les moindres détails, les tourelles, les plates-formes, les croisées, et jusqu'aux girouettes en queue d'aronde.

« Quel est donc ce palais que je vois tout là-bas éclairé d'un rayon du soleil? » demandai-je à Sérapion. Il mit sa main au-dessus de ses yeux, et, ayant regardé, il me répondit: « C'est l'ancien palais que le prince Concini a donné à la courtisane Clarimonde; il s'y passe d'épouvantables choses. »

En ce moment, je ne sais encore si c'est une réalité ou une illusion, je crus voir y glisser sur la terrasse une forme svelte et blanche qui étincela une seconde et s'éteignit. C'était Clarimonde!

Oh! savait-elle qu'à cette heure, du haut de cet âpre chemin qui m'éloignait d'elle, et que je ne devais plus redescendre, ardent et inquiet, je couvais de l'œil le palais qu'elle habitait, et qu'un jeu dérisoire de lumière semblait rapprocher de moi, comme pour m'inviter à y entrer en maître? Sans doute, elle le savait, car son âme était trop sympathiquement liée à la mienne pour n'en point ressentir les moindres ébranlements, et c'était ce sentiment qui l'avait poussée, encore enveloppée de ses voiles de nuit, à monter sur le haut de la terrasse, dans la glaciale rosée du matin.

L'ombre gagna le palais, et ce ne fut plus qu'un océan immobile de toits et de combles où l'on ne distinguait rien qu'une ondulation montueuse. Sérapion toucha sa mule, dont la mienne prit aussitôt l'allure, et un coude du chemin me déroba pour toujours la ville de S..., car je n'y devais pas revenir. Au bout de trois journées de route par des campagnes assez tristes, nous vîmes poindre à travers les arbres le coq du clocher de l'église que je devais desservir; et, après avoir suivi quelques rues tortueuses bordées de chaumières et de courtils, nous nous trouvâmes devant la façade qui n'était pas d'une grande magnificence. Un porche orné de quelques nervures et de deux ou trois piliers de grès grossièrement taillés, un toit en tuiles et des contreforts du même grès que les piliers, c'était tout : à gauche le cimetière tout plein de hautes herbes, avec une grande croix de fer au milieu ; à droite et dans l'ombre de l'église, le presbytère. C'était une maison d'une simplicité extrême et d'une propreté aride. Nous entrâmes ; quelques poules picotaient sur la terre de rares grains d'avoine ; accoutumées apparemment à l'habit noir des ecclésiastiques, elles ne s'effarouchèrent point de notre présence et se dérangèrent à peine pour nous laisser passer. Un aboi éraillé et enroué se fit entendre, et nous vîmes accourir un vieux chien.

C'était le chien de mon prédécesseur. Il avait l'œil terne, le poil gris et tous les symptômes de la plus haute vieillesse où puisse atteindre un chien. Je le flattai doucement de la main, et il se mit aussitôt à marcher à côté de moi avec un air de satisfaction inexprimable. Une femme assez âgée, et qui avait été la gouvernante de l'ancien curé, vint aussi à notre rencontre, et, après m'avoir fait entrer dans une salle basse, me demanda si mon intention était de la garder. Je lui répondis que je la garderais, elle et le chien, et aussi les poules, et tout le mobilier que son maître lui avait laissé à sa mort, ce qui la fit entrer dans un transport de joie, l'abbé Sérapion lui ayant donné sur-le-champ le prix qu'elle en voulait.

Mon installation faite, l'abbé Sérapion retourna au séminaire. Je demeurai donc seul et sans autre appui que moi-même. La pensée de Clarimonde recommença à m'obséder, et, quelques efforts que je fisse pour la chasser, je n'y parvenais pas toujours. Un soir, en me promenant dans les allées bordées de buis de mon petit jardin, il me sembla voir à travers la charmille une forme de femme qui suivait tous mes mouvements, et entre les feuilles étinceler les deux prunelles vert de mer ; mais ce n'était qu'une illusion, et, ayant passé de l'autre côté de l'allée, je n'y trouvai rien qu'une trace de pied sur le sable, si petit qu'on eût dit un pied d'enfant. Le jardin était entouré de murailles très hautes ; j'en visitai tous les coins et recoins, il n'y avait personne. Je n'ai jamais pu m'expliquer cette circonstance qui, du reste, n'était rien à côté des étranges choses qui me devaient arriver. Je

vivais ainsi depuis un an, remplissant avec exactitude
tous les devoirs de mon état, priant, jeûnant, exhortant et
secourant les malades, faisant l'aumône jusqu'à me re-
trancher les nécessités les plus indispensables. Mais je
sentais au-dedans de moi une aridité extrême, et les
sources de la grâce m'étaient fermées. Je ne jouissais pas
de ce bonheur que donne l'accomplissement d'une sainte
mission; mon idée était ailleurs, et les paroles de Clarimonde me revenaient souvent sur les lèvres comme une
espèce de refrain involontaire. O frère, méditez bien
ceci! Pour avoir levé une seule fois le regard sur une
femme, pour une faute en apparence si légère, j'ai
éprouvé pendant plusieurs années les plus misérables
agitations : ma vie a été troublée à tout jamais.

Je ne vous retiendrai pas plus longtemps sur ces défai-
tes et sur ces victoires intérieures toujours suivies de
rechutes plus profondes, et je passerai sur-le-champ à une
circonstance décisive. Une nuit l'on sonna violemment à
ma porte. La vieille gouvernante alla ouvrir, et un homme
au teint cuivré et richement vêtu, mais selon une mode
étrangère, avec un long poignard, se dessina sous les
rayons de la lanterne de Barbara. Son premier mouvement fut la frayeur; mais l'homme la rassura, et lui dit
qu'il avait besoin de me voir sur-le-champ pour quelque
chose qui concernait mon ministère. Barbara le fit monter. J'allais me mettre au lit. L'homme me dit que sa
maîtresse, une très grande dame, était à l'article de la
mort et désirait un prêtre. Je répondis que j'étais prêt à le
suivre; je pris avec moi ce qu'il fallait pour l'extrême-
onction et je descendis en toute hâte. A la porte piaffaient
d'impatience deux chevaux noirs comme la nuit, et soufflant sur leur poitrail deux longs flots de fumée. Il me tint
l'étrier et m'aida à monter sur l'un, puis il sauta sur
l'autre en appuyant seulement un main sur le pommeau
de la selle. Il serra les genoux et lâcha les guides à son
cheval qui partit comme la flèche. Le mien, dont il tenait
la bride, prit aussi le galop et se maintint dans une égalité
parfaite. Nous dévorions le chemin; la terre filait sous
nous grise et rayée, et les silhouettes noires des arbres
s'enfuyaient comme une armée en déroute. Nous traver-

sâmes une forêt d'un sombre si opaque et si glacial, que
je me sentis courir sur la peau un frisson de superstitieuse
terreur. Les aigrettes d'étincelles que les fers de nos
chevaux arrachaient aux cailloux laissaient sur notre passage comme une traînée de feu, et si quelqu'un, à cette
heure de nuit, nous eût vus, mon conducteur et moi, il
nous eût pris pour deux spectres à cheval sur le cauchemar. Des feux follets traversaient de temps en temps le
chemin, et les choucas piaulaient piteusement dans
l'épaisseur du bois, où brillaient de loin en loin les yeux
phosphoriques de quelques chats sauvages. La crinière
des chevaux s'échevelait de plus en plus, la sueur ruisselait sur leurs flancs, et leur haleine sortait bruyante et
pressée de leurs narines. Mais, quand il les voyait faiblir,
l'écuyer pour les ranimer poussait un cri guttural qui
n'avait rien d'humain, et la course recommençait avec
furie. Enfin le tourbillon s'arrêta ; une masse noire piquée
de quelques points brillants se dressa subitement devant
nous ; les pas de nos montures sonnèrent plus bruyants sur
un plancher ferré, et nous entrâmes sous une voûte qui
ouvrait sa gueule sombre entre deux énormes tours [9]. Une
grande agitation régnait dans le château ; des domestiques
avec des torches à la main traversaient les cours en tous
sens, et des lumières montaient et descendaient de palier en
palier. J'entrevis confusément d'immenses architectures,
des colonnes, des arcades, des perrons et des rampes, un
luxe de construction tout à fait royal et féerique. Un page
nègre, le même qui m'avait donné les tablettes de Clarimonde et que je reconnus à l'instant, me vint aider à
descendre, et un majordome, vêtu de velours noir avec
une chaîne d'or au col et une canne d'ivoire à la main,
s'avança au-devant de moi. De grosses larmes débor-
daient de ses yeux et coulaient le long de ses joues sur sa
barbe blanche. « Trop tard ! fit-il en hochant la tête, trop
tard ! seigneur prêtre ; mais, si vous n'avez pu sauver
l'âme, venez veiller le pauvre corps. » Il me prit par le

---

9. *deux énormes tours,* dans son étude sur *Balzac* (1858), Gautier
déclare : «*La Morte amoureuse* [...] fut notre seule œuvre nocturne».
Peut-être n'est-elle pas la seule, mais la plus nocturne, en quoi elle
s'oppose à *Arria Marcella.*

bras et me conduisit à la salle funèbre ; je pleurais aussi fort que lui, car j'avais compris que la morte n'était autre que cette Clarimonde tant et si follement aimée. Un prie-Dieu était disposé à côté du lit ; une flamme bleuâtre voltigeant sur une patère de bronze jetait par toute la chambre un jour faible et douteux, et çà et là faisait papilloter dans l'ombre quelque arête saillante de meuble ou de corniche. Sur la table, dans une urne ciselée, trempait une rose blanche fanée dont les feuilles, à l'exception d'une seule qui tenait encore, étaient toutes tombées au pied du vase comme des larmes odorantes ; un masque noir brisé, un éventail, des déguisements de toute espèce, traînaient sur les fauteuils et faisaient voir que la mort était arrivée dans cette somptueuse demeure à l'improviste et sans se faire annoncer. Je m'agenouillai sans oser jeter les yeux sur le lit, et je me mis à réciter les psaumes avec une grande ferveur, remerciant Dieu qu'il eût mis la tombe entre l'idée de cette femme et moi, pour que je pusse ajouter à mes prières son nom désormais sanctifié. Mais peu à peu cet élan se ralentit, et je tombai en rêverie. Cette chambre n'avait rien d'une chambre de mort. Au lieu de l'air fétide et cadavéreux que j'étais accoutumé à respirer en ces veilles funèbres, une langoureuse fumée d'essences orientales, je ne sais quelle amoureuse odeur de femme, nageait doucement dans l'air attiédi. Cette pâle lueur avait plutôt l'air d'un demi-jour ménagé pour la volupté que de la veilleuse au reflet jaune qui tremblote près des cadavres. Je songeais au singulier hasard qui m'avait fait retrouver Clarimonde au moment où je la perdais pour toujours, et un soupir de regret s'échappa de ma poitrine. Il me sembla qu'on avait soupiré aussi derrière moi, et je me retournai involontairement. C'était l'écho. Dans ce mouvement, mes yeux tombèrent sur le lit de parade qu'ils avaient jusqu'alors évité. Les rideaux de damas rouge à grandes fleurs, relevés par des torsades d'or, laissaient voir la morte couchée tout de son long et les mains jointes sur la poitrine. Elle était couverte d'un voile de lin d'une blancheur éblouissante, que le pourpre sombre de la tenture faisait encore mieux ressortir, et d'une telle finesse qu'il ne dérobait en rien la forme charmante de son corps et permettait de suivre ces belles lignes onduleuses comme le cou d'un cygne que la mort même n'avait pu roidir. On eût dit une statue d'albâtre faite par quelque sculpteur habile pour mettre sur un tombeau de reine, ou encore une jeune fille endormie sur qui il aurait neigé.

Je ne pouvais plus y tenir; cet air d'alcôve m'enivrait, cette fébrile senteur de rose à demi-fanée me montait au cerveau, et je marchais à grands pas dans la chambre, m'arrêtant à chaque tour devant l'estrade pour considérer la gracieuse trépassée sous la transparence de son linceul. D'étranges pensées me traversaient l'esprit; je me figurais qu'elle n'était point morte réellement, et que ce n'était qu'une feinte qu'elle avait employée pour m'attirer dans son château et me conter son amour. Un instant même je crus avoir vu bouger son pied dans la blancheur des voiles, et se déranger les plis droits du suaire.

Et puis je me disais: «Est-ce bien Clarimonde? quelle preuve en ai-je? Ce page noir ne peut-il être passé au service d'une autre femme? Je suis bien fou de me désoler et de m'agiter ainsi.» Mais mon cœur me répondit avec un battement: «C'est bien elle, c'est bien elle.» Je me rapprochai du lit, et je regardai avec un redoublement d'attention l'objet de mon incertitude. Vous l'avouerai-je? cette perfection de formes, quoique purifiée et sanctifiée par l'ombre de la mort, me troublait plus voluptueusement qu'il n'aurait fallu, et ce repos ressemblait tant à un sommeil que l'on s'y serait trompé. J'oubliais que j'étais venu là pour un office funèbre, et je m'imaginais que j'étais un jeune époux entrant dans la chambre de la fiancée qui cache sa figure par pudeur et qui ne se veut point laisser voir. Navré de douleur, éperdu de joie, frissonnant de crainte et de plaisir, je me penchai vers elle et je pris le coin du drap; je le soulevai lentement en retenant mon souffle de peur de l'éveiller. Mes artères palpitaient avec une telle force, que je les sentais siffler dans mes tempes, et mon front ruisselait de sueur comme si j'eusse remué une dalle de marbre. C'était en effet la Clarimonde telle que je l'avais vue à l'église lors de mon ordination; elle était aussi charmante, et la mort chez elle semblait une coquetterie de plus. La pâleur de ses joues, le rose moins vif de ses lèvres, ses longs cils baissés et découpant leur frange brune sur cette blancheur, lui donnaient une expression de chasteté mélancolique et de souffrance pensive d'une puissance de séduction inexprimable ; ses longs cheveux dénoués, où se trouvaient encore mêlées quelques petites fleurs bleues, faisaient un oreiller à sa tête et protégeaient de leurs boucles la nudité de ses épaules : ses belles mains, plus pures, plus diaphanes que des hosties, étaient croisées dans une attitude de pieux repos et de tacite prière, qui corrigeait ce qu'auraient pu avoir de trop séduisant, même dans la mort, l'exquise rondeur et le poli d'ivoire de ses bras nus dont on n'avait pas ôté les bracelets de perles. Je restai longtemps absorbé dans une muette contemplation, et, plus je la regardais, moins je pouvais croire que la vie avait pour toujours abandonné ce beau corps. Je ne sais si cela était une illusion ou un reflet de la lampe, mais on eût dit que le sang recommençait à circuler sous cette mate pâleur ; cependant elle était toujours de la plus parfaite immobilité. Je touchai légèrement son bras ; il était froid, mais pas plus froid pourtant que sa main le jour qu'elle avait effleuré la mienne sous le portail de l'église. Je repris ma position, penchant ma figure sur la sienne et laissant pleuvoir sur ses joues la tiède rosée de mes larmes. Ah ! quel sentiment amer de désespoir et d'impuissance ! quelle agonie que cette veille ! j'aurais voulu pouvoir ramasser ma vie en un monceau pour la lui donner et souffler sur sa dépouille glacée la flamme qui me dévorait. La nuit s'avançait, et, sentant approcher le moment de la séparation éternelle, je ne pus me refuser cette triste et suprême douceur de déposer un baiser sur les lèvres mortes de celle qui avait eu tout mon amour. O prodige ! un léger souffle se mêla à mon souffle, et la bouche de Clarimonde répondit à la pression de la mienne : ses yeux s'ouvrirent et reprirent un peu d'éclat, elle fit un soupir, et, décroisant ses bras, elle les passa derrière mon cou avec un air de ravissement ineffable. « Ah ! c'est toi, Romuald, dit-elle d'une voix languissante et douce comme les dernières vibrations d'une harpe ; que fais-tu

donc ? Je t'ai attendu si longtemps, que je suis morte ;
mais maintenant nous sommes fiancés, je pourrai te voir
et aller chez toi. Adieu, Romuald, adieu ! je t'aime ; c'est
tout ce que je voulais te dire, et je te rends la vie que tu as
rappelée sur moi une minute avec ton baiser [10] ; à bientôt. »

Sa tête retomba en arrière, mais elle m'entourait
toujours de ses bras comme pour me retenir. Un tourbillon de vent furieux défonça la fenêtre et entra dans
la chambre ; la dernière feuille de la rose blanche pal-
pita quelque temps comme une aile au bout de la tige,
puis elle se détacha et s'envola par la croisée ouverte,
emportant avec elle l'âme de Clarimonde. La lampe
s'éteignit et je tombai évanoui sur le sein de la belle
morte.

Quand je revins à moi, j'étais couché sur mon lit, dans
ma petite chambre de presbytère, et le vieux chien de
l'ancien curé léchait ma main allongée hors de la couverture. Barbara s'agitait dans la chambre avec un tremblement sénile, ouvrant et fermant des tiroirs, ou remuant
des poudres dans des verres. En me voyant ouvrir les
yeux, la vieille poussa un cri de joie, le chien jappa et
frétilla de la queue ; mais j'étais si faible, que je ne pus
prononcer une seule parole ni faire aucun mouvement.
J'ai su depuis que j'étais resté trois jours ainsi, ne donnant d'autre signe d'existence qu'une respiration presque
insensible. Ces trois jours ne comptent pas dans ma vie,
et je ne sais où mon esprit était allé pendant tout ce
temps ; je n'en ai gardé aucun souvenir. Barbara m'a
conté que le même homme au teint cuivré, qui m'était
venu chercher pendant la nuit, m'avait ramené le matin
dans une litière fermée et s'en était retourné aussitôt. Dès
que je pus rappeler mes idées, je repassai en moi-même
toutes les circonstances de cette nuit fatale. D'abord je
pensai que j'avais été le jouet d'une illusion magique ;
mais des circonstances réelles et palpables détruisirent

10. *ton baiser*, le baiser est, dans les récits fantastiques de Gautier, le
geste qui ressuscite la femme morte pour lui faire revivre un temps
l'expérience érotique.

bientôt cette supposition[11]. Je ne pouvais croire que j'avais rêvé, puisque Barbara avait vu comme moi l'homme aux deux chevaux noirs et qu'elle en décrivait l'ajustement et la tournure avec exactitude. Cependant personne ne connaissait dans les environs un château auquel s'appliquât la description du château où j'avais retrouvé Clarimonde.

Un matin je vis entrer l'abbé Sérapion. Barbara lui avait mandé que j'étais malade, et il était accouru en toute hâte. Quoique cet empressement démontrât de l'affection et de l'intérêt pour ma personne, sa visite ne me fit pas le plaisir qu'elle m'aurait dû faire. L'abbé Sérapion avait dans le regard quelque chose de pénétrant et d'inquisiteur qui me gênait. Je me sentais embarrassé et coupable devant lui. Le premier il avait découvert mon trouble intérieur, et je lui en voulais de sa clairvoyance.

Tout en me demandant des nouvelles de ma santé d'un ton hypocritement mielleux, il fixait sur moi ses deux jaunes prunelles de lion et plongeait comme une sonde ses regards dans mon âme. Puis il me fit quelques questions sur la manière dont je dirigeais ma cure, si je m'y plaisais, à quoi je passais le temps que mon ministère me laissait libre, si j'avais fait quelques connaissances parmi les habitants du lieu, quelles étaient mes lectures favorites, et mille autres détails semblables. Je répondais à tout cela le plus brièvement possible, et lui-même, sans attendre que j'eusse achevé, passait à autre chose. Cette conversation n'avait évidemment aucun rapport avec ce qu'il voulait dire. Puis, sans préparation aucune, et comme une nouvelle dont il se souvenait à l'instant et qu'il eût craint d'oublier ensuite, il me dit d'une voix claire et vibrante qui résonna à mon oreille comme les trompettes du jugement dernier :

« La grande courtisane Clarimonde est morte dernièrement, à la suite d'une orgie qui a duré huit jours et huit nuits. Ç'a été quelque chose d'infernalement splendide.

---

11. *cette supposition*, l'ambiguïté et le doute sont maintenus par l'abolition des frontières entre le rêve et la veille, la vie onirique et l'expérience vécue.

On a renouvelé là les abominations des festins de Balthazar et de Cléopâtre. Dans quel siècle vivons-nous, bon
Dieu ! Les convives étaient servis par des esclaves basa-
nés parlant un langage inconnu et qui m'ont tout l'air de
vrais démons ; la livrée du moindre d'entre eux eût pu
servir de gala à un empereur. Il a couru de tout temps sur
cette Clarimonde de bien étranges histoires, et tous ses
amants ont fini d'une manière misérable ou violente. On
a dit que c'était une goule, un vampire femelle [12] ; mais je
crois que c'était Belzébuth en personne. »

Il se tut et m'observa plus attentivement que jamais,
pour voir l'effet que ses paroles avaient produit sur moi.
Je n'avais pu me défendre d'un mouvement en entendant
nommer Clarimonde, et cette nouvelle de sa mort, outre
la douleur qu'elle me causait par son étrange coïncidence
avec la scène nocturne dont j'avais été témoin, me jeta
dans un trouble et un effroi qui parurent sur ma figure,
quoi que je fisse pour m'en rendre maître. Sérapion me
jeta un coup d'œil inquiet et sévère ; puis il me dit : « Mon
fils, je dois vous en avertir, vous avez le pied levé sur un
abîme, prenez garde d'y tomber. Satan a la griffe longue,
et les tombeaux ne sont pas toujours fidèles. La pierre de
Clarimonde devrait être scellée d'un triple sceau ; car ce
n'est pas, à ce qu'on dit, la première fois qu'elle est
morte. Que Dieu veille sur vous, Romuald ! »

Après avoir dit ces mots, Sérapion regagna la porte à
pas lents, et je ne le revis plus ; car il partit pour S***
presque aussitôt.

J'étais entièrement rétabli et j'avais repris mes fonc-
tions habituelles. Le souvenir de Clarimonde et les paroles du vieil abbé étaient toujours présents à mon esprit ;
cependant aucun événement extraordinaire n'était venu
confirmer les prévisions funèbres de Sérapion, et je
commençais à croire que ses craintes et mes terreurs
étaient trop exagérées ; mais une nuit je fis un rêve.
J'avais à peine bu les premières gorgées du sommeil, que

12. *un vampire femelle*, le thème a été traité antérieurement par
Hoffmann, *La Vampire*, dans les *Contes des frères Sérapion* IV. Mais
si le récit d'Hoffmann a inspiré Gautier, celui-ci a dépassé son modèle
par la vigueur de l'intérêt dramatique.

j'entendis ouvrir les rideaux de mon lit et glisser les anneaux sur les tringles avec un bruit éclatant; je me soulevai brusquement sur le coude, et je vis une ombre de femme qui se tenait debout devant moi. Je reconnus sur-le-champ Clarimonde. Elle portait à la main une petite lampe de la forme de celles qu'on met dans les tombeaux, dont la lueur donnait à ses doigts effilés une transparence rose qui se prolongeait par une dégradation insensible jusque dans la blancheur opaque et laiteuse de son bras nu. Elle avait pour tout vêtement le suaire de lin qui la recouvrait sur son lit de parade, dont elle retenait les plis sur sa poitrine, comme honteuse d'être si peu vêtue, mais sa petite main n'y suffisait pas; elle était si blanche, que la couleur de la draperie se confondait avec celle des chairs sous le pâle rayon de la lampe. Enveloppée de ce fin tissu qui trahissait tous les contours de son corps, elle ressemblait à une statue de marbre de baigneuse antique plutôt qu'à une femme douée de vie. Morte ou vivante, statue ou femme, ombre ou corps, sa beauté était toujours la même [13]; seulement l'éclat vert de ses prunelles était un peu amorti, et sa bouche, si vermeille autrefois, n'était plus teintée que d'un rose faible et tendre presque semblable à celui de ses joues. Les petites fleurs bleues que j'avais remarquées dans ses cheveux étaient tout à fait sèches et avaient presque perdu toutes leurs feuilles; ce qui ne l'empêchait pas d'être charmante, si charmante que, malgré la singularité de l'aventure et la façon inexplicable dont elle était entrée dans la chambre, je n'eus pas un instant de frayeur.

Elle posa la lampe sur la table et s'assit sur le pied de mon lit, puis elle me dit en se penchant vers moi avec cette voix argentine et veloutée à la fois que je n'ai connue qu'à elle :

« Je me suis bien fait attendre, mon cher Romuald, et tu as dû croire que je t'avais oublié. Mais je viens de bien

---

13. *la même*, la beauté peut transcender les formes matérielles, la réalité de la vie et de la mort pour s'identifier avec une idée, une essence, conformément à l'esthétique platonicienne. Dans *Du beau dans l'art (L'Art moderne)*, Gautier se rallie à la définition de Platon : « Le beau est la splendeur du vrai. »

loin, et d'un endroit d'où personne n'est encore revenu : il n'y a ni lune ni soleil au pays d'où j'arrive ; ce n'est que de l'espace et de l'ombre ; ni chemin, ni sentier ; point de terre pour le pied, point d'air pour l'aile ; et pourtant me voici, car l'amour est plus fort que la mort [14], et il finira par la vaincre. Ah ! que de faces mornes et de choses terribles j'ai vues dans mon voyage ! Que de peine mon âme, rentrée dans ce monde par la puissance de la volonté, a eue pour retrouver son corps et s'y réinstaller ! Que d'efforts il m'a fallu faire avant de lever la dalle dont on m'avait couverte ! Tiens ! le dedans de mes pauvres mains en est tout meurtri. Baise-les pour les guérir, cher amour ! » Elle m'appliqua l'une après l'autre les paumes froides de ses mains sur la bouche ; je les baisai en effet plusieurs fois, et elle me ragardait faire avec un sourire d'ineffable complaisance.

Je l'avoue à ma honte, j'avais totalement oublié les avis de l'abbé Sérapion et le caractère dont j'étais revêtu. J'étais tombé sans résistance et au premier assaut. Je n'avais pas même essayé de repousser le tentateur ; la fraîcheur de la peau de Clarimonde pénétrait la mienne, et je me sentais courir sur le corps de voluptueux frissons. La pauvre enfant ! malgré tout ce que j'en ai vu, j'ai peine à croire encore que ce fût un démon ; du moins elle n'en avait pas l'air, et jamais Satan n'a mieux caché ses griffes et ses cornes. Elle avait reployé ses talons sous elle et se tenait accroupie sur le bord de la couchette dans une position pleine de coquetterie nonchalante. De temps en temps elle passait sa petite main à travers mes cheveux et les roulait en boucles comme pour essayer à mon visage de nouvelle coiffures. Je me laissais faire avec la plus coupable complaisance, et elle accompagnait tout cela du plus charmant babil. Une chose remarquable, c'est que je n'éprouvais aucun étonnement d'une aventure aussi extraordinaire, et, avec cette facilité que l'on a dans la vision d'admettre comme fort simples les événements les plus bizarres, je ne voyais rien là que de parfaitement naturel.

14. *la mort*, allusion au *Cantique des cantiques* (VIII, 6).

« Je t'aimais bien longtemps avant de t'avoir vu, mon cher Romuald, et je te cherchais partout. Tu étais mon rêve, et je t'ai aperçu dans l'église au fatal moment ; j'ai dit tout de suite : « C'est lui ! » Je te jetai un regard où je mis tout l'amour que j'avais eu, que j'avais et que je devais avoir pour toi ; un regard à damner un cardinal, à faire agenouiller un roi à mes pieds devant toute sa cour. Tu restas impassible et tu me préféras ton Dieu.

« Ah ! que je suis jalouse de Dieu, que tu as aimé et que tu aimes encore plus que moi !

« Malheureuse, malheureuse que je suis ! je n'aurai jamais ton cœur à moi toute seule, moi que tu as ressuscitée d'un baiser, Clarimonde la morte, qui force à cause de toi les portes du tombeau et qui vient te consacrer une vie qu'elle n'a reprise que pour te rendre heureux ! »

Toutes ces paroles étaient entrecoupées de caresses délirantes qui étourdirent mes sens et ma raison au point que je ne craignis point pour la consoler de proférer un effroyable blasphème, et de lui dire que je l'aimais autant que Dieu.

Ses prunelles se ravivèrent et brillèrent comme des chrysoprases. « Vrai ! bien vrai ! autant que Dieu ! dit-elle en m'enlaçant dans ses beaux bras. Puisque c'est ainsi, tu viendras avec moi, tu me suivras où je voudrai. Tu laisseras tes vilains habits noirs. Tu seras le plus fier et le plus envié des cavaliers, tu seras mon amant. Être l'amant avoué de Clarimonde, qui a refusé un pape, c'est beau, cela ! Ah ! la bonne vie bien heureuse, la belle existence dorée que nous mènerons ! Quand partons-nous, mon gentilhomme ?

— Demain ! demain ! m'écriai-je dans mon délire.

— Demain, soit ! reprit-elle. J'aurai le temps de changer de toilette, car celle-ci est un peu succincte et ne vaut rien pour le voyage. Il faut aussi que j'aille avertir mes gens qui me croient sérieusement morte et qui se désolent tant qu'ils peuvent. L'argent, les habits, les voitures, tout sera prêt ; je te viendrai prendre à cette heure-ci. Adieu, cher cœur. » Et elle effleura mon front du bout de ses lèvres. La lampe s'éteignit, les rideaux se refermèrent, et je ne vis plus rien ; un sommeil de plomb, un sommeil sans rêve s'appesantit sur moi et me tint engourdi jusqu'au lendemain matin. Je me réveillai plus tard que de coutume, et le souvenir de cette singulière vision m'agita toute la journée; je finis par me persuader que c'était une pure vapeur de mon imagination échauffée. Cependant les sensations avaient été si vives, qu'il était difficile de croire qu'elles n'étaient pas réelles [15], et ce ne fut pas sans quelque appréhension de ce qui allait arriver que je me mis au lit, après avoir prié Dieu d'éloigner de moi les mauvaises pensées et de protéger la chasteté de mon sommeil.

Je m'endormis bientôt profondément, et mon rêve se continua. Les rideaux s'écartèrent, et je vis Clarimonde, non pas, comme la première fois, pâle dans son pâle suaire et les violettes de la mort sur les joues, mais gaie, leste et pimpante, avec un superbe habit de voyage en velours vert orné de ganses d'or et retroussé sur le côté pour laisser voir une jupe de satin. Ses cheveux blonds s'échappaient en grosses boucles de dessous un large chapeau de feutre noir chargé de plumes blanches capricieusement contournées; elle tenait à la main une petite cravache terminée par un sifflet d'or. Elle m'en toucha légèrement et me dit: «Eh bien! beau dormeur, est-ce ainsi que vous faites vos préparatifs? Je comptais vous trouver debout. Levez-vous bien vite, nous n'avons pas de temps à perdre.» Je sautai à bas du lit.

«Allons, habillez-vous et partons, dit-elle en me montrant du doigt un petit paquet qu'elle avait apporté; les chevaux s'ennuient et rongent leur frein à la porte. Nous devrions déjà être à dix lieues d'ici.»

Je m'habillai en hâte, et elle me tendait elle-même les pièces du vêtement, en riant aux éclats de ma gaucherie, et en m'indiquant leur usage quand je me trompais. Elle donna du tour à mes cheveux, et, quand ce fut fait, elle me tendit un petit miroir de poche en cristal de Venise,

---

15. *réelles*, l'interpénétration du rêve et de la réalité est constante dans *La Morte amoureuse*, de telle sorte que l'observation de T. Todorov est pertinente: «Les rêves ont d'ailleurs une propriété étrange: au lieu de se former à partir des impressions de la journée, ils constituent un récit continu» (*Introduction à la littérature fantastique*, p. 57).

bordé d'un filigrane d'argent, et me dit : « Comment te trouves-tu ? veux-tu me prendre à ton service comme valet de chambre ? »

Je n'étais plus le même, et je ne me reconnus pas [16]. Je ne me ressemblais pas plus qu'une statue achevée ne ressemble à un bloc de pierre. Mon ancienne figure avait l'air de n'être que l'ébauche grossière de celle que réfléchissait le miroir. J'étais beau, et ma vanité fut sensiblement chatouillée de cette métamorphose. Ces élégants habits, cette riche veste brodée, faisaient de moi un tout autre personnage, et j'admirais la puissance de quelques aunes d'étoffe taillées d'une certaine manière. L'esprit de mon costume me pénétrait la peau, et au bout de dix minutes j'étais passablement fat.

Je fis quelques tours par la chambre pour me donner de l'aisance. Clarimonde me regardait d'un air de complaisance maternelle et paraissait très contente de son œuvre. « Voilà bien assez d'enfantillage ; en route mon cher Romuald ! nous allons loin et nous n'arriverons pas. » Elle me prit la main et m'entraîna. Toutes les portes s'ouvraient devant elle aussitôt qu'elle les touchait, et nous passâmes devant le chien sans l'éveiller.

A la porte, nous trouvâmes Margheritone ; c'était l'écuyer qui m'avait déjà conduit ; il tenait en bride trois chevaux noirs comme les premiers, un pour moi, un pour lui, un pour Clarimonde. Il fallait que ces chevaux fussent des genets d'Espagne, nés de juments fécondées par le zéphyr ; car ils allaient aussi vite que le vent, et la lune, qui s'était levée à notre départ pour nous éclairer, roulait dans le ciel comme une roue détachée de son char ; nous la voyions à notre droite sauter d'arbre en arbre et s'essouffler pour courir après nous. Nous arrivâmes bientôt dans une plaine où, auprès d'un bosquet d'arbres, nous attendait une voiture attelée de quatre vigoureuses bêtes ; nous y montâmes, et les postillons leur firent prendre un galop insensé. J'avais un bras passé derrière la taille de

16. *je ne me reconnus pas*, le sentiment de l'aliénation et de la perte de l'identité correspond chez les personnages fantastiques à une constante qui sera surtout exploitée par Maupassant (*Lui ?*, *Le Horla*, *Qui sait ?*, etc.).

Clarimonde et une de ses mains ployée dans la mienne ;
elle appuyait sa tête à mon épaule, et je sentais sa gorge
demi-nue frôler mon bras. Jamais je n'avais éprouvé un
bonheur aussi vif. J'avais oublié tout en ce moment-là, et
je ne me souvenais pas plus d'avoir été prêtre que de ce
que j'avais fait dans le sein de ma mère, tant était grande
la fascination que l'esprit malin exerçait sur moi. A dater
de cette nuit, ma nature s'est en quelque sorte dédoublée,
et il y eut en moi deux hommes dont l'un ne connaissait
pas l'autre. Tantôt je me croyais un prêtre qui rêvait
chaque soir qu'il était gentilhomme, tantôt un gentilhomme qui rêvait qu'il était prêtre. Je ne pouvais plus
distinguer le songe de la veille, et je ne savais pas où
commençait la réalité et où finissait l'illusion. Le jeune
seigneur fat et libertin se raillait du prêtre, le prêtre
détestait les dissolutions du jeune seigneur. Deux spirales
enchevêtrées l'une dans l'autre et confondues sans se
toucher jamais représentent très bien cette vie bicéphale
qui fut la mienne [17]. Malgré l'étrangeté de cette position,
je ne crois pas avoir un seul instant touché à la folie. J'ai
toujours conservé très nettes les perceptions de mes deux
existences. Seulement, il y avait un fait absurde que je ne
pouvais m'expliquer : c'est que le sentiment du même
moi existât dans deux hommes si différents. C'était une
anomalie dont je ne me rendais pas compte, soit que je
crusse être le curé du petit village de ***, ou *il signor
Romualdo*, amant en titre de la Clarimonde.

Toujours est-il que j'étais ou du moins que je croyais
être à Venise ; je n'ai pu encore bien démêler ce qu'il y
avait d'illusion et de réalité dans cette bizarre aventure.
Nous habitions un grand palais de marbre sur le Canaleio,
plein de fresques et de statues, avec deux Titiens du
meilleur temps dans la chambre à coucher de la Clarimonde, un palais digne d'un roi. Nous avions chacun
notre gondole et nos barcarolles à notre livrée, notre
chambre de musique et notre poète. Clarimonde entendait

---

17. *la mienne*, la métaphore des « deux spirales » et la « vie bicéphale » traduisent exemplairement la dualité sur laquelle repose le récit,
la série des disjonctions autour desquelles il s'organise : jour/nuit, trans-
parence/opacité, vie/mort, réel/onirique, prêtre/seigneur...

la vie d'une grande manière, et elle avait un peu de
Cléopâtre dans sa nature. Quant à moi, je menais un train
de fils de prince, et je faisais une poussière comme si
j'eusse été de la famille de l'un des douze apôtres ou des
quatre évangélistes de la sérénissime république; je ne me
serais pas détourné de mon chemin pour laisser passer le
doge, et je ne crois pas que, depuis Satan qui tomba du
ciel, personne ait été plus orgueilleux et plus insolent que
moi. J'allais au Ridotto, et je jouais un jeu d'enfer. Je
voyais la meilleure société du monde, des fils de famille
ruinés, des femmes de théâtre, des escrocs, des parasites
et des spadassins. Cependant, malgré la dissipation de
cette vie, je restai fidèle à la Clarimonde. Je l'aimais
éperdument. Elle eût réveillé la satiété même et fixé
l'inconstance. Avoir Clarimonde, c'était avoir vingt
maîtresses, c'était avoir toutes les femmes, tant elle était
mobile, changeante et dissemblable d'elle-même; un vrai
caméléon [18]! Elle vous faisait commettre avec elle l'infidélité que vous eussiez commise avec d'autres, en prenant complètement le caractère, l'allure et le genre de
beauté de la femme qui paraissait vous plaire. Elle me
rendait mon amour au centuple, et c'est en vain que les
jeunes patriciens et même les vieux du conseil des Dix lui
firent les plus magnifiques propositions. Un Foscari alla
même jusqu'à lui proposer de l'épouser; elle refusa tout.
Elle avait assez d'or; elle ne voulait plus que de l'amour,
un amour jeune, pur, éveillé par elle, et qui devait être le
premier et le dernier. J'aurais été parfaitement heureux
sans un maudit cauchemar qui revenait toutes les nuits, et
où je me croyais un curé de village se macérant et faisant
pénitence de mes excès du jour. Rassuré par l'habitude
d'être avec elle, je ne songeais presque plus à la façon
étrange dont j'avais fait connaissance avec Clarimonde.
Cependant, ce qu'en avait dit l'abbé Sérapion me revenait
quelquefois en mémoire et ne laissait pas que de me
donner de l'inquiétude.

---

18. *un vrai caméléon,* l'image exprime la thématique de la métamorphose et de l'aptitude au dédoublement, qui est centrale dans le récit
fantastique.

Depuis quelque temps la santé de Clarimonde n'était pas aussi bonne; son teint s'amortissait de jour en jour. Les médecins qu'on fit venir n'entendaient rien à sa maladie, et ils ne savaient qu'y faire. Ils prescrivirent quelques remèdes insignifiants et ne revinrent plus. Cependant elle pâlissait à vue d'œil et devenait de plus en plus froide. Elle était presque aussi blanche et aussi morte que la fameuse nuit dans le château inconnu. Je me désolais de la voir ainsi lentement dépérir. Elle, touchée de ma douleur, me souriait doucement et tristement avec le sourire fatal des gens qui savent qu'ils vont mourrir.

Un matin, j'étais assis auprès de son lit, et je déjeunais sur une petite table pour ne la pas quitter d'une minute. En coupant un fruit, je me fis par hasard au doigt une entaille assez profonde. Le sang partit aussitôt en filets pourpres, et quelques gouttes rejaillirent sur Clarimonde. Ses yeux s'éclairèrent, sa physionomie prit une expression de joie féroce et sauvage que je ne lui avais jamais vue. Elle sauta à bas du lit avec une agilité animale, une agilité de singe ou de chat, et se précipita sur ma blessure qu'elle se mit à sucer avec un air d'indicible volupté. Elle avalait le sang par petites gorgées, lentement et précieusement, comme un gourmet qui savoure un vin de Xérès ou de Syracuse; elle clignait les yeux à demi, et la pupille de ses prunelles vertes était devenue oblongue au lieu de ronde. De temps à autre elle s'interrompait pour me baiser la main, puis elle recommençait à presser de ses lèvres les lèvres de la plaie pour en faire sortir encore quelques gouttes rouges. Quand elle vit que le sang ne venait plus, elle se releva l'œil humide et brillant, plus rose qu'une aurore de mai, la figure pleine, la main tiède et moite, enfin plus belle que jamais et dans un état parfait de santé.

«Je ne mourrai pas! je ne mourrai pas! dit-elle à moitié folle de joie et en se pendant à mon cou; je pourrai t'aimer encore longtemps. Ma vie est dans la tienne, et tout ce qui est moi vient de toi. Quelques gouttes de ton riche et noble sang, plus précieux et plus efficace que tous les élixirs du monde, m'ont rendu l'existence.»

Cette scène me préoccupa longtemps et m'inspira

d'étranges doutes à l'endroit de Clarimonde, et le soir
même, lorsque le sommeil m'eut ramené à mon presbytère, je vis l'abbé Sérapion plus grave et plus soucieux
que jamais. Il me regarda attentivement et me dit : « Non
content de perdre votre âme, vous voulez aussi perdre
votre corps. Infortuné jeune homme, dans quel piège
êtes-vous tombé ! » Le ton dont il me dit ce peu de mots
me frappa vivement ; mais, malgré sa vivacité, cette impression fut bientôt dissipée, et mille autres soins l'effa-
cèrent de mon esprit. Cependant, un soir, je vis dans ma
glace, dont elle n'avait pas calculé la perfide position,
Clarimonde qui versait une poudre dans la coupe de vin
épicé qu'elle avait coutume de préparer après le repas. Je
pris la coupe, je feignis d'y porter mes lèvres, et je la
posai sur quelque meuble comme pour l'achever plus tard
à mon loisir, et, profitant d'un instant où la belle avait le
dos tourné, j'en jetai le contenu sous la table ; après quoi
je me retirai dans ma chambre et je me couchai, bien
déterminé à ne pas dormir et à voir ce que tout cela
deviendrait. Je n'attendis pas longtemps ; Clarimonde
entra en robe de nuit, et, s'étant débarrassée de ses voiles,
s'allongea dans le lit auprès de moi. Quand elle se fut
bien assurée que je dormais, elle découvrit mon bras et
tira une épingle d'or de sa tête ; puis elle se mit à murmurer à voix basse :

   « Une goutte, rien qu'une petite goutte rouge, un rubis
au bout de mon aiguille !... Puisque tu m'aimes encore, il
ne faut pas que je meure... Ah ! pauvre amour, ton beau
sang d'une couleur pourpre si éclatante, je vais le boire.
Dors, mon seul bien ; dors, mon dieu, mon enfant ; je ne
te ferai pas de mal, je ne prendrai de ta vie que ce qu'il
faudra pour ne pas laisser éteindre la mienne. Si je ne
t'aimais pas tant, je pourrais me résoudre à avoir d'autres
amants dont je tarirais les veines ; mais depuis que je te
connais, j'ai tout le monde en horreur... Ah ! le beau
bras ! comme il est rond ! comme il est blanc ! Je n'oserai
jamais piquer cette jolie veine bleue. » Et, tout en disant
cela, elle pleurait, et je sentais pleuvoir ses larmes sur
mon bras qu'elle tenait entre ses mains. Enfin elle se
décida, me fit une petite piqûre avec son aiguille et se mit

à pomper le sang qui en coulait. Quoiqu'elle en eût bu à peine quelques gouttes, la crainte de m'épuiser la prenant, elle m'entoura avec soin le bras d'une petite bandelette après avoir frotté la plaie d'un onguent qui la cicatrisa sur-le-champ.

Je ne pouvais plus avoir de doutes, l'abbé Sérapion avait raison. Cependant, malgré cette certitude, je ne pouvais m'empêcher d'aimer Clarimonde, et je lui aurais volontiers donné tout le sang dont elle avait besoin pour soutenir son existence factice. D'ailleurs, je n'avais pas grand-peur ; la femme me répondait du vampire, et ce que j'avais entendu et vu me rassurait complètement ; j'avais alors des veines plantureuses qui ne se seraient pas de sitôt épuisées, et je ne marchandais pas ma vie goutte à goutte. Je me serais ouvert le bras moi-même et je lui aurais dit : « Bois ! et que mon amour s'infiltre dans ton corps avec mon sang ! » J'évitais de faire la moindre allusion au narcotique qu'elle m'avait versé et à la scène de l'aiguille, et nous vivions dans le plus parfait accord. Pourtant mes scrupules de prêtre me tourmentaient plus que jamais, et je ne savais quelle macération nouvelle inventer pour mater et mortifier ma chair. Quoique toutes ces visions fussent involontaires [19] et que je n'y participasse en rien, je n'osais pas toucher le Christ avec des mains aussi impures et un esprit souillé par de pareilles débauches réelles ou rêvées. Pour éviter de tomber dans ces fatigantes hallucinations, j'essayais de m'empêcher de dormir, je tenais mes paupières ouvertes avec les doigts et je restais debout au long des murs, luttant contre le sommeil de toutes mes forces ; mais le sable de l'assoupissement me roulait bientôt dans les yeux, et, voyant que toute lutte était inutile, je laissais tomber les bras de découragement et de lassitude, et le courant me rentraînait vers les rives perfides. Sérapion me faisait les plus véhémentes exhortations, et me reprochait durement ma mollesse et mon peu de ferveur. Un jour que j'avais été

---

19. *involontaires,* elles le sont non seulement parce qu'elles naissent de l'épaisseur du rêve, mais parce qu'elles surgissent des strates de l'inconscient.

plus agité qu'à l'ordinaire, il me dit : « Pour vous débarrasser de cette obsession, il n'y a qu'un moyen, et,
quoiqu'il soit extrême, il le faut employer : aux grands
maux les grands remèdes. Je sais où Clarimonde a été
enterrée ; il faut que nous la déterrions et que vous voyiez
dans quel état pitoyable est l'objet de votre amour ; vous
ne serez plus tenté de perdre votre âme pour un cadavre
immonde dévoré des vers et près de tomber en poudre ;
cela vous fera assurément rentrer en vous-même. » Pour
moi, j'étais si fatigué de cette double vie, que j'acceptai :
voulant savoir, une fois pour toutes, qui du prêtre ou du
gentilhomme était dupe d'une illusion, j'étais décidé à
tuer au profit de l'un ou de l'autre un des deux hommes
qui étaient en moi ou à les tuer tous les deux, car une
pareille vie ne pouvait durer. L'abbé Sérapion se munit
d'une pioche, d'un levier et d'une lanterne, et à minuit
nous nous dirigeâmes vers le cimetière de ***, dont il
connaissait parfaitement le gisement et la disposition.
Après avoir porté la lumière de la lanterne sourde sur les
inscriptions de plusieurs tombeaux, nous arrivâmes enfin
à une pierre à moitié cachée par les grandes herbes et
dévorée de mousses et de plantes parasites, où nous
déchiffrâmes ce commencement d'inscription :

> Ici gît Clarimonde
> Qui fut de son vivant
> La plus belle du monde.
> . . . .

« C'est bien ici », dit Sérapion, et, posant à terre sa
lanterne, il glissa la pince dans l'interstice de la pierre et
commença à la soulever. La pierre céda, et il se mit à
l'ouvrage avec la pioche. Moi, je le regardais faire, plus
noir et plus silencieux que la nuit elle-même ; quant à lui,
courbé sur son œuvre funèbre il ruisselait de sueur, il
haletait, et son souffle pressé avait l'air d'un râle d'agoni-
sant. C'était un spectacle étrange, et qui nous eût vus du
dehors nous eût plutôt pris pour des profanateurs et des
voleurs de linceuls, que pour des prêtres de Dieu. Le zèle
de Sérapion avait quelque chose de dur et de sauvage qui
le faisait ressembler à un démon plutôt qu'à un apôtre ou

à un ange, et sa figure aux grands traits austères et
profondément découpés par le reflet de la lanterne n'avait
rien de très rassurant. Je me sentais perler sur les membres une sueur glaciale, et mes cheveux se redressaient
douloureusement sur ma tête ; je regardais au fond de
moi-même l'action du sévère Sérapion comme un abominable sacrilège, et j'aurais voulu que du flanc des sombres nuages qui roulaient pesamment au-dessus de nous
sortît un triangle de feu qui le réduisît en poudre. Les
hiboux perchés sur les cyprès, inquiétés par l'éclat de la
lanterne, en venaient fouetter lourdement la vitre avec
leurs ailes poussiéreuses, en jetant des gémissements
plaintifs ; les renards glapissaient dans le lointain, et mille
bruits sinistres se dégageaient du silence. Enfin la pioche
de Sérapion heurta le cercueil dont les planches retenti-
rent avec un bruit sourd et sonore, avec ce terrible bruit
que rend le néant quand on y touche ; il en renversa le
couvercle, et j'aperçus Clarimonde pâle comme un marbre, les mains jointes ; son blanc suaire ne faisait qu'un
seul pli de sa tête à ses pieds. Une petite goutte rouge
brillait comme une rose au coin de sa bouche décolorée.
Sérapion, à cette vue, entra en fureur : « Ah ! te voilà,
démon, courtisane impudique, buveuse de sang et d'or ! »
et il aspergea d'eau bénite le corps et le cercueil sur lequel
il traça la forme d'une croix avec son goupillon. La
pauvre Clarimonde n'eut pas été plutôt touchée par la
sainte rosée que son beau corps tomba en poussière ; ce ne
fut plus qu'un mélange affreusement informe de cendres
et d'os à demi calcinés [20]. « Voilà votre maîtresse, seigneur Romuald, dit l'inexorable prêtre en me montrant
ces tristes dépouilles, serez-vous encore tenté d'aller vous
promener au Lido et à Fusine avec votre beauté ? » Je
baissai la tête ; une grande ruine venait de se faire au-
dedans de moi. Je retournai à mon presbytère, et le
seigneur Romuald, amant de Clarimonde, se sépara du
pauvre prêtre, à qui il avait tenu pendant si longtemps une

---

20. *à demi calcinés,* cette vision fait présager le dénouement d'*Arria
Marcella,* où la courtisane antique, après avoir été ressuscitée, est
réduite à « une pincée de cendres mêlée de quelques ossements calcinés ».

si étrange compagnie. Seulement, la nuit suivante, je vis
Clarimonde ; elle me dit, comme la première fois sous le
portail de l'église : « Malheureux ! malheureux ! qu'as-tu
fait ? Pourquoi as-tu écouté ce prêtre imbécile ? n'étais-tu
pas heureux ? et que t'avais-je fait, pour violer ma pauvre
tombe et mettre à nu les misères de mon néant ? Toute
communication entre nos âmes et nos corps est rompue
désormais. Adieu, tu me regretteras. » Elle se dissipa
dans l'air comme une fumée, et je ne la revis plus.

Hélas ! elle a dit vrai : je l'ai regrettée plus d'une fois et
je la regrette encore. La paix de mon âme a été bien
chèrement achetée ; l'amour de Dieu n'était pas de trop
pour remplacer le sien. Voilà, frère, l'histoire de ma
jeunesse. Ne regardez jamais une femme, et marchez
toujours les yeux fixés en terre, car, si chaste et si calme
que vous soyez, il suffit d'une minute pour vous faire
perdre l'éternité.

LA PIPE D'OPIUM [1]

1. *La Pipe d'opium* a paru dans *La Presse* du 27 septembre 1838, puis dans *La Peau de tigre*, Hippolyte Souverain, 1852, et dans *Romans et contes*, Charpentier, 1863.

En 1828 déjà, Musset publiait sous le titre *Un Anglais mangeur d'opium* une adaptation française des *Confessions d'un mangeur d'opium* de Thomas de Quincey. En novembre 1830 Balzac a inséré sous un pseudonyme, dans *La Caricature* un article intitulé *L'Opium*, dont il s'est servi dans *Massimilla Doni* (1839), où Vendramin regarde le monde « à travers les brillantes vapeurs des griseries de l'opium », qui lui procure « une mort voluptueuse ». Enfin *Album d'un pessimiste* d'Alphonse Rabbe (publication posthume en 1835) mérite d'être signalé parmi les textes antérieurs à *La Pipe d'opium*.

L'autre jour, je[2] trouvai mon ami Alphonse Karr[3] assis sur son divan, avec une bougie allumée, quoiqu'il fît grand jour, et tenant à la main un tuyau de bois de cerisier muni d'un champignon de porcelaine sur lequel il faisait dégoutter une espèce de pâte brune assez semblable à la cire à cacheter; cette pâte flambait et grésillait dans la cheminée du champignon, et il aspirait par une petite embouchure d'ambre jaune la fumée qui se répandait ensuite dans la chambre avec une vague odeur de parfum oriental.

Je pris, sans rien dire, l'appareil des mains de mon ami, et je m'ajustai à l'un des bouts; après quelques gorgées, j'éprouvai un espèce d'étourdissement qui n'était pas sans charmes et ressemblait assez aux sensations de la première ivresse.

Étant de feuilleton ce jour-là, et n'ayant pas le loisir d'être gris, j'accrochai la pipe à un clou et nous descendîmes dans le jardin, dire bonjour aux dahlias et jouer un peu avec Schutz, heureux animal qui n'a d'autre fonction que d'être noir sur un tapis de vert gazon.

Je rentrai chez moi, je dînai, et j'allai au théâtre subir

2. *Je*, dans *La Pipe d'opium*, le Je du narrateur s'identifie avec celui de l'auteur, qui prend en charge le récit fantastique et relate une expérience onirique suscitée par l'usage de la drogue.

3. *Alphonse Karr* (1808-1890) participa à la bohème de l'impasse du Doyenné et aux *fantasias* de l'hôtel Pimodan, chez le peintre Fernand Boissard de Boisdenier, mais il paraît s'être livré plus à l'expérience de l'opium qu'à celle du haschisch, de telle manière que sa présence se légitime parfaitement dans *La Pipe d'opium*.

je ne sais quelle pièce, puis je revins me coucher, car il
faut bien en arriver là, et faire, par cette mort de quelques
heures, l'apprentissage de la mort définitive.

L'opium que j'avais fumé, loin de produire l'effet
somnolent que j'en attendais, me jetait en des agitations
nerveuses comme du café violent, et je tournais dans mon
lit en façon de carpe sur le gril ou de poulet à la broche,
avec un perpétuel roulis de couvertures, au grand mécontentement de mon chat roulé en boule sur le coin de
mon édredon.

Enfin, le sommeil longtemps imploré ensabla mes prunelles de sa poussière d'or, mes yeux devinrent chauds et
lourds, je m'endormis.

Après une ou deux heures complètement immobiles et
noires, j'eus un rêve.

— Le voici :

Je me retrouvai chez mon ami Alphonse Karr, —
comme le matin, dans la réalité ; il était assis sur son
divan de lampas jaune, avec sa pipe et sa bougie allumée ;
seulement le soleil ne faisait pas voltiger sur les murs,
comme des papillons aux mille couleurs, les reflets bleus,
verts et rouges des vitraux.

Je pris la pipe de ses mains, ainsi que je l'avais fait
quelques heures auparavant, et je me mis à aspirer lentement la fumée enivrante.

Une mollesse pleine de béatitude ne tarda pas à s'emparer de moi, et je sentis le même étourdissement que
j'avais éprouvé en fumant la vraie pipe.

Jusque-là mon rêve se tenait dans les plus exactes
limites du monde habitable, et répétait, comme un miroir,
les actions de ma journée.

J'étais pelotonné dans un tas de coussins, et je renver-
sais paresseusement ma tête en arrière pour suivre en l'air
les spirales bleuâtres, qui se fondaient en brume d'ouate,
après avoir tourbillonné quelques minutes.

Mes yeux se portaient naturellement sur le plafond, qui
est d'un noir d'ébène, avec des arabesques d'or.

A force de le regarder avec cette attention extatique qui
précède les visions, il me parut bleu, mais d'un bleu dur,
comme un des pans du manteau de la nuit.

« Vous avez donc fait repeindre votre plafond en bleu, dis-je à Karr, qui, toujours impassible et silencieux, avait embouché une autre pipe, et rendait plus de fumée qu'un tuyau de poêle en hiver, ou qu'un bateau à vapeur dans une saison quelconque.

— Nullement, mon fils, répondit-il en mettant son nez hors du nuage, mais vous m'avez furieusement la mine de vous être à vous-même peint l'estomac en rouge, au moyen d'un bordeaux plus ou moins *Laffitte*.

— Hélas ! que ne dites-vous la vérité ; mais je n'ai bu qu'un misérable verre d'eau sucrée, où toutes les fourmis de la terre étaient venues se désaltérer, une école de natation d'insectes.

— Le plafond s'ennuyait apparemment d'être noir, il s'est mis en bleu ; après les femmes, je ne connais rien de plus capricieux que les plafonds ; c'est une fantaisie de plafond, voilà tout, rien n'est plus ordinaire. »

Cela dit, Karr rentra son nez dans le nuage de fumée, avec la mine satisfaite de quelqu'un qui a donné une explication limpide et lumineuse.

Cependant je n'étais qu'à moitié convaincu, et j'avais de la peine à croire les plafonds aussi fantastiques que cela, et je continuais à regarder celui que j'avais au-dessus de ma tête, non sans quelque sentiment d'inquiétude.

Il bleuissait, il bleuissait comme la mer à l'horizon, et les étoiles commençaient à y ouvrir leurs paupières aux cils d'or ; ces cils, d'une extrême ténuité, s'allongeaient jusque dans la chambre qu'ils remplissaient de gerbes prismatiques.

Quelques lignes noires rayaient cette surface d'azur, et je reconnus bientôt que c'étaient les poutres des étages supérieurs de la maison devenue transparente [4].

Malgré la facilité que l'on a en rêve d'admettre comme

---

4. *transparente*, il y a dans *La Pipe d'opium* quatre occurrences de l'adjectif et du substantif. Comme dans *La Morte amoureuse*, mais ici sous l'influence de la drogue, la transparence devient une des propriétés du fantastique qui abolit les obstacles de l'opacité et les frontières entre les objets à la faveur d'une diffusion de la luminosité. Dans *Le Hachisch*, Gautier écrit : « Il me sembla que mon corps se dissolvait et devenait transparent ».

naturelles les choses les plus bizarres, tout ceci commençait à me paraître un peu louche et suspect, et je pensai
que si mon camarade Esquiros *le Magicien* [5] était là, il me
donnerait des explications plus satisfaisantes que celles
de mon ami Alphonse Karr.

Comme si cette pensée eût eu la puissance d'évocation,
Esquiros se présenta soudain devant nous, à peu près
comme le barbet de Faust qui sort de derrière le poêle [6].

Il avait le visage fort animé et l'air triomphant, et il
disait, en se frottant les mains :

« Je vois aux antipodes, et j'ai trouvé la Mandragore
qui parle [7]. »

Cette apparition me surprit, et je dis à Karr :

« O Karr ! concevez-vous qu'Esquiros, qui n'était pas
là tout à l'heure, soit entré sans qu'on ait ouvert la porte ?

— Rien n'est plus simple, répondit Karr. L'on entre
par les portes fermées, c'est l'usage ; il n'y a que les gens
mal élevés qui passent par les portes ouvertes. Vous
savez bien qu'on dit comme injure : Grand enfonceur de
portes ouvertes. »

Je ne trouvai aucune objection à faire contre un raisonnement si sensé, et je restai convaincu qu'en effet la
présence d'Esquiros n'avait rien que de fort explicable et
de très légal en soi-même.

Cependant il me regardait d'un air étrange, et ses yeux
s'agrandissaient d'une façon démesurée ; ils étaient ardents et ronds comme des boucliers chauffés dans une
fournaise, et son corps se dissipait et se noyait dans

5. *le Magicien,* Alphonse Esquiros (1812-1876) était un ami de
Gautier, il participa à la bohème romantique de la rue du Doyenné et
publia en 1838 *Le Magicien,* roman d'amour et d'hermétisme, injustement méconnu et enfin réédité par les soins de Max Milner (L'Age de
l'homme, 1978).

6. *le poêle,* cf. *Faust* I, la scène dans le cabinet de travail (en
particulier v. 1186-1193, 1202-1209 et 1238-1257).

7. *la Mandragore qui parle,* allusion à *La Fée aux miettes* de Nodier
(1832), où le héros Michel est en quête de « la mandragore qui chante »,
narcotique et remède à la mélancolie, instrument magique chargé
d'opérer la réconciliation de l'imaginaire et du réel (voir chapitre II, IX,
XIII, XXV, XXVI et la conclusion). On sait que la vertu magique de la
mandragore a été exploitée par Achim d'Arnim dans *Isabelle d'Égypte*
(1812), nouvelle qui sera traduite par Théophile Gautier fils (1856).

l'ombre, de sorte que je ne voyais plus de lui que ses deux prunelles flamboyantes et rayonnantes.

Des réseaux de feu et des torrents d'effluves magnétiques papillotaient et tourbillonnaient autour de moi, s'enlaçant toujours plus inextricablement et se resserrant toujours ; des fils étincelants aboutissaient à chacun de mes pores, et s'implantaient dans ma peau à peu près comme les cheveux dans la tête. J'étais dans un état de somnambulisme complet.

Je vis alors des petits flocons blancs qui traversaient l'espace bleu du plafond comme des touffes de laine emportées par le vent, ou comme un collier de colombe qui s'égrène dans l'air.

Je cherchais vainement à deviner ce que c'était, quand une voix basse et brève me chuchota à l'oreille, avec un accent étrange : — *Ce sont des esprits !!!* Les écailles de mes yeux tombèrent ; les vapeurs blanches prirent des formes plus précises, et j'aperçus distinctement une longue file de figures voilées qui suivaient la corniche, de droite à gauche, avec un mouvement d'ascension très prononcé, comme si un souffle impérieux les soulevait et leur servait d'aile.

A l'angle de la chambre, sur la moulure du plafond, se tenait assise une forme de jeune fille enveloppée dans une large draperie de mousseline.

Ses pieds, entièrement nus, pendaient nonchalamment croisés l'un sur l'autre ; ils étaient, du reste, charmants, d'une petitesse et d'une transparence qui me firent penser à ces beaux pieds de jaspe qui sortent si blancs et si purs de la jupe de marbre noir de l'Isis antique du Musée [8].

---

8. *du Musée,* selon le Conservateur en chef du Département des antiquités égyptiennes au Musée du Louvre, Ch. Desroches Noblecourt, il ne doit pas s'agir de la grande Isis gréco-romaine, provenant de la Villa Adriana, mais vraisemblablement d'un « objet égyptisant » qui fut naguère exposé au Louvre et qui se trouve actuellement au musée national de Fontainebleau : le pastiche d'une Isis romaine, sculpté en pierre de touche et en albâtre par Antoine-Guillaume Grandjaquet vers 1779-1781. Serait-elle la même que « la grande Isis noire du Musée égyptien », à laquelle Barbey d'Aurevilly fait allusion dans *Le Bonheur dans le crime (Les Diaboliques)* ?

Les autres fantômes lui frappaient sur l'épaule en passant, et lui disaient :

« Nous allons dans les étoiles, viens donc avec nous. »

L'ombre au pied d'albâtre leur répondait :

« Non ! je ne veux pas aller dans les étoiles ; je voudrais vivre six mois encore. »

Toute la file passa, et l'ombre resta seule, balançant ses jolis petits pieds, et frappant le mur de son talon nuancé d'une teinte rose, pâle et tendre comme le cœur d'une clochette sauvage ; quoique sa figure fût voilée, je la sentais jeune, adorable et charmante, et mon âme s'élançait de son côté, les bras tendus, les ailes ouvertes.

L'ombre comprit mon trouble par intention ou sympathie, et dit d'une voix douce et cristalline comme un harmonica :

« Si tu as le courage d'aller embrasser sur la bouche celle qui fut moi, et dont le corps est couché dans la ville noire, je vivrai six mois encore, et ma seconde vie sera pour toi[9]. »

Je me levai, et me fis cette question :

A savoir, si je n'étais pas le jouet de quelque illusion, et si tout ce qui se passait n'était pas un rêve.

C'était une dernière lueur de la lampe de la raison éteinte par le sommeil.

Je demandai à mes deux amis ce qu'ils pensaient de tout cela.

L'imperturbable Karr prétendit que l'aventure était commune, qu'il en avait eu plusieurs du même genre, et que j'étais d'une grande naïveté de m'étonner de si peu.

Esquiros expliqua tout au moyen du magnétisme[10].

« Allons, c'est bien, je vais y aller ; mais je suis en pantoufles...

— Cela ne fait rien, dit Esquiros, je *pressens* une voiture à la porte. »

---

9. *pour toi*, dans plusieurs récits fantastiques de Gautier, le baiser est le signe récurrent de la résurrection de la femme morte (voir *La Morte amoureuse*, *Arria Marcella*, etc.).

10. *magnétisme*, lié avec l'abbé Constant, le futur Éliphas Lévi, Esquiros n'était pas seulement curieux des phénomènes du magnétisme, de la magie et de l'alchimie, il organisa dès 1835 des séances de magnétisme.

Je sortis, et je vis, en effet, un cabriolet à deux chevaux qui semblait attendre. Je montai dedans.

Il n'y avait pas de cocher. — Les chevaux se conduisaient eux-mêmes; ils étaient tout noirs, et galopaient si furieusement, que leurs croupes s'abaissaient et se levaient comme des vagues, et que des pluies d'étincelles pétillaient derrière eux.

Ils prirent d'abord la rue de La-Tour-d'Auvergne, puis la rue Bellefond, puis la rue Lafayette, et, à partir de là, d'autres rues dont je ne sais pas les noms.

A mesure que la voiture allait, les objets prenaient autour de moi des formes étranges : c'étaient des maisons rechignées, accroupies au bord du chemin comme de vieilles filandières, des clôtures en planches, des réverbères qui avaient l'air de gibets à s'y méprendre; bientôt les maisons disparurent tout à fait, et la voiture roulait dans la rase campagne.

Nous filions à travers une plaine morne et sombre; — le ciel était très bas, couleur de plomb, et une interminable procession de petits arbres fluets courait, en sens inverse de la voiture, des deux côtés du chemin; l'on eût dit une armée de manches à balai en déroute.

Rien n'était sinistre comme cette immensité grisâtre que la grêle silhouette des arbres rayait de hachures noires : — pas une étoile ne brillait, aucune paillette de lumière n'écaillait la profondeur blafarde de cette demi-obscurité.

Enfin, nous arrivâmes à une ville, à moi inconnue, dont les maisons d'une architecture singulière, vaguement entrevue dans les ténèbres, me parurent d'une petitesse à ne pouvoir être habitées; — la voiture, quoique beaucoup plus large que les rues qu'elle traversait, n'éprouvait aucun retard; les maisons se rangeaient à droite et à gauche comme des passants effrayés, et laissaient le chemin libre.

Après plusieurs détours, je sentis la voiture fondre sous moi, et les chevaux s'évanouirent en vapeurs, j'étais arrivé.

Une lumière rougeâtre filtrait à travers les interstices d'une porte de bronze qui n'était pas fermée; je la poussai, et je me trouvai dans une salle basse dallée de marbre blanc et noir et voûtée en pierre ; une lampe antique, posée sur un socle de brèche violette, éclairait d'une lueur blafarde une figure couchée, que je pris d'abord pour une statue comme celles qui dorment les mains jointes, un lévrier aux pieds, dans les cathédrales gothiques ; mais je reconnus bientôt que c'était une femme réelle.

Elle était d'une pâleur exsangue, et que je ne saurais mieux comparer qu'au ton de la cire vierge jaunie, ses mains, mates et blanches comme des hosties, se croisaient sur son cœur ; ses yeux étaient fermés, et leurs cils s'allongeaient jusqu'au milieu des joues ; tout en elle était mort : la bouche seule, fraîche comme une grenade en fleur, étincelait d'une vie riche et pourprée, et souriant à demi comme dans un rêve heureux.

Je me penchai vers elle, je posai ma bouche sur la sienne, et je lui donnai le baiser qui devait la faire revivre.

Ses lèvres humides et tièdes, comme si le souffle venait à peine de les abandonner, palpitèrent sous les miennes, et me rendirent mon baiser avec une ardeur et une vivacité incroyables.

Il y a ici une lacune dans mon rêve, et je ne sais comment je revins de la ville noire ; probablement à cheval sur un nuage ou sur une chauve-souris gigantesque. — Mais je me souviens parfaitement que je me trouvai avec Karr dans une maison qui n'est ni la sienne ni la mienne, ni aucune de celles que je connais.

Cependant tous les détails intérieurs, tout l'aménagement m'étaient extrêmement familiers ; je vois nettement la cheminée dans le goût de Louis XVI, le paravent à ramages, la lampe à garde-vue vert et les étagères pleines de livres aux angles de la cheminée.

J'occupais une profonde bergère à oreillettes, et Karr, les deux talons appuyés sur le chambranle, assis sur les épaules et presque sur la tête, écoutait d'un air piteux et résigné le récit de mon expédition que je regardais moi-même en rêve.

Tout à coup un violent coup de sonnette se fit entendre, et l'on vint m'annoncer qu'une *dame* désirait *me* parler.

«Faites entrer la *dame,* répondis-je, un peu ému et pressentant ce qui allait arriver.»

Une femme vêtue de blanc, et les épaules couvertes d'un mantelet noir, entra d'un pas léger, et vint se placer dans la pénombre lumineuse projetée par la lampe.

Par un phénomène très singulier, je vis passer sur sa figure trois physionomies différentes : elle ressembla un instant à Malibran, puis à M..., puis à celle qui disait aussi qu'elle ne voulait pas mourir, et dont le dernier mot fut : «Donnez-moi un bouquet de violettes[11].»

Mais ces ressemblances se dissipèrent bientôt comme une ombre sur un miroir, les traits du visage prirent de la fixité et se condensèrent, et je *reconnus* la morte que j'avais embrassée dans la ville noire.

Sa mise était extrêmement simple, et elle n'avait d'autre ornement qu'un cercle d'or dans ses cheveux, d'un brun foncé, et tombant en grappes d'ébène le long de ses joues unies et veloutées.

Deux petites taches roses empourpraient le haut de ses pommettes, et ses yeux brillaient comme des globes d'argent brunis; elle avait, du reste, une beauté de camée antique, et la blonde transparence de ses chairs ajoutait encore à la ressemblance.

Elle se tenait debout devant moi, et me pria, demande assez bizarre, de lui dire son nom.

Je lui répondis sans hésiter qu'elle se nommait *Carlotta*[12], ce qui était vrai; ensuite elle me raconta qu'elle avait été chanteuse, et qu'elle était morte si jeune, qu'elle ignorait les plaisirs de l'existence, et qu'avant

---

11. *bouquet de violettes,* serait-ce une allusion à la Cydalise, la muse de la bohème romantique du Doyenné, amante du peintre Camille Rogier et aimée de Gautier? Ce dernier évoque sa mémoire dans *Le Triomphe de Pétrarque,* dans *Lamento* I et II, dans *Les Taches jaunes* avec ses «fleurs de bal» et *Le Château du souvenir (Émaux et camées),* «La Cidalise en Pompadour» (voir R. Jasinski, *Les Années romantiques de Théophile Gautier,* p. 267-269). Gautier parle encore d'elle dans son étude sur *Nerval* (1867), qui est aussi le poète des *Cydalises (Odelettes).* Dans un article des *Studi Francesi,* Jean Senelier a identifié la Cydalise : il s'agit d'Anne-Catherine Cide, décédée de la phtisie le 25 février 1836 («Clartés sur la Cydalise», 1970, XLII, p. 451-461).

12. *Carlotta,* le nom est-il purement fictif ou correspond-il à Carlotta Grisi? Celle-ci dansa pour la première fois à Paris avec Jules Perrot le

d'aller s'enfoncer pour toujours dans l'immobile éternité, elle voulait jouir de la beauté du monde, s'enivrer de toutes les voluptés et se plonger dans l'océan des joies terrestres ; qu'elle se sentait une soif inextinguible de vie et d'amour.

Et, en disant tout cela avec une éloquence d'expression et une poésie qu'il n'est pas en mon pouvoir de rendre, elle nouait ses bras en écharpe autour de mon cou, et entrelaçait ses mains fluettes dans les boucles de mes cheveux.

Elle parlait en vers d'une beauté merveilleuse, où n'atteindraient pas les plus grands poètes éveillés, et quand le vers ne suffisait plus pour rendre sa pensée, elle lui ajoutait les ailes de la musique, et c'était des roulades, des colliers de notes plus pures que des perles parfaites, des tenues de voix, des sons filés bien au-dessus des limites humaines, tout ce que l'âme et l'esprit peuvent rêver de plus tendre, de plus adorablement coquet, de plus amoureux, de plus ardent, de plus ineffable.

« Vivre six mois, six mois encore », était le refrain de toutes ses cantilènes.

Je voyais très clairement ce qu'elle allait dire, avant que la pensée arrivât de sa tête ou de son cœur jusque sur ses lèvres, et j'achevais moi-même le vers ou le chant commencés ; j'avais pour elle la même transparence, et elle lisait en moi couramment.

Je ne sais pas où se seraient arrêtées ces extases que ne modérait plus la présence de Karr, lorsque je sentis quelque chose de velu et de rude qui me passait sur la figure ; j'ouvris les yeux, et je vis mon chat qui frottait sa moustache à la mienne en manière de congratulation matinale, car l'aube tamisait à travers les rideaux une lumière vacillante.

C'est ainsi que finit mon rêve d'opium, qui ne me laissa d'autre trace qu'une vague mélancolie, suite ordinaire de ces sortes d'hallucinations.

---

30 août 1836 au Théâtre-Français, mais la première chronique que Gautier lui consacra parut dans *La Presse* le 2 mars 1840 pour rendre compte de la représentation de *Le Zingaro* au Théâtre de la Renaissance.

LE CHEVALIER DOUBLE [1]

1. *Le Chevalier double* a été publié dans *Le Musée des familles* en juillet 1840, dans *Partie carrée,* Hippolyte Souverain, 1851, et dans *Romans et contes,* Charpentier, 1863.

Qui rend donc la blonde Edwige si triste ? que fait-elle assise à l'écart, le menton dans sa main et le coude au genou, plus morne que le désespoir, plus pâle que la statue d'albâtre qui pleure sur un tombeau ?

Du coin de sa paupière une grosse larme roule sur le duvet de sa joue, une seule, mais qui ne tarit jamais ; comme cette goutte d'eau qui suinte des voûtes du rocher et qui à la longue use le granit, cette seule larme, en tombant sans relâche de ses yeux sur son cœur, l'a percé et traversé à jour.

Edwige, blonde Edwige, ne croyez-vous plus à Jésus-Christ le doux Sauveur ? doutez-vous de l'indulgence de la très sainte Vierge Marie ? Pourquoi portez-vous sans cesse à votre flanc vos petites mains diaphanes, amaigries et fluettes comme celles des Elfes et des Willis [2] ? Vous allez être mère ; c'était votre plus cher vœu : votre noble époux, le comte Lodbrog, a promis un autel d'argent massif, un ciboire d'or fin à l'église de Saint-Euthbert si vous lui donniez un fils.

2. *Les Willis ou Wilis* sont des danseuses nocturnes dans la mythologie slave et germanique. Gautier emprunte la légende à Heine, qui écrit dans *De l'Allemagne* : « Les Wilis sont des fiancées mortes avant le jour de leurs noces, ces pauvres jeunes créatures ne peuvent demeurer tranquilles sous leur tombeau. Dans leurs cœurs éteints, dans leurs pieds morts, est resté cet amour de la danse qu'elles n'ont pu satisfaire pendant leur vie, et, à minuit, elles se lèvent, se rassemblent en troupes sur la grande route, et malheur au jeune homme qui les rencontre ! il faut qu'il danse avec elles jusqu'à ce qu'il tombe mort. » Tel est le thème du ballet fantastique de Gautier, *Giselle ou les Wilis,* qui fut représenté en juin 1841 avec Carlotta Grisi.

Hélas! hélas! la pauvre Edwige a le cœur percé des sept glaives de la douleur; un terrible secret pèse sur son âme. Il y a quelques mois, un étranger est venu au château; il faisait un terrible temps cette nuit-là : les tours tremblaient dans leur charpente, les girouettes piaulaient, le feu rampait dans la cheminée, et le vent frappait à la vitre comme un importun qui veut entrer.

L'étranger était beau comme un ange, mais comme un ange tombé; il souriait doucement et regardait doucement, et pourtant ce regard et ce sourire vous glaçaient de terreur et vous inspiraient l'effroi qu'on éprouve en se penchant sur un abîme. Une grâce scélérate, une langueur perfide comme celle du tigre qui guette sa proie, accompagnaient tous ses mouvements; il charmait à la façon du serpent qui fascine l'oiseau.

Cet étranger était un maître chanteur; son teint bruni montrait qu'il avait vu d'autres cieux; il disait venir du fond de la Bohême, et demandait l'hospitalité pour cette nuit-là seulement.

Il resta cette nuit, et encore d'autres jours et encore d'autres nuits, car la tempête ne pouvait s'apaiser, et le vieux château s'agitait sur ses fondements comme si la rafale eût voulu le déraciner et faire tomber sa couronne de créneaux dans les eaux écumeuses du torrent.

Pour charmer le temps, il chantait d'étranges poésies qui troublaient le cœur et donnaient des idées furieuses; tout le temps qu'il chantait, un corbeau noir vernissé, luisant comme le jais, se tenait sur son épaule; il battait la mesure avec son bec d'ébène, et semblait applaudir en secouant ses ailes. — Edwige pâlissait, pâlissait comme les lis du clair de lune; Edwige rougissait, rougissait comme les roses de l'aurore, et se laissait aller en arrière dans son grand fauteuil, languissante, à demi-morte, enivrée comme si elle avait respiré le parfum fatal de ces fleurs qui font mourir.

Enfin le maître chanteur put partir; un petit sourire bleu venait de dérider la face du ciel. Depuis ce jour, Edwige, la blonde Edwige ne fait que pleurer dans l'angle de la fenêtre.

Edwige est mère; elle a un bel enfant tout blanc et tout

vermeil. — Le vieux comte Lodbrog a commandé au fondeur l'autel d'argent massif, et il a donné mille pièces d'or à l'orfèvre dans une bourse de peau de renne pour fabriquer le ciboire; il sera large et lourd, et tiendra une grande mesure de vin. Le prêtre qui le videra pourra dire qu'il est un bon buveur.

L'enfant est tout blanc et tout vermeil, mais il a le regard noir de l'étranger: sa mère l'a bien vu. Ah! pauvre Edwige! pourquoi avez-vous tant regardé l'étranger avec sa harpe et son corbeau?...

Le chapelain ondoie l'enfant; — on lui donne le nom d'Oluf, un bien beau nom! — Le mire[3] monte sur la plus haute tour pour lui tirer l'horoscope.

Le temps était clair et froid: comme une mâchoire de loup cervier aux dents aiguës et blanches, une découpure de montagnes couvertes de neiges mordait le bord de la robe du ciel; les étoiles larges et pâles brillaient dans la crudité bleue de la nuit comme des soleils d'argent.

Le mire prend la hauteur, remarque l'année, le jour et la minute; il fait de longs calculs en encre rouge sur un long parchemin tout constellé de signes cabalistiques; il rentre dans son cabinet, et remonte sur la plate-forme, il ne s'est pourtant pas trompé dans ses supputations, son thème de nativité est juste comme un trébuchet à peser les pierres fines; cependant il recommence: il n'a pas fait d'erreur.

Le petit comte Oluf a une étoile double, une verte et une rouge, verte comme l'espérance, rouge comme l'enfer; l'une favorable, l'autre désastreuse. Cela s'est-il jamais vu qu'un enfant ait une étoile double?

Avec un air grave et compassé le mire rentre dans la chambre de l'accouchée et dit, en passant sa main osseuse dans les flots de sa grande barbe de mage:

«Comtesse Edwige, et vous, comte Ladbrog, deux influences ont présidé à la naissance d'Oluf, votre précieux fils: l'une bonne, l'autre mauvaise; c'est pourquoi il a une étoile verte et une étoile rouge. Il est soumis à un

---

3. *le mire,* archaïsme d'origine inconnue, désignant le médecin, qui remplit ici la fonction du mage et de l'astrologue.

double ascendant; il sera très heureux ou très malheureux, je ne sais lequel; peut-être tous les deux à la fois. »

Le comte Lodbrog répondit au mire : « L'étoile verte
l'emportera. » Mais Edwige craignait dans son cœur de
mère que ce ne fût la rouge. Elle remit son menton dans
sa main, son coude sur son genou, et recommença à
pleurer dans le coin de la fenêtre. Après avoir allaité son
enfant, son unique occupation était de regarder à travers
la vitre la neige descendre en flocons drus et pressés,
comme si l'on eût plumé là-haut les ailes blanches de tous
les anges et de tous les chérubins.

De temps en temps un corbeau passait devant la vitre,
croassant et secouant cette poussière argentée. Cela faisait penser Edwige au corbeau singulier qui se tenait
toujours sur l'épaule de l'étranger au doux regard de
tigre, au charmant sourire de vipère.

Et ses larmes tombaient plus vite de ses yeux sur son
cœur, sur son cœur percé à jour.

Le jeune Oluf est un enfant bien étrange : on dirait qu'il
y a dans sa petite peau blanche et vermeille deux enfants
d'un caractère différent; un jour il est bon comme un
ange, un autre jour il est méchant comme un diable, il
mord le sein de sa mère, et déchire à coup d'ongles le
visage de sa gouvernante.

Le vieux comte Lodbrog, souriant dans sa moustache
grise, dit qu'Oluf fera un bon soldat et qu'il a l'humeur
belliqueuse. Le fait est qu'Oluf est un petit drôle insupportable : tantôt il pleure, tantôt il rit; il est capricieux
comme la lune, fantasque comme une femme; il va,
vient, s'arrête tout à coup sans motif apparent, abandonne
ce qu'il avait entrepris et fait succéder à la turbulence la
plus inquiète l'immobilité la plus absolue; quoiqu'il soit
seul, il paraît converser avec un interlocuteur invisible !
Quand on lui demande la cause de toutes ces agitations, il
dit que l'étoile rouge le tourmente.

Oluf a bientôt quinze ans. Son caractère devient de
plus en plus inexplicable; sa physionomie, quoique parfaitement belle, est d'une expression embarrassante; il est
blond comme sa mère, avec tous les traits de la race du
Nord; mais sous son front blanc comme la neige que n'a

rayée encore ni le patin du chasseur ni maculée le pied de
l'ours, et qui est bien le front de la race antique des
Lodbrog, scintille entre deux paupières orangées un œil
aux longs cils noirs, un œil de jais illuminé des fauves
ardeurs de la passion italienne, un regard velouté, cruel et
doucereux comme celui du maître chanteur de Bohême.

Comme les mois s'envolent, et plus vite encore les
années! Edwige repose maintenant sous les arches téné-
breuses du caveau des Lodbrog, à côté du vieux comte,
souriant, dans son cercueil, de ne pas voir son nom périr.
Elle était déjà si pâle que la mort ne l'a pas beaucoup
changée. Sur son tombeau il y a une belle statue couchée,
les mains jointes, et les pieds sur une levrette de marbre,
fidèle compagnie des trépassés. Ce qu'a dit Edwige à sa
dernière heure, nul ne le sait, mais le prêtre qui la confes-
sait est devenu plus pâle encore que la mourante.

Oluf, le fils brun et blond d'Edwige la désolée, a
vingt ans aujourd'hui. Il est très adroit à tous les exercices, nul ne tire mieux l'arc que lui; il refend la flèche qui
vient de se planter en tremblant dans le cœur du but; sans
mors ni éperon il dompte les chevaux les plus sauvages.

Il n'a jamais impunément regardé une femme ou une
jeune fille; mais aucune de celles qui l'ont aimé n'a été
heureuse. L'inégalité fatale de son caractère s'oppose à
toute réalisation de bonheur entre une femme et lui. Une
seule de ses moitiés ressent de la passion, l'autre éprouve
de la haine; tantôt l'étoile verte l'emporte, tantôt l'étoile
rouge[4]. Un jour il vous dit: «O blanches vierges du
Nord, étincelantes et pures comme les glaces du pôle;
prunelles de clair de lune; joues nuancées des fraîcheurs
de l'aurore boréale!» Et l'autre jour il s'écriait: «O filles
d'Italie, dorées par le soleil et blondes comme l'orange!
cœurs de flamme dans des poitrines de bronze!» Ce qu'il
y a de plus triste, c'est qu'il est sincère dans les deux
exclamations.

Hélas! pauvres désolées, tristes ombres plaintives,
vous ne l'accusez même pas, car vous savez qu'il est plus

---

4. *l'étoile rouge*, de coutume dans les récits fantastiques de Gautier,
c'est le vert qui revêt une connotation diabolique, ici au contraire le
rouge représente la puissance maléfique et démoniaque.

malheureux que vous ; son cœur est un terrain sans cesse foulé par les pieds de deux lutteurs inconnus, dont chacun, comme dans le combat de Jacob et de l'Ange, cherche à dessécher le jarret de son adversaire.

Si l'on allait au cimetière, sous les larges feuilles veloutées du verbascum[5] aux profondes découpures, sous l'asphodèle aux rameaux d'un vert malsain, dans la folle avoine et les orties, l'on trouverait plus d'une pierre abandonnée où la rosée du matin répand seule ses larmes. Mina, Dora, Thécla ! la terre est-elle bien lourde à vos seins délicats et à vos corps charmants ?

Un jour Oluf appelle Dietrich, son fidèle écuyer ; il lui dit de seller son cheval.

« Maître, regardez comme la neige tombe, comme le vent siffle et fait ployer jusqu'à terre la cime des sapins ; n'entendez-vous pas dans le lointain hurler les loups maigres et bramer ainsi que des âmes en peine les rennes à l'agonie ?

— Dietrich, mon fidèle écuyer, je secouerai la neige comme on fait d'un duvet qui s'attache au manteau ; je passerai sous l'arceau des sapins en inclinant un peu l'aigrette de mon casque. Quant aux loups, leurs griffes s'émousseront sur cette bonne armure, et du bout de mon épée fouillant la glace, je découvrirai au pauvre renne, qui geint et pleure à chaudes larmes, la mousse fraîche et fleurie qu'il ne peut atteindre. »

Le comte Oluf de Lodbrog, car tel est son titre depuis que le vieux comte est mort, part sur son bon cheval, accompagné de ses deux chiens géants, Murg et Fenris, car le jeune seigneur aux paupières couleur d'orange a un rendez-vous, et déjà peut-être, du haut de la petite tourelle aiguë en forme de poivrière, se penche sur le balcon sculpté, malgré le froid et la bise, la jeune fille inquiète, cherchant à démêler dans la blancheur de la plaine le panache du chevalier.

Oluf, sur son grand cheval à formes d'éléphant, dont il laboure les flancs à coups d'éperon, s'avance dans la

---

5. *verbascum*, plante-bouillon ou bouillon-blanc, appartenant à la famille des scrofulariacées, herbes dures et hautes, munies de fleurs jaunes.

campagne ; il traverse le lac, dont le froid n'a fait qu'un seul bloc de glace, où les poissons sont enchâssés, les nageoires étendues, comme des pétrifications dans la pâte du marbre ; les quatre fers du cheval, armés de crochets, mordent solidement la dure surface ; un brouillard, produit par sa sueur et sa respiration, l'enveloppe et le suit ; on dirait qu'il galope dans un nuage ; les deux chiens, Murg et Fenris, soufflent, de chaque côté de leur maître, par leurs naseaux sanglants, de longs jets de fumée comme des animaux fabuleux.

Voici le bois de sapins ; pareils à des spectres, ils étendent leurs bras appesantis chargés de nappes blanches ; le poids de la neige courbe les plus jeunes et les plus flexibles : on dirait une suite d'arceaux d'argent. La noire terreur habite dans cette forêt, où les rochers affectent des formes monstrueuses, où chaque arbre, avec ses racines, semble couver à ses pieds un nid de dragons engourdis. Mais Oluf ne connaît pas la terreur.

Le chemin se resserre de plus en plus, les sapins croisent inextricablement leurs branches lamentables ; à peine de rares éclaircies permettent-elles de voir la chaîne de collines neigeuses qui se détachent en blanches ondulations sur le ciel noir et terne.

Heureusement Mopse est un vigoureux coursier qui porterait sans plier Odin [6] le gigantesque ; nul obstacle ne l'arrête ; il saute par-dessus les rochers, il enjambe les fondrières, et de temps en temps il arrache aux cailloux que son sabot heurte sous la neige une aigrette d'étincelles aussitôt éteintes.

« Allons, Mopse, courage ! tu n'as plus à traverser que la petite plaine et le bois de bouleaux ; une jolie main caressera ton col satiné, et dans une écurie bien chaude tu mangeras de l'orge mondée et de l'avoine à pleine mesure. »

Quel charmant spectacle que le bois de bouleaux ! toutes les branches sont ouatées d'une peluche de givre,

---

6. *Odin,* le décor scandinave du récit légitime cette allusion à Odin, le père céleste et universel de la mythologie nordique. Il détient les pouvoirs magiques, est en quête de la sagesse et découvre la science des Runes (écriture), qu'il lègue à l'humanité.

les plus petites brindilles se dessinent en blanc sur l'obscurité de l'atmosphère : on dirait une immense corbeille de filigrane, un madrépore d'argent, une grotte avec tous ses stalactites ; les ramifications et les fleurs bizarres dont la gelée étame les vitres n'offrent pas des dessins plus compliqués et plus variés.

« Seigneur Oluf, que vous avez tardé ! j'avais peur que l'ours de la montagne vous eût barré le chemin ou que les elfes vous eussent invité à danser, dit la jeune châtelaine en faisant asseoir Oluf sur le fauteuil de chêne dans l'intérieur de la cheminée. Mais pourquoi êtes-vous venu au rendez-vous d'amour avec un compagnon ? Aviez-vous donc peur de passer tout seul par la forêt ?

— De quel compagnon voulez-vous parler, fleur de mon âme ? dit Oluf très surpris à la jeune châtelaine.

— Du chevalier à l'étoile rouge que vous menez toujours avec vous. Celui qui est né d'un regard du chanteur bohémien, l'esprit funeste qui vous possède ; défaites-vous du chevalier à l'étoile rouge, ou je n'écouterai jamais vos propos d'amour ; je ne puis être la femme de deux hommes à la fois. »

Oluf eut beau faire et beau dire, il ne put seulement parvenir à baiser le petit doigt rose de la main de Brenda ; il s'en alla fort mécontent et résolu à combattre le chevalier à l'étoile rouge s'il pouvait le rencontrer.

Malgré l'accueil sévère de Brenda, Oluf reprit le lendemain la route du château à tourelles en forme de poivrière : les amoureux ne se rebutent pas aisément.

Tout en cheminant il se disait : « Brenda sans doute est folle ; et que veut-elle dire avec son chevalier à l'étoile rouge ? »

La tempête était des plus violentes ; la neige tourbillonnait et permettait à peine de distinguer la terre du ciel. Une spirale de corbeaux, malgré les abois de Fenris et de Murg, qui sautaient en l'air pour les saisir, tournoyait sinistrement au-dessus du panache d'Oluf. A leur tête était le corbeau luisant comme le jais qui battait la mesure sur l'épaule du chanteur bohémien.

Fenris et Murg s'arrêtèrent subitement : leurs naseaux

mobiles hument l'air avec inquiétude ; ils subodorent la
présence d'un ennemi. — Ce n'est point un loup ni un
renard ; un loup et un renard ne seraient qu'une bouchée
pour ces braves chiens.

Un bruit de pas se fait entendre, et bientôt paraît au
détour du chemin un chevalier monté sur un cheval de
grande taille et suivi de deux chiens énormes.

Vous l'auriez pris pour Oluf. Il était armé exactement
de même, avec un surcot historié du même blason ; seulement il portait sur son casque une plume rouge au lieu
d'une verte. La route était si étroite qu'il fallait que l'un
des deux chevaliers reculât.

« Seigneur Oluf, reculez-vous pour que je passe, dit le
chevalier à la visière baissée. Le voyage que je fais est un
long voyage ; on m'attend, il faut que j'arrive.

— Par la moustache de mon père, c'est vous qui
reculerez. Je vais à un rendez-vous d'amour, et les
amoureux sont pressés », répondit Oluf en portant la main
sur la garde de son épée.

L'inconnu tira la sienne, et le combat commença. Les
épées, en tombant sur les mailles d'acier, en faisaient
jaillir des gerbes d'étincelles pétillantes ; bientôt, quoique
d'une trempe supérieure, elles furent ébréchées comme
des scies. On eût pris les combattants, à travers la fumée
de leurs chevaux et la brume de leur respiration haletante,
pour deux noirs forgerons acharnés sur un fer rouge. Les
chevaux, animés de la même rage que leurs maîtres,
mordaient à belles dents leurs cous veineux, et s'enle-
vaient des lambeaux de poitrail ; ils s'agitaient avec des
soubresauts furieux, se dressaient sur leurs pieds de derrière, et se servant de leurs sabots comme de poings
fermés, ils se portaient des coups terribles pendant que
leurs cavaliers se martelaient affreusement par-dessus
leurs têtes ; les chiens n'étaient qu'une morsure et qu'un
hurlement.

Les gouttes de sang, suintant à travers les écailles
imbriquées des armures et tombant toutes tièdes sur la
neige, y faisaient de petits trous roses. Au bout de peu
d'instants l'on aurait dit un crible, tant les gouttes tombaient
fréquentes et pressées. Les deux chevaliers étaient blessés.

Chose étrange, Oluf sentait les coups qu'il portait au chevalier inconnu ; il souffrait des blessures qu'il faisait et de celles qu'il recevait : il avait éprouvé un grand froid dans la poitrine, comme d'un fer qui entrerait et chercherait le cœur, et pourtant sa cuirasse n'était pas faussée à l'endroit du cœur : sa seule blessure était un coup dans les chairs au bras droit. Singulier duel, où le vainqueur souffrait autant que le vaincu, où donner et recevoir était une chose indifférente.

Ramassant ses forces, Oluf fit voler d'un revers le terrible heaume de son adversaire. — O terreur ! que vit le fils d'Edwige et de Lodbrog ? il se vit lui-même devant lui : un miroir eût été moins exact. Il s'était battu avec son propre spectre, avec le chevalier à l'étoile rouge ; le spectre jeta un grand cri et disparut.

La spirale de corbeaux remonta dans le ciel et le brave Oluf continua son chemin ; en revenant le soir à son château, il portait en croupe la jeune châtelaine, qui cette fois avait bien voulu l'écouter. Le chevalier à l'étoile rouge n'étant plus là, elle s'était décidée à laisser tomber de ses lèvres de rose, sur le cœur d'Oluf, cet aveu qui coûte tant à la pudeur. La nuit était claire et bleue, Oluf leva la tête pour chercher sa double étoile et la faire voir à sa fiancée : il n'y avait plus que la verte, la rouge avait disparu.

En entrant, Brenda, tout heureuse de ce prodige qu'elle attribuait à l'amour, fit remarquer au jeune Oluf que le jais de ses yeux s'était changé en azur, signe de réconciliation céleste. — Le vieux Lodbrog en sourit d'aise sous sa moustache blanche au fond de son tombeau ; car, à vrai dire, quoiqu'il n'en eût rien témoigné, les yeux d'Oluf l'avaient quelquefois fait réfléchir. — L'ombre d'Edwige est toute joyeuse, car l'enfant du noble seigneur Lodbrog a enfin vaincu l'influence maligne de l'œil orange, du corbeau noir et de l'étoile rouge : l'homme a terrassé l'incube [7].

Cette histoire montre comme un seul moment d'oubli, un regard même innocent, peuvent avoir d'influence.

[7]. *l'incube,* démon masculin, lascif, qui séduit la femme pendant son sommeil.

Jeunes femmes, ne jetez jamais les yeux sur les maîtres chanteurs de Bohême, qui récitent des poésies enivrantes et diaboliques. Vous, jeunes filles, ne vous fiez qu'à l'étoile verte ; et vous qui avez le malheur d'être double, combattez bravement, quand même vous devriez frapper sur vous et vous blesser de votre propre épée, l'adversaire intérieur, le méchant chevalier [8].

Si vous demandez qui nous a apporté cette légende de Norvège, c'est un cygne ; un bel oiseau au bec jaune, qui a traversé le Fiord, moitié nageant, moitié volant.

---

8. *le méchant chevalier,* contrairement à son habitude, Gautier introduit une moralité qui n'ajoute rien au fantastique du dédoublement, mais tend plutôt à en réduire la portée.

LE PIED DE MOMIE [1]

1. *Le Pied de momie* a paru dans *Le Musée des familles* en septembre 1840 et sous le titre de *La Princesse Hermonthis* dans *L'Artiste*, 4 octobre 1846. Il a été repris dans *La Peau de tigre*, Hippolyte Souverain, 1852 et dans *Romans et contes*, Charpentier, 1863.

J'[2] étais entré par désœuvrement chez un de ces marchands de curiosités dits marchands de bric-à-brac dans l'argot parisien, si parfaitement inintelligible pour le reste de la France.

Vous avez sans doute jeté l'œil, à travers le carreau, dans quelques-unes de ces boutiques devenues si nombreuses depuis qu'il est de mode d'acheter des meubles anciens, et que le moindre agent de change se croit obligé d'avoir sa *chambre Moyen Age*.

C'est quelque chose qui tient à la fois de la boutique du ferrailleur, du magasin du tapissier, du laboratoire de l'alchimiste et de l'atelier du peintre ; dans ces antres mystérieux où les volets filtrent un prudent demi-jour, ce qu'il y a de plus notoirement ancien, c'est la poussière ; les toiles d'araignées y sont plus authentiques que les guipures, et le vieux poirier y est plus jeune que l'acajou arrivé hier d'Amérique.

Le magasin de mon marchand de bric-à-brac était un véritable Capharnaüm [3] ; tous les siècles et tous les pays semblaient s'y être donné rendez-vous ; une lampe étrusque de terre rouge posait sur une armoire de Boule, aux panneaux d'ébène sévèrement rayés de filaments de cuivre ; une duchesse du temps de Louis XV allongeait nonchalamment ses pieds de biche sous une épaisse table du

2. *J'*, ainsi que dans *La Cafetière*, le Je du narrateur se distingue de celui de l'auteur pour s'identifier avec un personnage fictif.

3. *Capharnaüm*, cette description du magasin d'antiquités ressemble dans son raccourci à celle de *La Peau de chagrin* par la juxtaposition d'objets hétéroclites de diverses époques et civilisations.

règne de Louis XIII, aux lourdes spirales de bois de
chêne, aux sculptures entremêlées de feuillages et de
chimères.

Une armure damasquinée de Milan faisait miroiter
dans un coin le ventre rubané de sa cuirasse ; des amours
et des nymphes de biscuit, des magots de la Chine, des
cornets de céladon et de craquelé, des tasses de Saxe et de
vieux Sèvres encombraient les étagères et les encoignures.

Sur les tablettes denticulées des dressoirs, rayonnaient
d'immenses plats du Japon, aux dessins rouges et bleus,
relevés de hachures d'or, côte à côte avec des émaux de
Bernard Palissy, représentant des couleuvres, des grenouilles et des lézards en relief.

Des armoires éventrées s'échappaient des cascades de
lampas glacé d'argent, des flots de brocatelle criblée de
grains lumineux par un oblique rayon de soleil ; des portraits de toutes les époques souriaient à travers leur vernis
jaune dans des cadres plus ou moins fanés.

Le marchand me suivait avec précaution dans le tor-
tueux passage pratiqué entre les piles de meubles, abat-
tant de la main l'essor hasardeux des basques de mon
habit, surveillant mes coudes avec l'attention inquiète de
l'antiquaire et de l'usurier.

C'était une singulière figure que celle du marchand : un
crâne immense, poli comme un genou, entouré d'une
maigre auréole de cheveux blancs que faisait ressortir
plus vivement le ton saumon-clair de la peau, lui donnait
un faux air de bonhomie patriarcale, corrigée, du reste,
par le scintillement de deux petits yeux jaunes qui tremblotaient dans leur orbite comme deux louis d'or sur du
vif-argent. La courbure du nez avait une silhouette aquiline qui rappelait le type oriental ou juif. Ses mains,
maigres, fluettes, veinées, pleines de nerfs en saillie
comme les cordes d'un manche à violon, onglées de
griffes semblables à celles qui terminent les ailes membraneuses des chauves-souris, avaient un mouvement
d'oscillation sénile, inquiétant à voir ; mais ces mains
agitées de tics fiévreux devenaient plus fermes que des
tenailles d'acier ou des pinces de homard dès qu'elles

soulevaient quelque objet précieux, une coupe d'onyx, un verre de Venise ou un plateau de cristal de Bohême ; ce vieux drôle avait un air si profondément rabbinique et cabalistique qu'on l'eût brûlé sur la mine, il y a trois siècles.

« Ne m'acheterez-vous rien aujourd'hui, monsieur ? Voilà un kriss malais dont la lame ondule comme une flamme ; regardez ces rainures pour égoutter le sang, ces dentelures pratiquées en sens inverse pour arracher les entrailles en retirant le poignard ; c'est une arme féroce, d'un beau caractère et qui ferait très bien dans votre trophée ; cette épée à deux mains est très belle, elle est de Josepe de la Hera, et cette cauchelimarde [4] à coquille fenestrée, quel superbe travail !

— Non, j'ai assez d'armes et d'instruments de carnage ; je voudrais une figurine, un objet quelconque qui pût me servir de serre-papier, car je ne puis souffrir tous ces bronzes de pacotille que vendent les papetiers, et qu'on retrouve invariablement sur tous les bureaux. »

Le vieux gnome, furetant dans ses vieilleries, étala devant moi des bronzes antiques ou soi-disant tels, des morceaux de malachite, de petites idoles indoues ou chinoises, espèce de poussahs de jade, incarnation de Brahma ou de Wishnou merveilleusement propre à cet usage, assez peu divin, de tenir en place des journaux et des lettres.

J'hésitais entre un dragon de porcelaine tout constellé de verrues, la gueule ornée de crocs et de barbelures, et un petit fétiche mexicain fort abominable, représentant au naturel le dieu Witziliputzili [5], quand j'aperçus un pied charmant que je pris d'abord pour un fragment de Vénus antique.

---

4. *cauchelimarde* ne figure dans aucun dictionnaire, mais désigne, selon le contexte, une épée munie d'une garde.
5. *Witziliputzili*, dieu de la guerre et de la divination chez les Aztèques, dieu sanguinaire auquel on immolait des victimes, comme le rappelle Gautier dans *L'Orient :* « Là trônait l'affreuse idole de Witziliputzili à qui l'on fourrait dans la bouche, sur une cuiller d'or, des cœurs d'hommes fumants » (Charpentier, 1907, t. II, p. 97). Baudelaire fait aussi allusion au dieu mexicain dans ses *Nouvelles Notes sur Edgar Poe.*

Il avait ces belles teintes fauves et rousses qui donnent au bronze florentin cet aspect chaud et vivace, si préférable au ton vert-de-grisé des bronzes ordinaires qu'on prendrait volontiers pour des statues en putréfaction : des luisants satinés frissonnaient sur ses formes rondes et polies par les baisers amoureux de vingt siècles ; car ce devait être un airain de Corinthe, un ouvrage du meilleur temps, peut-être une fonte de Lysippe [6] !

« Ce pied fera mon affaire », dis-je au marchand, qui me regarda d'un air ironique et sournois en me tendant l'objet demandé pour que je pusse l'examiner plus à mon aise.

Je fus surpris de sa légèreté ; ce n'était pas un pied de métal, mais bien un pied de chair, un pied embaumé, un pied de momie : en regardant de près, l'on pouvait distinguer le grain de la peau et la gaufrure presque imperceptible imprimée par la trame des bandelettes. Les doigts étaient fins, délicats, terminés par des ongles parfaits, purs et transparents comme des agathes ; le pouce, un peu séparé, contrariait heureusement le plan des autres doigts à la manière antique, et lui donnait une attitude dégagée, une sveltesse de pied d'oiseau ; la plante, à peine rayée de quelques hachures invisibles, montrait qu'elle n'avait jamais touché la terre, et ne s'était trouvée en contact qu'avec les plus fines nattes de roseaux du Nil et les plus moelleux tapis de peaux de panthères.

« Ha ! ha ! vous voulez le pied de la princesse Hermonthis [7], dit le marchand avec un ricanement étrange, en fixant sur moi ses yeux de hibou : ha ! ha ! ha ! pour un serre-papier ! idée originale, idée d'artiste ; qui aurait dit au vieux Pharaon que le pied de sa fille adorée servirait de serre-papier l'aurait bien surpris, lorsqu'il faisait creuser une montagne de granit pour y mettre le triple cercueil peint et doré, tout couvert d'hiéroglyphes avec de belles peintures du jugement des âmes, ajouta à demi-voix et

6. *Lysippe,* sculpteur grec du IVe siècle avant J.-C., né à Sicyone, près de Corinthe.

7. *Hermonthis* est à vrai dire le nom d'une ville de l'ancienne Égypte, consacrée au culte du dieu Mentou, près de Thèbes, sur la rive gauche du Nil (aujourd'hui Erment — voir *Une nuit de Cléopâtre*).

comme se parlant à lui-même le petit marchand singulier.

— Combien me vendrez-vous ce fragment de momie ?

— Ah ! le plus cher que je pourrai, car c'est un morceau superbe ; si j'avais le pendant, vous ne l'auriez pas à moins de cinq cents francs : la fille d'un Pharaon, rien n'est plus rare.

— Assurément cela n'est pas commun ; mais enfin combien en voulez-vous ? D'abord je vous avertis d'une chose, c'est que je ne possède pour trésor que cinq louis ; — j'achèterai tout ce qui coûtera cinq louis, mais rien de plus.

« Vous scruteriez les arrière-poches de mes gilets, et mes tiroirs les plus intimes, que vous n'y trouveriez pas seulement un misérable tigre à cinq griffes.

— Cinq louis le pied de la princesse Hermonthis, c'est bien peu, très peu en vérité, un pied authentique, dit le marchand en hochant la tête et en imprimant à ses prunelles un mouvement rotatoire.

« Allons, prenez-le, et je vous donne l'enveloppe par-dessus le marché, ajouta-t-il en le roulant dans un vieux lambeau de damas ; très beau, damas véritable, damas des Indes, qui n'a jamais été reteint ; c'est fort, c'est moelleux », marmottait-il en promenant ses doigts sur le tissu éraillé par un reste d'habitude commerciale qui lui faisait vanter un objet de si peu de valeur qu'il le jugeait lui-même digne d'être donné.

Il coula les pièces d'or dans une espèce d'aumônière du Moyen Age pendant à sa ceinture, en répétant :

« Le pied de la princesse Hermonthis servir de serre-papier ! »

Puis, arrêtant sur moi ses prunelles phosphoriques, il me dit avec une voix stridente comme le miaulement d'un chat qui vient d'avaler une arête :

« Le vieux Pharaon ne sera pas content, il aimait sa fille, ce cher homme.

— Vous en parlez comme si vous étiez son contemporain ; quoique vieux, vous ne remontez cependant pas aux pyramides d'Égypte », lui répondis-je en riant du seuil de la boutique.

Je rentrai chez moi fort content de mon acquisition.

Pour la mettre tout de suite à profit, je posai le pied de la divine princesse Hermonthis sur une liasse de papier, ébauche de vers, mosaïque indéchiffrable de ratures : articles commencés, lettres oubliées et mises à la poste dans le tiroir, erreur qui arrive souvent aux gens distraits ; l'effet était charmant, bizarre et romantique.

Très satisfait de cet embellissement, je descendis dans la rue, et j'allai me promener avec la gravité convenable et la fierté d'un homme qui a sur tous les passants qu'il coudoie l'avantage ineffable de posséder un morceau de la princesse Hermonthis, fille de Pharaon.

Je trouvai souverainement ridicules tous ceux qui ne possédaient pas, comme moi, un serre-papier aussi notoirement égyptien ; et la vraie occupation d'un homme sensé me paraissait d'avoir un pied de momie sur son bureau.

Heureusement la rencontre de quelques amis vint me distraire de mon engouement de récent acquéreur ; je m'en allai dîner avec eux, car il m'eût été difficile de dîner avec moi.

Quand je revins le soir, le cerveau marbré de quelques veines de gris de perle, une vague bouffée de parfum oriental me chatouilla délicatement l'appareil olfactif ; la chaleur de la chambre avait attiédi le natrum, le bitume et la myrrhe dans lesquels les *paraschites* [8] inciseurs de cadavres avaient baigné le corps de la princesse ; c'était un parfum doux quoique pénétrant, un parfum que quatre mille ans n'avaient pu faire évaporer.

Le rêve de l'Égypte était l'éternité [9] : ses odeurs ont la solidité du granit, et durent autant.

Je bus bientôt à pleines gorgées dans la coupe noire du sommeil ; pendant une heure ou deux tout resta opaque, l'oubli et le néant m'inondaient de leurs vagues sombres.

---

8. *les paraschites* ou parachistes sont les prêtres qui pratiquaient, pendant le Nouvel Empire, la momification, en retirant du cadavre les viscères, sauf le cœur, afin de les plonger dans un bain de vin aromatisé.

9. *l'éternité,* Gautier définit de manière constante la religion et la civilisation égyptiennes par la préoccupation de l'éternité. Dans le prologue du *Roman de la momie,* il écrit que « l'Égypte ne peut rien faire que d'éternel » et qu'elle « avait le sens de l'éternité ». *Le Pied de momie* préfigure *Le Roman de la momie* en exprimant une hantise qui a toujours dominé l'imagination de Gautier.

Cependant mon obscurité intellectuelle s'éclaira, les songes commencèrent à m'effleurer de leur vol silencieux.

Les yeux de mon âme s'ouvrirent, et je vis ma chambre telle qu'elle était effectivement : j'aurais pu me croire éveillé, mais une vague perception me disait que je dormais et qu'il allait se passer quelque chose de bizarre.

L'odeur de la myrrhe avait augmenté d'intensité, et je sentais un léger mal de tête que j'attribuais fort raisonnablement à quelques verres de vin de Champagne que nous avions bus aux dieux inconnus et à nos succès futurs.

Je regardais dans ma chambre avec un sentiment d'attente que rien ne justifiait ; les meubles étaient parfaitement en place, la lampe brûlait sur la console, doucement estampée par la blancheur laiteuse de son globe de cristal dépoli ; les aquarelles miroitaient sous leur verre de Bohême ; les rideaux pendaient languissamment : tout avait l'air endormi et tranquille.

Cependant, au bout de quelques instants, cet intérieur si calme parut se troubler, les boiseries craquaient furtivement ; la bûche enfouie sous la cendre lançait tout à coup un jet de gaz bleu, et les disques des patères semblaient des yeux de métal attentifs comme moi aux choses qui allaient se passer.

Ma vue se porta par hasard vers la table sur laquelle j'avais posé le pied de la princesse Hermonthis.

Au lieu d'être immobile comme il convient à un pied embaumé depuis quatre mille ans, il s'agitait, se contractait et sautillait sur les papiers comme une grenouille effarée : on l'aurait cru en contact avec une pile voltaïque ; j'entendais fort distinctement le bruit sec que produisait son petit talon, dur comme un sabot de gazelle.

J'étais assez mécontent de mon acquisition, aimant les serre-papiers sédentaires et trouvant peu naturel de voir les pieds se promener sans jambes, et je commençais à éprouver quelque chose qui ressemblait fort à de la frayeur.

Tout à coup je vis remuer le pli d'un de mes rideaux, et j'entendis un piétinement comme d'une personne qui sauterait à cloche-pied. Je dois avouer que j'eus chaud et froid alternativement ; que je sentis un vent inconnu me souffler dans le dos, et que mes cheveux firent sauter, en se redressant, ma coiffure de nuit à deux ou trois pas.

Les rideaux s'entrouvrirent, et je vis s'avancer la figure la plus étrange qu'on puisse imaginer.

C'était une jeune fille, café au lait très foncé, comme la bayadère Amani [10], d'une beauté parfaite et rappelant le type égyptien le plus pur ; elle avait des yeux taillés en amande avec des coins relevés et des sourcils tellement noirs qu'ils paraissaient bleus, son nez était d'une coupe délicate, presque grecque pour la finesse, et l'on aurait pu la prendre pour une statue de bronze de Corinthe, si la proéminence des pommettes et l'épanouissement un peu africain de la bouche n'eussent fait reconnaître, à n'en pas douter, la race hiéroglyphique des bords du Nil.

Ses bras minces et tournés en fuseau, comme ceux des très jeunes filles, étaient cerclés d'espèces d'emprises de métal et de tours de verroterie ; ses cheveux étaient nattés en cordelettes, et sur sa poitrine pendait une idole en pâte verte que son fouet à sept branches faisait reconnaître pour l'Isis, conductrice des âmes ; une plaque d'or scintillait à son front, et quelques traces de fard perçaient sous les teintes de cuivre de ses joues.

Quant à son costume il était très étrange.

Figurez-vous un pagne de bandelettes chamarrées d'hiéroglyphes noirs et rouges, empesés de bitume et qui semblaient appartenir à une momie fraîchement démaillottée.

Par un de ces sauts de pensée si fréquents dans les rêves, j'entendis la voix fausse et enrouée du marchand de bric-à-brac, qui répétait, comme un refrain monotone, la phrase qu'il avait dite dans sa boutique avec une intonation si énigmatique :

« Le vieux Pharaon ne sera pas content ; il aimait beaucoup sa fille, ce cher homme. »

Particularité étrange et qui ne me rassura guère, l'ap-

---

10. *Amani*, Gautier évoque longuement la bayadère Amani, « danseuse prêtresse », en comparant sa peau à « un bronze florentin », dans « Les Bayadères », texte figurant à la fin de *Caprices et zigzags*.

parition n'avait qu'un seul pied, l'autre jambe était rompue à la cheville.

Elle se dirigea vers la table où le pied de momie
s'agitait et frétillait avec un redoublement de vitesse.
Arrivée là, elle s'appuya sur le rebord, et je vis une larme
germer et perler dans ses yeux.

Quoiqu'elle ne parlât pas, je discernais clairement sa
pensée : elle regardait le pied, car c'était bien le sien,
avec une expression de tristesse coquette d'une grâce
infinie ; mais le pied sautait et courait çà et là comme s'il
eût été poussé par des ressorts d'acier.

Deux ou trois fois elle étendit sa main pour le saisir,
mais elle n'y réussit pas.

Alors il s'établit entre la princesse Hermonthis et son
pied, qui paraissait doué d'une vie à part, un dialogue très
bizarre dans un cophte très ancien, tel qu'on pouvait le
parler, il y a une trentaine de siècles, dans les syringes du
pays de Ser [11] heureusement que cette nuit-là je savais le
cophte en perfection.

La princesse Hermonthis disait d'un ton de voix doux
et vibrant comme une clochette de cristal :

« Eh bien ! mon cher petit pied, vous me fuyez toujours, j'avais pourtant bien soin de vous. Je vous baignais
d'eau parfumée, dans un bassin d'albâtre ; je polissais
votre talon avec la pierre-ponce trempée d'huile de pal-
mes, vos ongles étaient coupés avec des pinces d'or et
polis avec de la dent d'hippopotame, j'avais soin de
choisir pour vous des thabebs [12] brodés et peints à pointes
recourbées, qui faisaient l'envie de toutes les jeunes filles
de l'Égypte ; vous aviez à votre orteil des bagues représentant le scarabée sacré, et vous portiez un des corps les
plus légers que puisse souhaiter un pied paresseux. »

Le pied répondit d'un ton boudeur et chagrin :

« Vous savez bien que je ne m'appartiens plus, j'ai été
acheté et payé ; le vieux marchand savait bien ce qu'il

---

11. *Ser,* ville d'Arabie, chef-lieu d'un ancien et petit État qui portait
son nom.

12. *thabebs,* dans *Une nuit de Cléopâtre,* Gautier écrit *tatbeds.* Il
s'agit de chaussures de liège richement ornementées.

faisait, il vous en veut toujours d'avoir refusé de l'épouser : c'est un tour qu'il vous a joué.

« L'Arabe qui a forcé votre cercueil royal dans le puits souterrain de la nécropole de Thèbes était envoyé par lui, il voulait vous empêcher d'aller à la réunion des peuples ténébreux, dans les cités inférieures. Avez-vous cinq pièces d'or pour me racheter ?

— Hélas ! non. Mes pierreries, mes anneaux, mes bourses d'or et d'argent, tout m'a été volé, répondit la princesse Hermonthis avec un soupir.

— Princesse, m'écriai-je alors, je n'ai jamais retenu injustement le pied de personne : bien que vous n'ayez pas les cinq louis qu'il m'a coûtés, je vous le rends de bonne grâce ; je serais désespéré de rendre boiteuse une aussi aimable personne que la princesse Hermonthis. »

Je débitai ce discours d'un ton régence et troubadour qui dut surprendre la belle Égyptienne.

Elle tourna vers moi un regard chargé de reconnaissance, et ses yeux s'illuminèrent de lueurs bleuâtres.

Elle prit son pied, qui, cette fois, se laissa faire, comme une femme qui va mettre son brodequin, et l'ajusta à sa jambe avec beaucoup d'adresse.

Cette opération terminée, elle fit deux ou trois pas dans la chambre, comme pour s'assurer qu'elle n'était réellement plus boiteuse.

« Ah ! comme mon père va être content, lui qui était si désolé de ma mutilation, et qui avait, dès le jour de ma naissance, mis un peuple tout entier à l'ouvrage pour me creuser un tombeau si profond qu'il pût me conserver intacte jusqu'au jour suprême où les âmes doivent être pesées dans les balances de l'Amenthi [13].

« Venez avec moi chez mon père, il vous recevra bien, vous m'avez rendu mon pied. »

Je trouvai cette proposition toute naturelle ; j'endossai une robe de chambre à grands ramages, qui me donnait

13. *l'Amenthi* ou Amenti désigne la région cachée ou l'Occident, c'est-à-dire le séjour où les âmes se rendent après la mort, afin d'être jugées. Elles comparaissent devant un tribunal formé d'Osiris et de quarante-deux juges et sont pesées selon leurs bonnes et mauvaises actions.

un air très pharaonesque ; je chaussai à la hâte des babouches turques, et je dis à la princesse Hermonthis que j'étais prêt à la suivre.

Hermonthis, avant de partir, détacha de son col la petite figurine de pâte verte et la posa sur les feuilles éparses qui couvraient la table.

« Il est bien juste, dit-elle en souriant, que je remplace votre serre-papier. »

Elle me tendit sa main, qui était douce et froide comme une peau de couleuvre, et nous partîmes.

Nous filâmes pendant quelque temps avec la rapidité de la flèche dans un milieu fluide et grisâtre, où des silhouettes à peine ébauchées passaient à droite et à gauche.

Un instant, nous ne vîmes que l'eau et le ciel.

Quelques minutes après, des obélisques commencèrent à pointer, des pylônes, des rampes côtoyées de sphinx se dessinèrent à l'horizon.

Nous étions arrivés.

La princesse me conduisit devant une montagne de granit rose, où se trouvait une ouverture étroite et basse qu'il eût été difficile de distinguer des fissures de la pierre si deux stèles bariolées de sculptures ne l'eussent fait reconnaître.

Hermonthis alluma une torche et se mit à marcher devant moi.

C'étaient des corridors taillés dans le roc vif ; les murs, couverts de panneaux d'hiéroglyphes et de processions allégoriques, avaient dû occuper des milliers de bras pendant des milliers d'années ; ces corridors, d'une longueur interminable, aboutissaient à des chambres carrées, au milieu desquelles étaient pratiqués des puits, où nous descendions au moyen de crampons ou d'escaliers en spirale ; ces puits nous conduisaient dans d'autres chambres, d'où partaient d'autres corridors également bigarrés d'éperviers, de serpents roulés en cercle, de tau, de pedum, de bari mystique [14], prodigieux travail que nul œil

14. *bari mystique,* le *tau* est l'instrument sacré en forme de *tau* grec que certaines divinités égyptiennes portaient à la main ; c'est, dit le prologue du *Roman de la momie,* l'«emblème d'immortalité». Le

vivant ne devait voir, interminables légendes de granit que les mots avaient seuls le temps de lire pendant l'éternité.

Enfin, nous débouchâmes dans une salle si vaste, si énorme, si démesurée, que l'on ne pouvait en apercevoir les bornes ; à perte de vue s'étendaient des files de colonnes monstrueuses entre lesquelles tremblotaient de livides étoiles de lumière jaune : ces points brillants révélaient des profondeurs incalculables.

La princesse Hermonthis me tenait toujours par la main et saluait gracieusement les momies de sa connaissance.

Mes yeux s'accoutumaient à ce demi-jour crépusculaire, et commençait à discerner les objets.

Je vis, assis sur des trônes, les rois des races souterraines : c'étaient de grands vieillards secs, ridés, parcheminés, noirs de naphte et de bitume, coiffés de pschents d'or, bardés de pectoraux et de hausse-cols, constellés de pierreries avec des yeux d'une fixité de sphinx et de longues barbes blanchies par la neige des siècles : derrière eux, leurs peuples embaumés se tenaient debout dans les poses roides et contraintes de l'art égyptien, gardant éternellement l'attitude prescrite par le codex hiératique ; derrière les peuples miaulaient, battaient de l'aile et ricanaient les chats, les ibis et les crocodiles contemporains, rendus plus monstrueux encore par leur emmaillotage de bandelettes.

Tous les Pharaons étaient là, Chéops, Chephrenès, Psammetichus, Sésostris, Amenoteph ; tous les noirs dominateurs des pyramides et des syringes ; sur une estrade plus élevée siégeaient le roi Chronos et Xixouthros, qui fut contemporain du déluge, et Tubal Caïn [15], qui le précéda.

---

pedum est le sceptre attribué à la plupart des dieux. Quant au *bari* mystique, il correspond à l'embarcation qui transporte l'âme des défunts vers l'Amenthi pour y subir le pesage. « Le Bari mystique [...] conduit les âmes dans l'Amenthi » (*Une nuit de Cléopâtre,* chapitre IV).

15. *Tubal Caïn* est le fils de Lamech et le frère de Noé, « l'ancêtre de tous les forgerons en cuivre et en fer » (*La Genèse,* IV, 21). Inventeur des arts métallurgiques, il est initié aux mystères du feu. Dans le *Voyage en Orient* de Nerval (« Histoire de la reine du matin et de Soliman »), il instruit Adoniram des pouvoirs du *feu central* et l'engage dans le combat contre la puissance despotique d'Adonaï.

La barbe du roi Xixouthros avait tellement poussé qu'elle avait déjà fait sept fois le tour de la table de granit sur laquelle il s'appuyait tout rêveur et tout somnolent.

Plus loin, dans une vapeur poussiéreuse, à travers le brouillard des éternités, je distinguais vaguement les soixante-douze rois préadamites avec leurs soixante-douze peuples à jamais disparus [16].

Après m'avoir laissé quelques minutes pour jouir de ce spectacle vertigineux, la princesse rmonthis me présenta au Pharaon son père, qui me fit un signe de tête fort majestueux.

« J'ai retrouvé mon pied ! j'ai retrouvé mon pied ! criait la princesse en frappant ses petites mains l'une contre l'autre avec tous les signes d'une joie folle, c'est monsieur qui me l'a rendu. »

Les races de Kémé, les races de Nahasi [17], toutes les nations noires, bronzées, cuivrées, répétaient en chœur :

« La princesse Hermonthis a retrouvé son pied. »

Xixouthros lui-même s'en émut :

Il souleva sa paupière appesantie, passa ses doigts dans sa moustache, et laissa tomber sur moi son regard chargé de siècles.

« Par Oms, chien des enfers, et par Tmeï, fille du Soleil et de la Vérité, voilà un brave et digne garçon, dit le Pharaon en étendant vers moi son sceptre terminé par une fleur de lotus.

« Que veux-tu pour ta récompense ? »

---

16. *préadamites,* selon le système religieux du préadamitisme, énoncé au XVIIe siècle par Isaac de La Peyrère, il convient de distinguer deux créations : celle de l'univers et de l'humanité, puis celle d'Adam et du peuple juif. Le déluge n'ayant submergé que la Judée, il en résulte que certaines races, dont les Chaldéens et les Égyptiens, remontent à une époque antérieure à la naissance d'Adam. Le terme est entendu ici dans le sens défini par Nerval : « Les traditions des Arabes et des Persans supposent que pendant de longues séries d'années la terre fut peuplée par des races dites *préadamites,* dont le dernier empereur fut vaincu par Adam » (*Voyage en Orient,* « Druses et Maronites », III, 4). Ces races sont réparties en quatre catégories : les Dives, les Djinns, les Afrites et les Péris (voir *Aurélia,* I, VIII).

17. *Kémé* et *Nahasi,* races noires du Haut-Nil, qui fournissaient des esclaves à l'ancienne Égypte.

Fort de cette audace que donnent les rêves, où rien ne paraît impossible, je lui demandai la main d'Hermonthis : la main pour le pied me paraissait une récompense antitithétique d'assez bon goût.

Le Pharaon ouvrit tout grands ses yeux de verre, surpris de ma plaisanterie et de ma demande.

« De quel pays es-tu et quel est ton âge ?

— Je suis français, et j'ai vingt-sept ans, vénérable Pharaon.

— Vingt-sept ans ! et il veut épouser la princesse Hermonthis, qui a trente siècles ! » s'écrièrent à la fois tous les trônes et tous les cercles des nations.

Hermonthis seule ne parut pas trouver ma requête inconvenante.

« Si tu avais seulement deux mille ans, reprit le vieux roi, je t'accorderais bien volontiers la princesse, mais la disproportion est trop forte, et puis il faut à nos filles des maris qui durent, vous ne savez plus vous conserver : les derniers qu'on a apportés il y a quinze siècles à peine, ne sont plus qu'une pincée de cendre ; regarde, ma chair est dure comme du basalte, mes os sont des barres d'acier.

« J'assisterai au dernier jour du monde avec le corps et la figure que j'avais de mon vivant ; ma fille Hermonthis durera plus qu'une statue de bronze.

« Alors le vent aura dispersé le dernier grain de ta poussière, et Isis elle-même, qui sut retrouver les morceaux d'Osiris, serait embarrassée de recomposer ton être.

« Regarde comme je suis vigoureux encore et comme mes bras tiennent bien », dit-il en me secouant la main à l'anglaise, de manière à me couper les doigts avec mes bagues.

Il me serra si fort que je m'éveillai, et j'aperçus mon ami Alfred qui me tirait par le bras et me secouait pour me faire lever.

« Ah çà ! enragé dormeur, faudra-t-il te faire porter au milieu de la rue et te tirer un feu d'artifice aux oreilles ?

« Il est plus de midi, tu ne te rappelles donc pas que tu

m'avait promis de venir me prendre pour aller voir les tableaux espagnols de M. Aguado [18] ?

— Mon Dieu ! je n'y pensais plus, répondis-je en m'habillant ; nous allons y aller : j'ai la permission ici sur mon bureau. »

Je m'avançai effectivement pour la prendre ; mais jugez de mon étonnement lorsqu'à la place du pied de momie que j'avais acheté la veille, je vis la petite figurine de pâte verte mise à sa place par la princesse Hermonthis !

---

18. *M. Aguado,* Alexandre-Marie Aguado (né à Séville en 1784 et mort en 1842) embrassa la carrière militaire, puis devint financier dès 1815. Il se livra à des entreprises commerciales et à des opérations bancaires qui lui valurent une immense fortune. Il possédait une riche collection de tableaux.

DEUX ACTEURS POUR UN ROLE[1]

1. *Deux acteurs pour un rôle* a été publié dans *Le Musée des familles* en juillet 1841. Gautier l'a repris dans *La Peau de tigre*, Hippolyte Souverain, 1852, et dans la deuxième édition, Michel Lévy, 1866. Le récit a été incorporé à *Les Jeunes-France* sous la rubrique de *Contes humoristiques*, Charpentier, 1873.

I

UN RENDEZ-VOUS AU JARDIN IMPÉRIAL

On[2] touchait aux derniers jours de novembre : le Jardin impérial de Vienne était désert, une bise aiguë faisait tourbillonner les feuilles couleur de safran et grillées par les premiers froids ; les rosiers des parterres, tourmentés et rompus par le vent, laissaient traîner leurs branchages dans la boue. Cependant la grande allée, grâce au sable qui la recouvre, était sèche et praticable. Quoique dévasté par les approches de l'hiver, le Jardin impérial ne manquait pas d'un certain charme mélancolique. La longue allée prolongeait fort loin ses arcades rousses, laissant deviner confusément à son extrémité un horizon de collines déjà noyées dans les vapeurs bleuâtres et le brouillard du soir ; au-delà, la vue s'étendait sur le Prater et le Danube ; c'était une promenade faite à souhait pour un poète.

Un jeune homme arpentait cette allée avec des signes visibles d'impatience ; son costume, d'une élégance un peu théâtrale, consistait en une redingote de velours noir à brandebourgs d'or bordée de fourrure, un pantalon de tricot gris, des bottes molles à glands montant jusqu'à mi-jambes. Il pouvait avoir de vingt-sept à vingt-huit ans ; ses traits pâles et réguliers étaient pleins de finesse, et

2. *On,* le pronom impersonnel, assez rare dans les récits de Gautier, englobe en quelque sorte le narrateur et les personnages.

l'ironie se blottissait dans les plis de ses yeux et les coins de sa bouche ; à l'Université, dont il paraissait récemment sorti, car il portait encore la casquette à feuilles de chêne des étudiants, il devait avoir donné beaucoup de fil à retordre aux *philistins* et brillé au premier rang des *burschen* et des *renards* [3].

Le très court espace dans lequel il circonscrivait sa promenade montrait qu'il attendait quelqu'un ou plutôt quelqu'une, car le Jardin impérial de Vienne, au mois de novembre, n'est guère propice aux rendez-vous d'affaires.

En effet, une jeune fille ne tarda pas à paraître au bout de l'allée : une coiffe de soie noire couvrait ses riches cheveux blonds, dont l'humidité du soir avait légèrement défrisé les longues boucles ; son teint, ordinairement d'une blancheur de cire vierge, avait pris sous les morsures du froid des nuances de roses de Bengale. Groupée et pelotonnée comme elle était dans sa mante garnie de martre, elle ressemblait à ravir à la statuette de *La Frileuse* [4] ; un barbet noir [5] l'accompagnait, chaperon commode, sur l'indulgence et la discrétion duquel on pouvait compter.

— Figurez-vous, Henrich, dit la jolie Viennoise en prenant le bras du jeune homme, qu'il y a plus d'une heure que je suis habillée et prête à sortir, et ma tante n'en finissait pas avec ses sermons sur les dangers de la valse, et les recettes pour les gâteaux de Noël et les carpes au bleu. Je suis sortie sous le prétexte d'acheter des brodequins gris dont je n'ai nul besoin. C'est pourtant pour

3. *des renards*, les *philistins* correspondent à ceux qui sont étrangers à l'Université, en particulier les commerçants, tandis que les *burschen* et les *renards* correspondent à l'organisation hiérarchisée en deux classes des sociétés d'étudiants dans les pays germaniques : les *burschen* sont, parmi les étudiants, les aînés qui jouissent des privilèges et les *renards* (Füchse) sont les étudiants nouvellement admis, placés sous les ordres d'un Fuchsmayor qui porte une queue de renard à sa casquette.

4. *la Frileuse*, nous avons identifié dans *Les Beaux-Arts en Europe* une toile d'Alexandre-Marie Guillemin (1817-1880) intitulée *La Petite Frileuse*, mais non une statuette.

5. *un barbet noir*, semblable à celui du *Faust* I, dans la scène du cabinet de travail.

vous, Henrich, que je fais tous ces petits mensonges dont
je me repens et que je recommence toujours ; aussi quelle
idée avez-vous eue de vous livrer au théâtre ; c'était bien
la peine d'étudier si longtemps la théologie à Heidelberg !
Mes parents vous aimaient et nous serions mariés aujourd'hui. Au lieu de nous voir à la dérobée sous les
arbres chauves du Jardin impérial, nous serions assis côte
à côte près d'un beau poêle de Saxe, dans un parloir bien
clos, causant de l'avenir de nos enfants : ne serait-ce pas,
Henrich, un sort bien heureux ?

— Oui, Katy, bien heureux, répondit le jeune homme
en pressant sous le satin et les fourrures le bras potelé de
la jolie Viennoise ; mais, que veux-tu ! c'est un ascendant
invincible ; le théâtre m'attire ; j'en rêve le jour, j'y pense
la nuit ; je sens le désir de vivre dans la création des
poètes, il me semble que j'ai vingt existences. Chaque
rôle que je joue me fait une vie nouvelle ; toutes ces
passions que j'exprime, je les éprouve ; je suis Hamlet,
Othello, Charles Moor [6] : quand on est tout cela, on ne
peut que difficilement se résigner à l'humble condition de
pasteur de village.

— C'est fort beau ; mais vous savez bien que mes
parents ne voudront jamais d'un comédien pour gendre.

— Non, certes, d'un comédien obscur, pauvre artiste
ambulant, jouet des directeurs et du public ; mais d'un
grand comédien couvert de gloire et d'applaudissements,
plus payé qu'un ministre, si difficiles qu'ils soient, ils en
voudront bien. Quand je viendrai vous demander dans
une belle calèche jaune dont le verni pourra servir de
miroir aux voisins étonnés, et qu'un grand laquais ga-
lonné m'abattra le marchepied, croyez-vous, Katy, qu'ils
me refuseront ?

— Je ne le crois pas... Mais qui dit, Henrich, que vous
en arriverez jamais là ?... Vous avez du talent ; mais le
talent ne suffit pas, il faut encore beaucoup de bonheur.
Quand vous serez ce grand comédien dont vous parlez, le
plus beau temps de notre jeunesse sera passé, et alors

6. *Charles Moor*, personnage des *Brigands*, le premier drame de
Schiller, représenté en 1782.

voudrez-vous toujours épouser la vieille Katy, ayant à votre disposition les amours de toutes ces princesses de théâtre si joyeuses et si parées?

— Cet avenir, répondit Henrich, est plus prochain que vous ne croyez; j'ai un engagement avantageux au théâtre de la Porte de Carinthie, et le directeur a été si content de la manière dont je me suis acquitté de mon dernier rôle, qu'il m'a accordé une gratification de deux mille thalers.

— Oui, reprit la jeune fille d'un air sérieux, ce rôle de démon dans la pièce nouvelle; je vous avoue, Henrich, que je n'aime pas voir un chrétien prendre le masque de l'ennemi du genre humain et prononcer des paroles blasphématoires. L'autre jour, j'allai vous voir au théâtre de Carinthie, et à chaque instant je craignais qu'un véritable feu d'enfer ne sortît des trappes où vous vous engloutissiez dans un tourbillon d'esprit-de-vin. Je suis revenue chez moi toute troublée et j'ai fait des rêves affreux.

— Chimères que tout cela, ma bonne Katy; et d'ailleurs, c'est demain la dernière représentation, et je ne mettrai plus le costume noir et rouge qui te déplaît tant.

— Tant mieux! car je ne sais quelles vagues inquiétudes me travaillent l'esprit, et j'ai bien peur que ce rôle, profitable à votre gloire, ne le soit pas à votre salut; j'ai peur aussi que vous ne preniez de mauvaises mœurs avec ces damnés comédiens. Je suis sûre que vous ne dites plus vos prières, et la petite croix que je vous avais donnée, je parierais que vous l'avez perdue.

Henrich se justifia en écartant les revers de son habit; la petite croix brillait toujours sur sa poitrine.

Tout en devisant ainsi, les deux amants étaient parvenus à la rue du Thabor dans la Leopoldstadt, devant la boutique du cordonnier renommé pour la perfection de ses brodequins gris; après avoir causé quelques instants sur le seuil, Katy entra suivie de son barbet noir, non sans avoir livré ses jolis doigts effilés au serrement de main d'Henrich.

Henrich tâcha de saisir encore quelques aspects de sa maîtresse, à travers les souliers mignons et les gentils brodequins symétriquement rangés sur les tringles de cuivre de la devanture; mais le brouillard avait étamé les carreaux de sa moite haleine, et il ne put démêler qu'une sihouette confuse ; alors, prenant une héroïque résolution, il pirouetta sur ses talons et s'en alla d'un pas délibéré au gasthof de l'*Aigle à deux têtes*.

II

LE GASTHOF DE L'AIGLE A DEUX TÊTES

Il y avait ce soir-là compagnie nombreuse au gasthof de l'*Aigle à deux têtes ;* la société était la plus mélangée du monde, et le caprice de Callot et celui de Goya, réunis, n'auraient pu produire un plus bizarre amalgame de types caractéristiques. L'*Aigle à deux têtes* était une de ces bienheureuses caves célébrées par Hoffmann [7], dont les marches sont si usées, si onctueuses et si glissantes, qu'on ne peut poser le pied sur la première sans se trouver tout de suite au fond, les coudes sur la table, la pipe à la bouche, entre un pot de bière et une mesure de vin nouveau.

A travers l'épais nuage de fumée qui vous prenait d'abord à la gorge et aux yeux, se dessinaient, au bout de quelques minutes, toute sorte de figures étranges.

C'étaient des Valaques avec leur cafetan et leur bonnet de peau d'Astrakan, des Serbes, des Hongrois aux longues moustaches noires, caparaçonnés de dolmans et de passementeries ; des Bohèmes au teint cuivré, au front étroit, au profil busqué ; d'honnêtes Allemands en redingote à brandebourgs, des Tatars aux yeux retroussés à la chinoise ; toutes les populations imaginables. L'Orient y était représenté par un gros Turc accroupi dans un coin, qui fumait paisiblement du latakié dans une pipe à tuyau de cerisier de Moldavie, avec un fourneau de terre rouge et un bout d'ambre jaune.

Tout ce monde, accoudé à des tables, mangeait et

---

7. *Hoffmann*, allusion à *Les Aventures de la nuit de la Saint-Sylves-tre*, chapitre II, qui s'intitule « La Société dans la cave ».

buvait : la boisson se composait de bière forte et d'un mélange de vin rouge nouveau avec du vin blanc plus ancien ; la nourriture, de tranches de veau froid, de jambon ou de pâtisseries.

Autour des tables tourbillonnait sans repos une de ces longues valses allemandes qui produisent sur les imaginations septentrionales le même effet que le hachich et l'opium sur les Orientaux ; les couples passaient et repassaient avec rapidité ; les femmes, presque évanouies de plaisir sur le bras de leur danseur, au bruit d'une valse de Lanner, balayaient de leurs jupes les nuages de fumée de pipe et rafraîchissaient le visage des buveurs. Au comptoir, des improvisateurs morlaques, accompagnés d'un joueur de guzla, récitaient une espèce de complainte dramatique qui paraissait divertir beaucoup une douzaine de figures étranges, coiffées de tarbouchs et vêtues de peau de mouton [8].

Henrich se dirigea vers le fond de la cave et alla prendre place à une table où étaient déjà assis trois ou quatre personnages de joyeuse mine et de belle humeur.

— Tiens, c'est Henrich ! s'écria le plus âgé de la bande ; prenez garde à vous, mes amis : *fœnum habet in cornu* [9]. Sais-tu que tu avais vraiment l'air diabolique l'autre soir : tu me faisais presque peur. Et comment s'imaginer qu'Henrich, qui boit de la bière comme nous et ne recule pas devant une tranche de jambon froid, vous prenne des airs si venimeux, si méchants et si sardoniques, et qu'il lui suffise d'un geste pour faire courir le frisson dans toute la salle ?

— Eh ! pardieu ! c'est pour cela qu'Henrich est un grand artiste, un sublime comédien. Il n'y a pas de gloire à représenter un rôle qui serait dans votre caractère ; le triomphe, pour une coquette, est de jouer supérieurement les ingénues.

Henrich s'assit modestement, se fit servir un grand verre de vin mélangé, et la conversation continua sur le

---

8. *tarbouchs,* coiffures grecques et turques, bonnets rouges munis d'un gland de soie.

9. *in cornu,* littéralement il a du foin dans sa corne, c'est-à-dire il est enragé (formule proverbiale, voir Horace, *Satires,* I, 4, v. 34).

même sujet. Ce n'était de toutes parts qu'admiration et compliments.

— Ah ! si le grand Wolfgang de Gœthe [10] t'avait vu ! disait l'un.

— Montre-nous tes pieds, disait l'autre : je suis sûr que tu as l'ergot fourchu.

Les autres buveurs, attirés par ces exclamations, regardaient sérieusement Henrich, tout heureux d'avoir l'occasion d'examiner de près un homme si remarquable. Les jeunes gens qui avaient autrefois connu Henrich à l'Université, et dont ils savaient à peine le nom, s'approchaient de lui en lui serrant la main cordialement, comme s'ils eussent été ses intimes amis. Les plus jolies valseuses lui décochaient en passant le plus tendre regard de leurs yeux bleus et veloutés.

Seul, un homme assis à la table voisine ne paraissait pas prendre part à l'enthousiasme général ; la tête renversée en arrière, il tambourinait distraitement, avec ses doigts, sur le fond de son chapeau, une marche militaire, et, de temps en temps, il poussait une espèce de *humph !* singulièrement dubitatif.

L'aspect de cet homme était des plus bizarres, quoiqu'il fût mis comme un honnête bourgeois de Vienne, jouissant d'une fortune raisonnable ; ses yeux gris se nuançaient de teintes vertes et lançaient des lueurs phosphoriques comme celles des chats. Quand ses lèvres pâles et plates se desserraient, elles laissaient voir deux rangées de dents très blanches, très aiguës et très séparées, de l'aspect le plus cannibale et le plus féroce ; ses ongles longs, luisants et recourbés, prenaient de vagues apparences de griffes ; mais cette physionomie n'apparaissait que par éclairs rapides ; sous l'œil qui le regardait fixement, sa figure reprenait bien vite l'apparence bourgeoise et débonnaire d'un marchand viennois retiré du commerce, et l'on s'étonnait d'avoir pu soupçonner de scélératesse et de diablerie une face si vulgaire et si triviale.

10. *Goethe*, le fantastique de ce récit est plus sous le signe de Goethe que d'Hoffmann par les références constantes au *Faust*.

Intérieurement Henrich était choqué de la nonchalance de cet homme; ce silence si dédaigneux ôtait de leur valeur aux éloges dont ses bruyants compagnons l'accablaient. Ce silence était celui d'un vieux connaisseur exercé, qui ne se laisse pas prendre aux apparences et qui a vu mieux que cela dans son temps.

Atmayer, le plus jeune de la troupe, le plus chaud enthousiaste d'Henrich, ne put supporter cette mine froide, et, s'adressant à l'homme singulier, comme le prenant à témoin d'une assertion qu'il avançait:

— N'est-ce pas, monsieur, qu'aucun acteur n'a mieux joué le rôle de Méphistophélès que mon camarade que voilà?

— Humph! dit l'inconnu en faisant miroiter ses prunelles glauques et craquer ses dents aiguës, M. Henrich est un garçon de talent et que j'estime fort; mais, pour jouer le rôle du diable, il lui manque encore bien des choses.

Et, se dressant tout à coup:

— Avez-vous jamais vu le diable, monsieur Henrich?

Il fit cette question d'un ton si bizarre et si moqueur, que tous les assistants se sentirent passer un frisson dans le dos.

— Cela serait pourtant bien nécessaire pour la vérité de votre jeu. L'autre soir, j'étais au théâtre de la Porte de Carinthie, et je n'ai pas été satisfait de votre rire; c'était un rire d'espiègle, tout au plus. Voici comme il faudrait rire, mon cher petit monsieur Henrich.

Et là-dessus, comme pour lui donner l'exemple, il lâcha un éclat de rire si aigu, si strident, si sardonique, que l'orchestre et les valses s'arrêtèrent à l'instant même; les vitres du gasthof tremblèrent. L'inconnu continua pendant quelques minutes ce rire impitoyable et convulsif qu'Henrich et ses compagnons, malgré leur frayeur, ne pouvaient s'empêcher d'imiter.

Quand Henrich reprit haleine, les voûtes du gasthof répétaient, comme un écho affaibli, les dernières notes de ce ricanement grêle et terrible, et l'inconnu n'était plus là.

III

LE THÉÂTRE DE LA PORTE DE CARINTHIE

Quelques jours après cet incident bizarre, qu'il avait presque oublié et dont il ne se souvenait plus que comme de la plaisanterie d'un bourgeois ironique, Henrich jouait son rôle de démon dans la pièce nouvelle.

Sur la première banquette de l'orchestre était assis l'inconnu du gasthof, et, à chaque mot prononcé par Henrich, il hochait la tête, clignait les yeux, faisait claquer sa langue contre son palais et donnait les signes de la plus vive impatience : « Mauvais ! mauvais ! » murmurait-il a demi-voix.

Ses voisins, étonnés et choqués de ses manières, applaudissaient et disaient :

— Voilà un monsieur bien difficile !

A la fin du premier acte, l'inconnu se leva, comme ayant pris une résolution subite, enjamba les timbales, la grosse caisse et le tamtam, et disparut par la petite porte qui conduit de l'orchestre au théâtre.

Henrich, en attendant le lever du rideau, se promenait dans la coulisse, et, arrivé au bout de sa courte promenade, quelle fut sa terreur de voir, en se retournant, debout au milieu de l'étroit corridor, un personnage mystérieux, vêtu exactement comme lui, et qui le regardait avec des yeux dont la transparence verdâtre avait dans l'obscurité une profondeur inouïe ; des dents aiguës, blanches, séparées, donnaient quelque chose de féroce à son sourire sardonique.

Henrich ne put méconnaître l'inconnu du gasthof de l'*Aigle à deux têtes,* ou plutôt le diable en personne ; car c'était lui.

— Ah ! ah ! mon petit monsieur, vous voulez jouer le rôle du diable ! Vous avez été bien médiocre dans le premier acte, et vous donneriez vraiment une trop mauvaise opinion de moi aux braves habitants de Vienne. Vous me permettrez de vous remplacer ce soir, et, comme vous me gêneriez, je vais vous envoyer au second dessous.

Henrich venait de reconnaître l'ange des ténèbres et il se sentit perdu ; portant machinalement la main à la petite croix de Katy, qui ne le quittait jamais, il essaya d'appeler au secours et de murmurer sa formule d'exorcisme ; mais la terreur lui serrait trop violemment la gorge : il ne put pousser qu'un faible râle. Le diable appuya ses mains griffues sur les épaules d'Henrich et le fit plonger de force dans le plancher ; puis entra en scène, sa réplique étant venue, comme un comédien consommé.

Ce jeu incisif, mordant, venimeux et vraiment diabolique, surprit d'abord les auditeurs.

— Comme Henrich est en verve aujourd'hui ! s'écriait-on de toutes parts.

Ce qui produisait surtout un grand effet, c'était ce ricanement aigre comme le grincement d'une scie, ce rire de damné blasphémant les joies du paradis. Jamais acteur n'était arrivé à une telle puissance de sarcasme, à une telle profondeur de scélératesse : on riait et on tremblait. Toute la salle haletait d'émotion, des étincelles phosphoriques jaillissaient sous les doigts du redoutable acteur ; des traînées de flamme étincelaient à ses pieds ; les lumières du lustre pâlissaient, la rampe jetait des éclairs rougeâtres et verdâtres ; je ne sais quelle odeur sulfureuse régnait dans la salle ; les spectateurs étaient comme en délire, et des tonnerres d'applaudissements frénétiques ponctuaient chaque phrase du merveilleux Méphistophélès, qui souvent substituait des vers de son invention à ceux du poète, substitution toujours heureuse et acceptée avec transport.

Katy, à qui Henrich avait envoyé un coupon de loge, était dans une inquiétude extraordinaire ; elle ne reconnaissait pas son cher Henrich ; elle pressentait vaguement quelque malheur avec cet esprit de divination que donne l'amour, cette seconde vue de l'âme [11].

---

11. *l'âme*, le seconde vue est dans les récits de Gautier, de même que chez Balzac, le don privilégié de la voyance qui échoit plus spécialement à la femme amoureuse.

La représentation s'acheva dans des transports inimaginables. Le rideau baissé, le public demanda à grands cris que Méphistophélès reparût. On le chercha vainement ; mais un garçon de théâtre vint dire au directeur qu'on avait trouvé dans le second dessous M. Henrich, qui sans doute était tombé par une trappe. Henrich était sans connaissance : on l'emporta chez lui, et, en le déshabillant, l'on vit avec surprise qu'il avait aux épaules de prodondes égratignures, comme si un tigre eût essayé de l'étouffer entre ses pattes. La petite croix d'argent de Katy l'avait préservé de la mort, et le diable, vaincu par cette influence, s'était contenté de le précipiter dans les caves du théâtre.

La convalescence d'Henrich fut longue : dès qu'il se porta mieux, le directeur vint lui proposer un engagement des plus avantageux, mais Henrich le refusa ; car il ne se souciait nullement de risquer son salut une seconde fois, et savait, d'ailleurs, qu'il ne pourrait jamais égaler sa redoutable doublure.

Au bout de deux ou trois ans, ayant fait un petit héritage, il épousa la belle Katy, et tous deux, assis côte à côte près d'un poêle de Saxe, dans un parloir bien clos, ils causent de l'avenir de leurs enfants.

Les amateurs de théâtre parlent encore avec admiration de cette merveilleuse soirée, et s'étonnent du caprice d'Henrich, qui a renoncé à la scène après un si grand triomphe.

LE CLUB DES HACHICHINS [1]

1. *Le Club des hachichins* a paru pour la première fois dans la *Revue des Deux Mondes*, 1er février 1846. Puis Gautier l'a inséré dans *Partie carrée*, Hippolyte Souverain, 1851, et dans *Romans et contes*, Charpentier, 1863. Il avait publié antérieurement dans *La Presse* (10 juillet 1843) une étude intitulée *Le Hachich*, que Moreau de Tours reproduit presque intégralement dans *Du hachisch et de l'aliénation mentale*, Paris, 1845. Les deux textes de Gautier constituent incontestablement une source, sinon des *Paradis artificiels*, du moins de *Du vin et du hachish*, que Baudelaire publia dans *Le Messager de l'Assemblée*, les 7, 8, 11 et 12 mars 1851. (Nous respectons les variations de la graphie du mot haschisch, tout en adoptant celle des *Paradis artificiels*.)

I

L'HÔTEL PIMODAN [2]

Un soir de décembre, obéissant à une convocation mystérieuse, rédigée en termes énigmatiques compris des affiliés [3], inintelligibles pour d'autres, j' [4] arrivai dans un quartier lointain, espèce d'oasis de solitude au milieu de Paris, que le fleuve, en l'entourant de ses deux bras, semble défendre contre les empiétements de la civilisation, car c'était dans une vieille maison de l'île Saint-Louis, l'hôtel Pimodan, bâti par Lauzun, que le club bizarre dont je faisais partie depuis peu tenait ses

2. *Hôtel Pimodan*, ce fut à l'hôtel Lauzun, en décembre 1845, qu'eurent lieu les séances de haschisch chez le peintre Boissard (voir les documents publiés par Claude Pichois dans *Les Paradis artificiels*, Le Club du meilleur livre, 1961, p. v-vii). Dans son étude sur *Baudelaire* (1868), Gautier donne le commentaire suivant : « Après une dizaine d'expériences, nous renonçâmes pour toujours à cette drogue enivrante, non qu'elle nous eût fait mal physiquement, mais le vrai littérateur n'a besoin que de ses rêves naturels, et il n'aime pas que sa pensée subisse l'influence d'un agent quelconque. »

3. *affiliés*, les membres du club sont qualifiés plus loin d'*adeptes* ; c'est dire qu'ils peuvent être comparés à des initiés, appartenant à une société secrète.

4. *J'*, dans *Le Club des hachichins*, le Je du narrateur se confond avec celui de l'auteur. Nous sommes au niveau, non de la fiction, mais de la relation d'une expérience vécue que Gautier retrace en respectant les diverses phases engendrées par l'usage de la drogue. Dans son étude de 1868, *Charles Baudelaire*, il précise qu'il a mêlé au texte « le récit de [ses] propres hallucinations ».

séances mensuelles, où j'allais assister pour la première fois.

Quoiqu'il fût à peine six heures, la nuit était noire.

Un brouillard, rendu plus épais encore par le voisinage de la Seine, estompait tous les objets de sa ouate déchirée et trouée, de loin en loin, par les auréoles rougeâtres des lanternes et les filets de lumière échappés des fenêtres éclairées.

Le pavé, inondé de pluie, miroitait sous les réverbères comme une eau qui reflète une illumination, une bise âcre, chargée de particules glacées, vous fouettait la figure, et ses sifflements gutturaux faisaient le dessus d'une symphonie dont les flots gonflés se brisant aux arches des ponts formaient la basse : il ne manquait à cette soirée aucune des rudes poésies de l'hiver.

Il était difficile, le long de ce quai désert, dans cette masse de bâtiments sombres, de distinguer la maison que je cherchais ; cependant mon cocher, en se dressant sur son siège parvint à lire sur une plaque de marbre le nom à moitié dédoré de l'ancien hôtel, lieu de réunion des adeptes.

Je soulevai le marteau sculpté, l'usage des sonnettes à bouton de cuivre n'ayant pas encore pénétré dans ces pays reculés, et j'entendis plusieurs fois le cordon grincer sans succès ; enfin, cédant à une traction plus vigoureuse, le vieux pène rouillé s'ouvrit, et la porte aux ais massifs put tourner sur ses gonds.

Derrière une vitre d'une transparence jaunâtre apparut, à mon entrée, la tête d'une vieille portière ébauchée par le tremblotement d'une chandelle, un tableau de Skalken [5] tout fait. — La tête me fit une grimace singulière, et un doigt maigre, s'allongeant hors de la loge, m'indiqua le chemin.

Autant que je pouvais le distinguer, à la pâle lueur qui tombe toujours, même du ciel le plus obscur, la cour que je traversais était entourée de bâtiments d'architecture ancienne à pignons aigus ; je me sentais les pieds mouillés

5. *Skalken,* Gotfried Schalcken (1643-1706), peintre hollandais qui s'est spécialisé dans la représentation des effets de la lumière artificielle (lanternes, flambeaux, chandelles) à l'intérieur de la toile.

comme si j'eusse marché dans une prairie, car l'interstice des pavés était rempli d'herbe.

Les hautes fenêtres à carreaux étroits de l'escalier, flamboyant sur la façade sombre, me servaient de guide et ne me permettaient pas de m'égarer.

Le perron franchi, je me trouvai au bas d'un de ces immenses escaliers comme on les construisait du temps de Louis XIV, et dans lesquels une maison moderne danserait à l'aise. — Une chimère égyptienne dans le goût de Lebrun, chevauchée par un Amour, allongeait ses pattes sur un piédestal et tenait une bougie dans ses griffes recourbées en bobèche.

La pente des degrés était douce ; les repos et les paliers bien distribués attestaient le génie du vieil architecte et la vie grandiose des siècles écoulés ; — en montant cette rampe admirable, vêtu de mon mince frac noir, je sentais que je faisais tache dans l'ensemble et que j'usurpais un droit qui n'était pas le mien ; l'escalier de service eût été assez bon pour moi.

Des tableaux, la plupart sans cadres, copies des chefs-d'œuvre de l'école italienne et de l'école espagnole, tapissaient les murs, et tout en haut, dans l'ombre, se dessinait vaguement un grand plafond mythologique peint à fresque.

J'arrivai à l'étage désigné.

Un tambour de velours d'Utrecht, écrasé et miroité, dont les galons jaunis et les clous bossués racontaient les longs services, me fit reconnaître la porte.

Je sonnai ; l'on m'ouvrit avec les précautions d'usage, et je me trouvai dans une grande salle éclairée à son extrémité par quelques lampes. En entrant là, on faisait un pas de deux siècles en arrière. Le temps, qui passe si vite, semblait n'avoir pas coulé sur cette maison, et, comme une pendule qu'on a oublié de remonter, son aiguille marquait toujours la même date.

Les murs, boisés de menuiseries peintes en blanc, étaient couverts à moitié de toiles rembrunies ayant le cachet de l'époque ; sur le poêle gigantesque se dressait une statue qu'on eût pu croire dérobée aux charmilles de Versailles. Au plafond, arrondi en coupole, se tordait une allégorie strapassée, dans le goût de Lemoine[6], et qui était peut-être de lui.

Je m'avançai vers la partie lumineuse de la salle où s'agitaient autour d'une table plusieurs formes humaines, et dès que la clarté, en m'atteignant, m'eut fait reconnaître, un vigoureux hurra ébranla les profondeurs sonores du vieil édifice.

«C'est lui! c'est lui! crièrent en même temps plusieurs voix; qu'on lui donne sa part!»

Le docteur[7] était debout près d'un buffet sur lequel se trouvait un plateau chargé de petites soucoupes de porcelaine du Japon. Un morceau de pâte ou confiture verdâtre, gros à peu près comme le pouce, était tiré par lui au moyen d'une spatule d'un vase de cristal, et posé, à côté d'une cuillère de vermeil, sur chaque soucoupe.

La figure du docteur rayonnait d'enthousiasme; ses yeux étincelaient, ses pommettes se pourpraient de rougeurs, les veines de ses tempes se dessinaient en saillie, ses narines dilatées aspiraient l'air avec force.

«Ceci vous sera défalqué sur votre portion de paradis[8]», me dit-il en me tendant la dose qui me revenait.

Chacun ayant mangé sa part, l'on servit du café à la manière arabe, c'est-à-dire avec le marc et sans sucre.

Puis l'on se mit à table.

Cette interversion dans les habitudes culinaires a sans doute surpris le lecteur; en effet, il n'est guère d'usage de prendre le café avant la soupe, et ce n'est en général qu'au dessert que se mangent les confitures. La chose assurément mérite explication.

---

6. *François Lemoine* (1668-1737), peintre et fresquiste qui décora les plafonds de l'église Saint-Sulpice et du palais de Versailles.

7. *le docteur*, Moreau de Tours, qui organisa chez lui des séances de haschisch et participa aux *fantasias* de l'hôtel Pimodan.

8. *paradis*, l'idée que le haschisch procure des visions paradisiaques sera consacrée par Baudelaire, qui montre que l'homme «a donc voulu créer le Paradis par la pharmacie» en rapport avec l'aspiration à «emporter le Paradis d'un seul coup», selon la formule d'Auguste Barbier (*Les Paradis artificiels, Le Poëme du haschisch*, I).

II

PARENTHÈSE

Il existait jadis en Orient un ordre de sectaires redoutables commandé par un cheik qui prenait le titre de Vieux de la Montagne, ou prince des Assassins [9].

Ce Vieux de la Montagne était obéi sans réplique; les Assassins ses sujets marchaient avec un dévouement absolu à l'exécution de ses ordres, quels qu'ils fussent; aucun danger ne les arrêtait, même la mort la plus certaine. Sur un signe de leur chef, ils se précipitaient du haut d'une tour, ils allaient poignarder un souverain dans son palais, au milieu de ses gardes.

Par quels artifices le Vieux de la Montagne obtenait-il une abnégation si complète?

Au moyen d'une drogue merveilleuse dont il possédait la recette, et qui a la propriété de procurer des hallucinations éblouissantes.

Ceux qui en avaient pris trouvaient, au réveil de leur ivresse, la vie réelle si triste et si décolorée, qu'ils en faisaient avec joie le sacrifice pour rentrer au paradis de leurs rêves; car tout homme tué en accomplissant les ordres du cheik allait au ciel de droit, ou, s'il échappait,

---

9. *Assassins*, Moreau de Tours rapporte dans *Du hachisch* que « M. Sylvestre de Sacy a démontré, en s'appuyant sur différents textes arabes, que le mot *assassin* était la corruption du mot *hachischin*, et qu'il avait été donné aux Ismaéliens parce qu'ils faisaient usage d'une liqueur enivrante appelée hachisch. » Silvestre de Sacy présenta en 1809 un exposé sur l'*Histoire de la dynastie des Assassins*, qui fut inséré en 1818 dans les *Mémoires de l'Académie des inscriptions*, et il publia en 1809 un article, *La Dynastie des Assassins et l'origine de leur nom*, afin de déterminer la filiation étymologique entre les deux termes. Gautier écrit de son côté dans *Le Hachich* : « C'était du hachich que faisait manger le Vieux de la montagne aux exécuteurs des meurtres qu'il commandait, et c'est de là que vient le mot assassin — *hachichin* (mangeur de hachich). » Il convient aussi de se référer à l'*Histoire du Calife Hakem* dans le *Voyage en Orient* de Nerval et de rappeler la parole de Rimbaud par laquelle s'achève *Matinée d'ivresse* dans les *Illuminations* : « Voici le temps des *Assassins*. »

était admis de nouveau à jouir des félicités de la mystérieuse composition.

Or, la pâte verte dont le docteur venait de nous faire une distribution était précisément la même que le Vieux de la Montagne ingérait jadis à ses fanatiques sans qu'ils s'en aperçussent, en leur faisant croire qu'il tenait à sa disposition le ciel de Mahomet et les houris de trois nuances, — c'est-à-dire du *hachich*, d'où vient *hachichin*, mangeur de *hachich*, racine du mot *assassin*, dont l'acception féroce s'explique parfaitement par les habitudes sanguinaires des affidés du Vieux de la Montagne.

Assurément, les gens qui m'avaient vu partir de chez moi à l'heure où les simples mortels prennent leur nourriture ne se doutaient pas que j'allasse à l'île Saint-Louis, endroit vertueux et patriarcal s'il en fut, consommer un mets étrange qui servait, il y a plusieurs siècle, de moyen d'excitation à un cheik imposteur pour pousser des illuminés à l'assassinat. Rien dans ma tenue parfaitement bourgeoise n'eût pu me faire soupçonner de cet excès d'orientalisme, j'avais plutôt l'air d'un neveu qui va dîner chez sa vieille tante que d'un croyant sur le point de goûter les joies du ciel de Mohammed en compagnie de douze Arabes on ne peut plus Français.

Avant cette révélation, on vous aurait dit qu'il existait à Paris en 1845, à cette époque d'agiotage et de chemins de fer, un ordre des hachichins dont M. de Hammer [10] n'a pas écrit l'histoire, vous ne l'auriez pas cru, et cependant rien n'eût été plus vrai, — selon l'habitude des choses invraisemblables.

III

AGAPE

Le repas était servi d'une manière bizarre et dans toute sorte de vaisselles extravagantes et pittoresques.

De grands verres de Venise, traversés de spirales lai-

---

10. *Joseph von Hammer* publia en 1818 une *Histoire de l'ordre des Assassins* qui fut traduite en français en 1833.

teuses, des vidrecomes [11] allemands historiés de blasons, de légendes, des cruches flamandes en grès émaillé, des flacons à col grêle, encore entourés de leurs nattes de roseaux, remplaçaient les verres, les bouteilles et les carafes.

La porcelaine opaque de Louis Lebœuf et la faïence anglaise à fleurs, ornement des tables bourgeoises, brillaient par leur absence; aucune assiette n'était pareille, mais chacune avait son mérite particulier; la Chine, le Japon, la Saxe, comptaient là des échantillons de leurs plus belles pâtes et de leurs plus riches couleurs: le tout un peu écorné, un peu fêlé, mais d'un goût exquis.

Les plats étaient, pour la plupart, des émaux de Bernard de Palissy, ou des faïences de Limoges, et quelquefois le couteau du découpeur rencontrait, sous les mets réels, un reptile, une grenouille ou un oiseau en relief. L'anguille mangeable mêlait ses replis à ceux de la couleuvre moulée.

Un honnête philistin eût éprouvé quelque frayeur à la vue de ces convives chevelus, barbus, moustachus, ou tondus d'une façon singulière, brandissant des dagues du seizième siècle, des kriss malais, des navajas, et courbés sur des nourritures auxquelles les reflets des lampes vacillantes prêtaient des apparences suspectes.

Le dîner tirait à sa fin, déjà quelques-uns des plus fervents adeptes ressentaient les effets de la pâte verte: j'avais, pour ma part, éprouvé une transposition complète de goût. L'eau que je buvais me semblait avoir la saveur du vin le plus exquis, la viande se changeait dans ma bouche en framboise, et réciproquement. Je n'aurais pas discerné une côtelette d'une pêche.

Mes voisins commençaient à me paraître un peu originaux; ils ouvraient de grandes prunelles de chat-huant; leur nez s'allongeaient en proboscide [12]; leur bouche s'étendait en ouverture de grelot. Leurs figures se nuançaient de teintes surnaturelles.

L'un d'eux, face pâle dans une barbe noire, riait aux

---

11. *vidrecomes*, grands verres à boire dont les Allemands usaient dans leurs festins.

12. *Proboscide*, archaïsme, désignant la trompe de l'éléphant.

éclats d'un spectacle invisible ; l'autre faisait d'incroyables efforts pour porter son verre à ses lèvres, et ses contorsions pour y arriver excitaient des huées étourdissantes.

Celui-ci, agité de mouvements nerveux, tournait ses pouces avec une incroyable agilité ; celui-là, renversé sur le dos de sa chaise, les yeux vagues, les bras morts, se laissait couler en voluptueux dans la mer sans fond de l'anéantissement.

Moi, accoudé sur la table, je considérais tout cela à la clarté d'un reste de raison qui s'en allait et revenait par instants comme une veilleuse près de s'éteindre. De sourdes chaleurs me parcouraient les membres, et la folie, comme une vague qui écume sur une roche et se retire pour s'élancer de nouveau, atteignait et quittait ma cervelle, qu'elle finit par envahir tout à fait.

L'hallucination, cet hôte étrange, s'était installée chez moi.

« Au salon, au salon ! cria un des convives ; n'entendez-vous pas ces chœurs célestes ? Les musiciens sont au pupitre depuis longtemps. »

En effet, une harmonie délicieuse nous arrivait par bouffées à travers le tumulte de la conversation.

IV

UN MONSIEUR QUI N'ÉTAIT PAS INVITÉ

Le salon est une énorme pièce aux lambris sculptés et dorés, au plafond peint, aux frises ornées de satyres poursuivant des nymphes dans les roseaux, à la vaste cheminée de marbre de couleur, aux amples rideaux de brocatelle, où respire le luxe des temps écoulés.

Des meubles de tapisserie, canapés, fauteuils et bergères, d'une largeur à permettre aux jupes des duchesses et des marquises de s'étaler à l'aise, reçurent les hachichins dans leurs bras moelleux et toujours ouverts.

Une chauffeuse, à l'angle de la cheminée, me faisait

des avances, je m'y établis, et m'abandonnai sans résistance aux effets de la drogue fantastique.

Au bout de quelques minutes, mes compagnons, les
uns après les autres, disparurent, ne laissant d'autre vestige que leur ombre sur la muraille, qui l'eut bientôt
absorbée ; — ainsi les taches brunes que l'eau fait sur le
sable s'évanouissent en séchant.

Et depuis ce temps, comme je n'eus plus la conscience
de ce qu'ils faisaient, il faudra vous contenter pour cette
fois du récit de mes simples impressions personnelles.

La solitude régna dans le salon, étoilé seulement de
quelques clartés douteuses ; puis, tout à coup, il me passa
un éclair rouge sous les paupières, une innombrable
quantité de bougies s'allumèrent d'elles-mêmes, et je me
sentis baigné par une lumière tiède et blonde. L'endroit
où je me trouvais était bien le même, mais avec la
différence de l'ébauche au tableau ; tout était plus grand,
plus riche, plus splendide. La réalité ne servait que de
point de départ aux magnificences de l'hallucination.

Je ne voyais encore personne, et pourtant je devinais la
présence d'une multitude.

J'entendais des frôlements d'étoffes, des craquements
d'escarpins, des voix qui chuchotaient, susurraient, blé-
saient et zézayaient, des éclats de rire étouffés, des bruits
de pieds de fauteuil et de table. On tracassait les porcelai-
nes, on ouvrait et l'on refermait les portes ; il se passait
quelque chose d'inaccoutumé.

Un personnage énigmatique m'apparut soudainement.

Par où était-il entré ? je l'ignore ; pourtant sa vue ne me
causa aucune frayeur : il avait un nez recourbé en bec
d'oiseau, des yeux verts entourés de trois cercles bruns,
qu'il essuyait fréquemment avec un immense mouchoir ;
une haute cravate blanche empesée, dans le nœud de
laquelle était passée une carte de visite où se lisaient
écrits ces mots : — *Daucus-Carota, du Pot d'or* [13], —
étranglait son col mince, et faisait déborder la peau de ses

---

13. *Pot d'or*, ce n'est pas dans *Le Vase d'or*, mais dans *La Fiancée
du roi, conte véridique* d'Hoffmann qu'apparaît la figure du roi Daucus-
Carota, « horrible petit monstre », qui étend sa domination sur l'empire
des légumes.

joues en plis rougeâtres ; un habit noir à basques carrées,
d'où pendaient des grappes de breloques, emprisonnait
son corps bombé en poitrine de chapon. Quant à ses
jambes, je dois avouer qu'elles étaient faites d'une racine
de mandragore, bifurquée, noire, rugueuse, pleine de
nœuds et de verrues, qui paraissait avoir été arrachée de
frais, car des parcelles de terre adhéraient encore aux
filaments. Ces jambes frétillaient et se tortillaient avec
une activité extraordinaire, et, quand le petit torse qu'elles soutenaient fut tout à fait vis-à-vis de moi, l'étrange
personnage éclata en sanglots, et, s'essuyant les yeux à
tour de bras, me dit de la voix la plus dolente :

« C'est aujourd'hui qu'il faut mourir de rire ! »

Et des larmes grosses comme des pois roulaient sur les
ailes de son nez.

« De rire... de rire... » répétèrent comme un écho des
chœurs de voix discordantes et nasillardes.

V

FANTASIA [14]

Je regardai alors au plafond, et j'aperçus une foule de
têtes sans corps comme celles des chérubins, qui avaient
des expressions si comiques, des physionomies si joviales
et si profondément heureuses, que je ne pouvais m'empêcher de partager leur hilarité.

— Leurs yeux se plissaient, leurs bouches s'élargis-
saient, et leurs narines se dilataient ; c'étaient des grimaces à réjouir le spleen en personne. Ces masques bouffons
se mouvaient dans des zones tournant en sens inverse, ce
qui produisait un effet éblouissant et vertigineux.

Peu à peu le salon s'était rempli de figures extraordi-

---

14. *Fantasia*, à propos de l'ivresse provoquée par le dawamesc,
Moreau de Tours écrit dans *Du hachisch* : « Mais ce n'est qu'avec une
dose beaucoup plus élevée [que 30 grammes] qu'on obtiendra les effets
que l'on désigne généralement dans le Levant sous la dénomination
italienne de *fantasia*. »

naires, comme on n'en trouve que dans les eaux-fortes de
Callot et dans les aquatintes de Goya : un pêle-mêle
d'oripeaux et de haillons caractéristiques, de formes humaines et bestiales ; en toute autre occasion, j'eusse été
peut-être inquiet d'une pareille compagnie, mais il n'y
avait rien de menaçant dans ces monstruosités. C'était la
malice, et non la férocité qui faisait pétiller ces prunelles.
La bonne humeur seule découvrait ces crocs désordonnés
et ces incisives pointues.

Comme si j'avais été le roi de la fête, chaque figure
venait tour à tour dans le cercle lumineux dont j'occupais
le centre, avec un air de componction grotesque, me
marmotter à l'oreille des plaisanteries dont je ne puis me
rappeler une seule, mais qui, sur le moment, me paraissaient prodigieusement spirituelles, et m'inspiraient la
gaieté la plus folle.

A chaque nouvelle apparition, un rire homérique,
olympien, immense, étourdissant, et qui semblait réson-
ner dans l'infini, éclatait autour de moi avec des mugis-
sements de tonnerre.

Des voix tour à tour glapissantes ou caverneuses
criaient :

« Non, c'est trop drôle ; en voilà assez ! Mon Dieu, mon
Dieu, que je m'amuse ! De plus fort en plus fort !

— Finissez ! je n'en puis plus... Ho ! ho ! hu ! hu ! hi !
hi ! Quelle bonne farce ! Quel beau calembour !

— Arrêtez ! j'étouffe ! j'étrangle ! Ne me regardez pas
comme cela... ou faites-moi cercler, je vais éclater... »

Malgré ces protestations moitié bouffonnes, moitié
suppliantes, la formidable hilarité allait toujours croissant, le vacarme augmentait d'intensité, les planchers et
les murailles de la maison se soulevaient et palpitaient
comme un diaphragme humain, secoués par ce rire fréné-
tique, irrésistible, implacable.

Bientôt, au lieu de venir se présenter à moi un à un, les
fantômes grotesques m'assaillirent en masse, secouant
leurs longues manches de pierrot, trébuchant dans les
plis de leur souquenille de magicien, écrasant leur
nez de carton dans des chocs ridicules, faisant voler en
nuage la poudre de leur perruque, et chantant faux

des chansons extravagantes sur des rimes impossibles.

Tous les types inventés par la verve moqueuse des peuples et des artistes se trouvaient réunis là, mais décuplés, centuplés de puissance. C'était une cohue étrange : le pulcinella napolitain tapait familièrement sur la bosse du punch anglais ; l'arlequin de Bergame frottait son museau noir au masque enfariné du paillasse de France, qui poussait des cris affreux ; le docteur bolonais jetait du tabac dans les yeux du père Cassandre ; Tartaglia galopait à cheval sur un clown, et Gilles donnait du pied au derrière à son don Spavento ; Karagheuz [15], armé de son bâton obscène, se battait en duel avec un bouffon Osque.

Plus loin se démenaient confusément les fantaisies des songes drolatiques, créations hybrides, mélange informe de l'homme, de la bête et de l'ustensile, moines ayant des roues pour pieds et des marmites pour ventre, guerriers bardés de vaisselle brandissant des sabres de bois dans des serres d'oiseau, hommes d'État mus par des engrenages de tournebroche, rois plongés à mi-corps dans des échauguettes en poivrière, alchimistes à la tête arrangée en soufflet, aux membres contournés en alambics, ribaudes faites d'une agrégation de citrouilles à renflements bizarres, tout ce que peut tracer dans la fièvre chaude du crayon un cynique à qui l'ivresse pousse le coude.

Cela grouillait, cela rampait, cela trottait, cela sautait, cela grognait, cela sifflait, comme dit Goethe dans la nuit du Walpurgis [16].

---

15. *Karagheuz,* Cassandre, Tartaglia et don Spavento sont trois personnages de la comédie italienne, respectivement le type du vieillard crédule et dupé, celui du valet bavard et poltron, originaire de Naples, et celui du fanfaron, du capitan.

Karagheuz ou Caragheuz, personnage du théâtre de marionnettes à Constantinople, relève du type populaire et caricatural. Dans *Constantinople* (chapitre XIV), Gautier le définit en ces termes : « Sa physionomie présente un mélange de bêtise, de luxure et d'astuce, car il est à la fois Prud'homme, Priape et Robert Macaire » (Michel Lévy, 1854, p. 173). Nerval lui destine aussi un chapitre du *Voyage en Orient* (« Les Nuits du Ramazan », II, 3).

16. *Walpurgis, Faust* I, v. 4016-4018, évoquant le sabbat des sorcières : « Cela se serre, cela pousse, cela saute, cela glapit, cela siffle et se remue, cela marche et babille, cela reluit, étincelle, pue et brûle » (trad. de G. de Nerval).

Pour me soustraire à l'empressement outré de ces baroques personnages, je me réfugiai dans un angle obscur, d'où je pus les voir se livrant à des danses telles que n'en connut jamais la Renaissance au temps de Chicard, ou l'Opéra sous le règne de Mussard [17], le roi du quadrille échevelé. Ces danseurs, mille fois supérieurs à Molière, à Rabelais, à Swift et à Voltaire, écrivaient, avec un entrechat ou un balancé, des comédies si profondément philosophiques, des satires d'une si haute portée et d'un sel si piquant, que j'étais obligé de me tenir les côtes dans mon coin.

Daucus-Carota exécutait, tout en s'essuyant les yeux, des pirouettes et des cabrioles inconcevables, surtout pour un homme qui avait des jambes en racine de mandragore, et répétait d'un ton burlesquement piteux :

« C'est aujourd'hui qu'il faut mourir de rire ! »

O vous qui avez admiré la sublime stupidité d'Odry, la niaiserie enrouée d'Alcide Tousez, la bêtise pleine d'aplomb d'Arnal, les grimaces de macaque de Ravel, et qui croyez savoir ce que c'est qu'un masque comique, si vous aviez assisté à ce bal de *Gustave* [18] évoqué par le hachich, vous conviendriez que les farceurs les plus désopilants de nos petits théâtres sont bons à sculpter aux angles d'un catafalque ou d'un tombeau !

Que de faces bizarrement convulsées ! que d'yeux clignotants et pétillants de sarcasmes sous leur membrane d'oiseau ! quels rictus de tirelire ! quelles bouches en coups de hache ! quels nez facétieusement dodécaèdres ! quels abdomens gros de moqueries pantagruéliques !

Comme à travers tout ce fourmillement de cauchemar sans angoisse se dessinaient par éclairs des ressemblances

---

17. *Musard,* Chicard est à l'origine le nom ou le sobriquet d'un danseur de bal masqué, puis un personnage de carnaval, se livrant à des danses grotesques. Philippe Musard (1793-1859) s'est spécialisé dans la musique des bals publics et composa des quadrilles. Il dirigea l'orchestre des bals des Variétés.

18. *bal de Gustave,* J.-C. Odey, E.-A. Tousez, E. Arnal et P.-F. Ravel sont des acteurs comiques du XIXᵉ siècle, le deuxième du Palais-Royal, les autres du Vaudeville et des Variétés. Gautier parle d'eux fréquemment dans son *Histoire de l'art dramatique en France*. Quant au bal *Gustave,* il s'agit d'un célèbre bal masqué de l'époque.

soudaines et d'un effet irrésistible, des caricatures à rendre jaloux Daumier et Gavarni, des fantaisies à faire pâmer d'aise les merveilleux artistes chinois, les Phidias du poussah et du magot !

Toutes les visions n'étaient pas cependant monstrueuses ou burlesques ; la grâce se montrait aussi dans ce carnaval de formes : près de la cheminée, une petite tête aux joues de pêche se roulait sur ses cheveux blonds, montrant dans un interminable accès de gaieté trente-deux petites dents grosses comme des grains de riz, et poussant un éclat de rire aigu, vibrant, argentin, prolongé, brodé de trilles et de points d'orgues, qui me traversait le tympan, et, par un magnétisme nerveux, me forçait à commettre une foule d'extravagances.

La frénésie joyeuse était à son plus haut point ; on n'entendait plus que des soupirs convulsifs, des gloussements inarticulés. Le rire avait perdu son timbre et tournait au grognement, le spasme succédait au plaisir ; le refrain de Daucus-Carota allait devenir vrai.

Déjà plusieurs hachichins anéantis avaient roulé à terre avec cette molle lourdeur de l'ivresse qui rend les chutes peu dangereuses ; des exclamantions telles que celles-ci : « — Mon Dieu, que je suis heureux ! quelle félicité ! je nage dans l'extase ! je suis en paradis ! je plonge dans les abîmes de délices ! » se croisaient, se confondaient, se couvraient.

Des cris rauques jaillissaient des poitrines oppressées ; les bras se tendaient éperdument vers quelque vision fugitive ; les talons et les nuques tambourinaient sur le plancher. Il était temps de jeter une goutte d'eau froide sur cette vapeur brûlante, ou la chaudière eût éclaté.

L'enveloppe humaine, qui a si peu de force pour le plaisir, et qui en a tant pour la douleur, n'aurait pu supporter une plus haute pression de bonheur.

Un des membres du club, qui n'avait pas pris part à la voluptueuse intoxication afin de surveiller la fantasia et d'empêcher de passer par les fenêtres ceux d'entre nous qui se seraient cru des ailes, se leva, ouvrit la caisse du piano et s'assit. Ses deux mains, tombant ensemble, s'enfoncèrent dans l'ivoire du clavier, et un glorieux accord résonnant avec force fit taire toutes les rumeurs et changea la direction de l'ivresse.

VI

KIEF [19]

Le thème attaqué était, je crois, l'air d'Agathe dans le *Freyschütz;* cette mélodie céleste eut bientôt dissipé, comme un souffle qui balaie des nuées difformes, les visions ridicules dont j'étais obsédé: Les larves grimaçantes se retirèrent en rampant sous les fauteuils, où elles se cachèrent entre les plis des rideaux en poussant de petits soupirs étouffés, et de nouveau il me sembla que j'étais seul dans le salon.

L'orgue colossal de Fribourg ne produit pas, à coup sûr, une masse de sonorité plus grande que le piano touché par le *voyant* [20] (on appelle ainsi l'adepte sobre). Les notes vibraient avec tant de puissance, qu'elles m'entraient dans la poitrine comme des flèches lumineuses; bientôt l'air joué me parut sortir de moi-même; mes doigts s'agitaient sur un clavier absent; les sons en jaillis-

19. *le kief* correspond à la troisième phase de l'ivresse après l'hilarité et les visions hallucinatoires. Baudelaire le définit en ces termes dans *Du vin et du hachish :* «C'est ce que les Orientaux appellent le *kief;* c'est le bonheur absolu. Ce n'est plus quelque chose de tourbillonnant et de tumultueux. C'est une béatitude calme et immobile. [...] Toute contradiction est devenue unité. L'homme est *passé* dieu.»

20. *le voyant,* le terme revêt chez Gautier trois sens différents : il représente ici celui qui refuse de participer à la *fantasia* pour conserver sa lucidité, le voyant est dans *Spirite* le baron de Féroë, disciple de Swedenborg, capable de communiquer avec l'univers des esprits, enfin c'est le romancier ou le poète — Balzac ou Baudelaire — possédant «le don de *correspondance*», la faculté de percevoir les analogies secrètes entre les objets, ainsi qu'entre le visible et l'invisible.

saient bleus et rouges, en étincelles électriques; l'âme de
Weber s'était incarnée en moi [21].

Le morceau achevé, je continuai par des improvisa-
tions intérieures, dans le goût du maître allemand, qui me
causaient des ravissements ineffables; quel dommage
qu'une sténographie magique n'ait pu recueillir ces mélodies inspirées, entendues de moi seul, et que je n'hésite
pas, c'est bien modeste de ma part, à mettre au-dessus
des chefs-d'œuvre de Rossini, de Meyerbeer, de Félicien
David [22].

O Pillet [23]! ô Vatel! un des trente opéras que je fis en
dix minutes vous enrichirait en six mois.

A la gaieté un peu convulsive du commencement avait
succédé un bien-être indéfinisssable, un calme sans bornes.

J'étais dans cette période bienheureuse du hachich que
les Orientaux appellent le *kief*. Je ne sentais plus mon
corps; les liens de la matière et de l'esprit étaient déliés;
je me mouvais par ma seule volonté dans un milieu qui
n'offrait pas de résistance.

C'est ainsi, je l'imagine, que doivent agir les âmes
dans le monde aromal où nous irons après notre mort.

Une vapeur bleuâtre, un jour élyséen, un reflet de
grotte azurine, formaient dans la chambre une atmosphère où je voyais vaguement trembler des contours indé-
cis; cette atmosphère, à la fois fraîche et tiède, humide et

21. *incarnée en moi*, Moreau de Tours, dans *Du hachisch*, insiste sur
le fait que la drogue a la propriété d'aiguiser les perceptions et les
hallucinations auditives. Gautier et Baudelaire ont eu recours à la langue
des synesthésies pour traduire les effets du haschisch. Le premier écrit
dans *Le hachich* : « Mon ouïe s'était prodigieusement développée; j'entendais le bruit des couleurs. Des sons verts, rouges, bleus, jaunes,
m'arrivaient par ondes parfaitement distinctes. » Baudelaire précise
dans *Du vin et du hachish* (IV) : « Les sons ont une couleur, les couleurs
ont une musique. » Voir également *Les Paradis artificiels, Le Poème du
haschisch*, III.

22. *Félicien David* (1810-1876), compositeur français, adepte du
saint-simonisme; il écrivit des mélodies, des symphonies, puis plus tard
des œuvres pour la scène.

23. *Pillet*, le contexte nous incite à penser qu'il s'agit d'Hippolyte
Pilet de La Ménardière (1610-1663), d'abord médecin et auteur d'un
Traité de la mélancolie, puis maître d'hôtel du roi et lecteur de la
chambre.

parfumée, m'enveloppait, comme l'eau d'un bain, dans un baiser d'une douceur énervante; si je voulais changer de place, l'air caressant faisait autour de moi mille remous voluptueux; une langueur délicieuse s'emparait de mes sens et me renversait sur le sofa, où je m'affaissais comme un vêtement qu'on abandonne.

Je compris alors le plaisir qu'éprouvent, suivant leur degré de perfection, les esprits et les anges en traversant les éthers et les cieux, et à quoi l'éternité pouvait s'occuper dans les paradis.

Rien de matériel ne se mêlait à cette extase; aucun désir terrestre n'en altérait la pureté. D'ailleurs, l'amour lui-même n'aurait pu l'augmenter, Roméo hachichin eût oublié Juliette. La pauvre enfant, se penchant dans les jasmins, eût tendu en vain du haut du balcon, à travers la nuit, ses beaux bras d'albâtre, Roméo serait resté au bas de l'échelle de soie, et, quoique je sois éperdument amoureux de l'ange de jeunesse et de beauté créé par Shakespeare, je dois convenir que la plus belle fille de Vérone, pour un hachichin, ne vaut pas la peine de se déranger.

Aussi je regardais d'un œil paisible, bien que charmé, la guirlande de femmes idéalement belles qui couronnaient la frise de leur divine nudité; je voyais luire des épaules de satin, étinceler des seins d'argent, plafonner de petits pieds à plantes roses, onduler des hanches opulentes, sans éprouver la moindre tentation. Les spectres charmants qui troublaient saint Antoine n'eussent eu aucun pouvoir sur moi.

Par un prodige bizarre, au bout de quelques minutes de contemplation, je me fondais dans l'objet fixé, et je devenais moi-même cet objet [24].

Ainsi je m'étais transformé en nymphe Syrinx, parce que la fresque représentait en effet la fille du Ladon poursuivie par Pan [25].

24. *cet objet*, la fusion du Je avec l'objet est un phénomène spécifique du fantastique, favorisé par la vertu de la drogue, qui abolit toute distance entre le sujet et l'objet.
25. *Pan*, Daphné, fille du fleuve Ladon, a été poursuivie, non par Pan, mais par Apollon, et métamorphosée en laurier pour se soustraire à la passion du dieu.

J'éprouvais toutes les terreurs de la pauvre fugitive, et je cherchais à me cacher derrière des roseaux fantastiques, pour éviter le monstre à pieds de bouc.

VII

LE KIEF TOURNE AU CAUCHEMAR

Pendant mon extase, Daucus-Carota était rentré.

Assis comme un tailleur ou comme un pacha sur ses racines proprement tortillées, il attachait sur moi des yeux flamboyants ; son bec claquait d'une façon si sardonique, un tel air de triomphe railleur éclatait dans toute sa petite personne contrefaite, que je frissonnai malgré moi.

Devinant ma frayeur, il redoublait de contorsions et de grimaces, et se rapprochait en sautillant comme un faucheux blessé ou comme un cul-de-jatte dans sa gamelle.

Alors je sentis un souffle froid à mon oreille, et une voix dont l'accent m'était bien connu, quoique je ne pusse définir à qui elle appartenait, me dit :

« Ce misérable Daucus-Carota, qui a vendu ses jambes pour boire, t'a escamoté la tête, et mis à la place, non pas une tête d'âne comme Puck à Bottom, mais une tête d'éléphant ! »

Singulièrement intrigué, j'allai droit à la glace, et je vis que l'avertissement n'était pas faux.

On m'aurait pris pour une idole indoue ou javanaise : mon front s'était haussé, mon nez, allongé en trompe, se recourbait sur ma poitrine, mes oreilles balayaient mes épaules, et, pour surcroît de désagrément, j'étais couleur d'indigo, comme Shiva, le dieu bleu [26].

Exaspéré de fureur, je me mis à poursuivre Daucus-Carota, qui sautait et glapissait, et donnait tous les signes d'une terreur extrême ; je parvins à l'attraper, et je le

---

26. *le dieu bleu*, Shiva est le *dieu bleu* parce qu'il a absorbé le poison qui devait détruire le monde et que sa gorge est demeurée bleue.

cognai si violemment sur le bord de la table, qu'il finit par me rendre ma tête, qu'il avait enveloppée dans son mouchoir.

Content de cette victoire, j'allai reprendre ma place sur le canapé; mais la même petite voix inconnue me dit:

« Prends garde à toi, tu es entouré d'ennemis; les puissances invisibles cherchent à t'attirer et à te retenir. Tu es prisonnier ici: essaie de sortir, et tu verras. »

Un voile se déchira dans mon esprit, et il devint clair pour moi que les membres du club n'étaient autres que des cabalistes et des magiciens qui voulaient m'entraîner à ma perte.

VIII

TREAD-MILL [27]

Je me levai avec beaucoup de peine et me dirigeai vers la porte du salon, que je n'atteignis qu'au bout d'un temps considérable, une puissance inconnue me forçant de reculer d'un pas sur trois. A mon calcul, je mis dix ans à faire ce trajet.

Daucus-Carota me suivait en ricanant et marmottait d'un air de fausse commisération:

« S'il marche de ce train-là, quand il arrivera, il sera vieux. »

J'étais cependant parvenu à gagner la pièce voisine dont les dimensions me parurent changées et méconnaissables. Elle s'allongeait, s'allongeait… indéfiniment. La lumière, qui scintillait à son extrémité, semblait aussi éloignée qu'une étoile fixe.

Le découragement me prit, et j'allais m'arrêter, lorsque la petite voix me dit, en m'effleurant presque de ses lèvres:

_____

27. *tread-mill*, moulin à discipline, écureuil au sens ancien du terme, ouvrier ou forçat qui, dans certains métiers artisanaux, faisait tourner une roue destinée au fonctionnement d'un mécanisme ou d'une machine. Après l'extase de la drogue vient le supplice.

« Courage ! elle t'attend à onze heures. »

Faisant un appel désespéré aux forces de mon âme, je réussis, par une énorme projection de volonté, à soulever mes pieds qui s'agrafaient au sol et qu'il me fallait déraciner comme des troncs d'arbres. Le monstre aux jambes de mandragore m'escortait en parodiant mes efforts et en chantant sur un ton de traînante psalmodie :

« Le marbre gagne ! le marbre gagne ! »

En effet, je sentais mes extrémités se pétrifier, et le marbre m'envelopper jusqu'aux hanches comme la Daphné des Tuileries [28] ; j'étais statue jusqu'à mi-corps, ainsi que ces princes enchantés des *Mille et Une Nuits*. Mes talons durcis résonnaient formidablement sur le plancher : j'aurais pu jouer le Commandeur dans *Don Juan*.

Cependant j'étais arrivé sur le palier de l'escalier que j'essayai de descendre ; il était à demi éclairé et prenait à travers mon rêve des proportions cyclopéennes et gigantesques. Ses deux bouts noyés d'ombre me semblaient plonger dans le ciel et dans l'enfer, deux gouffres ; en levant la tête, j'apercevais indistinctement, dans une perspective prodigieuse, des superpositions de paliers innombrables, des rampes à gravir comme pour arriver au sommet de la tour de Lylacq ; en la baissant, je pressentais des abîmes de degrés, des tourbillons de spirales, des éblouissements de circonvolutions.

« Cet escalier doit percer la terre de part en part, me dis-je en continuant ma marche machinale. Je parviendrai au bas le lendemain du jugement dernier. »

Les figures des tableaux me regardaient d'un air de pitié, quelques-unes s'agitaient avec des contorsions pénibles, comme des muets qui voudraient donner un avis important dans une occasion suprême. On eût dit qu'elles voulaient m'avertir d'un piège à éviter, mais une force inerte et morne m'entraînait ; les marches étaient molles et s'enfonçaient sous moi, ainsi que les échelles mysté-

---

28. *Tuileries*, la drogue produit chez le narrateur un phénomène de pétrification, analogue à celui qu'exprime le *Spleen* II de Baudelaire sous l'effet de l'ennui.

rieuses dans les épreuves de franc-maçonnerie. Les pierres gluantes et flasques s'affaissaient comme des ventres de crapauds; de nouveaux paliers, de nouveaux degrés, se présentaient sans cesse à mes pas résignés, ceux que j'avais franchis se replaçaient d'eux-mêmes devant moi.

Ce manège dura mille ans, à mon compte.

Enfin j'arrivai au vestibule, où m'attendait une autre persécution non moins terrible.

La chimère tenant une bougie dans ses pattes, que j'avais remarquée en entrant, me barrait le passage avec des intentions évidemment hostiles; ses yeux verdâtres pétillaient d'ironie, sa bouche sournoise riait méchamment; elle s'avançait vers moi presque à plat ventre, traînant dans la poussière son caparaçon de bronze, mais ce n'était pas par soumission; des frémissements féroces agitaient sa croupe de lionne, et Daucus-Carota l'excitait comme on fait d'un chien qu'on veut faire battre :

« Mords-le! mords-le! de la viande de marbre pour une bouche d'airain, c'est un fier régal. »

Sans me laisser effrayer par cette horrible bête, je passai outre. Une bouffée d'air froid vint me frapper la figure, et le ciel nocturne nettoyé de nuages m'apparut tout à coup. Un semis d'étoiles poudrait d'or les veines de ce grand bloc de lapis-lazuli.

J'étais dans la cour.

Pour vous rendre l'effet que me produisit cette sombre architecture, il me faudrait la pointe dont Piranèse rayait le vernis noir de ses cuivres merveilleux : la cour avait pris les proportions du Champ-de-Mars, et s'était en quelques heures bordée d'édifices géants qui découpaient sur l'horizon une dentelure d'aiguilles, de coupoles, de tours, de pignons, de pyramides, dignes de Rome et de Babylone.

Ma surprise était extrême, je n'avais jamais soupçonné l'île Saint-Louis de contenir tant de magnificences monumentales, qui d'ailleurs eussent couvert vingt fois sa superficie réelle, et je ne songeais pas sans appréhension au pouvoir des magiciens qui avaient pu, dans une soirée, élever de semblables constructions.

« Tu es le jouet de vaines illusions; cette cour est très

petite, murmura la voix ; elle a vingt-sept pas de long sur vingt-cinq de large.

— Oui, oui, grommela l'avorton bifurqué, des pas de bottes de sept lieues. Jamais tu n'arriveras à onze heures ; voilà quinze cents ans que tu es parti. Une moitié de tes cheveux est déjà grise... Retourne là-haut, c'est le plus sage. »

Comme je n'obéissais pas, l'odieux monstre m'entortilla dans les réseaux de ses jambes, et, s'aidant de ses mains comme de crampons, me remorqua malgré ma résistance, me fit remonter l'escalier où j'avais éprouvé tant d'angoisses, et me réinstalla, à mon grand désespoir, dans le salon d'où je m'étais si péniblement échappé.

Alors le vertige s'empara complètement de moi ; je devins fou, délirant.

Daucus-Carota faisait des cabrioles jusqu'au plafond en me disant :

« Imbécile, je t'ai rendu ta tête, mais, auparavant, j'avais enlevé la cervelle avec une cuiller. »

J'éprouvai une affreuse tristesse, car, en portant la main à mon crâne, je le trouvai ouvert, et je perdis connaissance.

IX

NE CROYEZ PAS AUX CHRONOMÈTRES

En revenant à moi, je vis la chambre pleine de gens vêtus de noir, qui s'abordaient d'un air triste et se serraient la main avec une cordialité mélancolique, comme des personnes affligées d'une douleur commune.

Ils disaient :

« Le Temps est mort ; désormais il n'y aura plus ni années, ni mois, ni heures ; le Temps est mort, et nous allons à son convoi.

— Il est vrai qu'il était bien vieux, mais je ne m'attendais pas à cet événement ; il se portait à merveille pour

son âge, ajouta une des personnes en deuil que je reconnus pour un peintre de mes amis [29].

— L'éternité était usée, il faut bien faire une fin, reprit
un autre.

— Grand Dieu ! m'écriai-je frappé d'une idée subite,
s'il n'y a plus de temps, quand pourra-t-il être onze
heures ?...

— Jamais... cria d'une voix tonnante Daucus-Carota,
en me jetant son nez à la figure, et en se montrant à moi
sous son véritable aspect... Jamais... il sera toujours neuf
heures un quart... L'aiguille restera sur la minute où le
temps a cessé d'être, et tu auras pour supplice de venir
regarder l'aiguille immobile, et de retourner t'asseoir
pour recommencer encore, et cela jusqu'à ce que tu
marches sur l'os de tes talons. »

Une force supérieure m'entraînait, et j'exécutai quatre
ou cinq cents fois le voyage, interrogeant le cadran avec
une inquiétude horrible.

Daucus-Carota s'était assis à califourchon sur la pendule et me faisait d'épouvantables grimaces.

L'aiguille ne bougeait pas.

« Misérable ! tu as arrêté le balancier, m'écriai-je ivre
de rage.

— Non pas, il va et vient comme à l'ordinaire... mais
les soleils tomberont en poussière avant que cette flèche
d'acier ait avancé d'un millionnième de millimètre.

— Allons, je vois qu'il faut conjurer les mauvais esprits, la chose tourne au spleen, dit le *voyant,* faisons un
peu de musique. La harpe de David sera remplacée cette
fois par un piano d'Erard. »

Et, se plaçant sur le tabouret, il joua des mélodies d'un
mouvement vif et d'un caractère gai...

Cela paraissait beaucoup contrarier l'homme-mandragore, qui s'amoindrissait, s'aplatissait, se décolorait et
poussait des gémissements inarticulés ; enfin il perdit
toute apparence humaine, et roula sur le parquet sous la
forme d'un salsifis à deux pivots.

29. *un peintre de mes amis,* Fernand Boissard (1813-1866), qui
organisait, chez lui, à l'hôtel Pimodan, les *fantasias* de haschisch,
auxquelles Gautier participa.

Le charme était rompu.

«Alleluia! le Temps est ressuscité [30], crièrent des voix enfantines et joyeuses; va voir la pendule maintenant!»

L'aiguille marquait onze heures.

«Monsieur, votre voiture est en bas», me dit le domestique.

Le rêve était fini.

Les hachichins s'en allèrent chacun de leur côté, comme les officiers après le convoi de Malbrouck.

Moi, je descendis d'un pas léger cet escalier qui m'avait causé tant de tortures, et quelques instants après j'étais dans ma chambre en pleine réalité; les dernières vapeurs soulevées par le hachich avaient disparu.

Ma raison était revenue, ou du moins ce que j'appelle ainsi, faute d'autre terme.

Ma lucidité aurait été jusqu'à rendre compte d'une pantomime ou d'un vaudeville, ou à faire des vers rimants de trois lettres.

---

30. *ressuscité*, cette abolition de la durée dans le non-temps et la résurrection du temps apparaissent comme deux mouvements complémentaires dans la plupart des textes consacrés aux *paradis artificiels*. Voir en particulier *La Chambre double* dans *Le Spleen de Paris*.

ARRIA MARCELLA [1]

SOUVENIR DE POMPÉI

1. *Arria Marcella, souvenir de Pompéi,* a été publié dans la *Revue de Paris,* le 1er mars 1852, puis dans *Le Pays,* 24-28 août 1852. Gautier l'a recueilli dans *Un trio de romans,* Victor Lecou, 1852, et dans *Romans et contes,* Charpentier, 1863.

Trois jeunes gens, trois amis qui avaient fait ensemble le voyage d'Italie, visitaient l'année dernière le musée des Studj[2], à Naples, où l'on a réuni les différents objets antiques exhumés des fouilles de Pompéi et d'Herculanum.

Ils s'étaient répandus à travers les salles et regardaient les mosaïques, les bronzes, les fresques détachés des murs de la ville morte, selon que leur caprice les éparpillait, et quand l'un d'eux avait fait une rencontre curieuse, il appelait ses compagnons avec des cris de joie, au grand scandale des Anglais taciturnes et des bourgeois posés occupés à feuilleter leur livret.

Mais le plus jeune des trois, arrêté devant une vitrine, paraissait ne pas entendre les exclamations de ses camarades, absorbé qu'il était dans une contemplation profonde. Ce qu'il examinait avec tant d'attention, c'était un morceau de cendre noire coagulée portant une empreinte creuse : on eût dit un fragment de moule de statue, brisé par la fonte ; l'œil exercé d'un artiste y eût aisément reconnu la coupe d'un sein admirable et d'un flanc aussi pur de style que celui d'une statue grecque. L'on sait, et le moindre guide du voyageur vous l'indique, que cette lave, refroidie autour du corps d'une femme, en a gardé

---

2. *musée des Studj* ou des Studii, il s'agit du musée archéologique national de Naples, appelé ainsi parce que l'édifice accueillit l'Université jusqu'en 1777. Créé en 1787, il abrita en particulier les vestiges archéologiques et artistiques d'Herculanum et de Pompéi. Stendhal en parle dans *Rome, Naples et Florence* et l'appelle également le palais dei Studj ou les Studj.

le contour charmant. Grâce au caprice de l'éruption qui a détruit quatre villes, cette noble forme, tombée en poussière depuis deux mille ans bientôt, est parvenue jusqu'à nous ; la rondeur d'une gorge a traversé les siècles lorsque tant d'empires disparus n'ont pas laissé de trace ! Ce cachet de beauté, posé par le hasard sur la scorie d'un volcan, ne s'est pas effacé.

Voyant qu'il s'obstinait dans sa contemplation, les deux amis d'Octavien revinrent vers lui, et Max, en le touchant à l'épaule, le fit tressaillir comme un homme surpris dans son secret. Évidemment Octavien n'avait entendu venir ni Max ni Fabio.

« Allons, Octavien, dit Max, ne t'arrête pas ainsi des heures entières à chaque armoire, ou nous allons manquer l'heure du chemin de fer, et nous ne verrons pas Pompéi aujourd'hui.

— Que regarde donc le camarade ? ajouta Fabio, qui s'était rapproché. Ah ! l'empreinte trouvée dans la maison d'Arrius Diomèdes. » Et il jeta sur Octavien un coup d'œil rapide et singulier.

Octavien rougit faiblement, prit le bras de Max, et la visite s'acheva sans autre incident. En sortant des Studj, les trois amis montèrent dans un corricolo [3] et se firent mener à la station du chemin de fer. Le corricolo, avec ses grandes roues rouges, son strapontin constellé de clous de cuivre, son cheval maigre et plein de feu, harnaché comme une mule d'Espagne, courant au galop sur les larges dalles de lave, est trop connu pour qu'il soit besoin d'en faire la description ici, et d'ailleurs nous [4] n'écrivons pas des impressions de voyage sur Naples, mais le simple récit d'une aventure bizarre et peu croyable, quoique vraie.

3. *corricolo*, qui peut prendre la forme de *corriblolo*, signifie *calesseto*, c'est-à-dire littéralement petite calèche. Il s'agit d'une voiture à deux roues tirée par un cheval auquel on ajoute parfois un cheval de renfort et qui, chargée d'une douzaine de personnes, se déplace à vive allure (note communiquée par le Centre national de dialectologie de l'Université de Padoue).

4. *nous*, à partir d'*Arria Marcella*, dans *Avatar* et *Jettatura*, le narrateur s'exprime par l'intermédiaire de la première personne du pluriel.

Le chemin de fer par lequel on va à Pompéi longe presque toujours la mer, dont les longues volutes d'écume viennent se dérouler sur un sable noirâtre qui ressemble à du charbon tamisé. Ce rivage, en effet, est formé de coulées de lave et de cendres volcaniques, et produit, par son ton foncé, un contraste avec le bleu du ciel et le bleu de l'eau ; parmi tout cet éclat, la terre seule semble retenir l'ombre.

Les villages que l'on traverse ou que l'on côtoie, Portici, rendu célèbre par l'opéra de M. Auber[5], Resina, Torre del Greco, Torre dell' Annunziata, dont on aperçoit en passant les maisons à arcades et les toits en terrasses, ont, malgré l'intensité du soleil et le lait de chaux méridional, quelque chose de plutonien et de ferrugineux comme Manchester et Birmingham ; la poussière y est noire, une suie impalpable s'y accroche à tout ; on sent que la grande forge du Vésuve halète et fume à deux pas de là.

Les trois amis descendirent à la station de Pompéi, en riant entre eux du mélange d'antique et de moderne que présentent naturellement à l'esprit ces mots : *Station de Pompéi*. Une ville gréco-romaine et un débarcadère de railway !

Ils traversèrent le champ planté de cotonniers, sur lequel voltigeaient quelques bourres blanches, qui sépare le chemin de fer de l'emplacement de la ville déterrée, et prirent un guide à l'osteria bâtie en dehors des anciens remparts, ou, pour parler plus correctement, un guide les prit. Calamité qu'il est difficile de conjurer en Italie.

Il faisait une de ces heureuses journées si communes à Naples, où par l'éclat du soleil et la transparence de l'air les objets prennent des couleurs qui semblent fabuleuses dans le Nord, et paraissent appartenir plutôt au monde du rêve qu'à celui de la réalité. Quiconque a vu une fois cette lumière d'or et d'azur en emporte au fond de sa brume une incurable nostalgie.

La ville ressuscitée, ayant secoué un coin de son linceul

---

5. *M. Auber*, allusion à *La Muette de Portici*, opéra en cinq actes d'Esprit Auber, livret de Scribe et G. Delavigne, représenté à l'Opéra de Paris le 29 février 1828.

de cendre, ressortait avec ses mille détails sous un jour
aveuglant. Le Vésuve découpait dans le fond son cône
sillonné de stries de laves bleues, roses, violettes, mor-
dorées par le soleil. Un léger brouillard, presque imperceptible dans la lumière, encapuchonnait la crête écimée
de la montagne; au premier abord, on eût pu le prendre
pour un de ces nuages qui, même par les temps les plus
sereins, estompent le front des pics élevés. En y regardant
de plus près, on voyait de minces filets de vapeur blanche
sortir du haut du mont comme des trous d'une cassolette,
et se réunir ensuite en vapeur légère. Le volcan, d'humeur débonnaire ce jour-là, fumait tout tranquillement sa
pipe, et sans l'exemple de Pompéi ensevelie à ses pieds,
on ne l'aurait pas cru d'un caractère plus féroce que
Montmartre; de l'autre côté, de belles collines aux lignes
ondulées et voluptueuses comme des hanches de femme,
arrêtaient l'horizon; et plus loin la mer, qui autrefois
apportait les birèmes et les trirèmes sous les remparts de
la ville, tirait sa placide barre d'azur.

L'aspect de Pompéi est des plus surprenants; ce brusque saut de dix-neuf siècles en arrière étonne même les
natures les plus prosaïques et les moins compréhensives,
deux pas vous mènent de la vie antique à la vie moderne,
et du christianisme au paganisme; aussi, lorsque les trois
amis virent ces rues où les formes d'une existence évanouie sont conservées intactes, éprouvèrent-ils, quelque
préparés qu'ils y fussent par les livres et les dessins, une
impression aussi étrange que profonde. Octavien surtout
semblait frappé de stupeur et suivait machinalement le
guide d'un pas de somnambule, sans écouter la nomenclature monotone et apprise par cœur que ce faquin débi-
tait comme une leçon.

Il regardait d'un œil effaré ces ornières de char creu-
sées dans le pavage cyclopéen des rues et qui paraissent
dater d'hier tant l'empreinte en est fraîche; ces inscriptions tracées en lettres rouges, d'un pinceau cursif, sur les
parois des murailles : affiches de spectacle, demandes de
location, formules votives, enseignes, annonces de toutes
sortes, curieuses comme le serait dans deux mille ans,
pour les peuples inconnus de l'avenir, un pan de mur de

Paris retrouvé avec ses affiches et ses placards ; ces maisons aux toits effondrés laissant pénétrer d'un coup d'œil
tous ces mystères d'intérieur, tous ces détails domestiques que négligent les historiens et dont les civilisations
emportent le secret avec elles ; ces fontaines à peine
taries, ce forum surpris au milieu d'une réparation par la
catastrophe, et dont les colonnes, les architraves toutes
taillées, toutes sculptées, attendent dans leur pureté
d'arête qu'on les mette en place ; ces temples voués à des
dieux passés à l'état mythologique et qui alors n'avaient
pas un athée ; ces boutiques où ne manque que le marchand ; ces cabarets où se voit encore sur le marbre la
tache circulaire laissée par la tasse des buveurs ; cette
caserne aux colonnes peintes d'ocre et de minium que les
soldats ont égratignée de caricatures de combattants, et
ces doubles théâtres de drame et de chant juxtaposés, qui
pourraient reprendre leurs représentations, si la troupe qui
les desservait, réduite à l'état d'argile, n'était pas occu-
pée, peut-être, à luter le bondon d'un tonneau de bière ou
à boucher une fente de mur, comme la poussière
d'Alexandre et de César, selon la mélancolique réflexion
d'Hamlet [6].

Fabio monta sur le thymelé du théâtre tragique tandis
que Octavien et Max grimpaient jusqu'en haut des gradins, et là il se mit à débiter avec force gestes les morceaux de poésie qui lui venaient à la tête, au grand effroi
des lézards, qui se dispersaient en frétillant de la queue et
en se tapissant dans les fentes des assises ruinées ; et
quoique les vases d'airain ou de terre, destinés à réper-
cuter les sons, n'existassent plus, sa voix n'en résonnait
pas moins pleine et vibrante.

Le guide les conduisit ensuite à travers les cultures qui
recouvrent les portions de Pompéi encore ensevelies, à
l'amphithéâtre, situé à l'autre extrémité de la ville. Ils

---

6. *Hamlet* (acte V, scène 1) : « Alexandre est mort, Alexandre a été
enterré, Alexandre est retourné en poussière ; la poussière c'est de la
terre ; avec la terre, nous faisons de l'argile et avec cette argile, en
laquelle Alexandre/s'est enfin changé, qui empêche de fermer un baril
de bière ? L'impérial César, une fois mort et changé en boue, pourrait
boucher un trou et arrêter le vent du dehors » (trad. de F.-V. Hugo).

marchèrent sous ces arbres dont les racines plongent dans les toits des édifices enterrés, en disjoignent les tuiles, en fendent les plafonds, en disloquent les colonnes, et passèrent par ces champs où de vulgaires légumes fructifient sur des merveilles d'art, matérielles images de l'oubli que le temps déploie sur les plus belles choses.

L'amphithéâtre ne les surprit pas. Ils avaient vu celui de Vérone, plus vaste et aussi bien conservé, et ils connaissaient la disposition de ces arènes antiques aussi familièrement que celle des places de taureaux en Espagne, qui leur ressemblent beaucoup, moins la solidité de la construction et la beauté des matériaux.

Ils revinrent donc sur leurs pas, gagnèrent par un chemin de traverse la rue de la Fortune, écoutant d'une oreille distraite le cicerone, qui en passant devant chaque maison la nommait du nom qui lui a été donné lors de sa découverte, d'après quelque particularité caractéristique : — la maison du Taureau de bronze, la maison du Faune, la maison du Vaisseau, le temple de la Fortune, la maison de Méléagre, la taverne de la Fortune à l'angle de la rue Consulaire, l'académie de Musique, le Four banal, la Pharmacie, la boutique du Chirurgien, la Douane, l'habitation des Vestales, l'auberge d'Albinus, les Thermopoles, et ainsi de suite jusqu'à la porte qui conduit à la voie des Tombeaux.

Cette porte en briques, recouverte de statues, et dont les ornements ont disparu, offre dans son arcade intérieure deux profondes rainures destinées à laisser glisser une herse, comme un donjon du Moyen Age à qui l'on aurait cru ce genre de défense particulier.

« Qui aurait soupçonné, dit Max à ses amis, Pompéi, la ville gréco-latine, d'une fermeture aussi romantiquement gothique ? Vous figurez-vous un chevalier romain attardé, sonnant du cor devant cette porte pour se faire lever la herse, comme un page du XVe siècle ?

— Rien n'est nouveau sous le soleil, répondit Fabio, et cet aphorisme lui-même n'est pas neuf, puisqu'il a été formulé par Salomon.

— Peut-être y a-t-il du nouveau sous la lune ! continua Octavien en souriant avec une ironie mélancolique.

— Mon cher Octavien, dit Max, qui pendant cette petite conversation s'était arrêté devant une inscription tracée à la rubrique sur la muraille extérieure, veux-tu voir des combats de gladiateurs ? — Voici les affiches : — Combat et chasse pour le 5 des nones d'avril, — les mâts seront dressés, — vingt paires de gladiateurs lutteront aux nones, — et si tu crains pour la fraîcheur de ton teint, rassure-toi, on tendra les voiles ; — à moins que tu ne préfères te rendre à l'amphithéâtre de bonne heure, ceux-ci se couperont la gorge le matin — *matutini erunt* [7] *;* on n'est pas plus complaisant. »

En devisant de la sorte, les trois amis suivaient cette voie bordée de sépulcres qui, dans nos sentiments modernes, serait une lugubre avenue pour une ville, mais qui n'offrait pas les mêmes significations tristes pour les anciens, dont les tombeaux, au lieu d'un cadavre horrible, ne contenaient qu'une pincée de cendres, idée abstraite de la mort. L'art embellissait ces dernières demeures, et, comme dit Goethe, le païen décorait des images de la vie les sarcophages et les urnes [8].

C'est ce qui faisait sans doute que Max et Fabio visitaient, avec une curiosité allègre et une joyeuse plénitude d'existence qu'ils n'auraient pas eues dans un cimetière chrétien, ces monuments funèbres si gaiement dorés par le soleil et qui, placés sur le bord du chemin, semblent se rattacher encore à la vie et n'inspirent aucune de ces froides répulsions, aucune de ces terreurs fantastiques que font éprouver nos sépultures lugubres. Ils s'arrêtèrent devant le tombeau de Mammia, la prêtresse publique, près duquel est poussé un arbre, un cyprès ou un peuplier ; ils s'assirent dans l'hémicycle du triclinium des repas funéraires, riant comme des héritiers ; ils lurent avec force lazzi les épitaphes de Nevoleja, de Labeon et de la famille Arria, suivis d'Octavien, qui semblait plus

7. *matutini erunt*, ils seront matinaux.
8. *les urnes*, paraphrase du vers 1 de la première des *Épigrammes*, composées par Goethe à Venise en 1790 et traduites en français en 1837 : « Le païen parait les sarcophages et les urnes des signes de la vie » (« Sarkophagen und Urnen verzierte der Heide mit Leben »).

touché que ses insouciants compagnons du sort de ces
trépassés de deux mille ans.

Ils arrivèrent ainsi à la villa d'Arrius Diomèdes, une
des habitations les plus considérables de Pompéi. On y
monte par des degrés de briques, et lorsqu'on a dépassé la
porte flanquée de deux petites colonnes latérales, on se
trouve dans une cour semblable au *patio* qui fait le centre
des maisons espagnoles et moresques et que les anciens
appelaient *impluvium* ou *cavaedium;* quatorze colonnes
de briques recouvertes de stuc forment, des quatre côtés,
un portique ou péristyle couvert, semblable au cloître des
couvents, et sous lequel on pouvait circuler sans craindre
la pluie. Le pavé de cette cour est une mosaïque de
briques et de marbre blanc, d'un effet doux et tendre à
l'œil. Dans le milieu, un bassin de marbre quadrilatère,
qui existe encore, recevait les eaux pluviales qui dégout-
taient du toit du portique. — Cela produit un singulier
effet d'entrer ainsi dans la vie antique et de fouler avec
des bottes vernies des marbres usés par les sandales et les
cothurnes des contemporains d'Auguste et de Tibère.

Le cicerone les promena dans l'exèdre ou salon d'été,
ouvert du côté de la mer pour en aspirer les fraîches
brises. C'était là qu'on recevait et qu'on faisait la sieste
pendant les heures brûlantes, quand soufflait ce grand
zéphyr africain chargé de langueurs et d'orages. Il les fit
entrer dans la basilique, longue galerie à jour qui donne
de la lumière aux appartements et où les visiteurs et les
clients attendaient que le nomenclateur les appelât; il les
conduisit ensuite sur la terrasse de marbre blanc d'où la
vue s'étend sur les jardins verts et sur la mer bleue; puis il
leur fit voir le nymphæum ou salle de bains, avec ses
murailles peintes en jaune, ses colonnes de stuc, son pavé
de mosaïque et sa cuve de marbre qui reçut tant de corps
charmants évanouis comme des ombres; — le cubicu-
lum, où flottèrent tant de rêves venus de la porte
d'ivoire [9], et dont les alcôves pratiquées dans le mur

---

9. *la porte d'ivoire,* la mythologie antique distingue la porte de
corne, productrice des songes véridiques, de la porte d'ivoire, dont
sortent les songes mensongers. La différence est exprimée dans *l'Odys-*

étaient fermées par un conopeum ou rideau dont les anneaux de bronze gisent encore à terre, le tétrastyle ou salle de récréation, la chapelle des dieux lares, le cabinet des archives, la bibliothèque, le musée des tableaux, le gynécée ou appartement des femmes, composé de petites chambres en partie ruinées, dont les parois conservent des traces de peintures et d'arabesques comme des joues dont on a mal essuyé le fard.

Cette inspection terminée, ils descendirent à l'étage inférieur, car le sol est beaucoup plus bas du côté du jardin que du côté de la voie des Tombeaux, ils traversèrent huit salles peintes en rouge antique, dont l'une est creusée de niches architecturales, comme on en voit au vestibule de la salle des Ambassadeurs à l'Alhambra, et ils arrivèrent enfin à une espèce de cave ou de cellier dont la destination était clairement indiquée par huit amphores d'argile dressées contre le mur et qui avaient dû être parfumées de vin de Crète, de Falerne et de Massique comme des odes d'Horace.

Un vif rayon de jour passait par un étroit soupirail obstrué d'orties, dont il changeait les feuilles traversées de lumières en émeraudes et en topazes, et ce gai détail naturel souriait à propos à travers la tristesse du lieu.

« C'est ici, dit le cicerone de sa voix nonchalante, dont le ton s'accordait à peine avec le sens des paroles, que l'on trouva, parmi dix-sept squelettes, celui de la dame dont l'empreinte se voit au musée de Naples. Elle avait des anneaux d'or, et les lambeaux de sa fine tunique adhéraient encore aux cendres tassées qui ont gardé sa forme. »

Les phrases banales du guide causèrent une vive émo-

---

sée, chant XIX, v. 562-567 : « Les songes vaillants nous viennent de deux portes ; l'une est fermée de corne ; l'autre est fermée d'ivoire ; quand un songe nous vient par l'*ivoire* scié, ce n'est que tromperies, simple *ivraie* de paroles ; ceux que laisse passer la *corne* bien polie nous *cornent* le succès du mortel qui les voit » (trad. de V. Bérard). Elle est reprise dans l'*Énéide*, livre VI, v. 893-896. Gautier avait utilisé la métaphore dans *Au sommeil, hymne antique*, v. 7-9, et l'on sait qu'*Aurélia* s'ouvre en ces termes : « Le rêve est une seconde vie. Je n'ai pu percer sans frémir ces portes d'ivoire et de corne qui nous séparent du monde invisible. »

tion à Octavien. Il se fit montrer l'endroit exact où ces restes précieux avaient été découverts, et s'il n'eût été contenu par la présence de ses amis, il se serait livré à quelque lyrisme extravagant; sa poitrine se gonflait, ses yeux se trempaient de furtives moiteurs: cette catastrophe, effacée par vingt siècles d'oubli, le touchait comme un malheur tout récent; la mort d'une maîtresse ou d'un ami ne l'eût pas affligé davantage, et une larme en retard de deux mille ans tomba, pendant que Max et Fabio avaient le dos tourné, sur la place où cette femme, pour laquelle il se sentait pris d'un amour rétrospectif [10], avait péri étouffée par la cendre chaude du volcan.

« Assez d'archéologie comme cela! s'écria Fabio; nous ne voulons pas écrire une dissertation sur une cruche ou une tuile du temps de Jules César pour devenir membre d'une académie de province, ces souvenirs classiques me creusent l'estomac. Allons dîner, si toutefois la chose est possible, dans cette osteria pittoresque, où j'ai peur qu'on ne nous serve que des beefsteaks fossiles et des œufs frais pondus avant la mort de Pline.

— Je ne dirai pas comme Boileau :

Un sot, quelquefois, ouvre un avis important [11],

fit Max en riant, ce serait malhonnête ; mais cette idée a du bon. Il eût été pourtant plus joli de festiner ici, dans un triclinium quelconque, couchés à l'antique, servis par des esclaves, en manière de Lucullus ou de Trimalcion. Il est vrai que je ne vois pas beaucoup d'huîtres du lac Lucrin; les turbots et les rougets de l'Adriatique sont absents; le

10. *rétrospectif*, l'adjectif offre une certaine récurrence dans l'œuvre narrative de Gautier de telle sorte qu'il peut être considéré comme un mot clef, traduisant le fonctionnement de l'imagination mémoriale et mythique. Il apparaît encore deux fois dans le texte : « idéal rétrospectif » et « chimère rétrospective », puis dans *Le Roman de la momie* (« le désir rétrospectif ») et deux fois dans *Spirite*. Gautier l'emploie à deux reprise dans *Émaux et camées* (*Le Souper des armures*, strophe 4, et *Le Château du souvenir*, strophe 39).

11. *un avis important*, ce vers est emprunté au chant III de *L'Art poétique*, mais le texte de Boileau dit un *fat*, et non un *sot*.

sanglier d'Apulie manque sur le marché ; les pains et les gâteaux au miel figurent au musée de Naples aussi durs que des pierres à côté de leurs moules vert-de-grisés ; le macaroni cru, saupoudré de cacio-cavallo [12], et quoiqu'il soit détestable, vaut encore mieux que le néant. Qu'en pense le cher Octavien ? »

Octavien, qui regrettait fort de ne pas s'être trouvé à Pompéi le jour de l'éruption du Vésuve pour sauver la dame aux anneaux d'or et mériter ainsi son amour, n'avait pas entendu une phrase de cette conversation gastronomique. Les deux derniers mots prononcés par Max le frappèrent seuls, et comme il n'avait pas envie d'entamer une discussion, il fit, à tout hasard, un signe d'assentiment, et le groupe amical reprit, en côtoyant les remparts, le chemin de l'hôtellerie.

L'on dressa la table sous l'espèce de porche ouvert qui sert de vestibule à l'osteria, et dont les murailles, crépies à la chaux, étaient décorées de quelques croûtes qualifiées par l'hôte : Salvator Rosa, Espagnolet, cavalier Massimo [13], et autres noms célèbres de l'école napolitaine, qu'il se crut obligé d'exalter.

« Hôte vénérable, dit Fabio, ne déployez pas votre éloquence en pure perte. Nous ne sommes pas des Anglais, et nous préférons les jeunes filles aux vieilles toiles. Envoyez-nous plutôt la liste de vos vins par cette belle brune, aux yeux de velours, que j'ai aperçue dans l'escalier. »

Le palforio [14], comprenant que ses hôtes n'apparte-

---

12. *cacio-cavallo*, la plupart des éditions comportent *caccia-cavallo*, qui est dépourvu de sens. Dans *Jettatura* figure la forme *cacio-cavallo* qu'il convient de rétablir ici et qui désigne un fromage de lait de vache en forme de poire.

13. *Massimo*, l'Espagnolet est José Ribera (1588-1656), qui vécut plusieurs années à Naples, où il mourut. Quant au chevalier Massimo, il s'agit de Massimo Stazioni (1585-1656), peintre et architecte napolitain, qui décora de fresques plusieurs églises et qui évolua du caravagisme vers le baroque, même vers ce préromantisme incarné plus tard par Salvator Rosa (1615-1673).

14. *palforio* est absent des dictionnaires. On en est réduit à l'hypothèse que Gautier utilise un nom propre et qu'il l'applique par métonymie à la fonction d'aubergiste.

naient pas au genre mystifiable des philistins et des bourgeois, cessa de vanter sa galerie pour glorifier sa cave. D'abord, il avait tous les vins des meilleurs crus : château-margaux, grand-laffite retour des Indes, sillery de Moët, hochmeyer, scarlat-wine, porto et porter, ale et gingerbeer, lacryma-christi blanc et rouge, capri et falerne.

« Quoi ! tu as du vin de Falerne, animal, et tu le mets à la fin de ta nomenclature ; tu nous fais subir une litanie œnologique insupportable, dit Max en sautant à la gorge de l'hôtelier avec un mouvement de fureur comique ; mais tu n'as donc pas le sentiment de la couleur locale ? tu es donc indigne de vivre dans ce voisinage antique ? Est-il bon au moins, ton Falerne ? a-t-il été mis en amphore sous le consul Plancus ? — *consule Planco*.

— Je ne connais pas le consul Plancus, et mon vin n'est pas mis en amphore, mais il est vieux et coûte 10 carlins [15] la bouteille », répondit l'hôte.

Le jour était tombé et la nuit était venue, nuit sereine et transparente, plus claire, à coup sûr, que le plein midi de Londres ; la terre avait des tons d'azur et le ciel des reflets d'argent d'une douceur inimaginable ; l'air était si tranquille que la flamme des bougies posées sur la table n'oscillait même pas.

Un jeune garçon jouant de la flûte s'approcha de la table et se tint debout, fixant ses yeux sur les trois convives, dans une attitude de bas-relief, et soufflant dans son instrument aux sons doux et mélodieux, quelqu'une de ces cantilènes populaires en mode mineur dont le charme est pénétrant.

Peut-être ce garçon descendait en droite ligne du flûteur qui précédait Duilius [16].

---

15. *carlins*, monnaie d'or et d'argent émise au XIIIᵉ siècle dans le royaume de Naples. Le terme a subsisté longtemps en Italie pour désigner diverses monnaies dont la valeur pouvait varier.

16. *Duilius*, le consul romain Nepos Duilius commanda la flotte romaine lors de la première guerre punique (261 avant J.-C.). Il fit revêtir ses vaisseaux de *corbeaux* (crochets de fer) qui contribuèrent à la défaite carthaginoise de Myles. En signe d'hommage, il était chaque soir à son retour escorté de joueurs de flûte et de porteurs de flambeaux.

« Notre repas s'arrange d'une façon assez antique, il ne nous manque que des danseuses gaditanes et des couronnes de lierre, dit Fabio en se versant une large rasade de vin de Falerne.

— Je me sens en veine de faire des citations latines comme un feuilleton des *Débats;* il me revient des strophes d'ode, ajouta Max.

— Garde-les pour toi, s'écrièrent Octavien et Fabio, justement alarmés; rien n'est indigeste comme le latin à table. »

La conversation entre jeunes gens qui, le cigare à la bouche, le coude sur la table, regardent un certain nombre de flacons vidés, surtout lorsque le vin est capiteux, ne tarde pas à tourner sur les femmes. Chacun exposa son système, dont voici à peu près le résumé.

Fabio ne faisait cas que de la beauté et de la jeunesse. Voluptueux et positif, il ne se payait pas d'illusions et n'avait en amour aucun préjugé. Une paysanne lui plaisait autant qu'une duchesse, pourvu qu'elle fût belle; le corps le touchait plus que la robe; il riait beaucoup de certains de ses amis amoureux de quelques mètres de soie et de dentelles, et disait qu'il serait plus logique d'être épris d'un étalage de marchand de nouveautés. Ces opinions, fort raisonnables au fond, et qu'il ne cachait pas, le faisaient passer pour un homme excentrique.

Max, moins artiste que Fabio, n'aimait, lui, que les entreprises difficiles, que les intrigues compliquées; il cherchait des résistances à vaincre, des vertus à séduire, et conduisait l'amour comme une partie d'échecs, avec des coups médités longtemps, des effets suspendus, des surprises et des stratagèmes dignes de Polybe [17]. Dans un salon, la femme qui paraissait avoir le moins de sympathie à son endroit, était celle qu'il choisissait pour but de ses attaques; la faire passer de l'aversion à l'amour par des transitions habiles, était pour lui un plaisir délicieux; s'imposer aux âmes qui le repoussaient, mater les volon-

17. *Polybe,* historien grec du IIe siècle avant J.-C., est mentionné ici pour sa connaissance de l'art de la guerre, pour son activité politique et militaire. Il accompagna Scipion dans ses campagnes et participa à la prise de Carthage en 140.

tés rebelles à son ascendant, lui semblait le plus doux des triomphes. Comme certains chasseurs qui courent les champs, les bois et les plaines par la pluie, le soleil et la neige, avec des fatigues excessives et une ardeur que rien ne rebute, pour un maigre gibier que les trois quarts du temps ils dédaignent de manger, Max, la proie atteinte, ne s'en souciait plus, et se remettait en quête presque aussitôt.

Pour Octavien, il avouait que la réalité ne le séduisait guère, non qu'il fît des rêves de collégien tout pétris de lis et de roses comme un madrigal de Demoustier [18], mais il y avait autour de toute beauté trop de détails prosaïques et rebutants ; trop de pères radoteurs et décorés ; de mères coquettes, portant des fleurs naturelles dans de faux cheveux ; de cousins rougeauds et méditant des déclarations ; de tantes ridicules, amoureuses de petits chiens. Une gravure à l'aqua-tinte, d'après Horace Vernet ou Delaroche, accrochée dans la chambre d'une femme, suffisait pour arrêter chez lui une passion naissante. Plus poétique encore qu'amoureux, il demandait une terrasse de l'Isola-Bella, sur le lac Majeur, par un beau clair de lune, pour encadrer un rendez-vous. Il eût voulu enlever son amour du milieu de la vie commune et en transporter la scène dans les étoiles. Aussi s'était-il épris tour à tour d'une passion impossible et folle pour tous les grands types féminins conservés par l'art ou l'histoire. Comme Faust, il avait aimé Hélène, et il aurait voulu que les ondulations des siècles apportassent jusqu'à lui une de ces sublimes personnifications des désirs et des rêves humains, dont la forme, invisible pour les yeux vulgaires, subsiste toujours dans l'espace et le temps [19]. Il s'était composé un sérail

---

18. *Charles-Albert Demoustier* (1760-1801), auteur des *Lettres à Émilie sur la mythologie,* de poèmes, de livrets d'opéras et de comédies.

19. *l'espace et le temps,* quelques années auparavant, Gautier avait déjà dans *Le Panthéon* développé cette idée des prolongements indéfinis du passé dans le présent à partir du *Second Faust :* « Goethe, dans son second Faust, suppose que les choses qui se sont passées autrefois se passent encore dans quelque coin de l'univers. Le fait est, selon lui, le point de départ d'une foule de cercles excentriques qui vont

idéal avec Sémiramis, Aspasie, Cléopâtre, Diane de Poitiers, Jeanne d'Aragon. Quelquefois aussi il aimait des statues, et un jour, en passant au Musée devant la Vénus de Milo, il s'était écrié : « Oh ! qui te rendra les bras pour m'écraser contre ton sein de marbre ! » A Rome, la vue d'une épaisse chevelure nattée exhumée d'un tombeau antique l'avait jeté dans un bizarre délire ; il avait essayé, au moyen de deux ou trois de ces cheveux obtenus d'un gardien séduit à prix d'or, et remis à une somnambule d'une grande puissance, d'évoquer l'ombre et la forme de cette morte ; mais le fluide conducteur s'était évaporé après tant d'années, et l'apparition n'avait pu sortir de la nuit éternelle.

Comme Fabio l'avait deviné devant la vitrine des Studj, l'empreinte recueillie dans la cave de la villa d'Arrius Diomèdes excitait chez Octavien des élans insensés vers un idéal rétrospectif ; il tentait de sortir du temps et de la vie, et de transposer son âme au siècle de Titus [20].

Max et Fabio se retirèrent dans leur chambre, et, la tête un peu alourdie par les classiques fumées du Falerne, ne tardèrent pas à s'endormir. Octavien, qui avait souvent laissé son verre plein devant lui, ne voulant pas troubler par une ivresse grossière l'ivresse poétique qui bouillonnait dans son cerveau, sentit à l'agitation de ses nerfs que le sommeil ne lui viendrait pas, et sortit de l'osteria à pas lents pour rafraîchir son front et calmer sa pensée à l'air de la nuit.

Ses pieds, sans qu'il en eût conscience, le portèrent à l'entrée par laquelle on pénètre dans la ville morte, il déplaça la barre de bois qui la ferme et s'engagea au hasard dans les décombres.

---

agrandissant leurs orbes dans l'éternité et l'infini : dès qu'une action est tombée dans le temps, comme une pierre dans un lac sans bornes, l'ébranlement causé par elle ne s'éteint jamais, et se propage en ondulations plus ou moins sensibles jusqu'aux limites des espaces » (*L'Art moderne*, Michel Lévy, 1856, p. 70).

20. *Titus*, ce portrait que le narrateur trace d'Octavien révèle que le héros du récit ressemble à Gautier à travers sa quête d' « un idéal rétrospectif » et qu'il présente des analogies psychiques avec Nerval.

La lune illuminait de sa lueur blanche les maisons pâles, divisant les rues en deux tranches de lumière argentée et d'ombre bleuâtre. Ce jour nocturne [21], avec ses teintes ménagées, dissimulait la dégradation des édifices. L'on ne remarquait pas, comme à la clarté crue du soleil, les colonnes tronquées, les façades sillonnées de lézardes, les toits effondrés par l'éruption ; les parties absentes se complétaient par la demi-teinte, et un rayon brusque, comme une touche de sentiment dans l'esquisse d'un tableau, indiquait tout un ensemble écroulé. Les génies taciturnes de la nuit semblaient avoir réparé la cité fossile pour quelque représentation d'une vie fantastique.

Quelquefois même Octavien crut voir se glisser de vagues formes humaines dans l'ombre ; mais elles s'évanouissaient dès qu'elles atteignaient la portion éclairée. De sourds chuchotements, une rumeur indéfinie, voltigeaient dans le silence. Notre promeneur les attribua d'abord à quelque papillonnement de ses yeux, à quelque bourdonnement de ses oreilles, — ce pouvait être aussi un jeu d'optique, un soupir de la brise marine, ou la fuite à travers les orties d'un lézard ou d'une couleuvre, car tout vit dans la nature, même la mort, tout bruit, même le silence. Cependant il éprouvait une espèce d'angoisse involontaire, un léger frisson, qui pouvait être causé par l'air froid de la nuit, et faisait frémir sa peau. Il retourna deux ou trois fois la tête ; il ne se sentait plus seul comme tout à l'heure dans la ville déserte. Ses camarades avaient-ils eu la même idée que lui, et le cherchaient-ils à travers ces ruines ? Ces formes entrevues, ces bruits indistincts de pas, était-ce Max et Fabio marchant et causant, et disparus à l'angle d'un carrefour ? Cette explication toute naturelle, Octavien comprenait à son trouble

---

21. *ce jour nocturne* est un oxymoron du même type que « cette obscure clarté qui tombe des étoiles » (*Le Cid,* acte IV, scène 3) et que « le Soleil noir » que Gautier a introduit dans *Melancholia* (« les rayons d'un grand soleil tout noir », 1834) vingt ans avant Nerval et Hugo. Dans *Arria Marcella,* l'image détermine le climat du fantastique, qui, par son clair-obscur, s'oppose à l'opacité de *La Morte amoureuse.* La clarté lunaire ou le soleil de minuit est le milieu spatio-temporel, où s'accomplit l'aventure onirique d'Octavien.

qu'elle n'était pas vraie, et les raisonnements qu'il faisait là-dessus à part lui ne le convainquaient pas. La solitude et l'ombre s'étaient peuplées d'êtres invisibles qu'il dérangeait; il tombait au milieu d'un mystère, et l'on semblait attendre qu'il fût parti pour commencer. Telles étaient les idées extravagantes qui lui traversaient la cervelle et qui prenaient beaucoup de vraisemblance de l'heure, du lieu et de mille détails alarmants que comprendront ceux qui se sont trouvés de nuit dans quelque vaste ruine.

En passant devant une maison qu'il avait remarquée pendant le jour et sur laquelle la lune donnait en plein, il vit, dans un état d'intégrité parfaite, un portique dont il avait cherché à rétablir l'ordonnance : quatre colonnes d'ordre dorique cannelées jusqu'à mi-hauteur, et le fût enveloppé comme d'une draperie pourpre d'une teinte de minium, soutenaient une cimaise coloriée d'ornements polychromes, que le décorateur semblait avoir achevée hier; sur la paroi latérale de la porte un molosse de Laconie, exécuté à l'encaustique et accompagné de l'inscription sacramentelle : *Cave canem,* aboyait à la lune et aux visiteurs avec une fureur peinte. Sur le seuil de mosaïque le mot *Ave,* en lettre osques et latines, saluait les hôtes de ses syllabes amicales. Les murs extérieurs, teints d'ocre et de rubrique, n'avaient pas une crevasse. La maison s'était exhaussée d'un étage, et le toit de tuiles dentelé d'un acrotère de bronze, projetait son profil intact sur le bleu léger du ciel où pâlissaient quelques étoiles.

Cette restauration étrange, faite de l'après-midi au soir par un architecte inconnu, tourmentait beaucoup Octavien, sûr d'avoir vu cette maison le jour même dans un fâcheux état de ruine. Le mystérieux reconstructeur avait travaillé bien vite, car les habitations voisines avaient le même aspect récent et neuf; tous les piliers étaient coiffés de leurs chapiteaux; pas une pierre, pas une brique, pas une pellicule de stuc, pas une écaille de peinture ne manquaient aux parois luisantes des façades, et par l'interstice des péristyles on entrevoyait, autour du bassin de marbre de cavædium, des lauriers roses et blancs, des myrtes et des grenadiers. Tous les historiens s'étaient trompés ; l'éruption n'avait pas eu lieu, ou bien l'aiguille du temps avait reculé de vingt heures séculaires sur le cadran de l'éternité.

Octavien, surpris au dernier point, se demanda s'il dormait tout debout et marchait dans un rêve. Il s'interrogea sérieusement pour savoir si la folie ne faisait pas danser devant lui ses hallucinations ; mais il fut obligé de reconnaître qu'il n'était ni endormi ni fou.

Un changement singulier avait eu lieu dans l'atmosphère ; de vagues teintes roses se mêlaient, par dégradations violettes, aux lueurs azurées de la lune ; le ciel s'éclaircissait sur les bords ; on eût dit que le jour allait paraître. Octavien tira sa montre ; elle marquait minuit. Craignant qu'elle ne fût arrêtée, il poussa le ressort de la répétition ; la sonnerie tinta douze fois ; il était bien minuit, et cependant la clarté allait toujours augmentant, la lune se fondait dans l'azur de plus en plus lumineux ; le soleil se levait.

Alors Octavien, en qui toutes les idées de temps se brouillaient, put se convaincre qu'il se promenait non dans une Pompéi morte, froid cadavre de ville qu'on a tiré à demi de son linceul, mais dans une Pompéi vivante, jeune, intacte, sur laquelle n'avaient pas coulé les torrents de boue brûlante du Vésuve.

Un prodige inconcevable le reportait, lui, Français du XIXe siècle, au temps de Titus, non en esprit, mais en réalité, ou faisait revenir à lui, du fond du passé, une ville détruite avec ses habitants disparus ; car un homme vêtu à l'antique venait de sortir d'une maison voisine.

Cet homme portait les cheveux courts et la barbe rasée, une tunique de couleur brune et un manteau grisâtre, dont les bouts étaient retroussés de manière à ne pas gêner sa marche ; il allait d'un pas rapide, presque cursif, et passa à côté d'Octavien sans le voir. Un panier de sparterie pendait à son bras, et il se dirigeait vers le Forum Nundinarium ; — c'était un esclave, un Davus [22] quel-

---

22. *Davus*, esclave de comédie dans *Amphitryon* de Plaute et *Andrienne* de Térence. Il figure également dans les *Satires* (II, V et VII) et dans l'*Art poétique* d'Horace.

conque allant au marché; il n'y avait pas à s'y tromper.

Des bruits de roues se firent entendre, et un char antique, traîné par des bœufs blancs et chargé de légumes, s'engagea dans la rue. A côté de l'attelage marchait un bouvier aux jambes nues et brûlées par le soleil, aux pieds chaussés de sandales, et vêtu d'une espèce de chemise de toile bouffant à la ceinture; un chapeau de paille conique, rejeté derrière le dos et retenu au col par la mentonnière, laissait voir sa tête d'un type inconnu aujourd'hui, son front bas traversé de dures nodosités, ses cheveux crépus et noirs, son nez droit, ses yeux tranquilles comme ceux de ses bœufs, et son cou d'Hercule campagnard. Il touchait gravement ses bêtes de l'aiguillon, avec une pose de statue à faire tomber Ingres en extase.

Le bouvier aperçut Octavien et parut surpris, mais il continua sa route; une fois il retourna la tête, ne trouvant pas sans doute d'explication à l'aspect de ce personnage étrange pour lui, mais laissant, dans sa placide stupidité rustique, le mot de l'énigme à de plus habiles.

Des paysans campaniens parurent aussi, poussant devant eux des ânes chargés d'outres de vin, et faisant tinter des sonnettes d'airain; leur physionomie différait de celle des paysans d'aujourd'hui comme une médaille diffère d'un sou.

La ville se peuplait graduellement comme un de ces tableaux de diorama, d'abord déserts, et qu'un changement d'éclairage anime de personnages invisibles jusque-là.

Les sentiments qu'éprouvait Octavien avaient changé de nature. Tout à l'heure, dans l'ombre trompeuse de la nuit, il était en proie à ce malaise dont les plus braves ne se défendent pas, au milieu de circonstances inquiétantes et fantastiques que la raison ne peut expliquer[23]. Sa vague terreur s'était changée en stupéfaction profonde; il ne pouvait douter, à la netteté de leurs perceptions, du

---

23. *expliquer,* Gautier a toujours perçu que le fantastique était irréductible aux lois de la logique et incompatible avec le cheminement de la pensée discursive.

témoignage de ses sens, et cependant ce qu'il voyait était parfaitement incroyable. — Mal convaincu encore, il cherchait par la constatation de petits détails réels à se prouver qu'il n'était pas le jouet d'une hallucination. — Ce n'étaient pas des fantômes qui défilaient sous ses yeux, car la vive lumière du soleil les illuminait avec une réalité irrécusable, et leurs ombres allongées par le matin se projetaient sur les trottoirs et les murailles. — Ne comprenant rien à ce qui lui arrivait, Octavien, ravi au fond de voir un de ses rêves les plus chers accompli, ne résista plus à son aventure, il se laissa faire à toutes ces merveilles, sans prétendre s'en rendre compte ; il se dit que puisque en vertu d'un pouvoir mystérieux il lui était donné de vivre quelques heures dans un siècle disparu, il ne perdrait pas son temps à chercher la solution d'un problème incompréhensible, et il continua bravement sa route, en regardant à droite et à gauche ce spectacle si vieux et si nouveau pour lui. Mais à quelle époque de la vie de Pompéi était-il transporté ? Une inscription d'édilité, gravée sur une muraille, lui apprit, par le nom des personnages publics, qu'on était au commencement du règne de Titus, — soit en l'an 79 de notre ère. — Une idée subite traversa l'âme d'Octavien ; la femme dont il avait admiré l'empreinte au musée de Naples devait être vivante, puisque l'éruption du Vésuve dans laquelle elle avait péri eut lieu le 24 août de cette même année ; il pouvait donc la retrouver, la voir, lui parler... Le désir fou qu'il avait ressenti à l'aspect de cette cendre moulée sur des contours divins allait peut-être se satisfaire, car rien ne devait être impossible à un amour qui avait eu la force de faire reculer le temps, et passer deux fois la même heure dans le sablier de l'éternité [24].

Pendant qu'Octavien se livrait à ces réflexions, de belles jeunes filles se rendaient aux fontaines, soutenant du bout de leurs doigts blancs des urnes en équilibre sur

---

24. *le sablier de l'éternité*, Gautier use souvent de métaphores temporelles pour traduire le sentiment de l'éternité : antérieurement dans *Arria Marcella*, figurait l'image du « cadran de l'éternité ». La métaphore du « sablier de l'éternité » se retrouve dans le prologue du *Roman de la momie*.

leur tête ; des patriciens en toges blanches bordées de
bandes de pourpre, suivis de leur cortège de clients, se
dirigeaient vers le forum. Les acheteurs se pressaient
autour des boutiques, toutes désignées par des enseignes
sculptées et peintes, et rappelant par leur petitesse et leur
forme les boutiques moresques d'Alger ; au-dessus de la
plupart de ces échoppes, un glorieux phallus de terre cuite
colorié et l'inscription *hic habitat felicitas,* témoignaient
de précautions superstitieuses contre le mauvais œil ; Octavien remarqua même une boutique d'amulettes dont
l'étalage était chargé de cornes, de branches de corail
bifurquées, et de petits Priapes en or, comme on en
trouve encore à Naples aujourd'hui, pour se préserver de
la jettature, et il se dit qu'une superstition durait plus
qu'une religion [25].

En suivant le trottoir qui borde chaque rue de Pompéi,
et enlève ainsi aux Anglais la confortabilité de cette
invention, Octavien se trouva face à face avec un beau
jeune homme, de son âge à peu près, vêtu d'une tunique
couleur de safran, et drapé d'un manteau de fine laine
blanche, souple comme du cachemire. La vue d'Octavien, coiffé de l'affreux chapeau moderne, sanglé dans
une mesquine redingote noire, les jambes emprisonnées
dans un pantalon, les pieds pincés par des bottes luisantes, parut surprendre le jeune Pompéien, comme nous
étonnerait, sur le boulevard de Gand, un Ioway ou un
Botocudo [26] avec ses plumes, ses colliers de griffes
d'ours et ses tatouages baroques. Cependant, comme
c'était un jeune homme bien élevé, il n'éclata pas de rire
au nez d'Octavien, et prenant en pitié ce pauvre barbare
égaré dans cette ville gréco-romaine, il lui dit d'une voix
accentuée et douce :

— *Advena, salve.*

Rien n'était plus naturel qu'un habitant de Pompéi,

25. *religion,* cette pensée que le narrateur attribue à Octavien s'applique à Gautier, chez qui le fantastique est associé à la persistance des
superstitions. Dans ses *Entretiens,* E. Bergerat affirme que Gautier
« était la superstition même ».

26. *un Ioway ou un Botocudo,* peuplades indiennes de l'Amérique du
Nord (Missouri) et du Brésil.

sous le règne du divin empereur Titus, très puissant et très
auguste, s'exprimât en latin, et pourtant Octavien tressaillit en entendant cette langue morte dans une bouche
vivante. C'est alors qu'il se félicita d'avoir été fort en
thème, et remporté des prix au concours général. Le latin
enseigné par l'Université lui servit en cette occasion unique, et rappelant en lui ses souvenirs de classe, il répondit
au salut du Pompéien en style de *De viris illustribus* et de
Selectae e profanis [27], d'une façon suffisamment intelli-
gible, mais avec un accent parisien qui fit sourire le jeune
homme.

« Il te sera peut-être plus facile de parler grec, dit le
Pompéien ; je sais aussi cette langue, car j'ai fait mes
études à Athènes.

— Je sais encore moins de grec que de latin, répondit
Octavien ; je suis du pays des Gaulois, de Paris, de
Lutèce.

— Je connais ce pays. Mon aïeul a fait la guerre dans
les Gaules sous le grand Jules César. Mais quel étrange
costume portes-tu ? Les Gaulois que j'ai vus à Rome
n'étaient pas habillés ainsi. »

Octavien entreprit de faire comprendre au jeune Pompéien que vingt siècles s'étaient écoulés depuis la
conquête de la Gaule par Jules César, et que la mode avait
pu changer ; mais il y perdit son latin, et à vrai dire ce
n'était pas grand-chose.

« Je me nomme Rufus Holconius, et ma maison est la
tienne, dit le jeune homme ; à moins que tu ne préfères la
liberté de la taverne : on est bien à l'auberge d'Albinus,
près de la porte du faubourg d'Augustus Felix, et à
l'hôtellerie de Sarinus, fils de Publius, près de la
deuxième tour ; mais si tu veux, je te servirai de guide
dans cette ville inconnue pour toi ; — tu me plais, jeune
barbare, quoique tu aies essayé de te jouer de ma crédu-

---

27. *Selectae e profanis,* ces deux ouvrages didactiques qui ont été
longtemps utilisés pour l'initiation au latin datent du XVIIIe siècle. Le
premier, écrit en latin par Lhomond, propose un abrégé des épisodes
majeurs de l'histoire romaine, le second *(Choix d'histoires extraites des
écrivains profanes)* est l'œuvre de Heuzet et recueille des textes caractéristiques de la sagesse antique.

lité en prétendant que l'empereur Titus, qui règne aujourd'hui, était mort depuis deux mille ans, et que le
Nazaréen, dont les infâmes sectateurs, enduits de poix,
ont éclairé les jardins de Néron, trône seul en maître dans
le ciel désert, d'où les grands dieux sont tombés. — Par
Pollux ! ajouta-t-il en jetant les yeux sur une inscription
rouge tracée à l'angle d'une rue, tu arrives à propos, l'on
donne la *Casina* de Plaute [28], récemment remise au théâtre ; c'est une curieuse et bouffonne comédie qui t'amu-
sera, n'en comprendrais-tu que la pantomime. Suis-moi,
c'est bientôt l'heure ; je te ferai placer au banc des hôtes et
des étrangers. »

Et Rufus Holconius se dirigea du côté du petit théâtre
comique que les trois amis avaient visité dans la journée.

Le Français et le citoyen de Pompéi prirent les rues de
la Fontaine d'Abondance, des Théâtres, longèrent le collège et le temple d'Isis, l'atelier du statuaire, et entrèrent
dans l'Odéon ou théâtre comique par un vomitoire latéral.
Grâce à la recommandation d'Holconius, Octavien fut
placé près du proscenium, un endroit qui répondrait à nos
baignoires d'avant-scène. Tous les regards se tournèrent
aussitôt vers lui avec une curiosité bienveillante et un
léger susurrement courut dans l'amphithéâtre.

La pièce n'était pas encore commencée ; Octavien en
profita pour regarder la salle. Les gradins demi circulaires, terminés de chaque côté par une magnifique patte de
lion sculptée en lave du Vésuve, partaient en s'élargissant
d'un espace vide correspondant à notre parterre, mais
beaucoup plus restreint, et pavé d'une mosaïque de marbres grecs ; un gradin plus large formait, de distance en
distance, une zone distinctive, et quatre escaliers correspondant aux vomitoires et montant de la base au sommet
de l'amphithéâtre, le divisaient en cinq coins plus larges
du haut que du bas. Les spectateurs, munis de leurs
billets, consistant en petites lames d'ivoire où étaient
désignés, par leurs numéros d'ordre, la travée, le coin et

---

28. *Plaute,* cette comédie, imitée de Diphyle, doit son titre au
personnage principal, une orpheline que se disputent plusieurs préten-
dants. Elle a servi de source à Regnard dans *Les Folies amoureuses.*

le gradin, avec le titre de la pièce représentée et le nom de son auteur, arrivaient aisément à leurs places. Les magistrats, les nobles, les hommes mariés, les jeunes gens, les soldats, dont on voyait luire les casques de bronze, occupaient des rangs séparés. — C'était un spectacle admirable que ces belles toges et ces larges manteaux blancs bien drapés, s'étalant sur les premiers gradins et contrastant avec les parures variées des femmes, placées au-dessus, et les capes grises des gens du peuple, relégués aux bancs supérieurs, près des colonnes qui supportent le toit, et qui laissaient apercevoir, par leurs interstices, un ciel d'un bleu intense comme le champ d'azur d'une panathénée ; — une fine pluie d'eau, aromatisée de safran, tombait des frises en gouttelettes imperceptibles, et parfumait l'air qu'elle rafraîchissait. Octavien pensa aux émanations fétides qui vicient l'atmosphère de nos théâtres, si incommodes qu'on peut les considérer comme des lieux de torture, et il trouva que la civilisation n'avait pas beaucoup marché.

Le rideau, soutenu par une poutre transversale, s'abîma dans les profondeurs de l'orchestre, les musiciens s'installèrent dans leur tribune, et le Prologue parut vêtu grotesquement et la tête coiffée d'un masque difforme, adapté comme un casque.

Le Prologue, après avoir salué l'assistance et demandé les applaudissements, commença une argumentation bouffonne. «Les vieilles pièces, disait-il, étaient comme le vin qui gagne avec les années, et la *Casina,* chère aux vieillards, ne devait pas moins l'être aux jeunes gens ; tous pouvaient y prendre plaisir : les uns parce qu'ils la connaissaient, les autres parce qu'ils ne la connaissaient pas. La pièce avait été, du reste, remise avec soin, et il fallait l'écouter l'âme libre de tout souci, sans penser à ses dettes, ni à ses créanciers, car on n'arrête pas au théâtre ; c'était un jour heureux, il faisait beau, et les alcyons planaient sur le forum.» Puis il fit une analyse de la comédie que les acteurs allaient représenter, avec un détail qui prouve que la surprise entrait pour peu de chose dans le plaisir que les anciens prenaient au théâtre ; il raconta comment le vieillard Stalino, amoureux de sa

belle esclave Casina, veut la marier à son fermier Olym-
pio, époux complaisant qu'il remplacera dans la nuit des
noces ; et comment Lycostrata, la femme de Stalino, pour
contrecarrer la luxure de son vicieux mari, veut unir
Casina à l'écuyer Chalinus, dans l'idée de favoriser les
amours de son fils ; enfin la manière dont Stalino, mysti-
fié, prend un jeune esclave déguisé pour Casina, qui,
reconnue libre et de naissance ingénue, épouse le jeune
maître, qu'elle aime et dont elle est aimée [29].

Le jeune Français regardait distraitement les acteurs,
avec leurs masques aux bouches de bronze, s'évertuer sur
la scène ; les esclaves couraient çà et là pour simuler
l'empressement ; le vieillard hochait la tête et tendait ses
mains tremblantes ; la matrone, le verbe haut, l'air revê-
che et dédaigneux, se carrait dans son importance et
querellait son mari, au grand amusement de la salle.
— Tous ces personnages entraient et sortaient par trois
portes pratiquées dans le mur du fond et communiquant
au foyer des acteurs. — La maison de Stalino occupait un
coin du théâtre, et celle de son vieil ami Alcésimus lui
faisait face. Ces décorations, quoique très bien peintes,
étaient plutôt représentatives de l'idée d'un lieu que du
lieu lui-même, comme les coulisses vagues du théâtre
classique.

Quand la pompe nuptiale conduisant la fausse Casina
fit son entrée sur la scène, un immense éclat de rire,
comme celui qu'Homère attribue aux dieux, circula sur
tous les bancs de l'amphithéâtre, et des tonnerres d'applaudissements firent vibrer les échos de l'enceinte ; mais
Octavien n'écoutait plus et ne regardait plus.

Dans la travée des femmes, il venait d'apercevoir une
créature d'une beauté merveilleuse. A dater de ce moment, les charmants visages qui avaient attiré son œil
s'éclipsèrent comme les étoiles devant Phœbé ; tout
s'évanouit, tout disparut comme dans un songe ; un
brouillard estompa les gradins fourmillants de monde, et

29. *elle est aimée,* cette inscription du contenu de la comédie de
Plaute dans le récit apparaît comme une espèce de *mise en abyme,* en ce
sens que le destin de Casina présente certaines affinités avec celui
d'Arria Marcella.

la voix criarde des acteurs semblait se perdre dans un éloignement infini.

Il avait reçu au cœur comme une commotion électrique, et il lui semblait qu'il jaillissait des étincelles de sa poitrine lorsque le regard de cette femme se tournait vers lui.

Elle était brune et pâle ; ses cheveux ondés et crêpelés, noirs comme ceux de la nuit, se relevaient légérement vers les tempes à la mode grecque, et dans son visage d'un ton mat brillaient des yeux sombres et doux, chargés d'une indéfinissable expression de tristesse voluptueuse et d'ennui passionné ; sa bouche, dédaigneusement arquée à ses coins, protestait par l'ardeur vivace de sa pourpre enflammée contre la blancheur tranquille du masque ; son col présentait ces belles lignes pures qu'on ne retrouve à présent que dans les statues. Ses bras étaient nus jusqu'à l'épaule, et de la pointe de ses seins orgueilleux, soulevant sa tunique d'un rose mauve, partaient deux plis qu'on aurait pu croire fouillés dans le marbre par Phidias ou Cléomène.

La vue de cette gorge d'un contour si correct, d'une coupe si pure, troubla magnétiquement Octavien ; il lui sembla que ces rondeurs s'adaptaient parfaitement à l'empreinte en creux du musée de Naples, qui l'avait jeté dans une si ardente rêverie, et une voix lui cria au fond du cœur que cette femme était bien la femme étouffée par la cendre du Vésuve à la villa d'Arrius Diomèdes. Par quel prodige la voyait-il vivante, assistant à la représentation de la *Casina* de Plaute ? Il ne chercha pas à se l'expliquer ; d'ailleurs, comment était-il là lui-même ? Il accepta sa présence comme dans le rêve on admet l'intervention de personnes mortes depuis longtemps et qui agissent pourtant avec les apparences de la vie ; d'ailleurs son émotion ne lui permettait aucun raisonnement. Pour lui, la roue du temps était sortie de son ornière [30], et son désir vainqueur choisissait sa place parmi les siècles écoulés ! Il se trouvait face à face avec sa chimère, une des plus insaisissa-

30. *son ornière,* nouvelle métaphore qui exprime l'aptitude du désir à se soustraire à l'action du temps afin de céder aux charmes de la « vision rétrospective ».

bles, une chimère rétrospective. Sa vie se remplissait
d'un seul coup.

En regardant cette tête si calme et si passionnée, si
froide et si ardente, si morte et si vivace, il comprit qu'il
avait devant lui son premier et son dernier amour, sa
coupe d'ivresse suprême ; il sentit s'évanouir comme des
ombres légères les souvenirs de toutes les femmes qu'il
avait cru aimer, et son âme redevenir vierge de toute
émotion antérieure. Le passé disparut.

Cependant la belle Pompéienne, le menton appuyé sur
la paume de la main, lançait sur Octavien, tout en ayant
l'air de s'occuper de la scène, le regard velouté de ses
yeux nocturnes, et ce regard lui arrivait lourd et brûlant
comme un jet de plomb fondu. Puis elle se pencha vers
l'oreille d'une fille assise à son côté.

La représentation s'acheva ; la foule s'écoula par les
vomitoires. Octavien, dédaignant les bons offices de son
guide Holconius, s'élança par la première sortie qui s'offrit à ses pas. A peine eut-il atteint la porte, qu'une main
se posa sur son bras, et qu'une voix féminine lui dit d'un
ton bas, mais de manière à ce qu'il ne perdît pas un mot :

« Je suis Tyché Novoleja, commise aux plaisirs d'Arria
Marcella, fille d'Arrius Diomèdes. Ma maîtresse vous
aime, suivez-moi. »

Arria Marcella venait de monter dans sa litière portée
par quatre forts esclaves syriens nus jusqu'à la ceinture,
et faisant miroiter au soleil leurs torses de bronze. Le
rideau de la litière s'entrouvrit, et une main pâle, étoilée
de bagues, fit un signe amical à Octavien, comme pour
confirmer les paroles de la suivante. Le pli de pourpre
retomba, et la litière s'éloigna au pas cadencé des
esclaves.

Tyché fit passer Octavien par des chemins détournés,
coupant les rues en posant légèrement le pied sur les
pierres espacées qui relient les trottoirs et entre lesquelles
roulent les roues des chars, et se dirigeant à travers le
dédale avec la précision que donne la familiarité d'une
ville. Octavien remarqua qu'il franchissait des quartiers
de Pompéi que les fouilles n'ont pas découverts, et qui lui
étaient en conséquence complètement inconnus. Cette

circonstance étrange parmi tant d'autres ne l'étonna pas. Il était décidé à ne s'étonner de rien. Dans toute cette fantasmagorie archaïque, qui eût fait devenir un antiquaire fou de bonheur, il ne voyait plus que l'œil noir et profond d'Arria Marcella et cette gorge superbe victorieuse des siècles, et que la destruction même a voulu conserver.

Ils arrivèrent à une porte dérobée, qui s'ouvrit et se ferma aussitôt, et Octavien se trouva dans une cour entourée de colonnes de marbre grec d'ordre ionique peintes, jusqu'à moitié de leur hauteur, d'un jaune vif, et le chapiteau relevé d'ornements rouges et bleus; une guirlande d'aristoloche suspendait ses larges feuilles vertes en forme de cœur aux saillies de l'architecture comme une arabesque naturelle, et près d'un bassin encadré de plantes, un flamant rose se tenait debout sur une patte, fleur de plume parmi les fleurs végétales.

Des panneaux de fresque représentant des architectures capricieuses ou des paysages de fantaisie décoraient les murailles. Octavien vit tous ces détails d'un coup d'œil rapide, car Tyché le remit aux mains des esclaves baigneurs qui firent subir à son impatience toutes les recherches des thermes antiques. Après avoir passé par les différents degrés de chaleur vaporisée, supporté le racloir du strigillaire, senti ruisseler sur lui les cosmétiques et les huiles parfumées, il fut revêtu d'une tunique blanche, et retrouva à l'autre porte Tyché, qui lui prit la main et le conduisit dans une autre salle extrêmement ornée.

Sur le plafond étaient peints, avec une pureté de dessin, un éclat de coloris et une liberté de touche qui sentaient le grand maître et non plus le simple décorateur à l'adresse vulgaire, Mars, Vénus et l'Amour; une frise composée de cerfs, de lièvres et d'oiseaux se jouant parmi les feuillages régnait au-dessus d'un revêtement de marbre cipolin; la mosaïque du pavé, travail merveilleux dû peut-être à Sosimus de Pergame[31], représentait des

---

31. *Pergame,* il existait certes à Pergame au IIe siècle avant J.-C. une école de sculpture, mais il est malaisé d'identifier un Sosimus parmi des artistes qui sont demeurés le plus souvent anonymes.

reliefs de festin exécutés avec un art qui faisait illusion.

Au fond de la salle, sur un biclinium ou lit à deux places, était accoudée Arria Marcella dans une pose voluptueuse et sereine qui rappelait la femme couchée de Phidias sur le fronton du Parthénon ; ses chaussures, brodées de perles, gisaient au bas du lit, et son beau pied nu, plus pur et plus blanc que le marbre, s'allongeait au bout d'une légère couverture de byssus jetée sur elle.

Deux boucles d'oreilles faites en forme de balance et portant des perles sur chaque plateau tremblaient dans la lumière au long de ses joues pâles ; un collier de boules d'or, soutenant des grains allongés en poire, circulait sur sa poitrine laissée à demi découverte par le pli négligé d'un peplum de couleur paille bordé d'une grecque noire ; une bandelette noir et or passait et luisait par place dans ses cheveux d'ébène, car elle avait changé de costume en revenant du théâtre ; et autour de son bras, comme l'aspic autour du bras de Cléopâtre, un serpent d'or, aux yeux de pierreries, s'enroulait à plusieurs reprises et cherchait à se mordre la queue.

Une petite table à pieds de griffons, incrustée de nacre, d'argent et d'ivoire, était dressée près du lit à deux places, chargée de différents mets servis dans des plats d'argent et d'or ou de terre émaillée de peintures précieuses. On y voyait un oiseau du Phase [32] couché dans ses plumes, et divers fruits que leurs saisons empêchent de se rencontrer ensemble.

Tout paraissait indiquer qu'on attendait un hôte ; des fleurs fraîches jonchaient le sol, et les amphores de vin étaient plongées dans des urnes pleines de neige.

Arria Marcella fit signe à Octavien de s'étendre à côté d'elle sur le biclinium et de prendre part au repas ; — le jeune homme, à demi-fou de surprise et d'amour, prit au hasard quelques bouchées sur les plats que lui tendaient de petits esclaves asiatiques aux cheveux frisés, à la courte tunique. Arria ne mangeait pas, mais elle portait souvent à ses lèvres un vase myrrhin aux teintes opalines

---

32. *Phase,* aujourd'hui le Rioni, qui se jette dans la mer Noire. Les Anciens le considéraient comme la frontière entre l'Europe et l'Asie.

rempli d'un vin d'une pourpre sombre comme du sang figé ; à mesure qu'elle buvait, une imperceptible vapeur rose montait à ses joues pâles, de son cœur qui n'avait pas battu depuis tant d'années ; cependant son bras nu, qu'Octavien effleura en soulevant sa coupe, était froid comme la peau d'un serpent ou le marbre d'une tombe.

« Oh ! lorsque tu t'es arrêté aux Studj à contempler le morceau de boue durcie qui conserve ma forme, dit Arria Marcella en tournant son long regard humide vers Octavien, et que ta pensée s'est élancée ardemment vers moi, mon âme l'a senti dans ce monde où je flotte invisible pour les yeux grossiers ; la croyance fait le dieu, et l'amour fait la femme. On n'est véritablement morte que quand on n'est plus aimée ; ton désir m'a rendu la vie, la puissante évocation de ton cœur a supprimé les distances qui nous séparaient [33]. »

L'idée d'évocation amoureuse qu'exprimait la jeune femme, rentrait dans les croyances philosophiques d'Octavien, croyances que nous ne sommes pas loin de partager [34].

En effet, rien ne meurt, tout existe toujours ; nulle force ne peut anéantir ce qui fut une fois. Toute action, toute parole, toute forme, toute pensée tombée dans l'océan universel des choses y produit des cercles qui vont s'élargissant jusqu'aux confins de l'éternité. La figuration matérielle ne disparaît que pour les regards vulgaires, et les spectres qui s'en détachent peuplent l'infini. Pâris continue d'enlever Hélène dans une région inconnue de l'es-

33. *nous séparaient,* cette phrase exprime le sens profond d'*Arria Marcella* : l'énergie du désir n'a pas seulement le pouvoir de ressusciter les êtres, mais de franchir les obstacles de l'espace et du temps. Elle est une puissance mythique qui installe l'imagination dans la durée intemporelle du passé.

34. *partager,* non seulement le *nous* du narrateur identifie son point de vue avec celui du couple, mais, dans le paragraphe suivant, il prend en charge le discours sur la permanence de la mythologie de l'amour. La frontière entre le narrateur et l'auteur s'abolit. G. Poulet (*Études sur le temps humain,* p. 292-294) et J. Richer (*Œuvres complémentaires de Nerval,* t. I, p. 26) ont montré que cette digression est imitée d'un paragraphe de la préface que Nerval a jointe à la 3e édition de sa traduction du *Faust* en 1840 (cf. *op. cit.,* p. 13-14).

pace. La galère de Cléopâtre gonfle ses voiles de soie sur l'azur d'un Cydnus [35] idéal. Quelques esprits passionnés et puissants ont pu amener à eux des siècles écoulés en apparence, et faire revivre des personnages morts pour tous. Faust a eu pour maîtresse la fille de Tyndare, et l'a conduite à son château gothique, du fond des abîmes mystérieux de l'Hadès [36]. Octavien venait de vivre un jour sous le règne de Titus et de se faire aimer d'Arria Marcella, fille d'Arrius Diomèdes, couchée en ce moment près de lui sur un lit antique dans une ville détruite pour tout le monde.

« A mon dégoût des autres femmes, répondit Octavien, à la rêverie invincible qui m'entraînait vers ses types radieux au fond des siècles comme des étoiles provocatrices, je comprenais que je n'aimerais jamais que hors du temps et de l'espace [37]. C'était toi que j'attendais, et ce frêle vestige conservé par la curiosité des hommes m'a par son secret magnétisme mis en rapport avec ton âme. Je ne sais si tu es un rêve ou une réalité, un fantôme ou une femme, si comme Ixion je serre un nuage sur ma poitrine abusée, si je suis le jouet d'un vil prestige de sorcellerie, mais ce que je sais bien, c'est que tu seras mon premier et mon dernier amour.

— Qu'Éros, fils d'Aphrodite, entende ta promesse, dit Arria Marcella en inclinant sa tête sur l'épaule de son amant qui la souleva avec une étreinte passionnée. Oh ! serre-moi sur ta jeune poitrine, enveloppe-moi de ta tiède haleine, j'ai froid d'être restée si longtemps sans amour. » Et contre son cœur Octavien sentait s'élever et s'abaisser

35. *Cydnus*, fleuve de l'ancienne Asie Mineure où Marc Antoine fit représenter des fêtes fastueuses en l'honneur de Cléopâtre en 42 avant J.-C.

36. *l'Hadès*, allusion dans le *Faust* II, acte III, à la scène qui se passe dans la cour intérieure du château entre Faust, Hélène, le chœur et la Phorkyade, plus particulièrement à partir du v. 9356.

37. *et de l'espace*, cette projection de l'amour en dehors des catégories de l'univers est un thème récurrent dans l'œuvre narrative de Gautier et correspond à l'invention permanente de l'amante imaginaire, du modèle idéal dont les formes transcendent les imperfections du réel. Dans le portrait qu'il a tracé de lui-même, Gautier déclare : « J'ai toujours préféré la statue à la femme et le marbre à la chair. »

ce beau sein, dont le matin même il admirait le moule à travers la vitre d'une armoire de musée; la fraîcheur de cette belle chair le pénétrait à travers sa tunique et le faisait brûler. La bandelette or et noir s'était détachée de la tête d'Arria passionnément renversée, et ses cheveux se répandaient comme un fleuve noir sur l'oreiller bleu.

Les esclaves avaient emporté la table. On n'entendit plus qu'un bruit confus de baisers et de soupirs. Les cailles familières, insouciantes de cette scène amoureuse, picoraient, sur le pavé mosaïque, les miettes du festin en poussant de petits cris.

Tout à coup les anneaux d'airain de la portière qui fermait la chambre glissèrent sur leur tringle, et un vieillard d'aspect sévère et drapé dans un ample manteau brun parut sur le seuil. Sa barbe grise était séparée en deux pointes comme celle des Nazaréens, son visage semblait sillonné par la fatigue des macérations : une petite croix de bois noir pendait à son col et ne laissait aucun doute sur sa croyance : il appartenait à la secte, toute récente alors, des disciples du Christ.

A son aspect, Arria Marcella, éperdue de confusion, cacha sa figure sous un pli de son manteau, comme un oiseau qui met la tête sous son aile en face d'un ennemi qu'il ne peut éviter, pour s'épargner au moins l'horreur de le voir; tandis qu'Octavien, appuyé sur son coude, regardait avec fixité le personnage fâcheux qui entrait ainsi brusquement dans son bonheur.

« Arria, Arria, dit le personnage austère d'un ton de reproche, le temps de ta vie n'a-t-il pas suffi à tes déportements, et faut-il que tes infâmes amours empiètent sur les siècles qui ne t'appartiennent pas? Ne peux-tu laisser les vivants dans leur sphère, ta cendre n'est donc pas encore refroidie depuis le jour où tu mourus sans repentir sous la pluie de feu du volcan? Deux mille ans de mort ne t'ont donc pas calmée, et tes bras voraces attirent sur ta poitrine de marbre, vide de cœur, les pauvres insensés enivrés par tes philtres.

— Arrius, grâce, mon père, ne m'accablez pas, au nom de cette religion morose qui ne fut jamais la mienne;

moi, je crois à nos anciens dieux qui aimaient la vie, la jeunesse, la beauté, le plaisir; ne me replongez pas dans le pâle néant. Laissez-moi jouir de cette existence que l'amour m'a rendue [38].

— Tais-toi, impie, ne me parle pas de tes dieux qui sont des démons. Laisse aller cet homme enchaîné par tes impures séductions; ne l'attire plus hors du cercle de sa vie que Dieu a mesurée; retourne dans les limbes du paganisme avec tes amants asiatiques, romains ou grecs. Jeune chrétien, abandonne cette larve qui te semblerait plus hideuse qu'Empouse et Phorkyas [39], si tu la pouvais voir telle qu'elle est. »

Octavien, pâle, glacé d'horreur, voulut parler; mais sa voix resta attachée à son gosier, selon l'expression virgilienne.

« M'obéiras-tu, Arria? s'écria impérieusement le grand vieillard.

— Non, jamais », répondit Arria, les yeux étincelants, les narines dilatées, les lèvres frémissantes, en entourant le corps d'Octavien de ses beaux bras de statue, froids, durs et rigides comme le marbre. Sa beauté furieuse, exaspérée par la lutte, rayonnait avec un éclat surnaturel à ce moment suprême, comme pour laisser à son jeune amant un inéluctable souvenir.

« Allons, malheureuse, reprit le vieillard, il faut employer les grands moyens, et rendre ton néant palpable et visible à cet enfant fasciné », et il prononça d'une voix pleine de commandement une formule d'exorcisme qui fit

38. *m'a rendue*, Arria Marcella reprend l'accusation du héros de *Mademoiselle de Maupin* (chapitre v), qui reproche au christianisme d'avoir inspiré la « mortification de la matière » et la malédiction de la chair.

39. *Phorkyas*, Empouse ou Empuse est un monstre de l'Érèbe, un fantôme nocturne, un spectre envoyé par Hécate pour effrayer les voyageurs; elle détient le pouvoir de la métamorphose et incarne le vampirisme féminin. Phorkyas, vraisemblablement l'une des Phorkides, les filles du dieu marin Phorkis et de Céto, c'est-à-dire des Gorgones, personnifications de phénomènes marins et habitantes des demeures de la nuit. Il n'est pas indifférent de rappeler que l'Empouse et les Phorkyades apparaissent épisodiquement à l'acte II du *Faust* II, puis que la Phorkyade joue un rôle déterminant dans l'acte III du drame de Goethe, qui a transformé le nom des Phorkides en Phorkyades.

tomber des joues d'Arria les teintes pourprées que le vin noir du vase myrrhin y avait fait monter.

En ce moment, la cloche lointaine d'un des villages qui bordent la mer ou des hameaux perdus dans les plis de la montagne fit entendre les premières volées de la Salutation angélique.

A ce son, un soupir d'agonie sortit de la poitrine brisée de la jeune femme. Octavien sentit se desserrer les bras qui l'entouraient; les draperies qui la couvraient se replièrent sur elles-mêmes, comme si les contours qui les soutenaient se fussent affaissés, et le malheureux promeneur nocturne ne vit plus à côté de lui, sur le lit du festin, qu'une pincée de cendres mêlée de quelques ossements calcinés parmi lesquels brillaient des bracelets et des bijoux d'or, et que des restes informes, tels qu'on les dut découvrir en déblayant la maison d'Arrius Diomèdes.

Il poussa un cri terrible et perdit connaissance.

Le vieillard avait disparu. Le soleil se levait, et la salle ornée tout à l'heure avec tant d'éclat n'était plus qu'une ruine démantelée.

Après avoir dormi d'un sommeil appesanti par les libations de la veille, Max et Fabio se réveillèrent en sursaut, et leur premier soin fut d'appeler leur compagnon, dont la chambre était voisine de la leur, par un de ces cris de ralliement burlesques dont on convient quelquefois en voyage; Octavien ne répondit pas, pour de bonnes raisons. Fabio et Max, ne recevant pas de réponse, entrèrent dans la chambre de leur ami, et virent que le lit n'avait pas été défait.

« Il se sera endormi sur quelque chaise, dit Fabio, sans pouvoir gagner sa couchette; car il n'a pas la tête forte, ce cher Octavien; et il sera sorti de bonne heure pour dissiper les fumées du vin à la fraîcheur matinale.

— Pourtant il n'avait guère bu, ajouta Max par manière de réflexion. Tout ceci me semble assez étrange. Allons à sa recherche. »

Les deux amis, aidés du cicerone, parcoururent toutes les rues, carrefours, places et ruelles de Pompéi, entrèrent dans toutes les maisons curieuses où ils supposèrent qu'Octavien pouvait être occupé à copier une peinture ou à relever une inscription, et finirent par le trouver évanoui sur la mosaïque disjointe d'une petite chambre à demi-écroulée. Ils eurent beaucoup de peine à le faire revenir à lui, et quand il eut repris connaissance, il ne donna pas d'autre explication, sinon qu'il avait eu la fantaisie de voir Pompéi au clair de la lune, et qu'il avait été pris d'une syncope qui, sans doute, n'aurait pas de suite.

La petite bande retourna à Naples par le chemin de fer, comme elle était venue, et le soir, dans leur loge, à San Carlo, Max et Fabio regardaient à grand renfort de jumelles sautiller dans un ballet, sur les traces d'Amalia Ferraris [40], la danseuse alors en vogue, un essaim de nymphes culottées, sous leurs jupes de gaze, d'un affreux caleçon vert monstre qui les faisait ressembler à des grenouilles piquées de la tarentule. Octavien, pâle, les yeux troubles, le maintien accablé, ne paraissait pas se douter de ce qui se passait sur la scène, tant, après les merveilleuses aventures de la nuit, il avait peine à reprendre le sentiment de la vie réelle.

A dater de cette visite à Pompéi, Octavien fut en proie à une mélancolie morne, que la bonne humeur et les plaisanteries de ses compagnons aggravaient plutôt qu'ils ne la soulageaient ; l'image d'Arria Marcella le poursuivait toujours, et le triste dénouement de sa bonne fortune fantastique n'en détruisait pas le charme.

N'y pouvant plus tenir, il retourna secrètement à Pompéi et se promena, comme la première fois, dans les ruines, au clair de lune, le cœur palpitant d'un espoir insensé, mais l'hallucination ne se renouvela pas ; il ne vit que des lézards fuyant sur les pierres ; il n'entendit que des piaulements d'oiseaux de nuit effrayés ; il ne rencontra plus son ami Rufus Holconius ; Tyché ne vint pas lui mettre sa main fluette sur le bras ; Arria Marcella resta obstinément dans la poussière.

En désespoir de cause, Octavien s'est marié dernièrement à une jeune et charmante Anglaise, qui est folle de

---

40. *Amalia Ferraris* (1830-1904), danseuse italienne qui fit ses débuts à la Scala de Milan. Elle dansa pour la première fois à l'Opéra de Paris dans *Les Elfes*, ballet de Gabrielli (1856), et y créa le rôle de *Sacountalâ*, ballet-pantomime de Gautier et Reyer (1858).

lui. Il est parfait pour sa femme; cependant Ellen, avec
cet instinct du cœur que rien ne trompe, sent que son mari
est amoureux d'une autre; mais de qui? C'est ce que
l'espionnage le plus actif n'a pu lui apprendre. Octavien
n'entretient pas de danseuse; dans le monde, il n'adresse
aux femmes que des galanteries banales; il a même ré-
pondu très froidement aux avances marquées d'une princesse russe, célèbre par sa beauté et sa coquetterie. Un
tiroir secret, ouvert pendant l'absence de son mari, n'a
fourni aucune preuve d'infidélité aux soupçons d'Ellen.
Mais comment pourrait-elle s'aviser d'être jalouse de
Marcella, fille d'Arrius Diomèdes, affranchi de Tibère?

AVATAR [1]

1. *Avatar* a paru dans *Le Moniteur universel,* les 29 février, 1er, 5, 7, 12, 13, 14, 15, 27, 28, 29 mars et 3 avril 1856, puis en volume, Michel Lévy, 1857, et dans *Romans et contes,* Charpentier, 1863. Dans *Mademoiselle de Maupin,* le héros dit : « [...] ce que j'envie le plus aux dieux monstrueux et bizarres de l'Inde, ce sont leurs perpétuels *avatars* et leurs transformations innombrables ». Gautier a évoqué l'Inde dans *Fortunio* et *Partie carrée,* mais il en eut la révélation en 1851 à l'Exposition universelle de Londres (voir le texte intitulé *L'Inde* et inséré dans *Caprices et zigzags,* 1856). Raymond Schwab considère que Gautier doit son information à la lecture de *Sacountalâ* dans la traduction accompagnée de notes de Chézy et des *Lois de Manou* (*La Renaissance orientale,* Payot, 1950, p. 435-436).

I

Personne ne pouvait rien comprendre à la maladie qui minait lentement Octave de Saville. Il ne gardait pas le lit et menait son train de vie ordinaire ; jamais une plainte ne sortait de ses lèvres, et cependant il dépérissait à vue d'œil. Interrogé par les médecins que le forçait à consulter la sollicitude de ses parents et de ses amis, il n'accusait aucune souffrance précise, et la science ne découvrait en lui nul symptôme alarmant : sa poitrine auscultée rendait un son favorable, et à peine si l'oreille appliquée sur son cœur y surprenait quelque battement trop lent ou trop précipité ; il ne toussait pas, n'avait pas la fièvre, mais la vie se retirait de lui et fuyait par une de ces fentes invisibles dont l'homme est plein, au dire de Térence [2].

Quelquefois une bizarre syncope le faisait pâlir et froidir comme un marbre. Pendant une ou deux minutes on eût pu le croire mort ; puis le balancier, arrêté par un doigt mystérieux, n'étant plus retenu, reprenait son mouvement, et Octave paraissait se réveiller d'un songe. On l'avait envoyé aux eaux ; mais les nymphes thermales ne purent rien pour lui. Un voyage à Naples ne produisit pas un meilleur résultat. Ce beau soleil si vanté lui avait semblé noir comme celui de la gravure d'Albert Dürer ; la chauve-souris qui porte écrit dans son aile ce mot : *me-*

---

2. *Térence*, la citation est empruntée à *L'Eunuque* (acte I, scène 2, v. 105) où Parménon dit : « Je suis plein de fentes et je fuis de toutes parts. »

lancholia [3], fouettait cet azur étincelant de ses membranes poussiéreuses et voletait entre la lumière et lui; il s'était senti glacé sur le quai de la Mergellina, où les lazzaroni demi-nus se cuisent et donnent à leur peau une patine de bronze.

Il était donc revenu à son petit appartement de la rue Saint-Lazare et avait repris en apparence ses habitudes anciennes.

Cet appartement était aussi confortablement meublé que peut l'être une garçonnière. Mais comme un intérieur prend à la longue la physionomie et peut-être la pensée de celui qui l'habite, le logis d'Octave s'était peu à peu attristé; le damas des rideaux avait pâli et ne laissait plus filtrer qu'une lumière grise. Les grands bouquets de pivoine se flétrissaient sur le fond moins blanc du tapis; l'or des bordures encadrant quelques aquarelles et quelques esquisses de maîtres avait lentement rougi sous une implacable poussière; le feu découragé s'éteignait et fumait au milieu des cendres. La vieille pendule de Boule incrustée de cuivre et d'écaille verte retenait le bruit de son tic-tac, et le timbre des heures ennuyées parlait bas comme on fait dans une chambre de malade; les portes retombaient silencieuses, et les pas des rares visiteurs s'amortissaient sur la moquette; le rire s'arrêtait de lui-même en pénétrant dans ces chambres mornes, froides et obscures, où cependant rien ne manquait du luxe moderne. Jean, le domestique d'Octave, s'y glissait comme une ombre, un plumeau sous le bras, un plateau sur la

---

3. *melancholia*, Gautier a été fasciné par la fameuse gravure de Dürer, *La Mélancolie*, qui lui a inspiré un poème, datant de 1834 et incorporé aux *Poésies diverses*. Il l'évoque aussi dans *L'Art moderne* (Michel Lévy, 1856, p. 77) et dans *Tableaux de siège* (Charpentier, 1872, p. 324). Mais il a surtout utilisé, avant Nerval et Hugo, l'oxymoron du *soleil noir* dans le poème *Melancholia*, en relation avec la gravure de Dürer :

> « Le vieux père Océan lève sa face morne,
> Et dans le bleu cristal de son profond miroir
> Réfléchit les rayons d'un grand soleil tout noir. »

(Voir H. Tuzet, « L'Image du soleil noir », *R.S.H.*, octobre-décembre 1957, p. 479-502, et M. Eigeldinger, « L'Image solaire dans la poésie de Th. Gautier », *R.H.L.F.*, juillet-août 1972, p. 626-640.)

main, car, impressionné à son insu de la mélancolie du lieu, il avait fini par perdre sa loquacité. — Aux murailles pendaient en trophée des gants de boxe, des masques et des fleurets ; mais il était facile de voir qu'on n'y avait pas touché depuis longtemps ; des livres pris et jetés insouciamment traînaient sur tous les meubles, comme si Octave eût voulu, par cette lecture machinale, endormir une idée fixe. Une lettre commencée, dont le papier avait jauni, semblait attendre depuis des mois qu'on l'achevât, et s'étalait comme un muet reproche au milieu du bureau. Quoique habité, l'appartement paraissait désert. La vie en était absente, et en y entrant on recevait à la figure cette bouffée d'air froid qui sort des tombeaux quand on les ouvre.

Dans cette lugubre demeure où jamais une femme n'aventurait le bout de sa bottine, Octave se trouvait plus à l'aise que partout ailleurs, — ce silence, cette tristesse et cet abandon lui convenaient ; le joyeux tumulte de la vie l'effarouchait, quoiqu'il fît parfois des efforts pour s'y mêler ; mais il revenait plus sombre des mascarades, des parties ou des soupers où ses amis l'entraînaient ; aussi ne luttait-il plus contre cette douleur mystérieuse, et laissait-il aller les jours avec l'indifférence d'un homme qui ne compte pas sur le lendemain. Il ne formait aucun projet, ne croyant plus à l'avenir, et il avait tacitement envoyé à Dieu sa démission de la vie, attendant qu'il l'acceptât. Pourtant, si vous vous imaginiez une figure amaigrie et creusée, un teint terreux, des membres exténués, un grand ravage extérieur, vous vous tromperiez ; tout au plus apercevrait-on quelques meurtrissures de bistre sous les paupières, quelques nuances orangées autour de l'orbite, quelque attendrissement aux tempes sillonnées de veines bleuâtres. Seulement l'étincelle de l'âme ne brillait pas dans l'œil, dont la volonté, l'espérance et le désir s'étaient envolés. Ce regard mort dans ce jeune visage formait un contraste étrange, et produisait un effet plus pénible que le masque décharné, aux yeux allumés de fièvre, de la maladie ordinaire.

Octave avait été, avant de languir de la sorte, ce qu'on nomme un joli garçon, et il l'était encore : d'épais cheveux noirs, aux boucles abondantes, se massaient, soyeux et lustrés, de chaque côté de ses tempes; ses yeux longs, veloutés, d'un bleu nocturne, frangés de cils recourbés, s'allumaient parfois d'une étincelle humide; dans le repos, et lorsque nulle passion ne les animait, ils se faisaient remarquer par cette quiétude sereine qu'ont les yeux des Orientaux, lorsqu'à la porte d'un café de Smyrne ou de Constantinople ils font le kief après avoir fumé leur narghilé. Son teint n'avait jamais été coloré, et ressemblait à ces teints méridionaux d'un blanc olivâtre qui ne produisent tout leur effet qu'aux lumières; sa main était fine et délicate, son pied étroit et cambré. Il se mettait bien, sans précéder la mode ni la suivre en retardataire, et savait à merveille faire valoir ses avantages naturels. Quoiqu'il n'eût aucune prétention de dandy ou de gentleman rider, s'il se fût présenté au Jockey-Club, il n'eût pas été refusé.

Comment se faisait-il que, jeune, beau, riche, avec tant de raisons d'être heureux, un jeune homme se consumât si misérablement? Vous allez dire qu'Octave était blasé, que les romans à la mode du jour lui avaient gâté la cervelle de leurs idées malsaines, qu'il ne croyait à rien, que de sa jeunesse et de sa fortune gaspillées en folles orgies il ne lui restait que des dettes; — toutes ces suppositions manquent de vérité. — Ayant fort peu usé des plaisirs, Octave ne pouvait en être dégoûté; il n'était ni splénétique, ni romanesque, ni athée, ni libertin, ni dissipateur; sa vie avait été jusqu'alors mêlée d'études et de distractions comme celle des autres jeunes gens; il s'asseyait le matin au cours de la Sorbonne, et le soir il se plantait sur l'escalier de l'Opéra pour voir s'écouler la cascade des toilettes. On ne lui connaissait ni fille de marbre ni duchesse, et il dépensait son revenu sans faire mordre ses fantaisies au capital, — son notaire l'estimait; — c'était donc un personnage tout uni, incapable de se jeter au glacier de Manfred ou d'allumer le réchaud d'Escousse[4]. Quant à la cause de l'état singulier où il se

4. *Victor Escousse* (1813-1832), poète et dramaturge français qui, à la suite d'insuccès scéniques, s'est suicidé par asphyxie.

trouvait et qui mettait en défaut la science de la faculté, nous n'osons l'avouer, tellement la chose est invraisemblable à Paris, au dix-neuvième siècle, et nous laissons le soin de la dire à notre héros lui-même.

Comme les médecins ordinaires n'entendaient rien à cette maladie étrange, car on n'a pas encore disséqué d'âme aux amphithéâtres d'anatomie, on eut recours en dernier lieu à un docteur singulier, revenu des Indes après un long séjour, et qui passait pour opérer des cures merveilleuses.

Octave, pressentant une perspicacité supérieure et capable de pénétrer son secret, semblait redouter la visite du docteur, et ce ne fut que sur les instances réitérées de sa mère qu'il consentit à recevoir M. Balthazar Cherbonneau.

Quand le docteur entra, Octave était à demi couché sur un divan : un coussin étayait sa tête, un autre lui soutenait le coude, un troisième lui couvrait les pieds ; une gandoura l'enveloppait de ses plis souples et moelleux ; il lisait ou plutôt il tenait un livre, car ses yeux arrêtés sur une page ne regardaient pas. Sa figure était pâle, mais, comme nous l'avons dit, ne présentait pas d'altération bien sensible. Une observation superficielle n'aurait pas cru au danger chez ce jeune malade, dont le guéridon supportait une boîte à cigares au lieu des fioles, des lochs, des potions, des tisanes, et autres pharmacopées de rigueur en pareil cas. Ses traits purs, quoiqu'un peu fatigués, n'avaient presque rien perdu de leur grâce, et, sauf l'atonie profonde et l'incurable désespérance de l'œil, Octave eût semblé jouir d'une santé normale.

Quelque indifférent que fût Octave, l'aspect bizarre du docteur le frappa. M. Balthazar Cherbonneau avait l'air d'une figure échappée d'un conte fantastique d'Hoffmann et se promenant dans la réalité stupéfaite de voir cette création falote. Sa face extrêmement basanée était comme dévorée par un crâne énorme que la chute des cheveux faisait paraître plus vaste encore. Ce crâne nu, poli comme de l'ivoire, avait gardé ses teintes blanches, tandis que le masque, exposé aux rayons du soleil, s'était revêtu, grâce aux superpositions des couches du hâle,

d'un ton de vieux chêne ou de portrait enfumé. Les
méplats, les cavités et les saillies des os s'y accentuaient
si vigoureusement, que le peu de chair qui les recouvrait
ressemblait, avec ses mille rides fripées, à une peau
mouillée appliquée sur une tête de mort. Les rares poils
gris qui flânaient encore sur l'occiput, massés en trois
maigres mèches dont deux se dressaient au-dessus des
oreilles et dont la troisième partait de la nuque pour
mourir à la naissance du front, faisaient regretter l'usage
de l'antique perruque à marteaux ou de la moderne ti-
gnasse de chiendent, et couronnaient d'une façon grotesque cette physionomie de casse-noisettes. Mais ce qui
occupait invinciblement chez le docteur, c'étaient les
yeux ; au milieu de ce visage tanné par l'âge, calciné à des
cieux incandescents, usé dans l'étude, où les fatigues de
la science et de la vie s'écrivaient en sillages profonds, en
pattes d'oie rayonnantes, en plis plus pressés que les
feuillets d'un livre, étincelaient deux prunelles d'un bleu
de turquoise, d'une limpidité, d'une fraîcheur et d'une
jeunesse inconcevables. Ces étoiles bleues brillaient au
fond d'orbites brunes et de membranes concentriques
dont les cercles fauves rappelaient vaguement les plumes
disposées en auréole autour de la prunelle nyctalope des
hiboux. On eût dit que, par quelque sorcellerie apprise
des brahmes et des pandits, le docteur avait volé des yeux
d'enfant et se les était ajustés dans sa face de cadavre.
Chez le vieillard, le regard marquait vingt ans ; chez le
jeune homme, il en marquait soixante.

Le costume était le costume classique du médecin :
habit et pantalon de drap noir, gilet de soie de même
couleur, et sur la chemise un gros diamant, présent de
quelque rajah ou de quelque nabab. Mais ces vêtements
flottaient comme s'ils eussent été accrochés à un porte-
manteau, et dessinaient des plis perpendiculaires que les
fémurs et les tibias du docteur cassaient en angles aigus
lorsqu'il s'asseyait. Pour produire cette maigreur phéno-
ménale, le dévorant soleil de l'Inde n'avait pas suffi.
Sans doute Balthazar Cherbonneau s'était soumis, dans
quelque but d'initiation, aux longs jeûnes des fakirs et
tenu sur la peau de gazelle auprès des yogis entre les

quatre réchauds ardents ; mais cette déperdition de substance n'accusait aucun affaiblissement. Des ligaments
solides et tendus sur les mains comme les cordes sur le
manche d'un violon reliaient entre eux les osselets décharnés des phalanges et les faisaient mouvoir sans trop
de grincements.

Le docteur s'assit sur le siège qu'Octave lui désignait
de la main à côté du divan, en faisant des coudes comme
un mètre qu'on reploie et avec des mouvements qui
indiquaient l'habitude invétérée de s'accroupir sur des
nattes. Ainsi placé, M. Cherbonneau tournait le dos à la
lumière, qui éclairait en plein le visage de son malade,
situation favorable à l'examen et que prennent volontiers
les observateurs, plus curieux de voir que d'être vus.
Quoique la figure du docteur fût baignée d'ombre et que
le haut de son crâne, luisant et arrondi comme un gigantesque œuf d'autruche, accrochât seul au passage un
rayon du jour, Octave distinguait la scintillation des
étranges prunelles bleues qui semblaient douées d'une
lueur propre comme les corps phosphorescents : il en
jaillissait un rayon aigu et clair que le jeune malade
recevait en pleine poitrine avec cette sensation de picote-
ment et de chaleur produite par l'émétique.

« Eh bien, monsieur, dit le docteur après un moment de
silence pendant lequel il parut résumer les indices reconnus dans son inspection rapide, je vois déjà qu'il ne s'agit
pas avec vous d'un cas de pathologie vulgaire ; vous
n'avez aucune de ces maladies cataloguées, à symptômes
bien connus, que le médecin guérit ou empire ; et quand
j'aurai causé quelques minutes, je ne vous demanderai
pas du papier pour y tracer une anodine formule du *Codex*
au bas de laquelle j'apposerai une signature hiéroglyphique et que votre valet de chambre portera au pharmacien
du coin. »

Octave sourit faiblement, comme pour remercier
M. Cherbonneau de lui épargner d'inutiles et fastidieux
remèdes.

« Mais, continua le docteur, ne vous réjouissez pas si
vite ; de ce que vous n'avez ni hypertrophie du cœur, ni
tubercules au poumon, ni ramollissement de la moelle

épinière, ni épanchement séreux au cerveau, ni fièvre typhoïde ou nerveuse, il ne s'ensuit pas que vous soyez en bonne santé. Donnez-moi votre main. »

Croyant que M. Cherbonneau allait lui tâter le pouls et s'attendant à lui voir tirer sa montre à secondes, Octave retroussa la manche de sa gandoura, mit son poignet à découvert et le tendit machinalement au docteur. Sans chercher du pouce cette pulsation rapide ou lente qui indique si l'horloge de la vie est détraquée chez l'homme, M. Cherbonneau prit dans sa patte brune, dont les doigts osseux ressemblaient à des pinces de crabe, la main fluette, veinée et moite du jeune homme ; il la palpa, la pétrit, la malaxa en quelque sorte comme pour se mettre en communication magnétique avec son sujet. Octave, bien qu'il fût sceptique en médecine, ne pouvait s'empêcher d'éprouver une certaine émotion anxieuse, car il lui semblait que le docteur lui soutirait l'âme par cette pression, et le sang avait tout à fait abandonné ses pommettes.

« Cher monsieur Octave, dit le médecin en laissant aller la main du jeune homme, votre situation est plus grave que vous ne pensez, et la science, telle du moins que la pratique la vieille routine européenne, n'y peut rien : vous n'avez plus la volonté de vivre, et votre âme se détache insensiblement de votre corps ; il n'y a chez vous ni hypocondrie, ni lypémanie [5], ni tendance mélancolique au suicide. — Non ! — cas rare et curieux, vous pourriez, si je ne m'y opposais, mourir sans aucune lésion intérieure ou externe appréciable. Il était temps de m'appeler, car l'esprit ne tient plus à la chair que par un fil, mais nous allons y faire un bon nœud. » Et le docteur se frotta joyeusement les mains en grimaçant un sourire qui détermina un remous de rides dans les mille plis de sa figure.

« Monsieur Cherbonneau, je ne sais si vous me guérirez, et, après tout, je n'en ai nulle envie, mais je dois avouer que vous avez pénétré du premier coup la cause de l'état mystérieux où je me trouve. Il me semble que mon

---

5. *lypémanie,* espèce d'aliénation mentale due à une profonde tristesse.

corps est devenu perméable, et laisse échapper mon moi comme un crible l'eau par ses trous. Je me sens fondre dans le grand tout, et j'ai peine à me distinguer du milieu où je plonge. La vie dont j'accomplis, autant que possible, la pantomime habituelle, pour ne pas chagriner mes parents et mes amis, me paraît si loin de moi, qu'il y a des instants où je me crois déjà sorti de la sphère humaine : je vais et je viens par les motifs qui me déterminaient autrefois, et dont l'impulsion mécanique dure encore, mais sans participer à ce que je fais. Je me mets à table aux heures ordinaires, et je parais manger et boire, quoique je ne sente aucun goût aux plats les plus épicés et aux vins les plus forts ; la lumière du soleil me semble pâle comme celle de la lune, et les bougies ont des flammes noires[6]. J'ai froid aux plus chauds jours de l'été ; parfois il se fait en moi un grand silence comme si mon cœur ne battait plus et que les rouages intérieurs fussent arrêtés par une cause inconnue. La mort ne doit pas être différente de cet état si elle est appréciable pour les défunts.

— Vous avez, reprit le docteur, une impossibilité de vivre chronique, maladie toute morale et plus fréquente qu'on ne pense. La pensée est une force qui peut tuer comme l'acide prussique, comme l'étincelle de la bouteille de Leyde[7], quoique la trace de ses ravages ne soit pas saisissable aux faibles moyens d'analyse dont la science vulgaire dispose. Quel chagrin a enfoncé son bec crochu dans votre foie ? Du haut de quelle ambition secrète êtes-vous retombé brisé et moulu ? Quel désespoir amer ruminez-vous dans l'immobilité ? Est-ce la soif du pouvoir qui vous tourmente ? Avez-vous renoncé volontairement à un but placé hors de la portée humaine ? —

---

6. *flammes noires,* la métaphore est proche du v. 12 de *L'Aube spirituelle :* « Le soleil a noirci la flamme des bougies » (*Les Fleurs du mal,* XLVI).

7. *la bouteille de Leyde,* cette comparaison entre la puissance destructrice de la pensée et la bouteille de Leyde est empruntée à Balzac qui écrit dans *Louis Lambert* que le regard de son héros est « chargé de pensée comme une bouteille de Leyde est chargée d'électricité » (Pléiade, t. XI, p. 612). Elle est reprise dans *Les Martyrs ignorés,* où la pensée, qui est « un fluide de la nature des impondérables, [...] agit comme une bouteille de Leyde ».

Vous êtes bien jeune pour cela. — Une femme vous
a-t-elle trompé ?

— Non, docteur, répondit Octave, je n'ai pas même eu
ce bonheur.

— Et cependant, reprit M. Balthazar Cherbonneau, je
lis dans vos yeux ternes, dans l'habitude découragée de
votre corps, dans le timbre sourd de votre voix, le titre
d'une pièce de Shakespeare aussi nettement que s'il était
estampé en lettres d'or sur le dos d'une reliure de maroquin.

— Et quelle est cette pièce que je traduis sans le
savoir ? dit Octave, dont la curiosité s'éveillait malgré lui.

— *Love's Labour's lost,* continua le docteur avec une
pureté d'accent qui trahissait un long séjour dans les
possessions anglaises de l'Inde.

— Cela veut dire, si je ne me trompe, *peines d'amour
perdues.*

— Précisément. »

Octave ne répondit pas ; une légère rougeur colora ses
joues, et, pour se donner une contenance, il se mit à jouer
avec le gland de sa cordelière. Le docteur avait reployé
une de ses jambes sur l'autre, ce qui produisait l'effet des
os en sautoir gravés sur les tombes, et se tenait le pied
avec la main à la mode orientale. Ses yeux bleus se
plongeaient dans les yeux d'Octave et les interrogeaient
d'un regard impérieux et doux.

« Allons, dit M. Balthazar Cherbonneau, ouvrez-vous
à moi, je suis le médecin des âmes, vous êtes mon
malade, et, comme le prêtre catholique à son pénitent, je
vous demande une confession complète, et vous pourrez
la faire sans vous mettre à genou.

— A quoi bon ? En supposant que vous ayez deviné
juste, vous raconter mes douleurs ne les soulagerait pas.
Je n'ai pas le chagrin bavard, — aucun pouvoir humain,
même le vôtre, ne saurait me guérir.

— Peut-être », fit le docteur en s'établissant plus car-
rément dans son fauteuil, comme quelqu'un qui se dispose à écouter une confidence d'une certaine longueur.

« Je ne veux pas, reprit Octave, que vous m'accusiez
d'un entêtement puéril, et vous laisser, par mon mutisme,

un moyen de vous laver les mains de mon trépas ; mais, puisque vous y tenez, je vais vous raconter mon histoire ; — vous en avez deviné le fond, je ne vous en disputerai pas les détails. Ne vous attendez à rien de singulier ou de romanesque. C'est une aventure très simple, très commune, très usée ; mais, comme dit la chanson de Henri Heine, celui à qui elle arrive la trouve toujours nouvelle, et il en a le cœur brisé [8]. En vérité, j'ai honte de dire quelque chose de si vulgaire à un homme qui a vécu dans les pays les plus fabuleux et les plus chimériques.

— N'ayez aucune crainte ; il n'y a plus que le commun qui soit extraordinaire pour moi, dit le docteur en souriant.

— Eh bien, docteur, je me meurs d'amour. »

II

« Je me trouvais à Florence vers la fin de l'été, en 184…, la plus belle saison pour voir Florence. J'avais du temps, de l'argent, de bonnes lettres de recommandation, et alors j'étais un jeune homme de belle humeur, ne demandant pas mieux que de s'amuser. Je m'installai sur le Long-Arno, je louai une calèche et je me laissai aller à cette douce vie florentine qui a tant de charme pour l'étranger. Le matin, j'allais visiter quelque église, quelque palais ou quelque galerie tout à mon aise, sans me presser, ne voulant pas me donner cette indigestion de chefs-d'œuvre qui, en Italie, fait venir aux touristes trop hâtifs la nausée de l'art ; tantôt je regardais les portes de bronze du baptistère, tantôt le Persée de Benvenuto sous la loggia dei Lanzi, le portrait de la Fornarina aux Offices, ou bien encore la Vénus de Canova au palais Pitti, mais jamais plus d'un objet à la fois. Puis je déjeunais, au

---

8. *cœur brisé,* Gautier paraphrase la troisième et dernière strophe du poème 43 de l'*Intermezzo lyrique* (1823), inséré dans *Le Livre des chants*. Nerval en a traduit des fragments et lui a consacré une étude dans la *Revue des Deux Mondes* (septembre 1848).

café Doney, d'une tasse de café à la glace, je fumais quelques cigares, parcourais les journaux, et, la boutonnière fleurie de gré ou de force par ces jolies bouquetières coiffées de grands chapeaux de paille qui stationnent devant le café, je rentrais chez moi faire la sieste ; à trois heures, la calèche venait me prendre et me transportait aux *Cascines*. Les Cascines sont à Florence ce que le bois de Boulogne est à Paris, avec cette différence que tout le monde s'y connaît, et que le rond-point forme un salon en plein air, où les fauteuils sont remplacés par des voitures, arrêtées et rangées en demi-cercle. Les femmes, en grande toilette, à demi couchées sur les coussins, reçoivent les visites des amants et des attentifs, des dandys et des attachés de légation, qui se tiennent debout et chapeau bas sur le marchepied. — Mais vous savez cela tout aussi bien que moi. — Là se forment les projets pour la soirée, s'assignent les rendez-vous, se donnent les réponses, s'acceptent les invitations ; c'est comme une Bourse du plaisir qui se tient de trois heures à cinq heures, à l'ombre de beaux arbres, sous le ciel le plus doux du monde. Il est obligatoire, pour tout être un peu bien situé, de faire chaque jour une apparition aux Cascines. Je n'avais garde d'y manquer, et le soir, après dîner, j'allais dans quelques salons, ou à la Pergola, lorsque la cantatrice en valait la peine.

« Je passai ainsi un des plus heureux mois de ma vie ; mais ce bonheur ne devait pas durer. Une magnifique calèche fit un jour son début aux Cascines. Ce superbe produit de la carrosserie de Vienne, chef-d'œuvre de Laurenzi, miroité d'un vernis étincelant, historié d'un blason presque royal, était attelé de la plus belle paire de chevaux qui ait jamais piaffé à Hyde Park ou à Saint James au Drawing Room de la reine Victoria, et mené à la Daumont de la façon la plus correcte par un tout jeune jockey en culotte de peau blanche et en casaque verte ; les cuivres des harnais, les boîtes des roues, les poignées des portières brillaient comme de l'or et lançaient des éclairs au soleil ; tous les regards suivaient ce splendide équipage qui, après avoir décrit sur le sable une courbe aussi régulière que si elle eût été tracée au compas, alla se

ranger auprès des voitures. La calèche n'était pas vide,
comme vous le pensez bien; mais dans la rapidité du
mouvement on n'avait pu distinguer qu'un bout de bottine allongé sur le coussin du devant, un large pli de châle
et le disque d'une ombrelle frangée de soie blanche.
L'ombrelle se referma et l'on vit resplendir une femme
d'une beauté incomparable. J'étais à cheval et je pus
m'approcher assez pour ne perdre aucun détail de ce
chef-d'œuvre humain. L'étrangère portait une robe de ce
vert d'eau glacé d'argent qui fait paraître noire comme
une taupe toute femme dont le teint n'est pas irréprochable, — une insolence de blonde sûre d'elle-même. — Un grand crêpe de Chine blanc, tout bossué de
broderies de la même couleur, l'enveloppait de sa draperie souple et fripée à petits plis, comme une tunique de
Phidias. Le visage avait pour auréole un chapeau de la
plus fine paille de Florence, fleuri de myosotis et de
délicates plantes aquatiques aux étroites feuilles glauques; pour tout bijou, un lézard d'or constellé de turquoises cerclait le bras qui tenait le manche d'ivoire de l'ombrelle.

« Pardonnez, cher docteur, cette description de journal
de mode à un amant pour qui ces menus souvenirs prennent une importance énorme. D'épais bandeaux blonds
crépelés, dont les annelures formaient comme des vagues
de lumière, descendaient en nappes opulentes des deux
côtés de son front plus blanc et plus pur que la neige
vierge tombée dans la nuit sur le plus haut sommet d'une
Alpe; des cils longs et déliés comme ces fils d'or que les
miniaturistes du Moyen Age font rayonner autour des
têtes de leurs anges, voilaient à demi ses prunelles d'un
bleu vert pareil à ces lueurs qui traversent les glaciers par
certains effets de soleil; sa bouche, divinement dessinée,
présentait ces teintes pourprées qui lavent les valves des
conques de Vénus, et ses joues ressemblaient à de timides
roses blanches que ferait rougir l'aveu du rossignol ou le
baiser du papillon; aucun pinceau humain ne saurait rendre ce teint d'une suavité, d'une fraîcheur et d'une transparence immatérielles, dont les couleurs ne paraissaient
pas dues au sang grossier qui enlumine nos fibres; les

premières rougeurs de l'aurore sur la cime des sierras Nevadas, le ton carné de quelques camélias blancs, à l'onglet de leurs pétales, le marbre de Paros, entrevu à travers un voile de gaze rose, peuvent seuls en donner une idée lointaine. Ce qu'on apercevait du col entre les brides du chapeau et le haut du châle étincelait d'une blancheur irisée, au bord des contours, de vagues reflets d'opale. Cette tête éclatante ne saisissait pas d'abord par le dessin, mais bien par le coloris, comme les belles productions de l'école vénitienne, quoique ses traits fussent aussi purs et aussi délicats que ceux des profils antiques découpés dans l'agate des camées.

« Comme Roméo oublie Rosalinde à l'aspect de Juliette, à l'apparition de cette beauté suprême j'oubliai mes amours d'autrefois. Les pages de mon cœur redevinrent blanches : tout nom, tout souvenir en disparurent. Je ne comprenais pas comment j'avais pu trouver quelque attrait dans ces liaisons vulgaires que peu de jeunes gens évitent, et je me les reprochai comme de coupables infidélités. Une vie nouvelle data pour moi de cette fatale rencontre.

« La calèche quitta les Cascines et reprit le chemin de la ville, emportant l'éblouissante vision ; je mis mon cheval auprès de celui d'un jeune Russe très aimable, grand coureur d'eaux, répandu dans tous les salons cosmopolites d'Europe, et qui connaissait à fond le personnel voyageur de la haute vie ; j'amenai la conversation sur l'étrangère, et j'appris que c'était la comtesse Prascovie Labinska, une Lithuanienne de naissance illustre et de grande fortune, dont le mari faisait depuis deux ans la guerre du Caucase.

« Il est inutile de vous dire quelles diplomaties je mis en œuvre pour être reçu chez la comtesse que l'absence du comte rendait très réservée à l'endroit des présentations ; enfin, je fus admis ; — deux princesses douairières et quatre baronnes hors d'âge répondaient de moi sur leur antique vertu.

« La comtesse Labinska avait loué une villa magnifique, ayant appartenu jadis aux Salviati, à une demi-lieue de Florence, et en quelques jours elle avait su installer tout le confortable moderne dans l'antique manoir, sans en troubler en rien la beauté sévère et l'élégance sérieuse. De grandes portières armoriées s'agrafaient heureusement aux arcades ogivales; des fauteuils et des meubles de forme ancienne s'harmonisaient avec les murailles couvertes de boiseries brunes ou de fresques d'un ton amorti et passé comme celui des vieilles tapisseries; aucune couleur trop neuve, aucun or trop brillant n'agaçait l'œil, et le présent ne dissonait pas au milieu du passé. — La comtesse avait l'air si naturellement châtelaine, que le vieux palais semblait bâti exprès pour elle.

« Si j'avais été séduit par la radieuse beauté de la comtesse, je le fus bien davantage encore au bout de quelques visites par son esprit si rare, si fin, si étendu; quand elle parlait sur quelque sujet intéressant, l'âme lui venait à la peau, pour ainsi dire, et se faisait visible. Sa blancheur s'illuminait comme l'albâtre d'une lampe d'un rayon intérieur: il y avait dans son teint de ces scintillations phosphorescentes, de ces tremblements lumineux dont parle Dante lorsqu'il peint les splendeurs du paradis; on eût dit un ange se détachant en clair sur un soleil. Je restais ébloui, extatique et stupide. Abîmé dans la contemplation de sa beauté, ravi aux sons de sa voix céleste qui faisait de chaque idiome une musique ineffable, lorsqu'il me fallait absolument répondre, je balbutiais quelques mots incohérents qui devaient lui donner la plus pauvre idée de mon intelligence; quelquefois même un imperceptible sourire d'une ironie amicale passait comme une lueur rose sur ses lèvres charmantes à certaines phrases, qui dénotaient, de ma part, un trouble profond ou une incurable sottise.

« Je ne lui avais encore rien dit de mon amour; devant elle j'étais sans pensée, sans force, sans courage; mon cœur battait comme s'il voulait sortir de ma poitrine et s'élancer sur les genoux de sa souveraine. Vingt fois j'avais résolu de m'expliquer, mais une insurmontable timidité me retenait; le moindre air froid ou réservé de la comtesse me causait des transes mortelles, et comparables à celles du condamné qui, la tête sur le billot, attend que l'éclair de la hache lui traverse le cou. Des contractions nerveuses m'étranglaient, des sueurs glacées baignaient mon corps. Je rougissais, je pâlissais et je sortais sans avoir rien dit, ayant peine à trouver la porte et chancelant comme un homme ivre sur les marches du perron.

« Lorsque j'étais dehors, mes facultés me revenaient et je lançais au vent les dithyrambes les plus enflammés. J'adressais à l'idole absente mille déclarations d'une éloquence irrésistible. J'égalais dans ces apostrophes muettes les grands poètes de l'amour. — Le Cantique des cantiques de Salomon avec son vertigineux parfum oriental et son lyrisme halluciné de haschisch, les sonnets de Pétrarque avec leurs subtilités platoniques et leurs délicatesses éthérées, l'*Intermezzo* de Henri Heine avec sa sensibilité nerveuse et délirante n'approchent pas de ces effusions d'âme intarissables où s'épuisait ma vie. Au bout de chacun de ces monologues, il me semblait que la comtesse vaincue devait descendre du ciel sur mon cœur, et plus d'une fois je me croisai les bras sur ma poitrine, pensant les renfermer sur elle.

« J'étais si complètement possédé que je passais des heures à murmurer en façon de litanies d'amour ces deux mots : — Prascovie Labinska, — trouvant un charme indéfinissable dans ces syllabes tantôt égrenées lentement comme des perles, tantôt dites avec la volubilité fiévreuse du dévot que sa prière même exalte. D'autres fois, je traçais le nom adoré sur les plus belles feuilles de vélin, en y apportant des recherches calligraphiques des manuscrits du Moyen Age, rehauts d'or, fleurons d'azur, ramages de sinople. J'usais à ce labeur d'une minutie passionnée et d'une perfection puérile les longues heures qui séparaient mes visites à la comtesse. Je ne pouvais lire ni m'occuper de quoi que ce fût. Rien ne m'intéressait hors de Prascovie, et je ne décachetais même pas les lettres qui me venaient de France. A plusieurs reprises je fis des efforts pour sortir de cet état ; j'essayai de me rappeler les axiomes de séduction acceptés par les jeunes gens, les stratagèmes qu'emploient les Valmont du café de Paris et les don Juan du Jockey-Club ; mais à l'exécution le cœur me manquait, et je regrettais de ne pas avoir, comme le

Julien Sorel de Stendhal, un paquet d'épîtres progressives à copier pour les envoyer à la comtesse. Je me contentais d'aimer, me donnant tout entier sans rien demander en retour, sans espérance même lointaine, car mes rêves les plus audacieux osaient à peine effleurer de leurs lèvres le bout des doigts rosés de Prascovie. Au XVe siècle, le jeune novice le front sur les marches de l'autel, le chevalier agenouillé dans sa roide armure, ne devaient pas avoir pour la madone une adoration plus prosternée. »

M. Balthazar Cherbonneau avait écouté Octave avec une attention profonde, car pour lui le récit du jeune homme n'était pas seulement une histoire romanesque, et il se dit comme à lui-même pendant une pause du narrateur [9] : « Oui, voilà bien le diagnostic de l'amour-passion, une maladie curieuse et que je n'ai rencontrée qu'une fois, — à Chandernagor, — chez une jeune paria éprise d'un brahme ; elle en mourut, la pauvre fille, mais c'était une sauvage ; vous, monsieur Octave, vous êtes un civilisé, et nous vous guérirons. » Sa parenthèse fermée, il fit signe de la main à M. de Saville de continuer ; et, reployant sa jambe sur la cuisse comme la patte articulée d'une sauterelle, de manière à faire soutenir son menton par son genou, il s'établit dans cette position impossible pour tout autre, mais qui semblait spécialement commode pour lui.

« Je ne veux pas vous ennuyer du détail de mon martyre secret, continua Octave ; j'arrive à une scène décisive. Un jour, ne pouvant plus modérer mon impérieux désir de voir la comtesse, je devançai l'heure de ma visite accoutumée ; il faisait un temps orageux et lourd. Je ne trouvai pas madame Labinska au salon. Elle s'était établie sous un portique soutenu de sveltes colonnes, ouvrant sur une terrasse par laquelle on descendait au jardin ; elle avait fait apporter là son piano, un canapé et des chaises de jonc ; des jardinières, comblées de fleurs splendides, — nulle part elles ne sont si fraîches ni si odorantes qu'à

---

9. *narrateur,* c'est le seul récit fantastique de Gautier où le narrateur soit nommé comme tel, représenté qu'il est de coutume par Nous ou Je.

Florence, — remplissaient les entre-colonnements, et imprégnaient de leur parfum les rares bouffées de brise qui venaient de l'Apennin. Devant soi, par l'ouverture des arcades, l'on apercevait les ifs et les buis taillés du jardin, d'où s'élançaient quelques cyprès centenaires, et que peuplaient des marbres mythologiques dans le goût tourmenté de Baccio Bandinelli ou de l'Ammanato [10]. Au fond, au-dessus de la silhouette de Florence, s'arrondissait le dôme de Santa Maria del Fiore et jaillissait le beffroi carré du Palazzo Vecchio.

« La comtesse était seule, à demi couchée sur le canapé de jonc ; jamais elle ne m'avait paru si belle ; son corps nonchalant, alangui par la chaleur, baignait comme celui d'une nymphe marine dans l'écume blanche d'un ample peignoir de mousseline des Indes que bordait du haut en bas une garniture bouillonnée comme la frange d'argent d'une vague ; une broche en acier niellé du Khorassan [11] fermait à la poitrine cette robe aussi légère que la draperie qui voltige autour de la Victoire rattachant sa sandale. Des manches ouvertes à partir de la saignée, comme les pistils du calice d'une fleur, sortaient ses bras d'un ton plus pur que celui de l'albâtre où les statuaires florentins taillent des copies de statues antiques ; un large ruban noir noué à la ceinture, et dont les bouts retombaient, tranchait vigoureusement sur toute cette blancheur. Ce que ce contraste de nuances attribuées au deuil aurait pu avoir de triste, était égayé par le bec d'une petite pantoufle circassienne sans quartier en maroquin bleu, gaufrée d'arabesques jaunes, qui pointait sous le dernier pli de la mousseline.

« Les cheveux blonds de la comtesse, dont les bandeaux bouffants, comme s'ils eussent été soulevés par un

10. *Ammanato*, Baccio Bandinelli (1493-1560), sculpteur florentin, qui travailla pour le compte du pape Léon X et du duc Cosme Ier. Il chercha à associer dans son art la vigueur de l'expression aux ressources de la technique. Il fut le maître de Bartolomeo Ammanati (1511-1592), sculpteur et surtout architecte qui exécuta ses principaux travaux à Rome et à Florence.

11. *Khorassan*, province du nord-est de la Perse, dont le nom signifie le pays du soleil.

souffle, découvraient son front pur, et ses tempes transparentes formaient comme un nimbe, où la lumière pétillait en étincelles d'or.

« Près d'elle, sur une chaise, palpitait au vent un grand chapeau de paille de riz, orné de longs rubans noirs pareils à celui de la robe, et gisait une paire de gants de Suède qui n'avaient pas été mis. A mon aspect, Prascovie ferma le livre qu'elle lisait — les poésies de Mickiewicz — et me fit un petit signe de tête bienveillant; elle était seule, — circonstance favorable et rare. — Je m'assis en face d'elle sur le siège qu'elle me désigna. Un de ces silences, pénibles quand ils se prolongent, régna quelques minutes entre nous. Je ne trouvais à mon service aucune de ces banalités de la conversation; ma tête s'embarrassait, des vagues de flammes me montaient du cœur aux yeux, et mon amour me criait : « Ne perds pas cette occasion suprême. »

« J'ignore ce que j'eusse fait, si la comtesse, devinant la cause de mon trouble, ne se fût redressée à demi en tendant vers moi sa belle main, comme pour me fermer la bouche.

« — Ne dites pas un mot, Octave; vous m'aimez, je le sais, je le sens, je le crois; je ne vous en veux point, car l'amour est involontaire. D'autres femmes plus sévères se montreraient offensées; moi, je vous plains, car je ne puis vous aimer, et c'est une tristesse pour moi d'être votre malheur. — Je regrette que vous m'ayez rencontrée, et maudis le caprice qui m'a fait quitter Venise pour Florence. J'espérais d'abord que ma froideur persistante vous lasserait et vous éloignerait; mais le vrai amour, dont je vois tous les signes dans vos yeux, ne se rebute de rien. Que ma douceur ne fasse naître en vous aucune illusion, aucun rêve, et ne prenez pas ma pitié pour un encouragement. Un ange au bouclier de diamant, à l'épée flamboyante, me garde contre toute séduction, mieux que la religion, mieux que le devoir, mieux que la vertu; — et cet ange, c'est mon amour : — j'adore le comte Labinski. J'ai le bonheur d'avoir trouvé la passion dans le mariage. »

« Un flot de larmes jaillit de mes paupières à cet aveu si

franc, si loyal et si noblement pudique, et je sentis en moi se briser le ressort de ma vie.

« Prascovie, émue, se leva, et, par un mouvement de gracieuse pitié féminine, passa son mouchoir de batiste sur mes yeux :

« — Allons, ne pleurez pas, me dit-elle, je vous le défends. Tâchez de penser à autre chose, imaginez que je suis partie à tout jamais, que je suis morte ; oubliez-moi. Voyagez, travaillez, faites du bien, mêlez-vous activement à la vie humaine ; consolez-vous dans un art ou un amour… »

« Je fis un geste de dénégation.

« — Croyez-vous souffrir moins en continuant à me voir ? reprit la comtesse ; venez, je vous recevrai toujours. Dieu dit qu'il faut pardonner à ses ennemis ; pourquoi traiterait-on plus mal ceux qui nous aiment ? Cependant l'absence me paraît un remède plus sûr. — Dans deux ans nous pourrons nous serrer la main sans péril, — pour vous », ajouta-t-elle en essayant de sourire.

« Le lendemain je quittai Florence ; mais ni l'étude, ni les voyages, ni le temps, n'ont diminué ma souffrance, et je me sens mourir : ne m'en empêchez pas, docteur !

— Avez-vous revu la comtesse Prascovie Labinska ? » dit le docteur, dont les yeux bleus scintillaient bizarrement.

« Non, répondit Octave, mais elle est à Paris. » Et il tendit à M. Balthazar Cherbonneau une carte gravée sur laquelle on lisait :

« La comtesse Prascovie Labinska est chez elle le jeudi. »

III

Parmi les promeneurs assez rares alors qui suivaient aux Champs-Élysées l'avenue Gabriel, à partir de l'ambassade ottomane jusqu'à l'Élysée Bourbon, préférant au tourbillon poussiéreux et à l'élégant fracas de la grande chaussée l'isolement, le silence et la calme fraîcheur de cette route bordée d'arbres d'un côté et de l'autre de jardins, il en est peu qui ne se fussent arrêtés, tout rêveurs et avec un sentiment d'admiration mêlé d'envie, devant une poétique et mystérieuse retraite, où, chose rare, la richesse semblait loger le bonheur.

A qui n'est-il pas arrivé de suspendre sa marche à la grille d'un parc, de regarder longtemps la blanche villa à travers les massifs de verdure, et de s'éloigner le cœur gros, comme si le rêve de sa vie était caché derrière ces murailles ? Au contraire, d'autres habitations, vues ainsi du dehors, vous inspirent une tristesse indéfinissable ; l'ennui, l'abandon, la désespérance glacent la façade de leurs teintes grises et jaunissent les cimes à demi chauves des arbres ; les statues ont des lèpres de mousse, les fleurs s'étiolent, l'eau des bassins verdit, les mauvaises herbes envahissent les sentiers malgré le racloir ; les oiseaux, s'il y en a, se taisent.

Les jardins en contrebas de l'allée en étaient séparés par un saut-de-loup et se prolongeaient en bandes plus ou moins larges jusqu'aux hôtels, dont la façade donnait sur la rue du Faubourg-Saint-Honoré. Celui dont nous parlons se terminait au fossé par un remblai que soutenait un mur de grosses roches choisies pour l'irrégularité curieuse de leurs formes, et qui, se relevant de chaque côté en manière de coulisses, encadraient de leurs aspérités rugueuses et de leurs masses sombres le frais et vert paysage resserré entre elles.

Dans les anfractuosités de ces roches, le cactier raquette, l'asclépiade incarnate, le millepertuis, la saxifrage, le cymbalaire, la joubarbe, la lychnide des Alpes, le lierre d'Irlande trouvaient assez de terre végétale pour nourrir leurs racines et découpaient leurs verdures variées sur le fond vigoureux de la pierre ; — un peintre n'eût pas disposé, au premier plan de son tableau, un meilleur repoussoir.

Les murailles latérales qui fermaient ce paradis terrestre disparaissaient sous un rideau de plantes grimpantes, aristoloches, grenadilles bleues, campanules, chèvrefeuille, gypsophiles, glycines de Chine, périplocas de Grèce dont les griffes, les vrilles et les tiges s'enlaçaient à un treillis vert, car le bonheur lui-même ne veut pas être emprisonné ; et grâce à cette disposition le jardin ressemblait à une clairière dans une forêt plutôt qu'à un parterre assez étroit circonscrit par les clôtures de la civilisation.

Un peu en arrière des masses de rocaille, étaient groupés quelques bouquets d'arbres au port élégant, à la frondaison vigoureuse, dont les feuillages contrastaient pittoresquement : vernis du Japon, tuyas du Canada, planes de Virginie, frênes verts, saules blancs, micocouliers de Provence, que dominaient deux ou trois mélèzes. Au-delà des arbres s'étalait un gazon de ray-grass, dont pas une pointe d'herbe ne dépassait l'autre, un gazon plus fin, plus soyeux que le velours d'un manteau de reine, de cet idéal vert d'émeraude qu'on n'obtient qu'en Angleterre devant le perron des manoirs féodaux, moelleux tapis naturels que l'œil aime à caresser et que le pas craint de fouler, moquette végétale où, le jour, peuvent seuls se rouler au soleil la gazelle familière avec le jeune baby ducal dans sa robe de dentelles, et, la nuit, glisser au clair de lune quelque Titania du West-End la main enlacée à celle d'un Oberon porté sur le livre du peerage [12] et du baronetage.

Une allée de sable tamisé au crible, de peur qu'une valve de conque ou qu'un angle de silex ne blessât les pieds aristocratiques qui y laissaient leur délicate empreinte, circulait comme un ruban jaune autour de cette nappe verte, courte et drue, que le rouleau égalisait, et dont la pluie factice de l'arrosoir entretenait la fraîcheur humide, même aux jours les plus desséchants de l'été.

Au bout de la pièce de gazon éclatait, à l'époque où se passe cette histoire, un vrai feu d'artifice fleuri tiré par un massif de géraniums, dont les étoiles écarlates flambaient sur le fond brun d'une terre de bruyère.

L'élégante façade de l'hôtel terminait la perspective ; de sveltes colonnes d'ordre ionique soutenant l'attique surmonté à chaque angle d'un gracieux groupe de marbre, lui donnait l'apparence d'un temple grec transporté là par le caprice d'un millionnaire, et corrigeaient, en éveillant une idée de poésie et d'art, tout ce que ce luxe

12. *peerage* = pairie.

aurait pu avoir de trop fastueux ; dans les entre-colonnements, des stores rayés de larges bandes roses et presque
toujours baissés abritaient et dessinaient les fenêtres, qui
s'ouvraient de plain-pied sous le portique comme des
portes de glace.

Lorsque le ciel fantasque de Paris daignait étendre un
pan d'azur derrière ce palazzino, les lignes s'en dessinaient si heureusement entre les touffes de verdure, qu'on
pouvait les prendre pour le pied-à-terre de la Reine des
fées, ou pour un tableau de Baron [13] agrandi.

De chaque côté de l'hôtel s'avançaient dans le jardin
deux serres formant ailes, dont les parois de cristal se
diamantaient au soleil entre leurs nervures dorées, et
faisaient à une foule de plantes exotiques les plus rares et
les plus précieuses l'illusion de leur climat natal.

Si quelque poète matineux eût passé avenue Gabriel
aux premières rougeurs de l'aurore, il eût entendu le
rossignol achever les derniers trilles de son nocturne, et
vu le merle se promener en pantoufles jaunes dans l'allée
du jardin comme un oiseau qui est chez lui ; mais la nuit,
après que les roulements des voitures revenant de l'Opéra
se sont éteints au milieu du silence de la vie endormie, ce
même poète aurait vaguement distingué une ombre blanche au bras d'un beau jeune homme, et serait remonté
dans sa mansarde solitaire, l'âme triste jusqu'à la mort.

C'était là qu'habitaient depuis quelque temps — le
lecteur l'a sans doute déjà deviné — la comtesse Prascovie Labinska et son mari le comte Olaf Labinski, revenu
de la guerre du Caucase après une glorieuse campagne,
où, s'il ne s'était pas battu corps à corps avec le mystique
et insaisissable Schamyl, certainement il avait eu affaire
aux plus fanatiquement dévoués des Mourides de l'illustre cheikh [14]. Il avait évité les balles comme les braves les

13. *Henri Baron* (1816-1885), artiste français qui a surtout pratiqué
la peinture de genre.
14. *cheikh*, Ali Chamyl ou Chamouil (entre 1795 et 1799-1871),
héros circassien qui se rendit célèbre par sa lutte contre la domination
russe. Le *mouridisme*, inspiré du *soufisme*, prêchait la guerre sainte
contre les Russes. Chamyl, nommé iman et reconnu comme chef religieux, combattit pour l'indépendance de 1834 à 1859 jusqu'à ce qu'il
fût vaincu et emprisonné.

évitent, en se précipitant au-devant d'elles, et les damas courbes des sauvages guerriers s'étaient brisés sur sa poitrine sans l'entamer. Le courage est une cuirasse sans défaut. Le comte Labinski possédait cette valeur folle des races slaves, qui aiment le péril pour le péril, et auxquelles peut s'appliquer encore ce refrain d'un vieux chant scandinave : « Ils tuent, meurent et rient ! »

Avec quelle ivresse s'étaient retrouvés ces deux époux, pour qui le mariage n'était que la passion permise par Dieu et par les hommes, Thomas Moore pourrait seul le dire en style d'*Amour des Anges* [15] ! Il faudrait que chaque goutte d'encre se transformât dans notre plume en goutte de lumière, et que chaque mot s'évaporât sur le papier en jetant une flamme et un parfum comme un grain d'encens. Comment peindre ces deux âmes fondues en une seule et pareilles à deux larmes de rosée qui, glissant sur un pétale de lis, se rencontrent, se mêlent, s'absorbent l'une l'autre et ne font plus qu'une perle unique ? Le bonheur est une chose si rare en ce monde, que l'homme n'a pas songé à inventer des paroles pour le rendre, tandis que le vocabulaire des souffrances morales et physiques remplit d'innombrables colonnes dans le dictionnaire de toutes les langues.

Olaf et Prascovie s'étaient aimés tout enfants ; jamais leur cœur n'avait battu qu'à un seul nom ; ils savaient presque dès le berceau qu'ils s'appartiendraient, et le reste du monde n'existait pas pour eux ; on eût dit que les morceaux de l'androgyne de Platon [16], qui se cherchent en vain depuis le divorce primitif, s'étaient retrouvés et réunis en eux ; ils formaient cette dualité dans l'unité, qui

---

15. *Amour des Anges*, Thomas Moore (1779-1852), poète anglais, publia en 1823 *Les Amours des anges*, célébrant la mythologie de la chute des anges. Gautier y a déjà fait allusion dans *Fortunio* (chapitre i) et en reparlera dans *Jettatura*.

16. *Platon*, le mythe de l'androgyne, exprimé par Aristophane dans *Le Banquet*, a séduit l'imagination de Gautier, qui l'a évoqué dans *Mademoiselle de Maupin* (voir l'étude de P. Albouy, « Le Mythe de l'androgyne dans *Mademoiselle de Maupin* », *Mythographies*, José Corti, 1976, p. 324-333) et le reprendra dans *Spirite* (éd. Nizet, p. 162 et 200), ainsi que dans le poème *Contralto* (*Émaux et camées*). Le mythe a été illustré antérieurement par Balzac dans *Séraphîta*.

est l'harmonie complète, et, côte à côte, ils marchaient, ou plutôt ils volaient à travers la vie d'un essor égal, soutenu, planant comme deux colombes que le même désir appelle, pour nous servir de la belle expression de Dante [17].

Afin que rien ne troublât cette félicité, une fortune immense l'entourait comme d'une atmosphère d'or. Dès que ce couple radieux paraissait, la misère consolée quittait ses haillons, les larmes se séchaient; car Olaf et Prascovie avaient le noble égoïsme du bonheur, et ils ne pouvaient souffrir une douleur dans leur rayonnement.

Depuis que le polythéisme a emporté avec lui ces jeunes dieux, ces génies souriants, ces éphèbes célestes aux formes d'une perfection si absolue, d'un rythme si harmonieux, d'un idéal si pur, et que la Grèce antique ne chante plus l'hymne de la beauté en strophes de Paros, l'homme a cruellement abusé de la permission qu'on lui a donnée d'être laid, et, quoique fait à l'image de Dieu, le représente assez mal. Mais le comte Labinski n'avait pas profité de cette licence; l'ovale un peu allongé de sa figure, son nez mince, d'une coupe hardie et fine, sa lèvre fermement dessinée, qu'accentuait une moustache blonde aiguisée à ses pointes, son menton relevé et frappé d'une fossette, ses yeux noirs, singularité piquante, étrangeté gracieuse, lui donnaient l'air d'un de ces anges guerriers, saint Michel ou Raphaël, qui combattent le démon, revêtus d'armures d'or. Il eût été trop beau sans l'éclair mâle de ses sombres prunelles et la couche hâlée que le soleil d'Asie avait déposée sur ses traits.

Le comte était de taille moyenne, mince, svelte, nerveux, cachant des muscles d'acier sous une apparente délicatesse; et lorsque dans quelque bal d'ambassade, il revêtait son costume de magnat, tout chamarré d'or, tout étoilé de diamants, tout brodé de perles, il passait parmi les groupes comme une apparition étincelante, excitant la jalousie des hommes et l'amour des femmes, que Prasco-

---

17. *Dante*, «Telles des colombes poussées par le désir» (*Enfer*, chant V, v. 82 — épisode de Francesca da Rimini et de Paolo Malatesta).

vie lui rendait indifférentes. — Nous n'ajoutons pas que le comte possédait les dons de l'esprit comme ceux du corps ; les fées bienveillantes l'avaient doué à son berceau, et la méchante sorcière qui gâte tout s'était montrée de bonne humeur ce jour-là.

Vous comprenez qu'avec un tel rival, Octave de Saville avait peu de chance, et qu'il faisait bien de se laisser tranquillement mourir sur les coussins de son divan, malgré l'espoir qu'essayait de lui remettre au cœur le fantastique docteur Balthazar Cherbonneau. — Oublier Prascovie eût été le seul moyen, mais c'était la chose impossible ; la revoir, à quoi bon ? Octave sentait que la résolution de la jeune femme ne faiblirait jamais dans son implacabilité douce, dans sa froideur compatissante. Il avait peur que ses blessures non cicatrisées ne se rouvrissent et ne saignassent devant celle qui l'avait tué innocemment, et il ne voulait pas l'accuser, la douce meurtrière aimée !

IV

Deux ans s'étaient écoulés depuis le jour où la comtesse Labinska avait arrêté sur les lèvres d'Octave la déclaration d'amour qu'elle ne devait pas entendre ; Octave, tombé du haut de son rêve, s'était éloigné, ayant au foie le bec d'un chagrin noir, et n'avait pas donné de ses nouvelles à Prascovie. L'unique mot qu'il eût pu lui écrire était le seul défendu. Mais plus d'une fois la pensée de la comtesse effrayée de ce silence s'était reportée avec mélancolie sur son pauvre adorateur : — l'avait-il oubliée ? Dans sa divine absence de coquetterie, elle le souhaitait sans le croire, car l'inextinguible flamme de la passion illuminait les yeux d'Octave, et la comtesse n'avait pu s'y méprendre. L'amour et les dieux se reconnaissent au regard : cette idée traversait comme un petit nuage le limpide azur de son bonheur, et lui inspirait la légère tristesse des anges qui, dans le ciel, se souviennent de la terre ; son âme charmante souffrait de savoir là-bas quelqu'un malheureux à cause d'elle ; mais que peut l'étoile d'or scintillante au haut du firmament pour le pâtre obscur qui lève vers elle des bras éperdus ? Aux temps mythologiques, Phœbé descendit bien des cieux en rayons d'argent sur le sommeil d'Endymion ; mais elle n'était pas mariée à un comte polonais.

Dès son arrivée à Paris, la comtesse Labinska avait envoyé à Octave cette invitation banale que le docteur Balthazar Cherbonneau tournait distraitement entre ses doigts, et en ne le voyant pas venir, quoiqu'elle l'eût voulu, elle s'était dit avec un mouvement de joie involontaire : « Il m'aime toujours ! » C'était cependant une femme d'une angélique pureté et chaste comme la neige du dernier sommet de l'Himalaya.

Mais Dieu lui-même, au fond de son infini, n'a pour se distraire de l'ennui des éternités que le plaisir d'entendre battre pour lui le cœur d'une pauvre petite créature périssable sur un chétif globe, perdu dans l'immensité. Prascovie n'était pas plus sévère que Dieu, et le còmte Olaf n'eût pu blâmer cette délicate volupté d'âme.

« Votre récit, que j'ai écouté attentivement, dit le docteur à Octave, me prouve que tout espoir de votre part serait chimérique. Jamais la comtesse ne partagera votre amour.

— Vous voyez bien, monsieur Cherbonneau, que j'avais raison de ne pas chercher à retenir ma vie qui s'en va.

— J'ai dit qu'il n'y avait pas d'espoir avec les moyens ordinaires, continua le docteur ; mais il existe des puissances occultes que méconnaît la science moderne, et dont la tradition s'est conservée dans ces pays étranges nommés barbares par une civilisation ignorante. Là, aux premiers jours du monde, le genre humain, en contact immédiat avec les forces vives de la nature, savait des secrets qu'on croit perdus, et que n'ont point emportés dans leurs migrations les tribus qui, plus tard, ont formé les peuples. Ces secrets furent transmis d'abord d'initié à initié, dans les profondeurs mystérieuses des temples, écrits ensuite en idiomes sacrés incompréhensibles au vulgaire, sculptés en panneaux d'hiéroglyphes le long des

parois cryptiques d'Ellora[18]; vous trouverez encore sur
les croupes du mont Mérou, d'où s'échappe le Gange, au
bas de l'escalier de marbre blanc de Bénarès la ville
sainte, au fond des pagodes en ruines de Ceylan, quelques brahmes centenaires épelant des manuscrits inconnus, quelques yogis occupés à redire l'ineffable monosyllabe *om*[19] sans s'apercevoir que les oiseaux du ciel
nichent dans leur chevelure; quelques fakirs dont les
épaules portent les cicatrices des crochets de fer de Jaggernat[20], qui les possèdent ces arcanes perdus et en
obtiennent des résultats merveilleux lorsqu'ils daignent
s'en servir. — Notre Europe, tout absorbée par les inté-
rêts matériels, ne se doute pas du degré de spiritualisme
où sont arrivés les pénitents de l'Inde : des jeûnes abso-
lus, des contemplations effrayantes de fixité, des postures
impossibles gardées pendant des années entières, atté-
nuent si bien leurs corps, que vous diriez, à les voir
accroupis sous un soleil de plomb, entre des brasiers
ardents, laissant leurs ongles grandis leur percer la paume
des mains, des momies égyptiennes retirées de leur caisse
et ployées en des attitudes de singe; leur enveloppe humaine n'est plus qu'une chrysalide, que l'âme, papillon
immortel, peut quitter ou reprendre à volonté. Tandis que
leur maigre dépouille reste là, inerte, horrible à voir,
comme une larve nocturne surprise par le jour, leur esprit, libre de tous liens, s'élance, sur les ailes de l'hallucination, à des hauteurs incalculables, dans les mondes
surnaturels. Ils ont des visions et des rêves étranges; ils

18. *Ellora*, ville de l'Inde sur le plateau du Deccan, ancien centre du
brahmanisme et du bouddhisme, célèbre par ses grottes qui abritent des
temples souterrains.

19. *om* ou *aum*, monosyllabe sacré, exprimant les actes de l'affirmation et de la bénédiction. Il représente la trinité hindoue et traduit
l'ineffable à travers une seule émission de la voix.

20. *Jaggernat* ou *Juggernaut* (Puri), ancienne ville sainte de l'Inde,
à proximité du golfe de Bengale. C'est là que s'élève la plus ancienne
pagode, vouée au culte de Vichnou (Djaganath). Jaggernat était aussi un
lieu de pèlerinage, où, au cours de la procession, les pèlerins se jetaient
sous les roues du char sacré ou s'y faisaient accrocher par les épaules ou
se roulaient sur des matelas munis de sabres et de poignards afin de
mériter les faveurs de Vichnou, épris de l'effusion du sang.

suivent d'extase en extase les ondulations que font les
âges disparus sur l'océan de l'éternité ; ils parcourent
l'infini en tous sens, assistent à la création des univers, à
la genèse des dieux et à leurs métamorphoses ; la mémoire
leur revient des sciences englouties par les cataclysmes
plutoniens et diluviens, des rapports oubliés de l'homme
et des éléments. Dans cet état bizarre, ils marmottent des
mots appartenant à des langues qu'aucun peuple ne parle
plus depuis des milliers d'années sur la surface du globe,
ils retrouvent le verbe primordial, le verbe qui a fait jaillir
la lumière des antiques ténèbres [21] : on les prend pour des
fous ; ce sont presque des dieux ! »

Ce préambule singulier surexcitait au dernier point
l'attention d'Octave, qui, ne sachant où M. Balthazar
Cherbonneau voulait en venir, fixait sur lui des yeux
étonnés et pétillants d'interrogations : il ne devinait pas
quel rapport pouvaient offrir les pénitents de l'Inde avec
son amour pour la comtesse Prascovie Labinska.

Le docteur, devinant la pensée d'Octave, lui fit un
signe de main comme pour prévenir ses questions, et lui
dit : « Patience, mon cher malade ; vous allez comprendre
tout à l'heure que je ne me livre pas à une digression
inutile. — Las d'avoir interrogé avec le scalpel, sur le
marbre des amphithéâtres, des cadavres qui ne me répondaient pas et ne me laissaient voir que la mort quand je
cherchais la vie, je formai le projet — un projet aussi
hardi que celui de Prométhée escaladant le ciel pour y
ravir le feu — d'atteindre et de surprendre l'âme, de
l'analyser et de la disséquer pour ainsi dire ; j'abandonnai
l'effet pour la cause, et pris en dédain profond la science
matérialiste dont le néant m'était prouvé. Agir sur ces
formes vagues, sur ces assemblages fortuits de molécules

---

21. *des antiques ténèbres,* cette conception du Verbe se rapproche
dans l'esprit de Gautier plus de la cosmogonie panthéiste que de la
théologie johannique. « Le Verbe, c'est le Dieu suprême qui domine de
sa taille gigantesque les olympes inférieurs et subalternes [...]. La
lumière est la forme du Verbe. [...] C'est le Verbe, le grand Pan que
l'humanité adore sous une multitude de pseudonymes : tous les noms de
divinités sont les épithètes de la litanie de ce Dieu unique, général,
éternel » (*L'Art moderne,* Michel Lévy, 1856, p. 60 et 63).

aussitôt dissous, me semblait la fonction d'un empirisme grossier. J'essayai par le magnétisme de relâcher les liens qui enchaînent l'esprit à son enveloppe ; j'eus bientôt dépassé Mesmer, Deslon, Maxwel, Puységur, Deleuze [22] et les plus habiles, dans des expériences vraiment prodigieuses, mais qui ne me contentaient pas encore : catalepsie, somnambulisme, vue à distance, lucidité extatique, je produisis à volonté tous ces effets inexplicables pour la foule, simples et compréhensibles pour moi. — Je remontai plus haut : des ravissements de Cardan et de saint Thomas d'Aquin je passai aux crises nerveuses des Pythies ; je découvris les arcanes des Époptes grecs et des Nebiim hébreux [23] ; je m'initiai rétrospectivement aux mystères de Trophonius et d'Esculape, reconnaissant toujours dans les merveilles qu'on en raconte une concentration ou une expansion de l'âme provoquée soit par le geste, soit par le regard, soit par la parole, soit par la volonté ou tout autre agent inconnu. — Je refis un à un tous les miracles d'Apollonius de Tyane [24]. — Pourtant mon rêve scientifique n'était pas accompli ; l'âme m'échappait toujours ; je la pressentais, je l'entendais, j'avais de l'action sur elle ; j'engourdissais ou j'excitais ses facultés ; mais entre elle et moi il y avait un voile de chair que je pouvais écarter sans qu'elle s'envolât ; j'étais

---

22. *Deleuze,* ce sont des adeptes du magnétisme animal. Le docteur Ch. Deslon (1750-1784), médecin du comte d'Artois, soutint d'abord Mesmer, puis se sépara de lui. Jacques de Chastenet, marquis de Puységur (1751-1825), officier, maire de Soissons et magnétiseur, découvrit le somnambulisme magnétique auquel il consacra plusieurs ouvrages. Jean-Philippe-François Deleuze (1753-1835), naturaliste, se voua à l'étude empirique des phénomènes magnétiques et écrivit une *Histoire critique du magnétisme animal* (1813-1819).

23. *Nebiim hébreux,* ce sont les voyants de l'*Ancien Testament,* identifiés avec les prophètes (I *Samuel,* IX, 9-19). Jean Bodin, dans *De la démonomanie des sorciers,* précise que le terme de *Nebîîm,* qui procède de *Nâbâ,* est postérieur à celui de voyant. (Voir notre *Voyance avant Rimbaud* dans Rimbaud, *Lettres du voyant,* Droz et Minard, 1975, pp. 14-16 et 22-23).

24. *Apollonius de Tyane,* philosophe néo-pythagoricien du Ier siècle, célèbre par sa sagesse et ses voyages. On lui attribua des pouvoirs magiques, l'aptitude à accomplir des miracles et à voler, comme le rappelle Apollinaire dans *Zone.*

comme l'oiseleur qui tient un oiseau sous un filet qu'il n'ose relever, de peur de voir sa proie ailée se perdre dans le ciel.

« Je partis pour l'Inde, espérant trouver le mot de l'énigme dans ce pays de l'antique sagesse. J'appris le sanscrit et le pacrit, les idiomes savants et vulgaires : je pus converser avec les pandits et les brahmes. Je traversai les jungles où rauque le tigre aplati sur ses pattes ; je longeai les étangs sacrés qu'écaille le dos des crocodiles ; je franchis des forêts impénétrables barricadées de lianes, faisant envoler des nuées de chauves-souris et de singes, me trouvant face à face avec l'éléphant au détour du sentier frayé par les bêtes fauves pour arriver à la cabane de quelque yogi célèbre en communication avec les Mounis [25], et je m'assis des jours entiers près de lui, partageant sa peau de gazelle, pour noter les vagues incantations que murmurait l'extase sur ses lèvres noires et fendillées. Je saisis de la sorte des mots tout-puissants, des formules évocatrices, des syllabes du Verbe créateur.

« J'étudiai les sculptures symboliques dans les chambres intérieures des pagodes que n'a vues nul œil profane et où une robe de brahme me permettait de pénétrer ; je lus bien des mystères cosmogoniques, bien des légendes de civilisations disparues ; je découvris le sens des emblèmes que tiennent dans leurs mains multiples ces dieux hybrides et touffus comme la nature de l'Inde ; je méditai sur le cercle de Brahma, le lotus de Wishnou, le cobra capello [26] de Shiva, le dieu bleu. Ganésa [27], déroulant sa trompe de pachyderme et clignant ses petits yeux frangés de longs cils, semblait sourire à mes efforts et encourager mes recherches. Toutes ces figures monstrueuses me di-

---

25. *les Mounis,* terme sanscrit, désignant les ascètes, les ermites, les sages.

26. *cobra capello,* terme portugais, désignant la couleuvre à chaperon ou naja. *Le dieu bleu,* voir la note 26 du *Club des hachichins.*

27. *Ganésa* ou *Ganeça,* dieu hindou, fils de Shiva et de Pârvatî, représenté avec une tête d'éléphant et un ventre proéminent. On l'invoque pour surmonter les obstacles ainsi que dans toute entreprise religieuse, littéraire ou commerciale. Dans *Caprices et zigzags,* Gautier le qualifie de « Dieu de la Sagesse ».

saient dans leur langue de pierre : « Nous ne sommes que
des formes, c'est l'esprit qui agite la masse. »

« Un prêtre du temple de Tirounamalay [28], à qui je fis
part de l'idée qui me préoccupait, m'indiqua, comme
parvenu au plus haut degré de sublimité, un pénitent qui
habitait une des grottes de l'île d'Éléphanta. Je le trouvai,
adossé au mur de la caverne, enveloppé d'un bout de
sparterie, les genoux au menton, les doigts croisés sur les
jambes, dans un état d'immobilité absolue ; ses prunelles
retournées ne laissaient voir que le blanc, ses lèvres
bridaient sur ses dents déchaussées ; sa peau, tannée par
une incroyable maigreur, adhérait aux pommettes ; ses
cheveux, rejetés en arrière, pendaient par mèches roides
comme des filaments de plantes du sourcil d'une roche ;
sa barbe s'était divisée en deux flots qui touchaient presque terre, et ses ongles se recourbaient en serres d'aigle.

« Le soleil l'avait desséché et noirci de façon à donner à
sa peau d'Indien, naturellement brune, l'apparence du
basalte ; ainsi posé, il ressemblait de forme et de couleur à
un vase canopique. Au premier aspect, je le crus mort. Je
secouai ses bras comme ankylosés par une roideur cata-
leptique, je lui criai à l'oreille de ma voix la plus forte les
paroles sacramentelles qui devaient me révéler à lui
comme initié ; il ne tressaillit pas, ses paupières restèrent
immobiles. — J'allais m'éloigner, désespérant d'en tirer
quelque chose, lorsque j'entendis un pétillement singulier ; une étincelle bleuâtre passa devant mes yeux avec la
fulgurante rapidité d'une lueur électrique, voltigea une
seconde sur les lèvres entrouvertes du pénitent, et
disparut.

« Brahma-Logum (c'était le nom du saint personnage)
sembla se réveiller d'une léthargie : ses prunelles reprirent leur place ; il me regarda avec un regard humain et

---

28. *Tirounamalay* correspond vraisemblablement à Tiruvannamalai,
petite ville du pays tamoul à l'ouest de Pondichéry. Elle possède un
temple important et est dominée par l'Arunacala, la « Montagne rouge »
ou plus exactement la « Montagne de l'aurore », qui est l'un des plus
anciens lieux sacrés de l'Inde. (Note communiquée par Jacques May,
professeur de philosophie et de philologie bouddhiques à l'Université de
Lausanne.)

répondit à mes questions. «Eh bien, tes désirs sont satis-
faits : tu as vu une âme. Je suis parvenu à détacher la
mienne de mon corps quand il me plaît ; — elle en sort,
elle y rentre comme une abeille lumineuse, perceptible
aux yeux seuls des adeptes. J'ai tant jeûné, tant prié, tant
médité, je me suis macéré si rigoureusement, que j'ai pu
dénouer les liens terrestres qui l'enchaînent, et que Wishnou, le dieu aux dix incarnations, m'a révélé le mot
mystérieux qui la guide dans ses Avatars à travers les
formes différentes. — Si, après avoir fait les gestes
consacrés, je prononçais ce mot, ton âme s'envolerait
pour animer l'homme ou la bête que je lui désignerais. Je
te lègue ce secret, que je possède seul maintenant au
monde. Je suis bien aise que tu sois venu, car il me tarde
de me fondre dans le sein de l'incréé, comme une goutte
d'eau dans la mer. » Et le pénitent me chuchota, d'une
voix faible comme le dernier râle d'un mourant, et pourtant distincte, quelques syllabes qui me firent passer sur
le dos ce petit frisson dont parle Job.

    «Que voulez-vous dire, docteur ? s'écria Octave ; je
n'ose sonder l'effrayante profondeur de votre pensée.

    — Je veux dire, répondit tranquillement M. Balthazar
Cherbonneau, que je n'ai pas oublié la formule magique
de mon ami Brahma-Logum, et que la comtesse Prascovie serait bien fine si elle reconnaissait l'âme d'Octave de
Saville dans le corps d'Olaf Labinski. »

V

    La réputation du docteur Balthazar Cherbonneau
comme médecin et comme thaumaturge commençait à se
répandre dans Paris ; ses bizarreries, affectées ou vraies,
l'avaient mis à la mode. Mais, loin de chercher à se faire,
comme on dit, une clientèle, il s'efforçait de rebuter les
malades en leur fermant sa porte ou en leur ordonnant des
prescriptions étranges, des régimes impossibles. Il n'ac-
ceptait que des cas désespérés, renvoyant à ses confrères
avec un dédain superbe les vulgaires fluxions de poitrine,
les banales entérites, les bourgeoises fièvres typhoïdes, et

dans ces occasions suprêmes il obtenait des guérisons
vraiment inconcevables. Debout à côté du lit, il faisait
des gestes magiques sur une tasse d'eau, et des corps déjà
roides et froids, tout prêts pour le cercueil, après avoir
avalé quelques gouttes de ce breuvage en desserrant des
mâchoires crispées par l'agonie, reprenaient la souplesse
de la vie, les couleurs de la santé, et se redressaient sur
leur séant, promenant autour d'eux des regards accoutu-
més déjà aux ombres du tombeau. Aussi l'appelait-on le
médecin des morts ou le résurrectionniste. Encore ne
consentait-il pas toujours à opérer ces cures, et souvent
refusait-il des sommes énormes de la part de riches mori-
bonds. Pour qu'il se décidât à entrer en lutte avec la
destruction, il fallait qu'il fût touché de la douleur d'une
mère implorant le salut d'un enfant unique, du désespoir
d'un amant demandant la grâce d'une maîtresse adorée,
ou qu'il jugeât la vie menacée utile à la poésie, à la
science et au progrès du genre humain. Il sauva de la
sorte un charmant baby dont le croup serrait la gorge avec
ses doigts de fer, une délicieuse jeune fille phtisique au
dernier degré, un poète en proie au *delirium tremens,* un
inventeur attaqué d'une congestion cérébrale et qui allait
enfouir le secret de sa découverte sous quelques pelletées
de terre. Autrement il disait qu'on ne devait pas contrarier
la nature, que certaines morts avaient leur raison d'être,
et qu'on risquait, en les empêchant, de déranger quelque
chose dans l'ordre universel. Vous voyez bien que
M. Balthazar Cherbonneau était le docteur le plus para-
doxal du monde, et qu'il avait rapporté de l'Inde une
excentricité complète; mais sa renommée de magnétiseur
l'emportait encore sur sa gloire de médecin; il avait
donné devant un petit nombre d'élus quelques séances
dont on racontait des merveilles à troubler toutes les
notions du possible ou de l'impossible, et qui dépassaient
les prodiges de Cagliostro.

Le docteur habitait le rez-de-chaussée d'un vieil hôtel
de la rue du Regard, un appartement en enfilade comme
on les faisait jadis, et dont les hautes fenêtres ouvraient
sur un jardin planté de grands arbres au tronc noir, au
grêle feuillage vert. Quoiqu'on fût en été, de puissants

calorifères soufflaient par leurs bouches grillées de laiton
des trombes ´d'air brûlant dans les vastes salles, et en
maintenaient la température à trente-cinq ou quarante
degrés de chaleur, car M. Balthazar Cherbonneau, habitué au climat incendiaire de l'Inde, grelottait à nos pâles
soleils, comme ce voyageur qui, revenu des sources du
Nil Bleu, dans l'Afrique centrale, tremblait de froid au
Caire, et il ne sortait jamais qu'en voiture fermée, frileu-
sement emmaillotté d'une pelisse de renard bleu de Sibé-
rie, et les pieds posés sur un manchon de fer-blanc rempli
d'eau bouillante.

  Il n'y avait d'autres meubles dans ces salles que des
divans bas en étoffes malabares historiées d'éléphants
chimériques et d'oiseaux fabuleux, des étagères découpées, coloriées et dorées avec une naïveté barbare par les
naturels de Ceylan, des vases du Japon pleins de fleurs
exotiques ; et sur le plancher s'étalait, d'un bout à l'autre
de l'appartement, un de ces tapis funèbres à ramages
noirs et blancs que tissent pour pénitence les Thuggs [29] en
prison, et dont la trame semble faite avec le chanvre de
leurs cordes d'étrangleurs ; quelques idoles indoues, de
marbre ou de bronze, aux longs yeux en amande, au nez
cerclé d'anneaux, aux lèvres épaisses et souriantes, aux
colliers de perles descendant jusqu'au nombril, aux attri-
buts singuliers et mystérieux, croisaient leurs jambes sur
des piédouches dans les encoignures ; — le long des murailles étaient appendues des miniatures gouachées, œuvre de quelque peintre de Calcutta ou de Lucknow [30], qui
représentaient les neuf *Avatars* déjà accomplis de Wishnou, en poisson, en tortue, en cochon, en lion à tête
humaine, en nain brahmine, en Rama, en héros combattant le géant aux mille bras Cartasuciriargunen, en
Kritsna, l'enfant miraculeux dans lequel des rêveurs

  29. *les Thuggs* sont les membres d'une société secrète, d'une
confrérie religieuse de l'Inde qui pratiquait le meurtre rituel par stran-
gulation afin d'éviter l'effusion du sang. Ils assassinaient en tant
qu'adorateurs de la déesse brahmanique Kâli ou Dourga, la femme de
Shiva et l'incarnation de l'énergie destructrice.
  30. *Lucknow* ou *Laknau*, ville de l'Inde sur la Goumtî, affluent du
Gange, centre de l'art musical et poétique.

voient un Christ indien ; en Bouddha, adorateur du grand
dieu Mahadevi ; et, enfin, le montraient endormi, au
milieu de la mer lactée, sur la couleuvre aux cinq têtes
recourbées en dais, attendant l'heure de prendre, pour
dernière incarnation, la forme de ce cheval blanc ailé qui,
en laissant retomber son sabot sur l'univers, doit amener
la fin du monde [31].

Dans la salle du fond, chauffée plus fortement encore
que les autres, se tenait M. Balthazar Cherbonneau, entouré de livres sanscrits tracés au poinçon sur de minces
lames de bois percées d'un trou et réunies par un cordon
de manière à ressembler plus à des persiennes qu'à des
volumes comme les entend la librairie européenne. Une
machine électrique, avec ses bouteilles remplies de
feuilles d'or et ses disques de verre tournés par des
manivelles, élevait sa silhouette inquiétante et compliquée au milieu de la chambre, à côté d'un baquet mesmérique où plongeait une lance de métal et d'où rayonnaient de nombreuses tiges de fer. M. Cherbonneau
n'était rien moins que charlatan et ne cherchait pas la
mise en scène, mais cependant il était difficile de pénétrer
dans cette retraite bizarre sans éprouver un peu de l'impression que devaient causer autrefois les laboratoires
d'alchimie.

Le comte Olaf Labinski avait entendu parler des miracles réalisés par le docteur, et sa curiosité demi-crédule
s'était allumée. Les races slaves ont un penchant naturel
au merveilleux, que ne corrige pas toujours l'éducation la
plus soignée, et d'ailleurs des témoins dignes de foi qui
avaient assisté à ces séances en disaient de ces choses
qu'on ne peut croire sans les avoir vues, quelque
confiance qu'on ait dans le narrateur. Il alla donc visiter
le thaumaturge.

Lorsque le comte Labinski entra chez le docteur Balthazar Cherbonneau, il se sentit comme entouré d'une
vague flamme ; tout son sang afflua vers sa tête, les

---

31. *la fin du monde,* allusion au dixième avatar de Vichnou qui
s'incarnera en *Kalkin,* le cheval blanc, le sauveur chargé d'opérer la
renaissance et le rétablissement de l'ordre cosmique.

veines des tempes lui sifflèrent ; l'extrême chaleur qui
régnait dans l'appartement le suffoquait ; les lampes où
brûlaient des huiles aromatiques, les larges fleurs de Java
balançant leurs énormes calices comme des encensoirs
l'enivraient de leurs émanations vertigineuses et de leurs
parfums asphyxiants. Il fit quelques pas en chancelant
vers M. Cherbonneau, qui se tenait accroupi sur son
divan, dans une de ces étranges poses de fakir ou de
sannyâsi, dont le prince Soltikoff a si pittoresquement
illustré son voyage de l'Inde [32]. On eût dit, à le voir
dessinant les angles de ses articulations sous les plis de
ses vêtements, une araignée humaine pelotonnée au milieu de sa toile et se tenant immobile devant sa proie. A
l'apparition du comte, ses prunelles de turquoise s'illuminèrent de lueurs phosphorescentes au centre de leur
orbite dorée du bistre de l'hépatite, et s'éteignirent aussitôt comme recouvertes par une taie volontaire. Le docteur étendit la main vers Olaf, dont il comprit le malaise
et en deux ou trois passes l'entoura d'une atmosphère de
printemps, lui créant un frais paradis dans cet enfer de
chaleur.

« Vous trouvez-vous mieux à présent ? Vos poumons,
habitués aux brises de la Baltique qui arrivent toutes
froides encore de s'être roulées sur les neiges centenaires
du pôle, devaient haleter comme des soufflets de forge à
cet air brûlant, où cependant je grelotte, moi, cuit, recuit
et comme calciné aux fournaises du soleil. »

Le comte Olaf Labinski fit un signe pour témoigner
qu'il ne souffrait plus de la haute température de l'appartement.

« Eh bien, dit le docteur avec un accent de bonhomie,
vous avez entendu parler sans doute de mes tours de
passe-passe, et vous voulez avoir un échantillon de mon

---

32. *l'Inde*, sannyâsi ou samnyâsin, ce terme sanscrit qui signifie
« celui qui renonce » désigne le brahmane dans le quatrième et dernier
état de son existence religieuse : celui d'ascète errant et mendiant. Dans
un sens plus large, il s'étend à tous les moines mendiants. Le prince
Alexis Soltikoff est un voyageur et archéologue russe du XIXe siècle. Il a
parcouru la plupart des pays de l'Orient et publié des ouvrages sur l'Inde
et la Perse.

savoir-faire; oh! je suis plus fort que Comus, Comte ou Bosco [33].

— Ma curiosité n'est pas si frivole, répondit le comte, et j'ai plus de respect pour un des princes de la science.

— Je ne suis pas un savant dans l'acception qu'on donne à ce mot; mais au contraire, en étudiant certaines choses que la science dédaigne, je me suis rendu maître de forces occultes inemployées, et je produis des effets qui semblent merveilleux, quoique naturels. A force de la guetter, j'ai quelquefois surpris l'âme, — elle m'a fait des confidences dont j'ai profité et dit des mots que j'ai retenus. L'esprit est tout, la matière n'existe qu'en apparence; l'univers n'est peut-être qu'un rêve de Dieu ou qu'une irradiation du Verbe dans l'immensité [34]. Je chiffonne à mon gré la guenille du corps, j'arrête ou je précipite la vie, je déplace les sens, je supprime l'espace, j'anéantis la douleur sans avoir besoin de chloroforme, d'éther ou de toute autre drogue anesthésique. Armé de la volonté, cette électricité intellectuelle [35], je vivifie ou je foudroie. Rien n'est plus opaque pour mes yeux; mon regard traverse tout; je vois distinctement les rayons de la pensée, et comme on projette les spectres solaires sur un écran, je peux les faire passer par mon prisme invisible et les forcer à se réfléchir sur la toile blanche de mon cerveau. Mais tout cela est peu de chose à côté des prodiges qu'accomplissent certains yogis de l'Inde, arrivés au plus sublime degré d'ascétisme. Nous autres Européens, nous sommes trop légers, trop distraits, trop

---

33. *Bosco*, ce sont trois prestidigitateurs du XIXᵉ siècle. Comus est un escamoteur, mort en 1820, il n'est connu qu'à travers son pseudonyme, emprunté au physicien Ledru-Comus. Louis-Christian-Emmanuel Comte (1788-1859) est avant tout un ventriloque. Quant à Bartolomeo Bosco (1793-1863), il est un prestidigitateur italien.

34. *l'immensité*, nouvelle affirmation d'un panthéisme mystique, réconciliant les religions en un syncrétisme, selon lequel la matière s'absorbe dans le rayonnement infini du Verbe divin.

35. *cette électricité intellectuelle*, cette définition de la volonté est à nouveau balzacienne. *Avatar* est placé sous le triple signe de l'hindouisme, du romantisme allemand et de Balzac, auquel Gautier allait consacrer une étude où il attribue au romancier de *La Comédie humaine* « le don d'*avatar* » et la faculté de *voyant*.

futiles, trop amoureux de notre prison d'argile pour y ouvrir de bien larges fenêtres sur l'éternité et sur l'infini. Cependant j'ai obtenu quelques résultats assez étranges, et vous allez en juger », dit le docteur Balthazar Cherbonneau en faisant glisser sur leur tringle les anneaux d'une lourde portière qui masquait une sorte d'alcôve pratiquée dans le fond de la salle.

A la clarté d'une flamme d'esprit-de-vin qui oscillait sur un trépied de bronze, le comte Olaf Labinski aperçut un spectacle effrayant qui le fit frissonner malgré sa bravoure. Une table de marbre noir supportait le corps d'un jeune homme nu jusqu'à la ceinture et gardant une immobilité cadavérique ; de son torse hérissé de flèches comme celui de saint Sébastien, il ne coulait pas une goutte de sang ; on l'eût pris pour une image de martyr coloriée, où l'on aurait oublié de teindre de cinabre les lèvres des blessures.

« Cet étrange médecin, dit en lui-même Olaf, est peut-être un adorateur de Shiva, et il aura sacrifié cette victime à son idole. »

« Oh ! il ne souffre pas du tout ; piquez-le sans crainte, pas un muscle de sa face ne bougera » ; et le docteur lui enlevait les flèches du corps, comme l'on retire les épingles d'une pelote.

Quelques mouvements rapides de mains dégagèrent le patient du réseau d'effluves qui l'emprisonnait, et il s'éveilla le sourire de l'extase sur les lèvres comme sortant d'un rêve bienheureux. M. Balthazar Cherbonneau le congédia du geste, il se retira par une petite porte coupée dans la boiserie dont l'alcôve était revêtue.

« J'aurais pu lui couper une jambe ou un bras sans qu'il s'en aperçût, dit le docteur en plissant ses rides en façon de sourire ; je ne l'ai pas fait parce que je ne crée pas encore, et que l'homme, inférieur au lézard en cela, n'a pas une sève assez puissante pour reformer les membres qu'on lui retranche. Mais si je ne crée pas, en revanche je rajeunis. » Et il enleva le voile qui recouvrait une femme âgée magnétiquement endormie sur un fauteuil, non loin de la table de marbre noir ; ses traits, qui avaient pu être beaux, étaient flétris, et les ravages du temps se lisaient

sur les contours amaigris de ses bras, de ses épaules et de
sa poitrine. Le docteur fixa sur elle pendant quelques
minutes, avec une intensité opiniâtre, les regards de ses
prunelles bleues; les lignes altérées se raffermirent, le
galbe du sein reprit sa pureté virginale, une chair blanche
et satinée remplit les maigreurs du col; les joues s'arron-
dirent et se veloutèrent comme des pêches de toute la
fraîcheur de la jeunesse; les yeux s'ouvrirent scintillants
dans un fluide vivace; le masque de vieillesse, enlevé
comme par magie, laissait voir la belle jeune femme
disparue depuis longtemps.

« Croyez-vous que la fontaine de Jouvence ait versé
quelque part ses eaux miraculeuses? dit le docteur au
comte stupéfait de cette transformation. Je le crois, moi,
car l'homme n'invente rien, et chacun de ses rêves est
une divination ou un souvenir [36]. — Mais abandonnons
cette forme un instant repétrie par ma volonté, et consul-
tons cette jeune fille qui dort tranquillement dans ce coin.
Interrogez-la, elle en sait plus long que les pythies et les
sibylles. Vous pouvez l'envoyer dans un de vos sept
châteaux de Bohême [37], lui demander ce que renferme le
plus secret de vos tiroirs, elle vous le dira, car il ne faudra
pas à son âme plus d'une seconde pour faire le voyage,
chose, après tout, peu surprenante, puisque l'électricité
parcourt soixante-dix mille lieues dans le même espace de
temps, et l'électricité est à la pensée ce qu'est le fiacre au
wagon. Donnez-lui la main pour vous mettre en rapport
avec elle; vous n'aurez pas besoin de formuler votre
question, elle la lira dans votre esprit. »

La jeune fille, d'une voix atone comme celle d'une
ombre, répondit à l'interrogation mentale du comte :

« Dans le coffret de cèdre il y a un morceau de terre
saupoudrée de sable fin sur lequel se voit l'empreinte
d'un petit pied.

---

36. *souvenir*, cette remarque du docteur ne s'inscrit pas seulement
dans le contexte de la métempsychose, elle correspond à la croyance
intime de Gautier, qui voit dans le rêve tant un phénomène de la
réminiscence atemporelle que de la voyance prophétique.
37. *châteaux de Bohême*, allusion à l'*Histoire du roi de Bohême et
de ses sept châteaux* de Charles Nodier, parue en 1830.

« — A-t-elle deviné juste ? » dit le docteur négligemment et comme sûr de l'infaillibilité de sa somnambule.

Une éclatante rougeur couvrit les joues du comte. Il avait en effet, au premier temps de leurs amours, enlevé dans une allée d'un parc l'empreinte d'un pas de Prascovie, et il la gardait comme une relique au fond d'une boîte incrustée de nacre et d'argent, du plus précieux travail, dont il portait la clef microscopique suspendue à son cou par un jaseron de Venise [38].

M. Balthazar Cherbonneau, qui était un homme de bonne compagnie, voyant l'embarras du comte, n'insista pas et le conduisit à une table sur laquelle était posée une eau aussi claire que le diamant.

« Vous avez sans doute entendu parler du miroir magique où Méphistophélès fait voir à Faust l'image d'Hélène [39] ; sans avoir un pied de cheval dans mon bas de soie et deux plumes de coq à mon chapeau, je puis vous régaler de cet innocent prodige. Penchez-vous sur cette coupe et pensez fixement à la personne que vous désirez faire apparaître ; vivante ou morte, lointaine ou rapprochée, elle viendra à votre appel, du bout du monde ou des profondeurs de l'histoire. »

Le comte s'inclina sur la coupe, dont l'eau se troubla bientôt sous son regard et prit des teintes opalines, comme si l'on y eût versé une goutte d'essence ; un cercle irisé des couleurs du prisme couronna les bords du vase, encadrant le tableau qui s'ébauchait déjà sous le nuage blanchâtre.

Le brouillard se dissipa. — Une jeune femme en peignoir de dentelles, aux yeux vert de mer, aux cheveux d'or crépelés, laissant errer comme des papillons blancs ses belles mains distraites sur l'ivoire du clavier, se dessina ainsi que sous une glace au fond de l'eau redevenue transparente, avec une perfection si merveilleuse qu'elle eût fait mourir tous les peintres de désespoir : — c'était

38. *jaseron* ou *jaseran*, collier d'orfèvrerie en or ou en argent.
39. *Hélène,* c'est dans le *Faust* I (v. 2429-2440) que Méphistophélès fait apparaître dans le miroir magique l'« image céleste » de la beauté d'Hélène.

Prascovie Labinska, qui sans le savoir, obéissait à l'évocation passionnée du comte.

« Et maintenant passons à quelque chose de plus
curieux », dit le docteur en prenant la main du comte et en
la posant sur une des tiges de fer du baquet mesmérique.
Olaf n'eut pas plutôt touché le métal chargé d'un magnétisme fulgurant, qu'il tomba comme foudroyé.

Le docteur le prit dans ses bras, l'enleva comme une
plume, le posa sur un divan, sonna, et dit au domestique
qui parut au seuil de la porte :

« Allez chercher M. Octave de Saville. »

VI

Le roulement d'un coupé se fit entendre dans la cour
silencieuse de l'hôtel, et presque aussitôt Octave se présenta devant le docteur ; il resta stupéfait lorsque
M. Cherbonneau lui montra le comte Olaf Labinski
étendu sur un divan avec les apparences de la mort. Il crut
d'abord à un assassinat et resta quelques instants muet
d'horreur ; mais, après un examen plus attentif, il s'aperçut qu'une respiration presque imperceptible abaissait et
soulevait la poitrine du jeune dormeur.

« Voilà, dit le docteur, votre déguisement tout préparé ;
il est un peu plus difficile à mettre qu'un domino loué
chez Babin ; mais Roméo, en montant au balcon de Vérone, ne s'inquiète pas du danger qu'il y a de se casser le
cou ; il sait que Juliette l'attend là-haut dans la chambre
sous ses voiles de nuit ; et la comtesse Prascovie Labinska
vaut bien la fille des Capulets. »

Octave, troublé par l'étrangeté de la situation, ne répondait rien ; il regardait toujours le comte, dont la tête
légèrement rejetée en arrière posait sur un coussin, et qui
ressemblait à ces effigies de chevaliers couchés au-dessus
de leurs tombeaux dans les cloîtres gothiques, ayant sous
leur nuque roidie un oreiller de marbre sculpté. Cette
belle et noble figure qu'il allait déposséder de son âme lui
inspirait malgré lui quelques remords.

Le docteur prit la rêverie d'Octave pour de l'hésitation : un vague sourire de dédain erra sur le pli de ses lèvres, et lui dit :

« Si vous n'êtes pas décidé, je puis réveiller le comte, qui s'en retournera comme il est venu, émerveillé de mon pouvoir magnétique ; mais, pensez-y bien, une telle occasion peut ne jamais se retrouver. Pourtant, quelque intérêt que je porte à votre amour, quelque désir que j'aie de faire une expérience qui n'a jamais été tentée en Europe, je ne dois pas vous cacher que cet échange d'âmes a ses périls. Frappez votre poitrine, interrogez votre cœur. — Risquez-vous franchement votre vie sur cette carte suprême ? L'amour est fort comme la mort, dit la Bible [40].

— Je suis prêt, répondit simplement Octave.

— Bien, jeune homme, s'écria le docteur en frottant ses mains brunes et sèches avec une rapidité extraordinaire, comme s'il eût voulu allumer du feu à la manière des sauvages. — Cette passion qui ne recule devant rien me plaît. Il n'y a que deux choses au monde : la passion et la volonté. Si vous n'êtes pas heureux, ce ne sera certes pas de ma faute. Ah ! mon vieux Brahma-Logum, tu vas voir du fond du ciel d'Indra où les apsaras [41] t'entourent de leurs chœurs voluptueux, si j'ai oublié la formule irrésistible que tu m'as râlée à l'oreille en abandonnant ta carcasse momifiée. Les mots et les gestes, j'ai tout retenu. — A l'œuvre ! à l'œuvre ! Nous allons faire dans notre chaudron une étrange cuisine, comme les sorcières de Macbeth, mais sans l'ignoble sorcellerie du Nord. — Placez-vous devant moi, assis dans ce fauteuil ; abandonnez-vous en toute confiance à mon pouvoir. Bien ! les yeux sur les yeux, les mains contre les mains. — Déjà le charme agit. Les notions de temps et d'espace se perdent, la conscience du moi s'efface, les paupières s'abaissent ; les muscles, ne recevant plus d'ordres du cerveau, se détendent ; la pensée s'assoupit, tous les fils délicats qui

40. *la Bible, Le Cantique des cantiques*, VIII, 6.
41. *les apsaras,* dans la mythologie indienne, ce sont des nymphes d'une grande beauté qui habitent le paradis d'Indra. Nées de « l'océan de lait », « filles du plaisir », elles récompensent de leurs faveurs les héros morts dans le combat ou descendent sur la terre pour séduire les ascètes.

retiennent l'âme au corps sont dénoués. Brahma, dans l'œuf d'or où il rêva dix mille ans, n'était pas plus séparé des choses extérieures; saturons-le d'effluves, baignons-le de rayons. »

Le docteur, tout en marmottant ces phrases entrecoupées, ne discontinuait pas un seul instant ses passes : de ses mains tendues jaillissaient des jets lumineux qui allaient frapper le front ou le cœur du patient, autour duquel se formait peu à peu une sorte d'atmosphère visible, phosphorescente comme une auréole.

« Très bien ! fit M. Balthazar Cherbonneau, s'applaudissant lui-même de son ouvrage. Le voilà comme je le veux. Voyons, voyons, qu'est-ce qui résiste encore par là ? s'écria-t-il après une pause, comme s'il lisait à travers le crâne d'Octave le dernier effort de la personnalité près de s'anéantir. Quelle est cette idée mutine qui, chassée des circonvolutions de la cervelle, tâche de se soustraire à mon influence en se pelotonnant sur la monade primitive, sur le point central de la vie ? Je saurai bien la rattraper et la mater. »

Pour vaincre cette involontaire rébellion, le docteur rechargea plus puissamment encore la batterie magnétique de son regard, et atteignit la pensée en révolte entre la base du cervelet et l'insertion de la moelle épinière, le sanctuaire le plus caché, le tabernacle le plus mystérieux de l'âme. Son triomphe était complet.

Alors il se prépara avec une solennité majestueuse à l'expérience inouïe qu'il allait tenter; il se revêtit comme un mage d'une robe de lin, il lava ses mains dans une eau parfumée, il tira de diverses boîtes des poudres dont il se fit aux joues et au front des tatouages hiératiques; il ceignit son bras du cordon des brahmes, lut deux ou trois Slocas [42] des poèmes sacrés, et n'omit aucun des rites minutieux recommandés par le sannyâsi des grottes d'Éléphanta.

Ces cérémonies terminées, il ouvrit toutes grandes les bouches de chaleur, et bientôt la salle fut remplie d'une atmosphère embrasée qui eût fait se pâmer les tigres dans

---

42. *Slocas*, strophes de deux vers dans la poésie hindoue.

les jungles, se craqueler leur cuirasse de vase sur le cuir
rugueux des buffles, et s'épanouir avec une détonation la
large fleur de l'aloès.

« Il ne faut pas que ces deux étincelles du feu divin, qui
vont se trouver nues tout à l'heure et dépouillées pendant
quelques secondes de leur enveloppe mortelle, pâlissent
ou s'éteignent dans notre air glacial », dit le docteur en
regardant le thermomètre, qui marquait alors 120 degrés
Fahrenheit.

Le docteur Balthazar Cherbonneau, entre ces deux
corps inertes, avait l'air, dans ses blancs vêtements, du
sacrificateur d'une de ces religions sanguinaires qui jetaient des cadavres d'hommes sur l'autel de leurs dieux.
Il rappelait ce prêtre de Vitziliputzili, la farouche idole
mexicaine dont parle Henri Heine dans une de ses ballades [43], mais ses intentions étaient à coup sûr plus paci-
fiques.

Il s'approcha du comte Olaf Labinski toujours immobile, et prononça l'ineffable syllabe, qu'il alla rapidement
répéter sur Octave profondément endormi. La figure ordinairement bizarre de M. Cherbonneau avait pris en ce
moment une majesté singulière ; la grandeur du pouvoir
dont il disposait ennoblissait ses traits désordonnés, et si
quelqu'un l'eût vu accomplissant ces rites mystérieux
avec une gravité sacerdotale, il n'eût pas reconnu en lui le
docteur hoffmannique qui appelait, en le défiant, le
crayon de la caricature.

Il se passa alors des choses bien étranges : Octave de
Saville et le comte Olaf Labinski parurent agités simultanément comme d'une convulsion d'agonie, leur visage se
décomposa, une légère écume leur monta aux lèvres ; la
pâleur de la mort décolora leur peau ; cependant deux
petites lueurs bleuâtres et tremblotantes scintillaient in-
certaines au-dessus de leurs têtes.

A un geste fulgurant du docteur qui semblait leur tracer
leur route dans l'air, les deux points phosphoriques se
mirent en mouvement, et, laissant derrière eux un sillage

---

43. *ses ballades,* ce poème appartient à la première partie du *Roman-
cero,* paru en 1851. Sur Vitziliputzili voir la note 5 du *Pied de momie.*

de lumière, se rendirent à leur demeure nouvelle : l'âme d'Octave occupa le corps du comte Labinski, l'âme du comte celui d'Octave ; l'avatar était accompli.

Une légère rougeur des pommettes indiquait que la vie venait de rentrer dans ces argiles humaines restées sans âme pendant quelques secondes, et dont l'Ange noir eût fait sa proie sans la puissance du docteur.

La joie du triomphe faisait flamboyer les prunelles bleues de Cherbonneau, qui se disait en marchant à grands pas dans la chambre : « Que les médecins les plus vantés en fassent autant, eux si fiers de raccommoder tant bien que mal l'horloge humaine lorsqu'elle se détraque : Hippocrate, Galien, Paracelse, Van Helmont, Boer- haave, Tronchin, Hahnemann, Rasori [44], le moindre fakir indien, accroupi sur l'escalier d'une pagode, en sait mille fois plus long que vous ! Qu'importe le cadavre quand on commande à l'esprit ! »

En finissant sa période, le docteur Balthazar Cherbon- neau fit plusieurs cabrioles d'exultation, et dansa comme les montagnes dans le Sir-Hasirim [45] du roi Salomon ; il faillit même tomber sur le nez, s'étant pris le pied aux plis de sa robe brahminique, petit accident qui le rappela à lui-même et lui rendit tout son sang-froid.

« Réveillons nos dormeurs », dit M. Cherbonneau après avoir essuyé les raies de poudre colorées dont il s'était strié la figure et dépouillé son costume de brahme, — et, se plaçant devant le corps du comte La- binski habité par l'âme d'Octave, il fit les passes néces- saires pour le tirer de l'état somnambulique, secouant à chaque geste ses doigts chargés du fluide qu'il enlevait.

Au bout de quelques minutes, Octave-Labinski (dé- sormais nous le désignerons de la sorte pour la clarté du récit) se redressa sur son séant, passa ses mains sur ses

44. *Rasori*, Jean-Baptiste Van Helmont (1577-1644), médecin et chimiste belge, Hermann Boerhaave (1668-1738), médecin hollandais et professeur de médecine, Théodore Tronchin (1709-1781), médecin suisse et disciple du précédent, Frédéric Hahnemann (1755-1843), mé- decin allemand, créateur de la méthode homéopathique, Jean Rasori (1766-1837), médecin italien et professeur de médecine.

45. *Sir-Hasirim = Le Cantique des cantiques.*

yeux et promena autour de lui un regard étonné que la
conscience du moi n'illuminait pas encore. Quand la
perception nette des objets lui fut revenue, la première
chose qu'il aperçut, ce fut sa forme placée en dehors de
lui sur un divan. Il se voyait! non pas réfléchi par un
miroir, mais en réalité. Il poussa un cri, — ce cri ne
résonna pas avec le timbre de sa voix et lui causa une
sorte d'épouvante; — l'échange d'âmes ayant eu lieu
pendant le sommeil magnétique, il n'en avait pas gardé
mémoire et éprouvait un malaise singulier. Sa pensée,
servie par de nouveaux organes, était comme un ouvrier à
qui l'on a retiré ses outils habituels pour lui en donner
d'autres. Psyché dépaysée battait de ses ailes inquiètes la
voûte de ce crâne inconnu, et se perdait dans les méandres de cette cervelle où restaient encore quelques traces
d'idées étrangères.

« Eh bien, dit le docteur lorsqu'il eut suffisamment joui
de la surprise d'Octave-Labinski, que vous semble de
votre nouvelle habitation ? Votre âme se trouve-t-elle bien
installée dans le corps de ce charmant cavalier, hetman,
hospodar [46] ou magnat, mari de la plus belle femme du
monde ? Vous n'avez plus envie de vous laisser mourir
comme c'était votre projet la première fois que je vous ai
vu dans votre triste appartement de la rue Saint-Lazare,
maintenant que les portes de l'hôtel Labinski vous sont
toutes grandes ouvertes et que vous n'avez plus peur que
Prascovie ne vous mette la main devant la bouche,
comme à la villa Salviati, lorsque vous voudrez lui parler
d'amour ! Vous voyez bien que le vieux Balthazar Cherbonneau, avec sa figure de macaque, qu'il ne tiendrait
qu'à lui de changer pour une autre, possède encore dans
son sac à malices d'assez bonnes recettes.

— Docteur, répondit Octave-Labinski, vous avez le
pouvoir d'un Dieu, ou, tout au moins, d'un démon.

— Oh! oh! n'ayez pas peur, il n'y a pas la moindre
diablerie là-dedans. Votre salut ne périclite pas : je ne vais

---

46. *hospodar*, hetman ou ataman, chef des cosaques. Hospodar, titre
des princes de Valachie et de Moldavie, soumis à la suzeraineté musul-
mane.

pas vous faire signer un pacte avec un parafe rouge. Rien
n'est plus simple que ce qui vient de se passer. Le Verbe
qui a créé la lumière peut bien déplacer une âme. Si les
hommes voulaient écouter Dieu à travers le temps et
l'infini, ils en feraient, ma foi, bien d'autres.

— Par quelle reconnaissance, par quel dévouement
reconnaître cet inestimable service ?

— Vous ne me devez rien ; vous m'intéressiez, et pour
un vieux Lascar comme moi, tanné à tous les soleils,
bronzé à tous les événements, une émotion est une chose
rare. Vous m'avez révélé l'amour, et vous savez que nous
autres rêveurs un peu alchimistes, un peu magiciens, un
peu philosophes, nous cherchons tous plus ou moins
l'absolu. Mais levez-vous donc, remuez-vous, marchez,
et voyez si votre peau neuve ne vous gêne pas aux
entournures. »

Octave-Labinski obéit au docteur et fit quelques tours
par la chambre ; il était déjà moins embarrassé ; quoique
habité par une autre âme, le corps du comte conservait
l'impulsion de ses anciennes habitudes, et l'hôte récent se
confia à ces souvenirs physiques, car il lui importait de
prendre la démarche, l'allure, le geste du propriétaire
expulsé.

« Si je n'avais opéré moi-même tout à l'heure le démé-
nagement de vos âmes, je croirais, dit en riant le docteur
Balthazar Cherbonneau, qu'il ne s'est rien passé que
d'ordinaire pendant cette soirée, et je vous prendrais pour
le véritable, légitime et authentique comte lithuanien Olaf
Labinski, dont le moi sommeille encore là-bas dans la
chrysalide que vous avez dédaigneusement laissée. Mais
minuit va sonner bientôt ; partez pour que Prascovie ne
vous gronde pas et ne vous accuse pas de lui préférer le
lansquenet ou le baccarat. Il ne faut pas commencer votre
vie d'époux par une querelle, ce serait de mauvais augure. Pendant ce temps, je m'occuperai de réveiller votre
ancienne enveloppe avec toutes les précautions et les
égards qu'elle mérite. »

Reconnaissant la justesse des observations du docteur,
Octave-Labinski se hâta de sortir. Au bas du perron
piaffaient d'impatience les magnifiques chevaux bais du

comte, qui, en mâchant leurs mors, avaient devant eux couvert le pavé d'écume. — Au bruit de pas du jeune homme, un superbe chasseur vert, de la race perdue des heiduques [47], se précipita vers le marchepied, qu'il abattit avec fracas. Octave, qui s'était d'abord dirigé machinalement vers son modeste brougham [48], s'installa dans le haut et splendide coupé, et dit au chasseur, qui jeta le mot au cocher : « A l'hôtel ! » La portière à peine fermée, les chevaux partirent en faisant des courbettes, et le digne successeur des Almanzor et des Azolan se suspendit aux larges cordons de passementerie avec une prestesse que n'aurait pas laissé supposer sa grande taille.

Pour des chevaux de cette allure la course n'est pas longue de la rue du Regard au faubourg Saint-Honoré ; l'espace fut dévoré en quelques minutes, et le cocher cria de sa voix de Stentor : La porte !

Les deux immenses battants, poussés par le suisse, livrèrent passage à la voiture, qui tourna dans une grande cour sablée et vint s'arrêter avec une précision remarquable sous une marquise rayée de blanc et de rose.

La cour, qu'Octave-Labinski détailla avec cette rapidité de vision que l'âme acquiert en certaines occasions solennelles, était vaste, entourée de bâtiments symétriques, éclairée par des lampadaires de bronze dont le gaz dardait ses langues blanches dans des fanaux de cristal semblables à ceux qui ornaient autrefois le Bucentaure [49], et sentait le palais plus que l'hôtel ; des caisses d'orangers dignes de la terrasse de Versailles étaient posées de distance en distance sur la marge d'asphalte qui encadrait comme une bordure le tapis de sable formant le milieu.

Le pauvre amoureux transformé, en mettant le pied sur le seuil, fut obligé de s'arrêter quelques secondes et de poser sa main sur son cœur pour en comprimer les batte-

---

47. *heiduques ou haiduques*, peuplade de la Hongrie centrale.
48. *brougham*, synonyme de coupé, voiture à quatre roues et tirée par un cheval, mise à la mode par celui qui lui a donné son nom, lord Brougham.
49. *le Bucentaure*, le vaisseau à bord duquel le doge célébrait annuellement, le jour de l'Ascension, la cérémonie des noces de Venise avec la mer.

ments. Il avait bien le corps du comte Olaf Labinski, mais il n'en possédait que l'apparence physique ; toutes les notions que contenait cette cervelle s'étaient enfuies avec l'âme du premier propriétaire, — la maison qui désormais devait être la sienne lui était inconnue, il en ignorait les dispositions intérieures ; — un escalier se présentait devant lui, il le suivit à tout hasard, sauf à mettre son erreur sur le compte d'une distraction.

Les marches de pierre poncée éclataient de blancheur et faisaient ressortir le rouge opulent de la large bande de moquette retenue par des baguettes de cuivre doré qui dessinait au pied son moelleux chemin ; des jardinières remplies des plus belles fleurs exotiques montaient chaque degré avec vous.

Une immense lanterne découpée et fenestrée, suspendue à un gros câble de soie pourpre orné de houppes et de nœuds, faisait courir des frissons d'or sur les murs revêtus d'un stuc blanc et poli comme le marbre, et projetait une masse de lumière sur une répétition de la main de l'auteur, d'un des plus célèbres groupes de Canova, *L'Amour embrassant Psyché*.

Le palier de l'étage unique était pavé de mosaïques d'un précieux travail, et aux parois, des cordes de soie suspendaient quatre tableaux de Paris Bordone, de Bonifazzio [50], de Palma le Vieux et de Paul Véronèse, dont le style architectural et pompeux s'harmonisait avec la magnificence de l'escalier.

Sur ce palier s'ouvrait une haute porte de serge relevée de clous dorés ; Octave-Labinski la poussa et se trouva dans une vaste antichambre où sommeillaient quelques laquais en grande tenue, qui, à son approche, se levèrent comme poussés par des ressorts et se rangèrent le long des murs avec l'impassibilité d'esclaves orientaux.

Il continua sa route. Un salon blanc et or, où il n'y

---

50. *Bonifazzio*, Paris Bordone (1500-1571), peintre de l'école vénitienne qui fut l'élève de Titien. Il existe au XVIe siècle trois peintres de Venise, portant le nom de Bonifazio ou Bonifacio et appartenant à la même famille. Ils sont des continuateurs de Giorgione et de Titien. Dans le *Guide de l'amateur du musée du Louvre*, Gautier décrit *La Résurrection de Lazare*, sans préciser lequel des trois en est l'auteur.

avait personne, suivait l'antichambre. Octave tira une sonnette. Une femme de chambre parut.

« Madame peut-elle me recevoir ?

— Madame la comtesse est en train de se déshabiller, mais tout à l'heure elle sera visible. »

VII

Resté seul avec le corps d'Octave de Saville, habité par l'âme du comte Olaf Labinski, le docteur Balthazar Cherbonneau se mit en devoir de rendre cette forme inerte à la vie ordinaire. Au bout de quelques passes, Olaf-de Saville (qu'on nous permette de réunir ces deux noms pour désigner un personnage double) sortit comme un fantôme des limbes du profond sommeil, ou plutôt de la catalepsie qui l'enchaînait, immobile et roide, sur l'angle du divan ; il se leva avec un mouvement automatique que la volonté ne dirigeait pas encore, et chancelant sous un vertige mal dissipé. Les objets vacillaient autour de lui, les incarnations de Wishnou dansaient la sarabande le long des murailles, le docteur Cherbonneau lui apparaissait sous la figure du sannyâsi d'Éléphanta, agitant ses bras comme des ailerons d'oiseau et roulant ses prunelles bleues dans des orbes de rides brunes, pareils à des cercles de besicles ; — les spectacles étranges auxquels il avait assisté avant de tomber dans l'anéantissement magnétique réagissaient sur sa raison, et il ne se reprenait que lentement à la réalité : il était comme un dormeur réveillé brusquement d'un cauchemar, qui prend encore pour des spectres ses vêtements épars sur les meubles, avec de vagues formes humaines, et pour des yeux flamboyants de cyclope les patères de cuivre des rideaux, simplement illuminées par le reflet de la veilleuse.

Peu à peu cette fantasmagorie s'évapora ; tout revint à son aspect naturel ; M. Balthazar Cherbonneau ne fut plus un pénitent de l'Inde, mais un simple docteur en médecine, qui adressait à son client un sourire d'une bonhomie banale.

« Monsieur le comte est-il satisfait des quelques expériences que j'ai eu l'honneur de faire devant lui ? disait-il avec un ton d'obséquieuse humilité où l'on aurait pu démêler une légère nuance d'ironie ; — j'ose espérer qu'il ne regrettera pas trop sa soirée et qu'il partira convaincu que tout ce qu'on raconte sur le magnétisme n'est pas fable et jonglerie, comme le prétend la science officielle. »

Olaf-de Saville répondit par un signe de tête en manière d'assentiment, et sortit de l'appartement, accompagné du docteur Cherbonneau, qui lui faisait de profonds saluts à chaque porte.

Le brougham s'avança en rasant les marches, et l'âme du mari de la comtesse Labinska y monta avec le corps d'Octave de Saville sans trop se rendre compte que ce n'était là ni sa livrée ni sa voiture.

Le cocher demanda où monsieur allait.

« Chez moi », répondit Olaf-de Saville, confusément étonné de ne pas reconnaître la voix du chasseur vert qui, ordinairement, lui adressait cette question avec un accent hongrois des plus prononcés. Le brougham où il se trouvait était tapissé de damas bleu foncé ; un satin bouton d'or capitonnait son coupé, et le comte s'étonnait de cette différence tout en l'acceptant comme on fait dans le rêve où les objets habituels se présentent sous des aspects tout autres sans pourtant cesser d'être reconnaissables ; il se sentait aussi plus petit que de coutume ; en outre, il lui semblait être venu en habit chez le docteur, et, sans se souvenir d'avoir changé de vêtement, il se voyait habillé d'un paletot d'été en étoffe légère qui n'avait jamais fait partie de sa garde-robe ; son esprit éprouvait une gêne inconnue, et ses pensées, le matin si lucides, se débrouillaient péniblement. Attribuant cet état singulier aux scènes étranges de la soirée, il ne s'en occupa plus, il appuya sa tête à l'angle de la voiture, et se laissa aller à une rêverie flottante, à une vague somnolence qui n'était ni la veille ni le sommeil.

Le brusque arrêt du cheval et la voix du cocher criant « La porte ! » le rappelèrent à lui ; il baissa la glace, mit la tête dehors et vit à la clarté du réverbère une rue inconnue, une maison qui n'était pas la sienne.

«Où diable me mènes-tu, animal? s'écria-t-il.
Sommes-nous donc faubourg Saint-Honoré, hôtel Labinski?

— Pardon, monsieur; je n'avais pas compris», grommela le cocher en faisant prendre à sa bête la direction
indiquée.

Pendant le trajet, le comte transfiguré se fit plusieurs
questions auxquelles il ne pouvait répondre. Comment sa
voiture était-elle partie sans lui, puisqu'il avait donné
ordre qu'on l'attendît? Comment se trouvait-il lui-même
dans la voiture d'un autre? Il supposa qu'un léger mouvement de fièvre troublait la netteté de ses perceptions,
ou que peut-être le docteur thaumaturge, pour frapper
plus vivement sa crédulité, lui avait fait respirer pendant
son sommeil quelque flacon de haschisch ou de toute
autre drogue hallucinatrice dont une nuit de repos dissi-
perait les illusions.

La voiture arriva à l'hôtel Labinski; le suisse, interpellé, refusa d'ouvrir la porte, disant qu'il n'y avait pas
de réception ce soir-là, que monsieur était rentré depuis
plus d'une heure et madame retirée dans ses appartements.

«Drôle, es-tu ivre ou fou? dit Olaf-de Saville
en repoussant le colosse qui se dressait gigantesque-
ment sur le seuil de la porte entrebâillée, comme une
de ces statues en bronze qui, dans les contes arabes,
défendent aux chevaliers errants l'accès des châteaux
enchantés.

— Ivre ou fou vous-même, mon petit monsieur, répliqua le suisse, qui, de cramoisi qu'il était naturellement,
devint bleu de colère.

— Misérable! rugit Olaf-de Saville, si je ne me res-
pectais...

— Taisez-vous ou je vais vous casser sur mon genou et
jeter vos morceaux sur le trottoir, répliqua le géant en
ouvrant une main plus large et plus grande que la colossale main de plâtre exposée chez le gantier de la rue
Richelieu; il ne faut pas faire le méchant avec moi, mon
petit jeune homme, parce qu'on a bu une ou deux bouteilles de vin de Champagne de trop. »

Olaf-de Saville, exaspéré, repoussa le suisse si rudement, qu'il pénétra sous le porche. Quelques valets qui n'étaient pas couchés encore accoururent au bruit de l'altercation.

«Je te chasse, bête brute, brigand, scélérat! je ne veux pas même que tu passes la nuit à l'hôtel; sauve-toi, ou je te tue comme un chien enragé. Ne me fais pas verser l'ignoble sang d'un laquais.»

Et le comte, dépossédé de son corps, s'élançait les yeux injectés de rouge, l'écume aux lèvres, les poings crispés, vers l'énorme suisse, qui, rassemblant les deux mains de son agresseur dans une des siennes, les y maintint presque écrasées par l'étau de ses gros doigts courts, charnus et noueux comme ceux d'un tortionnaire du Moyen Age.

«Voyons, du calme, disait le géant, assez bonasse au fond, qui ne redoutait plus rien de son adversaire et lui imprimait quelques saccades pour le tenir en respect. — Y a-t-il du bon sens de se mettre dans des états pareils quand on est vêtu en homme du monde, et de venir ensuite comme un perturbateur faire des tapages nocturnes dans les maisons respectables? On doit des égards au vin, et il doit être fameux celui qui vous a si bien grisé! c'est pourquoi je ne vous assomme pas, et je me contenterai de vous poser délicatement dans la rue, où la patrouille vous ramassera si vous continuez vos esclandres; — un petit air de violon vous rafraîchira les idées.

— Infâmes, s'écria Olaf-de Saville en interpellant les laquais, vous laissez insulter par cette abjecte canaille votre maître, le noble comte Labinski!»

A ce nom, la valetaille poussa d'un commun accord une immense huée; un éclat de rire énorme, homérique, convulsif, souleva toutes ces poitrines chamarrées de galons: «Ce petit monsieur qui se croit le comte Labinski! ha! ha! hi! hi! l'idée est bonne!»

Une sueur glacée mouilla les tempes d'Olaf-de Saville. Une pensée aiguë lui traversa la cervelle comme une lame d'acier, et il sentit se figer la moelle de ses os. Smarra lui avait-il mis son genou sur la poitrine où vivait-il de la vie réelle[51]? Sa raison avait-elle sombré dans l'océan sans fond du magnétisme, ou était-il le jouet de quelque machination diabolique? — Aucun de ses laquais si tremblants, si soumis, si prosternés devant lui, ne le reconnaissait. Lui avait-on changé son corps comme son vêtement et sa voiture?

« Pour que vous soyez bien sûr de n'être pas le comte Labinski, dit un des plus insolents de la bande, regardez là-bas, le voilà lui-même qui descend le perron, attiré par le bruit de votre algarade. »

Le captif du suisse tourna les yeux vers le fond de la cour, et vit debout sous l'auvent de la marquise un jeune homme de taille élégante et svelte, à figure ovale, aux yeux noirs, au nez aquilin, à la moustache fine, qui n'était autre que lui-même, ou son spectre modelé par le diable, avec une ressemblance à faire illusion.

Le suisse lâcha les mains qu'il tenait prisonnières. Les valets se rangèrent respectueusement contre la muraille, le regard baissé, les mains pendantes, dans une immobilité absolue, comme les icoglans à l'approche du padischah[52]; ils rendaient à ce fantôme les honneurs qu'ils refusaient au comte véritable.

L'époux de Prascovie, quoique intrépide comme un Slave, c'est tout dire, ressentit un effroi indicible à l'approche de ce Ménechme, qui, plus terrible que celui du théâtre, se mêlait à la vie positive et rendait son jumeau méconnaissable.

Une ancienne légende de famille lui revint en mémoire et augmenta encore sa terreur. Chaque fois qu'un Labinski devait mourir, il en était averti par l'apparition d'un fantôme absolument pareil à lui. Parmi les nations du Nord, voir son double, même en rêve, a toujours passé pour un présage fatal, et l'intrépide guerrier du Caucase,

---

51. *la vie réelle*, nouvelle allusion à l'œuvre de Charles Nodier, *Smarra ou les démons de la nuit* (1821), qui paraît avoir frappé l'imagination de Gautier à l'égal des récits fantastiques d'Hoffmann.

52. *padischah*, les icoglans sont de jeunes officiers du palais du sultan, affectés aux services intérieurs (des pages, selon Littré), tandis que le padischah répond au titre des souverains musulmans, particulièrement à celui de l'empereur des Turcs.

à l'aspect de cette vision extérieure de son moi, fut saisi d'une insurmontable horreur superstitieuse ; lui qui eût plongé son bras dans la gueule des canons prêts à tirer, il recula devant lui-même.

Octave-Labinski s'avança vers son ancienne forme, où se débattait, s'indignait et frissonnait l'âme du comte, et lui dit d'un ton de politesse hautaine et glaciale :

« Monsieur, cessez de vous compromettre avec ces valets. M. le comte Labinski, si vous voulez lui parler, est visible de midi à deux heures. Madame la comtesse reçoit le jeudi les personnes qui ont eu l'honneur de lui être présentées. »

Cette phrase débitée lentement et en donnant de la valeur à chaque syllabe, le faux comte se retira d'un pas tranquille, et les portes se refermèrent sur lui.

On porta dans la voiture Olaf-de Saville évanoui. Lorsqu'il reprit ses sens, il était couché sur un lit qui n'avait pas la forme du sien, dans une chambre où il ne se rappelait pas être jamais entré ; près de lui se tenait un domestique étranger qui lui soulevait la tête et lui faisait respirer un flacon d'éther.

« Monsieur se sent-il mieux ? demanda Jean au comte, qu'il prenait pour son maître.

— Oui, répondit Olaf-de Saville ; ce n'était qu'une faiblesse passagère.

— Puis-je me retirer ou faut-il que je veille, monsieur ?

— Non, laissez-moi seul ; mais, avant de vous retirer, allumez les torchères près de la glace.

— Monsieur n'a pas peur que cette vive clarté ne l'empêche de dormir ?

— Nullement ; d'ailleurs je n'ai pas sommeil encore.

— Je ne me coucherai pas, et si monsieur a besoin de quelque chose, j'accourrai au premier coup de sonnette », dit Jean, intérieurement alarmé de la pâleur et des traits décomposés du comte.

Lorsque Jean se fut retiré après avoir allumé les bougies, le comte s'élança vers la glace, et, dans le cristal profond et pur où tremblait la scintillation des lumières, il vit une tête jeune, douce et triste, aux abondants cheveux noirs, aux prunelles d'un azur sombre, aux joues pâles, duvetées d'une barbe soyeuse et brune, une tête qui n'était pas la sienne, et qui du fond du miroir le regardait avec un air surpris. Il s'efforça d'abord de croire qu'un mauvais plaisant encadrait son masque dans la bordure incrustée de cuivre et de burgau de la glace à biseaux vénitiens. Il passa la main derrière ; il ne sentit que les planches du parquet ; il n'y avait personne.

Ses mains, qu'il tâta, étaient plus maigres, plus longues, plus veinées ; au doigt annulaire saillait en bosse une grosse bague d'or avec un chaton d'aventurine sur laquelle un blason était gravé, — un écu fascé de gueules et d'argent, et pour timbre un tortil de baron. Cet anneau n'avait jamais appartenu au comte, qui portait d'or à l'aigle de sable essorant, becqué, patté et onglé de même ; le tout surmonté de la couronne à perles. Il fouilla ses poches, il y trouva un petit portefeuille contenant des cartes de visite avec ce nom : « Octave de Saville. »

Le rire des laquais à l'hôtel Labinski, l'apparition de son double, la physionomie inconnue substituée à sa réflexion dans le miroir pouvaient être, à la rigueur, les illusions d'un cerveau malade ; mais ces habits différents, cet anneau qu'il ôtait de son doigt, étaient des preuves matérielles, palpables, des témoignages impossibles à récuser. Une métamorphose complète s'était opérée en lui à son insu, un magicien, à coup sûr, un démon peut-être, lui avait volé sa forme, sa noblesse, son nom, toute sa personnalité, en ne lui laissant que son âme sans moyens de la manifester.

Les historiens fantastiques de Pierre Schlemil et de la Nuit de saint Sylvestre lui revinrent en mémoire ; mais les personnages de Lamotte-Fouqué et d'Hoffmann n'avaient perdu, l'un que son ombre, l'autre son reflet [53] ; et si cette privation bizarre d'une projection que tout le monde possède inspirait des soupçons inquiétants, personne du moins ne leur niait qu'ils ne fussent eux-mêmes.

Sa position, à lui, était bien autrement désastreuse : il

53. *son reflet*, Gautier attribue à Frédéric de La Motte-Fouqué, l'auteur d'*Ondine* (1811), ce qui appartient à Adalbert de Chamisso, célèbre par son *Histoire merveilleuse de Pierre Schlemilh* (1814).

ne pouvait réclamer son titre de comte Labinski avec la forme dans laquelle il se trouvait emprisonné. Il passerait aux yeux de tout le monde pour un impudent imposteur, ou tout au moins pour un fou. Sa femme même le méconnaîtrait affublé de cette apparence mensongère. — Comment prouver son identité ? Certes, il y avait mille circonstances intimes, mille détails mystérieux inconnus de toute autre personne, qui, rappelés à Prascovie, lui feraient reconnaître l'âme de son mari sous ce déguisement ; mais que vaudrait cette conviction isolée, au cas où il l'obtiendrait, contre l'unanimité de l'opinion ? Il était bien réellement et bien absolument dépossédé de son moi. Autre anxiété : Sa transformation se bornait-elle au changement extérieur de la taille et des traits, ou habitait-il en réalité le corps d'un autre ? En ce cas, qu'avait-on fait du sien ? Un puits de chaux l'avait-il consumé ou était-il devenu la propriété d'un hardi voleur ? Le double aperçu à l'hôtel Labinski pouvait être un spectre, une vision, mais aussi un être physique, vivant, installé dans cette peau que lui aurait dérobée, avec une habileté infernale, ce médecin à figure de fakir.

Une idée affreuse lui mordit le cœur de ses crochets de vipère : « Mais ce comte Labinski fictif, pétri dans ma forme par les mains du démon, ce vampire qui habite maintenant mon hôtel, à qui mes valets obéissent contre moi, peut-être à cette heure met-il son pied fourchu sur le seuil de cette chambre où je n'ai jamais pénétré que le cœur ému comme le premier soir, et Prascovie lui sourit-elle doucement et penche-t-elle avec une rougeur divine sa tête charmante sur cette épaule parafée de la griffe du diable, prenant pour moi cette larve menteuse, ce brucolaque, cette empouse [54], ce hideux fils de la nuit et de l'enfer. Si je courais à l'hôtel, si j'y mettais le feu pour crier, dans les flammes, à Prascovie : On te trompe, ce n'est pas Olaf ton bien-aimé que tu tiens sur ton cœur ! Tu

54. *empouse,* brucolaque, fantôme, revenant. Dans les *Infernalia,* attribués à Nodier, on lit la précision suivante : « Les peuples du nord les nomment *vampires ;* les Grecs les désignent sous le nom de broucolaque. » Empouse, contrairement à l'affirmation de Gautier, démon de midi, qui revêt de multiples figures.

vas commettre innocemment un crime abominable et dont
mon âme désespérée se souviendra encore quand les
éternités se seront fatigué les mains à retourner leurs
sabliers ! »

Des vagues enflammées affluaient au cerveau du
comte, il poussait des cris de rage inarticulés, se mordait
les poings, tournait dans la chambre comme une bête
fauve. La folie allait submerger l'obscure conscience
qu'il lui restait de lui-même ; il courut à la toilette d'Octave, remplit une cuvette d'eau et y plongea sa tête, qui
sortit fumante de ce bain glacé.

Le sang-froid lui revint. Il se dit que le temps du
magisme et de la sorcellerie était passé ; que la mort seule
déliait l'âme du corps ; qu'on n'escamotait pas de la sorte,
au milieu de Paris, un comte polonais accrédité de plusieurs millions chez Rothschild, allié aux plus grandes
familles, mari aimé d'une femme à la mode, décoré de
l'ordre de Saint-André de première classe, et que tout
cela n'était sans doute qu'une plaisanterie d'assez mauvais goût de M. Balthazar Cherbonneau, qui s'explique-
rait le plus naturellement du monde, comme les épou-
vantails des romans d'Anne Radcliffe.

Comme il était brisé de fatigue, il se jeta sur le lit
d'Octave et s'endormit d'un sommeil lourd, opaque,
semblable à la mort, qui durait encore lorsque Jean,
croyant son maître éveillé, vint poser sur la table les
lettres et les journaux.

VII

Le comte ouvrit les yeux, et promena autour de lui un
regard investigateur ; il vit une chambre à coucher
confortable, mais simple ; un tapis ocellé, imitant la peau
de léopard, couvrait le plancher ; des rideaux de tapisserie, que Jean venait d'entrouvrir, pendaient aux fenêtres
et masquaient les portes ; les murs étaient tendus d'un
papier velouté vert uni, simulant le drap. Une pendule
formée d'un bloc de marbre noir, au cadran de platine,
surmontée de la statuette en argent oxydé de la Diande de

Gabies, réduite par Barbedienne [55], et accompagnée de deux coupes antiques, aussi en argent, décorait la cheminée en marbre blanc à veines bleuâtres ; le miroir de Venise où le comte avait découvert la veille qu'il ne possédait plus sa figure habituelle, et un portrait de femme âgée, peint par Flandrin [56], sans doute celui de la mère d'Octave, étaient les seuls ornements de cette pièce, un peu triste et sévère ; un divan, un fauteuil à la Voltaire placé près de la cheminée, une table à tiroirs, couverte de papiers et de livres, composaient un ameublement commode, mais qui ne rappelait en rien les somptuosités de l'hôtel Labinski.

« Monsieur se lève-t-il ? » dit Jean de cette voix ménagée qu'il s'était faite pendant la maladie d'Octave, et en présentant au comte la chemise de couleur, le pantalon de flanelle à pied et la gandoura d'Alger, vêtements du matin de son maître. Quoiqu'il répugnât au comte de mettre les habits d'un étranger, à moins de rester nu il lui fallait accepter ceux que lui présentait Jean, et il posa ses pieds sur la peau d'ours soyeuse et noire qui servait de descente de lit.

Sa toilette fut bientôt achevée, et Jean, sans paraître concevoir le moindre doute sur l'identité du faux Octave de Saville qu'il aidait à s'habiller, lui dit : « A quelle heure monsieur désire-t-il déjeuner ?

— A l'heure ordinaire », répondit le comte, qui, afin de ne pas éprouver d'empêchement dans les démarches qu'il comptait faire pour recouvrer sa personnalité, avait résolu d'accepter extérieurement son incompréhensible transformation.

---

55. *Ferdinand Barbedienne* (1810-1892) a créé une maison destinée à reproduire en bronze les chefs-d'œuvre de la statuaire antique et moderne, en les réduisant de telle sorte qu'ils deviennent des ornements d'appartements.

56. *Flandrin,* il existe trois peintres Flandrin au XIXᵉ siècle, tous frères et disciples d'Ingres : Auguste (1804-1843), fixé à Lyon, Hippolyte (1809-1864), le plus connu qui se spécialisa dans la peinture religieuse et dans la décoration des églises (Saint-Germain-des-Prés), et Paul (1811-1902), paysagiste. Dans *Les Beaux-Arts en Europe,* Gautier parle des deux derniers. Hippolyte Flandrin exécuta un certain nombre de portraits et c'est vraisemblablement à lui que le texte fait allusion.

Jean se retira, et Olaf-de Saville ouvrit les deux lettres qui avaient été apportées avec les journaux, espérant y trouver quelques renseignements; la première contenait des reproches amicaux, et se plaignait de bonnes relations de camaderie interrompues sans motif; un nom inconnu pour lui la signait. La seconde était du notaire d'Octave, et le pressait de venir toucher un quartier de rente échu depuis longtemps, ou du moins d'assigner un emploi à ses capitaux qui restaient improductifs.

«Ah çà, il paraît, se dit le comte, que l'Octave de Saville dont j'occupe la peau bien contre mon gré existe réellement; ce n'est point un être fantastique, un personnage d'Achim d'Arnim ou de Clément Brentano [57]; il a un appartement, des amis, un notaire, des rentes à émarger, tout ce qui constitue l'état civil d'un gentleman. Il me semble bien cependant, que je suis le comte Olaf Labinski.»

Un coup d'œil jeté sur le miroir le convainquit que cette opinion ne serait partagée de personne; à la pure clarté du jour, aux douteuses lueurs des bougies, le reflet était identique.

En continuant la visite domiciliaire, il ouvrit les tiroirs de la table: dans l'un il trouva des titres de propriété, deux billets de mille francs et cinquante louis, qu'il s'appropria sans scrupule pour les besoins de la campagne qu'il allait commencer, et dans l'autre un portefeuille en cuir de Russie fermé par une serrure à secret.

Jean entra, en annonçant M. Alfred Humbert, qui s'élança dans la chambre avec la familiarité d'un ancien ami, sans attendre que le domestique vînt lui rendre la réponse du maître.

«Bonjour, Octave, dit le nouveau venu, beau jeune homme à l'air cordial et franc; que fais-tu, que deviens-tu, es-tu mort ou vivant? On ne te voit nulle part; on t'écrit, tu ne répond pas. — Je devrais te bouder,

---

57. *Clément Brentano*, c'est à *De l'Allemagne* de Heine (1835) que Gautier doit la révélation d'Achim d'Arnim et de Brentano. On sait que Théophile Gautier fils traduisit *Isabelle d'Égypte, Marie Melück-Blainville* et *Les Héritiers du majorat*, publiés en 1856 avec une préface de Gautier.

mais, ma foi, je n'ai pas d'amour-propre en affection, et je viens te serrer la main. — Que diable ! on ne peut pas laisser mourir de mélancolie son camarade de collège au fond de cet appartement lugubre comme la cellule de Charles Quint au monastère de Yuste. Tu te figures que tu es malade, tu t'ennuies, voilà tout ; mais je te forcerai à te distraire, et je vais t'emmener d'autorité à un joyeux déjeuner où Gustave Raimbaud enterre sa liberté de garçon. »

En débitant cette rirade d'un ton moitié fâché, moitié comique, il secouait vigoureusement à la manière anglaise la main du comte qu'il avait prise.

« Non, répondit le mari de Prascovie, entrant dans l'esprit de son rôle, je suis plus souffrant aujourd'hui que d'ordinaire ; je ne me sens pas en train ; je vous attristerais et vous gêneriez.

— En effet, tu es bien pâle et tu as l'air fatigué ; à une occasion meilleure ! Je me sauve, car je suis en retard de trois douzaines d'huîtres vertes et d'une bouteille de vin de Sauterne, dit Alfred en se dirigeant vers la porte ; Raimbaud sera fâché de ne pas te voir. »

Cette visite augmenta la tristesse du comte. — Jean le prenait pour son maître. Alfred pour son ami. Une dernière épreuve lui manquait. La porte s'ouvrit ; une dame dont les bandeaux étaient entremêlés de fils d'argent, et qui ressemblait d'une manière frappante au protrait suspendu à la muraille, entra dans la chambre, s'assit sur le divan, et dit au comte :

« Comment vas-tu, mon pauvre Octave ? Jean m'a dit que tu étais rentré tard hier, et dans un état de faiblesse alarmante ; ménage-toi bien, mon cher fils, car tu sais combien je t'aime, malgré le chagrin que me cause cette inexplicable tristesse dont tu n'as jamais voulu me confier le secret.

— Ne craignez rien, ma mère, cela n'a rien de grave, répondit Olaf-de Saville ; je suis beaucoup mieux aujourd'hui. »

Madame de Saville, rassurée, se leva et sortit, ne voulant pas gêner son fils, qu'elle savait ne pas aimer à être troublé longtemps dans sa solitude.

« Me voilà bien définitivement Octave de Saville, s'écria le comte lorsque la vieille dame fut partie ; sa mère me reconnaît et ne devine pas une âme étrangère sous l'épiderme de son fils. Je suis donc à jamais peut-être claquemuré dans cette enveloppe ; quelle étrange prison pour un esprit que le corps d'un autre ! Il est dur pourtant de renoncer à être le comte Olaf Labinski, de perdre son blason, sa femme, sa fortune, et de se voir réduit à une chétive existence bourgeoise. Oh ! je la déchirerai, pour en sortir, cette peau de Nessus qui s'attache à mon moi, et je ne la rendrai qu'en pièces à son premier possesseur. Si je retournais à l'hôtel ? Non ! — Je ferais un scandale inutile, et le suisse me jetterait à la porte, car je n'ai plus de vigueur dans cette robe de chambre de malade ; voyons, cherchons, car il faut que je sache un peu la vie de cet Octave de Saville qui est moi maintenant. Et il essaya d'ouvrir le portefeuille. Le ressort touché par hasard céda, et le comte tira, des poches de cuir, d'abord plusieurs papiers, noircis d'une écriture serrée et fine, ensuite un carré de vélin ; — sur le carré de vélin une main peu habile, mais fidèle, avait dessiné, avec la mémoire du cœur et la ressemblance que n'atteignent pas toujours les grands artistes, un portrait au crayon de la comtesse Prascovie Labinska, qu'il était impossible de ne pas reconnaître du premier coup d'œil.

Le comte demeura stupéfait de cette découverte. A la surprise succéda un furieux mouvement de jalousie ; comment le portrait de la comtesse se trouvait-il dans le portefeuille secret de ce jeune homme inconnu, d'où lui venait-il, qui l'avait fait, qui l'avait donné ? Cette Prascovie si religieusement adorée serait-elle descendue de son ciel d'amour dans une intrigue vulgaire ? Quelle raillerie infernale l'incarnait, lui, le mari, dans le corps de l'amant de cette femme, jusque-là crue si pure ? — Après avoir été l'époux, il allait être le galant ! Sarcastique métamorphose, renversement de position à devenir fou, il pourrait se tromper lui-même, être à la fois Clitandre et George Dandin !

Toutes ces idées bourdonnaient tumultueusement dans son crâne ; il sentait sa raison près de s'échapper, et il fit,

pour reprendre un peu de calme, un effort suprême de
volonté. Sans écouter Jean qui l'avertissait que le déjeuner était servi, il continua avec une trépidation nerveuse
l'examen du portefeuille mystérieux.

Les feuillets composaient une espèce de journal psychologique, abandonné et repris à diverses époques; en
voici quelques fragments, dévorés par le comte avec une
curiosité anxieuse :

« Jamais elle ne m'aimera, jamais, jamais ! J'ai lu dans
ses yeux si doux ce mot si cruel, que Dante n'en a pas
trouvé de plus dur pour l'inscrire sur les portes de bronze
de la Cité Dolente : « Perdez tout espoir [58]. » Qu'ai-je fait
à Dieu pour être damné vivant ? Demain, après-demain,
toujours, ce sera la même chose ! Les astres peuvent
entrecroiser leurs orbes, les étoiles en conjonction former
des nœuds, rien dans mon sort ne changera. D'un mot,
elle a dissipé le rêve ; d'un geste, brisé l'aile à la chimère.
Les combinaisons fabuleuses des impossibilités ne m'offrent aucune chance ; les chiffres, rejetés un milliard de
fois dans la roue de la fortune, n'en sortiraient pas, — il
n'y a pas de numéro gagnant pour moi ! »

« Malheureux que je suis ! je sais que le paradis m'est
fermé et je reste stupidement assis au seuil, le dos appuyé
à la porte, qui ne doit pas s'ouvrir, et je pleure en silence,
sans secousses, sans efforts, comme si mes yeux étaient
des sources d'eau vive. Je n'ai pas le courage de me lever
et de m'enfoncer au désert immense ou dans la Babel
tumultueuse des hommes. »

« Quelquefois, quand, la nuit, je ne puis dormir, je
pense à Prascovie ; — si je dors, j'en rêve ; — oh !
qu'elle était belle ce jour-là, dans le jardin de la villa
Salviati, à Florence ! — Cette robe blanche et ces rubans
noirs, — c'était charmant et funèbre ! Le blanc pour elle,
le noir pour moi ! — Quelquefois les rubans, remués par
la brise, formaient une croix sur ce fond d'éclatante
blancheur ; un esprit invisible disait tout bas la messe de
mort de mon cœur. »

---

58. *tout espoir*, « la Cité dolente » (*Enfer*, chant III, v. 1) et « Laissez
toute espérance » (*ibid.*, chant III, v. 9).

« Si quelque catastrophe inouïe mettait sur mon front la couronne des empereurs et des califes, si la terre saignait pour moi ses veines d'or, si les mines de diamant de Golconde et de Visapour [59] me laissaient fouiller dans leurs gangues étincelantes, si la lyre de Byron résonnait sous mes doigts, si les plus parfaits chefs-d'œuvre de l'art antique et moderne me prêtaient leurs beautés, si je découvrais un monde, eh bien, je n'en serais pas plus avancé pour cela ! »

« A quoi tient la destinée ! j'avais envie d'aller à Constantinople, je ne l'aurais pas rencontrée ; je reste à Florence, je la vois et je meurs. »

« Je me serais bien tué ; mais elle respire dans cet air où nous vivons, et peut-être ma lèvre avide aspirera-t-elle — ô bonheur ineffable ! — une effluve lointaine de ce souffle embaumé ; et puis l'on assignerait à mon âme coupable une planète d'exil, et je n'aurais pas la chance de me faire aimer d'elle dans l'autre vie. — Être encore séparés là-bas, elle au paradis, moi en enfer : pensée accablante ! »

« Pourquoi faut-il que j'aime précisément la seule femme qui ne peut m'aimer ? D'autres qu'on dit belles, qui étaient libres, me souriaient de leur sourire le plus tendre et semblaient appeler un aveu qui ne venait pas. Oh ! qu'il est heureux lui ! Quelle sublime vie antérieure Dieu récompense-t-il en lui par le don magnifique de cet amour ? »

... Il était inutile d'en lire davantage. Le soupçon que le comte avait pu concevoir à l'aspect du portrait de Prascovie s'était évanoui dès les premières lignes de ces tristes confidences. Il comprit que l'image chérie, recommencée mille fois, avait été caressée loin du modèle avec cette patience infatigable de l'amour malheureux, et que c'était la madone d'une petite chapelle mystique, devant laquelle s'agenouillait l'adoration sans espoir.

59. *Visapour*, Golconde est l'ancienne capitale en ruine d'un empire qui dut sa prospérité à ses mines de diamant. Visapour ou Vizapour, dans le Deccan, était à l'origine la capitale d'un vaste royaume musulman, jouissant de l'indépendance.

« Mais si cet Octave avait fait un pacte avec le diable pour me dérober mon corps et surprendre sous ma forme l'amour de Prascovie ! »

L'invraisemblance, au XIXe siècle, d'une pareille supposition, la fit bientôt abandonner au comte, qu'elle avait cependant étrangement troublé.

Souriant lui-même de sa crédulité, il mangea, refroidi, le déjeuner servi par Jean, s'habilla et demanda la voiture. Lorsqu'on eut attelé, il se fit conduire chez le docteur Balthazar Cherbonneau ; il traversa ces salles où la veille il était entré s'appelant encore le comte Olaf Labinski, et d'où il était sorti salué par tout le monde du nom d'Octave de Saville. Le docteur était assis, comme à son ordinaire, sur le divan de la pièce du fond, tenant son pied dans sa main, et paraissait plongé dans une méditation profonde.

Au bruit des pas du comte, le docteur releva la tête.

« Ah ! c'est vous, mon cher Octave ; j'allais passer chez vous ; mais c'est bon signe quand le malade vient voir le médecin.

— Toujours Octave ! dit le comte, je crois que j'en deviendrai fou de rage ! » Puis, se croisant les bras, il se plaça devant le docteur, et, le regardant avec une fixité terrible :

« Vous savez bien, monsieur Balthazar Cherbonneau, que je ne suis pas Octave, mais le comte Olaf Labinski, puisque hier soir vous m'avez, ici même, volé ma peau au moyen de vos sorcelleries exotiques. »

A ces mots, le docteur partit d'un énorme éclat de rire, se renversa sur ses coussins, et se mit les poings au côté pour contenir les convulsions de sa gaieté.

« Modérez, docteur, cette joie intempestive dont vous pourriez vous repentir. Je parle sérieusement.

— Tant pis, tant pis ! cela prouve que l'anesthésie et l'hypocondrie pour laquelle je vous soignais se tournent en démence. Il faudra changer le régime, voilà tout.

— Je ne sais à quoi tient, docteur du diable, que je ne vous étrangle de mes mains », cria le comte en s'avançant vers Cherbonneau.

Le docteur sourit de la menace du comte, qu'il toucha

du bout d'une petite baguette d'acier. — Olaf-de Saville reçut une commotion terrible et crut qu'il avait le bras cassé.

« Oh ! nous avons les moyens de réduire les malades lorsqu'ils se regimbent, dit-il en laissant tomber sur lui ce regard froid comme une douche, qui dompte les fous et fait s'aplatir les lions sur le ventre. Retournez chez vous, prenez un bain, cette surexcitation se calmera. »

Olaf-de Saville, étourdi par la secousse électrique, sortit de chez le docteur Cherbonneau plus incertain et plus troublé que jamais. Il se fit conduire à Passy chez le docteur B*** [60], pour le consulter.

« Je suis, dit-il au médecin célèbre, en proie à une hallucination bizarre ; lorsque je me regarde dans une glace, ma figure ne m'apparaît pas avec ses traits habituels ; la forme des objets qui m'entourent est changée ; je ne reconnais ni les murs ni les meubles de ma chambre ; il me semble que je suis une autre personne que moi-même.

— Sous quel aspect vous voyez-vous ? demanda le médecin ; l'erreur peut venir des yeux ou du cerveau.

— Je me vois des cheveux noirs, des yeux bleu foncé, un visage pâle encadré de barbe.

— Un signalement de passeport ne serait pas plus exact : il n'y a chez vous ni hallucination intellectuelle, ni perversion de la vue. Vous êtes, en effet, tel que vous dites.

— Mais non ! J'ai réellement les cheveux blonds, les yeux noirs, le teint hâlé et une moustache effilée à la hongroise.

— Ici, répondit le médecin, commence une légère altération des facultés intellectuelles.

— Pourtant, docteur, je ne suis nullement fou.

— Sans doute. Il n'y a que les sages qui viennent chez moi tout seuls. Un peu de fatigue, quelque excès d'étude ou de plaisir aura causé ce trouble. Vous vous trompez ; la vision est réelle, l'idée est chimérique : au lieu d'être un blond qui se voit brun, vous êtes un brun qui se croit blond.

60. *docteur B.*, le docteur Esprit Blanche (1796-1852), aliéniste chez qui Nerval fut hospitalisé et qui, dès 1846, établit sa maison de santé à Passy.

— Pourtant je suis sûr d'être le comte Olaf Labinski, et tout le monde depuis hier m'appelle Octave de Saville.

— C'est précisément ce que je disais, répondit le docteur. Vous êtes M. de Saville et vous vous imaginez être M. le comte Labinski, que je me souviens d'avoir vu, et qui, en effet, est blond. — Cela explique parfaitement comment vous vous trouvez une autre figure dans le miroir ; cette figure, qui est la vôtre, ne répond point à votre idée intérieure et vous surprend. — Réfléchissez à ceci, que tout le monde vous nomme M. de Saville et par conséquent ne partage pas votre croyance. Venez passer une quinzaine de jours ici : les bains, le repos, les promenades sous les grands arbres dissiperont cette influence fâcheuse. »

Le comte baissa la tête et promit de revenir. Il ne savait plus que croire. Il retourna à l'appartement de la rue Saint-Lazare, et vit par hasard sur la table la carte d'invitation de la comtesse Labinska, qu'Octave avait montrée à M. Cherbonneau.

« Avec ce talisman, s'écria-t-il, demain je pourrai la voir ! »

IX

Lorsque les valets eurent porté à sa voiture le vrai comte Labinski chassé de son paradis terrestre par le faux ange gardien debout sur le seuil, l'Octave transfiguré rentra dans le petit salon blanc et or pour attendre le loisir de la comtesse.

Appuyé contre le marbre blanc de la cheminée dont l'âtre était rempli de fleurs, il se voyait répété au fond de la glace placée en symétrie sur la console à pieds tarabiscotés et dorés. Quoiqu'il fût dans le secret de sa métamorphose, ou, pour parler plus exactement, de sa transposition, il avait peine à se persuader que cette image si différente de la sienne fût le double de sa propre figure, et il ne pouvait détacher ses yeux de ce fantôme étranger qui était cependant devenu lui. Il se regardait et voyait un autre. Involontairement il cherchait si le comte Olaf

n'était pas accoudé près de lui à la tablette de la cheminée, projetant sa réflexion au miroir; mais il était bien
seul; le docteur Cherbonneau avait fait les choses en
conscience.

Au bout de quelques minutes, Octave-Labinski ne son-
gea plus au merveilleux avatar qui avait fait passer son
âme dans le corps de l'époux de Prascovie; ses pensées
prirent un cours plus conforme à sa situation. Cet événement incroyable, en dehors de toutes les possibilités, et
que l'espérance la plus chimérique n'eût pas osé rêver en
son délire, était arrivé! Il allait se trouver en présence de
la belle créature adorée, et elle ne le repousserait pas! La
seule combinaison qui pût concilier son bonheur avec
l'immaculée vertu de la comtesse s'était réalisée!

Près de ce moment suprême, son âme éprouvait des
transes et des anxiétés affreuses : les timidités du véritable
amour la faisaient défaillir comme si elle habitait encore
la forme dédaignée d'Octave de Saville.

L'entrée de la femme de chambre mit fin à ce tumulte
de pensées qui se combattaient. A son approche il ne put
maîtriser un soubresaut nerveux, et tout son sang afflua
vers son cœur lorsqu'elle lui dit :

« Madame la comtesse peut à présent recevoir monsieur. »

Octave-Labinski suivit la femme de chambre, car il ne
connaissait pas les êtres de l'hôtel, et ne voulait pas trahir
son ignorance par l'incertitude de sa démarche.

La femme de chambre l'introduisit dans une pièce
assez vaste, un cabinet de toilette orné de toutes les
recherches du luxe le plus délicat. Une suite d'armoires
d'un bois précieux, sculptées par Knecht [61] et Lienhart, et
dont les battants étaient séparés par des colonnes torses
autour desquelles s'enroulaient en spirales de légères
brindilles de convolvulus aux feuilles en cœur et aux
fleurs en clochettes découpées avec un art infini, formait
une espèce de boiserie architecturale, un portique d'ordre

---

61. *Knecht,* Gautier parle rapidement de lui dans *Les Beaux-Arts en
Europe,* en tant que sculpteur sur bois : « Ce n'est plus du bois, c'est de
la plume, du duvet, qu'un souffle soulèverait à coup sûr. »

capricieux d'une élégance rare et d'une exécution achevée ; dans ces armoires étaient serrés les robes de velours
et de moire, les cachemires, les mantelets, les dentelles,
les pelisses de martre-zibeline, de renard bleu, les chapeaux aux mille formes, tout l'attirail de la jolie femme.

En face se répétait le même motif, avec cette différence
que les panneaux pleins étaient remplacés par des glaces
jouant sur des charnières comme des feuilles de paravent,
de façon que l'on pût s'y voir de face, de profil, par-
derrière, et juger de l'effet d'un corsage ou d'une coiffure. Sur la troisième face régnait une longue toilette
plaquée d'albâtre-onyx, où des robinets d'argent dégor-
geaient l'eau chaude et froide dans d'immenses jattes du
Japon enchâssées par des découpures circulaires du même
métal ; des flacons en cristal de Bohême, qui, aux feux
des bougies, étincelaient comme des diamants et des
rubis, contenaient les essences et les parfums.

Les murailles et le plafond étaient capitonnés de satin
vert d'eau, comme l'intérieur d'un écrin. Un épais tapis
de Smyrne, aux teintes moelleusement assorties, ouatait
le plancher.

Au milieu de la chambre, sur un socle de velours vert,
était posé un grand coffre de forme bizarre, en acier de
Khorassan ciselé, niellé et ramagé d'arabesques d'une
complication à faire trouver simples les ornements de la
salle des Ambassadeurs à l'Alhambra. L'art oriental
semblait avoir dit son dernier mot dans ce travail merveilleux, auquel les doigts de fée des Péris avaient dû
prendre part. C'était dans ce coffre que la comtesse Prascovie Labinska enfermait ses parures, des joyaux dignes
d'une reine, et qu'elle ne mettait que fort rarement, trouvant avec raison qu'ils ne valaient pas la place qu'ils
couvraient. Elle était trop belle pour avoir besoin d'être
riche : son instinct de femme le lui disait. Aussi ne leur
faisait-elle voir les lumières que dans les occasions
sollennelles où le faste héréditaire de l'antique maison
Labinski devait paraître avec toute sa splendeur. Jamais
diamants ne furent moins occupés.

Près de la fenêtre, dont les amples rideaux retombaient
en plis puissants, devant une toilette à la duchesse, en

face d'un miroir que lui penchaient deux anges sculptés par mademoiselle de Fauveau [62] avec cette élégance longue et fluette qui caractérise son talent, illuminée de la lumière blanche de deux torchères à six bougies, se tenait assise la comtesse Prascovie Labinska, radieuse de fraîcheur et de beauté. Un bournous de Tunis d'une finesse idéale, rubané de raies bleues et blanches alternativement opaques et transparentes, l'enveloppait comme un nuage souple ; la légère étoffe avait glissé sur le tissu satiné des épaules et laissait voir la naissance et les attaches d'un col qui eût fait paraître gris le col de neige du cygne. Dans l'interstice des plis bouillonnaient les dentelles d'un peignoir de batiste, parure nocturne que ne retenait aucune ceinture ; les cheveux de la comtesse étaient défaits et s'allongeaient derrière elle en nappes opulentes comme le manteau d'une impératrice. — Certes, les torsades d'or fluide dont la Vénus Aphrodite exprimait des perles, agenouillée dans sa conque de nacre, lorsqu'elle sortit comme une fleur des mers de l'azur ionien, étaient moins blondes, moins épaisses, moins lourdes ! Mêlez l'ambre du Titien et l'argent de Paul Véronèse avec le vernis d'or de Rembrandt ; faites passer le soleil à travers la topaze, et vous n'obtiendrez pas encore le ton merveilleux de cette opulente chevelure, qui semblait envoyer la lumière au lieu de la recevoir, et qui eût mérité mieux que celle de Bérénice de flamboyer, constellation nouvelle, parmi les anciens astres ! Deux femmes la divisaient, la polissaient, la crêpelaient et l'arrangeaient en boucles soigneusement massées pour que le contact de l'oreiller ne la froissât pas.

Pendant cette opération délicate, la comtesse faisait danser au bout de son pied une babouche de velours blanc

62. *Félicie de Fauveau* (1799-1886) est une statuaire française née à Florence. Ardente légitimiste, elle participa au soulèvement de la Vendée avec les partisans de la duchesse de Berry, fut condamnée à la déportation à laquelle elle échappa en s'exilant en Belgique, puis à Florence. Elle sculpta des sujets historiques et littéraires. Gautier dit d'elle dans *Les Beaux-Arts en Europe* (XLIII) : « C'est à l'école d'Orcagna, de Nicolas Pisano, de Donatello et de Ghiberti que s'est formée mademoiselle de Fauveau : [...] personne mieux qu'elle n'a compris le gothique italien ».

brodée de canetille d'or, petite à rendre jalouses les khanouns [63] et les odalisques du Padischah. Parfois, rejetant
les plis soyeux du bournous, elle découvrait son bras
blanc, et repoussait de la main quelques cheveux échappés, avec un mouvement d'une grâce mutine.

Ainsi abandonnée dans sa pose nonchalante, elle rappelait ces sveltes figures de toilettes grecques qui ornent
les vases antiques et dont aucun artiste n'a pu retrouver le
pur et suave contour, la beauté jeune et légère ; elle était
mille fois plus séduisante encore que dans le jardin de la
villa Salviati à Florence ; et si Octave n'avait pas été déjà
fou d'amour, il le serait infailliblement devenu ; mais, par
bonheur, on ne peut rien ajouter à l'infini.

Octave-Labinski sentit à cet aspect, comme s'il eût vu
le spectacle le plus terrible, ses genoux s'entrechoquer et
se dérober sous lui. Sa bouche se sécha, et l'angoisse lui
étreignit la gorge comme la main d'un Thugg ; des flam-
maes rouges tourbillonnèrent autour de ses yeux. Cette
beauté le médusait.

Il fit un effort de courage, se disant que ces manières
effarées et stupides, convenables à un amant repoussé,
seraient parfaitement ridicules de la part d'un mari, quelque épris qu'il pût être encore de sa femme, et il marcha
assez résolument vers la comtesse.

« Ah ! c'est vous, Olaf ! comme vous rentrez tard ce
soir ! » dit la comtesse sans se retourner, car sa tête était
maintenue par les longues nattes que tressaient ses femmes, et la dégageant des plis du bournous, elle lui tendit
une de ses belles mains.

Octave-Labinski saisit cette main plus douce et plus
fraîche qu'une fleur, la porta à ses lèvres et y imprima un
long, un ardent baiser, — toute son âme se concentrait
sur cette petite place.

Nous ne savons quelle délicatesse de sensitive, quel
instinct de pudeur divine, quelle intuition irraisonnée du
cœur avertit la comtesse : mais un nuage rose couvrit
subitement sa figure, son col et ses bras, qui prirent cette

---

63. *Khanouns*, esclaves, c'est-à-dire habitants de Khanou dans la
Perse méridionale, ville peuplée uniquement d'esclaves.

teinte dont se colore sur les hautes montagnes la neige
vierge surprise par le premier baiser du soleil. Elle tressaillit et dégagea lentement sa main, demi-fâchée, demi-
honteuse ; les lèvres d'Octave lui avaient produit comme
une impression de fer rouge. Cependant elle se remit
bientôt et sourit de son enfantillage.

« Vous ne me répondez pas, cher Olaf ; savez-vous
qu'il y a plus de six heures que je ne vous ai vu ; vous me
négligez, dit-elle d'un ton de reproche ; autrefois vous ne
m'auriez pas abandonnée ainsi toute une longue soirée.
Avez-vous pensé à moi seulement ?

— Toujours, répondit Octave-Labinski.

— Oh ! non, pas toujours ; je sens quand vous pensez à
moi, même de loin. Ce soir, par exemple, j'étais seule,
assise à mon piano, jouant un morceau de Weber et
berçant mon ennui de musique ; votre âme a voltigé quelques minutes autour de moi dans le tourbillon sonore des
notes ; puis elle s'est envolée je ne sais où sur le dernier
accord, et n'est pas revenue. Ne mentez pas, je suis sûre
de ce que je dis. »

Prascovie, en effet, ne se trompait pas ; c'était le moment où chez le docteur Balthazar Cherbonneau le comte
Olaf Labinski se penchait sur le verre d'eau magique,
évoquant une image adorée de toute la force d'une pensée
fixe. A dater de là, le comte, submergé dans l'océan sans
fond du sommeil magnétique, n'avait plus eu ni idée, ni
sentiment, ni volition.

Les femmes, ayant achevé la toilette nocturne de la
comtesse, se retirèrent ; Octave-Labinski restait toujours
debout, suivant Prascovie d'un regard enflammé. — Gê-
née et brûlée par ce regard, la comtesse s'enveloppa de
son bournous comme la Polymnie de sa draperie. Sa tête
seule apparaissait au-dessus des plis blancs et bleus, inquiète, mais charmante.

Bien qu'aucune pénétration humaine n'eût pu deviner
le mystérieux déplacement d'âmes opéré par le docteur
Cherbonneau au moyen de la formule du sannyâsi
Brahma-Logum, Prascovie ne reconnaissait pas, dans les
yeux d'Octave-Labinski, l'expression ordinaire des yeux
d'Olaf, celle d'un amour pur, calme, égal, éternel comme

l'amour des anges; — une passion terrestre incendiait ce regard, qui la troublait et la faisait rougir. — Elle ne se rendait pas compte de ce qui s'était passé, mais il s'était passé quelque chose. Mille suppositions étranges lui traversèrent la pensée : n'était-elle plus pour Olaf qu'une femme vulgaire, désirée pour sa beauté comme une courtisane ? l'accord sublime de leurs âmes avait-il été rompu par quelque dissonance qu'elle ignorait ? Olaf en aimait-il une autre ? les corruptions de Paris avaient-elles souillé ce chaste cœur ? Elle se posa rapidement ces questions sans pouvoir y répondre d'une manière satisfaisante, et se dit qu'elle était folle ; mais, au fond, elle sentait qu'elle avait raison. Une terreur secrète l'envahissait comme si elle eût été en présence d'un danger inconnu, mais deviné par cette seconde vue de l'âme [64], à laquelle on a toujours tort de ne pas obéir.

Elle se leva agitée et nerveuse et se dirigea vers la porte de sa chambre à coucher. Le faux comte l'accompagna, un bras sur la taille, comme Othello reconduit Desdémone à chaque sortie dans la pièce de Shakspeare ; mais quand elle fut sur le seuil, elle se retourna, s'arrêta un instant, blanche et froide comme une statue, jeta un coup d'œil effrayé au jeune homme, entra, ferma la porte vivement et poussa le verrou.

« Le regard d'Octave ! » s'écria-t-elle en tombant à demi évanouie sur une causeuse. Quand elle eut repris ses sens, elle se dit : « Mais comment se fait-il que ce regard, dont je n'ai jamais oublié l'expression, étincelle ce soir dans les yeux d'Olaf ? Comment en ai-je vu la flamme sombre et désespérée luire à travers les prunelles de mon mari ? Octave est-il mort ? Est-ce son âme qui a brillé un instant devant moi comme pour me dire adieu avant de quitter cette terre ? Olaf ! Olaf ! si je me suis trompée, si j'ai cédé follement à de vaines terreurs, tu me pardonneras ; mais si je t'avais accueilli ce soir, j'aurais cru me donner à un autre. »

La comtesse s'assura que le verrou était bien poussé,

---

64. *l'âme,* au sujet de la seconde vue attribuée à l'âme féminine voir la note 11 de *Deux acteurs pour un rôle.*

alluma la lampe suspendue au plafond, se blottit dans son lit comme un enfant peureux avec un sentiment d'angoisse indéfinissable, et ne s'endormit que vers le matin ; des rêves incohérents et bizarres tourmentèrent son sommeil agité. — Des yeux ardents — les yeux d'Octave — se fixaient sur elle du fond d'un brouillard et lui lançaient des jets de feu, pendant qu'au pied de son lit une figure noire et sillonnée de rides se tenait accroupie, marmottant des syllabes d'une langue inconnue ; le comte Olaf parut aussi dans ce rêve absurde, mais revêtu d'une forme qui n'était pas la sienne.

Nous n'essayerons pas de peindre le désappointement d'Octave lorsqu'il se trouva en face d'une porte fermée et qu'il entendit le grincement intérieur du verrou. Sa suprême espérance s'écroulait. Eh quoi ! il avait eu recours à des moyens terribles, étranges, il s'était livré à un magicien, peut-être à un démon, en risquant sa vie dans ce monde et son âme dans l'autre pour conquérir une femme qui lui échappait, quoique livrée à lui sans défense par les sorcelleries de l'Inde. Repoussé comme amant, il l'était encore comme mari ; l'invincible pureté de Prascovie déjouait les machinations les plus infernales. Sur le seuil de la chambre à coucher elle lui était apparue comme un ange blanc de Swedenborg foudroyant le mauvais esprit.

Il ne pouvait rester toute la nuit dans cette situation ridicule ; il chercha l'appartement du comte, et au bout d'une enfilade de pièces il en vit une où s'élevait un lit aux colonnes d'ébène, aux rideaux de tapisserie, où parmi les ramages et les arabesques étaient brodés des blasons. Des panoplies d'armes orientales, des cuirasses et des casques de chevaliers atteints par le reflet d'une lampe, jetaient des lueurs vagues dans l'ombre ; un cuir de Bohême gaufré d'or miroitait sur les murs. Trois ou quatre grands fauteuils sculptés, un bahut tout historié de figurines complétaient cet ameublement d'un goût féodal, et qui n'eût pas été déplacé dans la grande salle d'un manoir gothique ; ce n'était pas de la part du comte frivole imitation de la mode, mais pieux souvenir. Cette chambre reproduisait exactement celle qu'il habitait chez sa mère, et quoiqu'on l'eût souvent raillé — sur ce décor de cinquième acte —, il avait toujours refusé d'en changer le style.

Octave-Labinski, épuisé de fatigues et d'émotions, se jeta sur le lit et s'endormit en maudissant le docteur Balthazar Cherbonneau. Heureusement, le jour lui apporta des idées plus riantes ; il se promit de se conduire désormais d'une façon plus modérée, d'éteindre son regard, et de prendre les manières d'un mari ; aidé par le valet de chambre du comte, il fit une toilette sérieuse et se rendit d'un pas tranquille dans la salle à manger, où madame la comtesse l'attendait pour déjeuner.

X

Octave-Labinski descendit sur les pas du valet de chambre, car il ignorait où se trouvait la salle à manger dans cette maison dont il paraissait le maître ; la salle à manger était une vaste pièce au rez-de-chaussée donnant sur la cour, d'un style noble et sévère, qui tenait à la fois du manoir et de l'abbaye : — des boiseries de chêne brun d'un ton chaud et riche, divisées en panneaux et en compartiments symétriques, montaient jusqu'au plafond, où des poutres en saillie et sculptées formaient des caissons hexagones coloriés en bleu et ornés de légères arabesques d'or ; dans les panneaux longs de la boiserie, Philippe Rousseau [65] avait peint les quatre saisons symbolisées, non pas par des figures mythologiques, mais par des trophées de nature morte composés de productions se rapportant à chaque époque de l'année ; des chasses de Jadin faisaient pendant aux natures mortes de Ph. Rousseau, et au-dessus de chaque peinture rayonnait, comme un disque de bouclier, un immense plat de Bernard Palissy ou de Léonard de Limoges, de porcelaine du Japon,

---

65. *Philippe Rousseau* (1816-1887), peintre français, élève de Gros, qui s'est spécialisé dans la peinture de scènes d'animaux et de natures mortes. Gautier parle de lui dans *Les Beaux-Arts en Europe*. Louis-Godefroy Jadin (1805-1882), peintre français qui s'est surtout attaché aux scènes de chasse et de vénerie.

de majolique ou de poterie arabe, au vernis irisé par
toutes les couleurs du prisme; des massacres de cerfs, des
cornes d'aurochs alternaient avec les faïences, et, aux
deux bouts de la salle, de grands dressoirs, hauts comme
des retables d'églises espagnoles, élevaient leur architecture ouvragée et sculptée d'ornements à rivaliser avec
les plus beaux ouvrages de Berruguete, de Cornejo Du-
que et de Verbruggen [66]; sur leurs rayons à crémaillère
brillaient confusément l'antique argenterie de la famille
des Labinski, des aiguières aux anses chimériques, des
salières à la vieille mode, des hanaps, des coupes, des
pièces de surtout contournées par la bizarre fantaisie
allemande, et dignes de tenir leur place dans le trésor de
la Voûte-Verte de Dresde. En face des argenteries antiques étincelaient les produits merveilleux de l'orfèvrerie
moderne, les chefs-d'œuvre de Wagner, de Duponchel,
de Rudolphi, de Froment-Meurice; thés en vermeil à
figurines de Feuchère et de Vechte [67], plateaux niellés,
seaux à vin de Champagne aux anses de pampre, aux
bacchanales en bas-relief; réchauds élégants comme des

---

66. *Verbruggen*, Gautier donne le commentaire suivant dans *Les
Beaux-Arts en Europe* (XLIII) : « On ne pratique plus guère aujourd'hui
la sculpture sur bois, l'art des Verbruggen, des Berruguete, des Cornejo-Duque, des Montañes, qui a produit tant de chefs-d'œuvre encla-
vés dans les menuiseries des chaires et des chœurs aux cathédrales de
Flandre et d'Espagne. » Alonso Berruguete (1480-1561), architecte et
sculpteur espagnol, protégé de Charles Quint. Il construisit le Prado, le
vieil alcazar de Madrid et le nouveau palais de Grenade. Il sculpta la
stalle de la cathédrale de Tolède. Pedro Cornejo-Duque (1677-1757),
sculpteur espagnol qui exécuta dans les cathédrales de Séville, Grenade
et Cordoue des retables dans le style baroque.

67. *Vechte*, probablement Jean-Martin Wagner (1777-1858), sculpteur allemand qui travailla pour le compte de Louis de Bavière. Il
entreprit des restaurations et fabriqua des modèles de plâtre. Edmond
Duponchel (vers 1795-1868), d'abord architecte, puis directeur de
l'Opéra, s'occupa de bijouterie artistique et dirigea une maison d'orfèvrerie. François-Désiré Froment-Meurice (1802-1855), orfèvre et joail-
lier de la Ville de Paris, artiste qui se distingua dans les Expositions et à
la mémoire duquel Gautier publia un article dans *La Presse*
(avril 1855). Il peut s'agir de Jean-Jacques Feuchère (1807-1852), statuaire français, ou plutôt de Léon Feuchère (1804-1857), décorateur qui
travailla pour le théâtre et la manufacture de Sèvres. Antoine Vechte ou
Wechte (1800?-1868), orfèvre et ciseleur français, acquit la célébrité en
confectionnant des boucliers, des cuirasses, des vases, etc.

trépieds de Pompéi : sans parler des cristaux de Bohême, des verreries de Venise, des services en vieux Saxe et en vieux Sèvres.

Des chaises de chêne garnies de maroquin vert étaient rangées le long des murs, et sur la table aux pieds sculptés en serre d'aigle, tombait du plafond une lumière égale et pure tamisée par les verres blancs dépolis garnissant le caisson central laissé vide. — Une transparente guirlande de vigne encadrait ce panneau laiteux de ses feuillages verts.

Sur la table, servie à la russe, les fruits entourés d'un cordon de violettes étaient déjà posés, et les mets attendaient le couteau des convives sous leurs cloches de métal poli, luisantes comme des casques d'émirs ; un samovar de Moscou lançait en sifflant son jet de vapeur ; deux valets, en culotte courte et en cravate blanche, se tenaient immobiles et silencieux derrière les deux fauteuils, placés en face l'un de l'autre, pareils à deux statues de la domesticité.

Octave s'assimila tous ces détails d'un coup d'œil rapide pour n'être pas involontairement préoccupé par la nouveauté d'objets qui auraient dû lui être familiers.

Un glissement léger sur les dalles, un froufrou de taffetas lui fit retourner la tête. C'était la comtesse Prascovie Labinska qui approchait et qui s'assit après lui avoir fait un petit signe amical.

Elle portait un peignoir de soie quadrillée vert et blanc, garni d'une ruche de même étoffe découpée en dents de loup ; ses cheveux massés en épais bandeaux sur les tempes, et roulés à la naissance de la nuque en une torsade d'or semblable à la volute d'un chapiteau ionien, lui composaient une coiffure aussi simple que noble, et à laquelle un statuaire grec n'eût rien voulu changer ; son teint de rose carnée était un peu pâli par l'émotion de la veille et le sommeil agité de la nuit ; une imperceptible auréole nacrée entourait ses yeux ordinairement si calmes et si purs ; elle avait l'air fatigué et languissant, mais, ainsi attendrie, sa beauté n'en était que plus pénétrante, elle prenait quelque chose d'humain ; la déesse se faisait femme ; l'ange, reployant ses ailes, cessait de planer.

Plus prudent cette fois, Octave voila la flamme de ses yeux et masqua sa muette extase d'un air indifférent.

La comtesse allongea son petit pied chaussé d'une pantoufle en peau mordorée, dans la laine soyeuse du tapis-gazon placé sous la table pour neutraliser le froid contact de la mosaïque de marbre blanc et de brocatelle de Vérone qui pavait la salle à manger, fit un léger mouvement d'épaules comme glacée par un dernier frisson de fièvre, et, fixant ses beaux yeux d'un bleu polaire sur le convive qu'elle prenait pour son mari, car le jour avait fait évanouir les pressentiments, les terreurs et les fantômes nocturnes, elle lui dit d'une voix harmonieuse et tendre, pleine de chastes câlineries, une phrase en polonais!!! Avec le comte elle se servait souvent de la chère langue maternelle aux moments de douceur et d'intimité, surtout en présence des domestiques français, à qui cet idiome était inconnu.

Le Parisien Octave savait le latin, l'italien, l'espagnol, quelques mots d'anglais; mais, comme tous les Gallo-Romains, il ignorait entièrement les langues slaves. — Les chevaux de frise de consonnes qui défendent les rares voyelles du polonais lui en eussent interdit l'approche quand bien même il eût voulu s'y frotter. — A Florence, la comtesse lui avait toujours parlé français ou italien, et la pensée d'apprendre l'idiome dans lequel Mickiewicz a presque égalé Byron ne lui était pas venue. On ne songe jamais à tout.

A l'audition de cette phrase il se passa dans la cervelle du comte, habitée par le *moi* d'Octave, un très singulier phénomène: les sons étrangers au Parisien, suivant les replis d'une oreille slave, arrivèrent à l'endroit habituel où l'âme d'Olaf les accueillait pour les traduire en pensées, et y évoquèrent une sorte de mémoire physique; leur sens apparut confusément à Octave; des mots enfouis dans les circonvolutions cérébrales, au fond des tiroirs secrets du souvenir, se présentèrent en bourdonnant, tout prêts à la réplique; mais ces réminiscences vagues, n'étant pas mises en communication avec l'esprit, se dissipèrent bientôt, et tout redevint opaque. L'embarras du pauvre amant était affreux; il n'avait pas songé à ces complications en gantant la peau du comte Olaf Labinski, et il comprit qu'en volant la forme d'un autre on s'exposait à de rudes déconvenues.

Prascovie, étonnée du silence d'Octave, et croyant que, distrait par quelque rêverie, il ne l'avait pas entendue, répéta sa phrase lentement et d'une voix plus haute.

S'il entendait mieux le son des mots, le faux comte n'en comprenait pas davantage la signification ; il faisait des efforts désespérés pour deviner de quoi il pouvait s'agir ; mais pour qui ne les sait pas, les compactes langues du Nord n'ont aucune transparence, et si un Français peut soupçonner ce que dit une Italienne, il sera comme sourd en écoutant parler une Polonaise. — Malgré lui, une rougeur ardente couvrit ses joues ; il se mordit les lèvres, et, pour se donner une contenance, découpa rageusement le morceau placé sur son assiette.

« On dirait en vérité, mon cher seigneur, dit la comtesse, cette fois en français, que vous ne m'entendez pas, ou que vous ne me comprenez point...

— En effet, balbutia Octave-Labinski, ne sachant trop ce qu'il disait... cette diable de langue est si difficile !

— Difficile ! oui, peut-être pour des étrangers, mais pour celui qui l'a bégayée sur les genoux de sa mère, elle jaillit des lèvres comme le souffle de la vie, comme l'effluve même de la pensée.

— Oui, sans doute, mais il y a des moments où il me semble que je ne la sais plus.

— Que contez-vous là, Olaf ? quoi ! vous l'auriez oubliée, la langue de vos aïeux, la langue de la sainte patrie, la langue qui vous fait reconnaître vos frères parmi les hommes, et, ajouta-t-elle plus bas, la langue dans laquelle vous m'avez dit la première fois que vous m'aimiez !

— L'habitude de me servir d'un autre idiome... hasarda Octave-Labinski à bout de raisons.

— Olaf, répliqua la comtesse d'un ton de reproche, je vois que Paris vous a gâté ; j'avais raison de ne pas vouloir y venir. Qui m'eût dit que lorsque le noble comte Labinski retournerait dans ses terres, il ne saurait plus répondre aux félicitations de ses vassaux ? »

Le charmant visage de Prascovie prit une expression douloureuse ; pour la première fois la tristesse jeta son ombre sur ce front pur comme celui d'un ange ; ce singulier oubli la froissait au plus tendre de l'âme, et lui paraissait presque une trahison.

Le reste du déjeuner se passa silencieusement : Prascovie boudait celui qu'elle prenait pour le comte. Octave était au supplice, car il craignait d'autres questions qu'il eût été forcé de laisser sans réponse.

La comtèsse se leva et rentra dans ses appartements.

Octave, resté seul, jouait avec le manche d'un couteau qu'il avait envie de se planter au cœur, car sa position était intolérable : il avait compté sur une surprise, et maintenant il se trouvait engagé dans les méandres sans issue pour lui d'une existence qu'il ne connaissait pas : en prenant son corps au comte Olaf Labinski, il eût fallu lui dérober aussi ses notions antérieures, les langues qu'il possédait, ses souvenirs d'enfance, les mille détails intimes qui composent le *moi* d'un homme, les rapports liant son existence aux autres existences : et pour cela tout le savoir du docteur Balthazar Cherbonneau n'eût pas suffi. Quelle rage ! être dans ce paradis dont il osait à peine regarder le seuil de loin ; habiter sous le même toit que Prascovie, la voir, lui parler, baiser sa belle main avec les lèvres mêmes de son mari, et ne pouvoir tromper sa pudeur céleste, et se trahir à chaque instant par quelque inexplicable stupidité ! « Il était écrit là-haut que Prascovie ne m'aimerait jamais ! Pourtant j'ai fait le plus grand sacrifice auquel puisse descendre l'orgueil humain : j'ai renoncé à mon *moi* et consenti à profiter sous une forme étrangère de caresses destinées à un autre ! »

Il en était là de son monologue quand un groom s'inclina devant lui avec tous les signes du plus profond respect, en lui demandant quel cheval il monterait aujourd'hui...

Voyant qu'il ne répondait pas, le groom se hasarda, tout effrayé d'une telle hardiesse, à murmurer :

« Vultur ou Rustem ? ils ne sont pas sortis depuis huit jours.

— Rustem », répondit Octave-Labinski, comme il eût

dit Vultur, mais le dernier nom s'était accroché à son esprit distrait.

Il s'habilla de cheval et partit pour le bois de Boulogne, voulant faire prendre un bain d'air à son exaltation nerveuse.

Rustem, bête magnifique de la race Nedji[68], qui portait sur son poitrail, dans un sachet oriental de velours brodé d'or, ses titres de noblesse remontant aux premières années de l'hégire, n'avait pas besoin d'être excité. Il semblait comprendre la pensée de celui qui le montait, et dès qu'il eut quitté le pavé et pris la terre, il partit comme une flèche sans qu'Octave lui fît sentir l'éperon. Après deux heures d'une course furieuse, le cavalier et la bête rentrèrent à l'hôtel, l'un calmé, l'autre fumant et les naseaux rouges.

Le comte supposé entra chez la comtesse, qu'il trouva dans son salon, vêtue d'une robe de taffetas blanc à volants étagés jusqu'à la ceinture, un nœud de rubans au coin de l'oreille, car c'était précisément le jeudi, — le jour où elle restait chez elle et recevait ses visites.

« Eh bien, lui dit-elle avec un gracieux sourire, car la bouderie ne pouvait rester longtemps sur ses belles lèvres, avez-vous rattrapé votre mémoire en courant dans les allées du bois ?

— Mon Dieu, non, ma chère, répondit Octave-Labinski ; mais il faut que je vous fasse une confidence.

— Ne connais-je pas d'avance toutes vos pensées ? ne sommes-nous plus transparents l'un pour l'autre ?

— Hier, je suis allé chez ce médecin dont on parle tant.

— Oui, le docteur Balthazar Cherbonneau, qui a fait un long séjour aux Indes et a, dit-on, appris des brahmes une foule de secets plus merveilleux les uns que les autres. — Vous vouliez même m'emmener ; mais je ne suis pas curieuse, — car je sais que vous m'aimez, et cette science me suffit.

— Il a fait devant moi des expériences si étranges,

---

68. *Nedji*, Nedjid ou Nedjed, région centrale de l'Arabie, chaude et désertique, où l'on élève des chevaux.

opéré de tels prodiges, que j'en ai l'esprit troublé encore. Cet homme bizarre, qui dispose d'un pouvoir irrésistible, m'a plongé dans un sommeil magnétique si profond, qu'à mon réveil je ne me suis plus trouvé les mêmes facultés : j'avais perdu la mémoire de bien des choses ; le passé flottait dans un brouillard confus : seul, mon amour pour vous était demeuré intact.

— Vous avez eu tort, Olaf, de vous soumettre à l'influence de ce docteur. Dieu, qui a créé l'âme, a le droit d'y toucher ; mais l'homme, en l'essayant, commet une action impie, dit d'un ton grave la comtesse Prascovie Labinska. — J'espère que vous n'y retournerez plus, et que, lorsque je vous dirai quelque chose d'aimable — en polonais —, vous me comprendrez comme autrefois. »

Octave, pendant sa promenade à cheval, avait imaginé cette excuse de magnétisme pour pallier les bévues qu'il ne pouvait manquer d'entasser dans son existence nouvelle ; mais il n'était pas au bout de ses peines. — Un domestique, ouvrant le battant de la porte, annonça un visiteur.

« M. Octave de Saville. »

Quoiqu'il dût s'attendre un jour ou l'autre à cette rencontre, le véritable Octave pâlit à ces simples mots comme si la trompette du jugement dernier lui eût brusquement éclaté à l'oreille. Il eut besoin de faire appel à tout son courage et de se dire qu'il avait l'avantage de la situation pour ne pas chanceler ; instinctivement il enfonça ses doigts dans le dos d'une causeuse, et réussit ainsi à se maintenir debout avec une apparence ferme et tranquille.

Le comte Olaf, revêtu de l'apparence d'Octave, s'avança vers la comtesse qu'il salua profondément.

« M. le comte Labinski… M. Octave de Saville… » fit la comtesse Labinska en présentant les gentilshommes l'un à l'autre.

Les deux hommes se saluèrent froidement en se lançant des regards fauves à travers le masque de marbre de la politesse mondaine, qui recouvre parfois tant d'atroces passions.

« Vous m'avez tenu rigueur depuis Florence, monsieur

Octave, dit la comtesse d'une voix amicale et familière, et j'avais peur de quitter Paris sans vous voir. — Vous étiez plus assidu à la villa Salviati, et vous comptiez alors parmi mes fidèles.

— Madame, répondit d'un ton contraint le faux Octave, j'ai voyagé, j'ai été souffrant, malade même, et, en recevant votre gracieuse invitation, je me suis demandé si j'en profiterais, car il ne faut pas être égoïste et abuser de l'indulgence qu'on veut bien avoir pour un ennuyeux.

— Ennuyé peut-être; ennuyeux, non, répliqua la comtesse; vous avez toujours été mélancolique, — mais un de vos poètes ne dit-il pas de la mélancolie:

> *Après l'oisiveté, c'est le meilleur des maux* [69].

— C'est un bruit que font courir les gens heureux pour se dispenser de plaindre ceux qui souffrent», dit Olaf-de Saville.

La comtesse jeta un regard d'une ineffable douceur sur le comte, enfermé dans la forme d'Octave, comme pour lui demander pardon de l'amour qu'elle lui avait involontairement inspiré.

«Vous me croyez plus frivole que je ne suis; toute douleur vraie a ma pitié, et, si je ne puis la soulager, j'y sais compatir. — Je vous aurais voulu heureux, cher monsieur Octave; mais pourquoi vous êtes-vous cloîtré dans votre tristesse, refusant obstinément la vie qui venait à vous avec ses bonheurs, ses enchantements et ses devoirs? Pourquoi avez-vous refusé l'amitié que je vous offrais?»

Ces phrases si simples et si franches impressionnaient diversement les deux auditeurs. — Octave y entendait la confirmation de la sentence prononcée au jardin Salviati, par cette belle bouche que jamais ne souilla le mensonge; Olaf y puisait une preuve de plus de l'inaltérable vertu de la femme, qui ne pouvait succomber que par un artifice diabolique. Aussi une rage subite s'empara de lui en

---

69. *le meilleur des maux,* en dépit de longues recherches, nous n'avons pas pu identifier l'auteur de ce vers.

voyant son spectre animé par une autre âme installé dans
sa propre maison, et il s'élança à la gorge du faux comte.

« Voleur, brigand, scélérat, rends-moi ma peau ! »

A cette action si extraordinaire, la comtesse se pendit à
la sonnette, des laquais emportèrent le comte.

« Ce pauvre Octave est devenu fou ! » dit Prascovie
pendant qu'on emmenait Olaf, qui se débattait vainement.

« Oui, répondit le véritable Octave, fou d'amour !
Comtesse, vous êtes décidément trop belle ! »

XI

Deux heures après cette scène, le faux comte reçut du
vrai une lettre fermée avec le cachet d'Octave de Saville,
— le malheureux dépossédé n'en avait pas d'autres à sa
disposition. Cela produisit un effet bizarre à l'usurpateur
de l'entité d'Olaf Labinski de décacheter une missive
scellée de ses armes, mais tout devait être singulier dans
cette position anormale.

La lettre contenait les lignes suivantes, tracées d'une
main contrainte et d'une écriture qui semblait contrefaite,
car Olaf n'avait pas l'habitude d'écrire avec les doigts
d'Octave :

« Lue par tout autre que par vous, cette lettre paraîtrait
datée des Petites-Maisons, mais vous me comprendrez.
Un concours inexplicable de circonstances fatales, qui ne
se sont peut-être jamais produites depuis que la terre
tourne autour du soleil, me force à une action que nul
homme n'a faite. Je m'écris à moi-même et mets sur cette
adresse un nom qui est le mien, un nom que vous m'avez
volé avec ma personne. De quelles machinations téné-
breuses suis-je victime, dans quel cercle d'illusions infernales ai-je mis le pied, je l'ignore ; — vous le savez, sans
doute. Ce secret, si vous n'êtes point un lâche, le canon
de mon pistolet ou la pointe de mon épée vous le deman-
dera sur un terrain où tout homme honorable ou infâme
répond aux questions qu'on lui pose ; il faut que demain
l'un de nous ait cessé de voir la lumière du ciel. Ce large

univers est maintenant trop étroit pour nous deux : — je
tuerai mon corps habité par votre esprit imposteur ou
vous tuerez le vôtre, où mon âme s'indigne d'être empri-
sonnée. — N'essayez pas de me faire passer pour fou, —
j'aurai le courage d'être raisonnable, et, partout où je
vous rencontrerai, je vous insulterai avec une politesse de
gentilhomme, avec un sang-froid de diplomate ; les
moustaches de M. le comte Olaf Labinski peuvent déplaire à M. Octave de Saville, et tous les jours on se
marche sur le pied à la sortie de l'Opéra, mais j'espère
que mes phrases, bien qu'obscures, n'auront aucune ambiguïté pour vous, et que mes témoins s'entendront parfaitement avec les vôtres pour l'heure, le lieu et les
conditions du combat. »

Cette lettre jeta Octave dans une grande perplexité. Il
ne pouvait refuser le cartel du comte, et cependant il lui
répugnait de se battre avec lui-même, car il avait gardé
pour son ancienne enveloppe une certaine tendresse.
L'idée d'être obligé à ce combat par quelque outrage
éclatant le fit se décider pour l'acceptation, quoique, à la
rigueur, il pût mettre à son adversaire la camisole de force
de la folie et lui arrêter ainsi le bras, mais ce moyen
violent répugnait à sa délicatesse. Si, entraîné par une
passion inéluctable, il avait commis un acte répréhensible
et caché l'amant sous le masque de l'époux pour triom-
pher d'une vertu au-dessus de toutes les séductions, il
n'était pas pourtant un homme sans honneur et sans
courage ; ce parti extrême, il ne l'avait d'ailleurs pris
qu'après trois ans de luttes et de souffrances, au moment
où sa vie, consumée par l'amour, allait lui échapper. Il ne
connaissait pas le comte ; il n'était pas son ami ; il ne lui
devait rien, et il avait profité du moyen hasardeux que lui
offrait le docteur Balthazar Cherbonneau.

Où prendre des témoins ? sans doute parmi les amis du
comte ; mais Octave, depuis un jour qu'il habitait l'hôtel,
n'avait pu se lier avec eux.

Sur la cheminée s'arrondissaient deux coupes de céladon craquelé, dont les anses étaient formées par des
dragons d'or. L'une contenait des bagues, des épingles,
des cachets et autres menus bijoux ; l'autre des cartes de

visite où, sous les couronnes de duc, de marquis, de comte, en gothique, en ronde, en anglaise, étaient inscrits par des graveurs habiles une foule de noms polonais, russes, hongrois, allemands, italiens, espagnols, attestant l'existence voyageuse du comte, qui avait des amis dans tous les pays.

Octave en prit deux au hasard : le comte Zamoieczki et le marquis de Sepulveda. — Il ordonna d'atteler et se fit conduire chez eux. Il les trouva l'un et l'autre. Ils ne parurent pas surpris de la requête de celui qu'ils prenaient pour le comte Olaf Labinski. — Totalement dénués de la sensibilité des témoins bourgeois, ils ne demandèrent pas si l'affaire pouvait s'arranger et gardèrent un silence de bon goût sur le motif de la querelle, en parfaits gentilshommes qu'ils étaient.

De son côté, le comte véritable, ou, si vous l'aimez mieux, le faux Octave, était en proie à un embarras pareil : il se souvint d'Alfred Humbert et de Gustave Raimbaud, au déjeuner duquel il avait refusé d'assister, et il les décida à le servir en cette rencontre. — Les deux jeunes gens marquèrent quelque étonnement de voir engager dans un duel leur ami, qui depuis un an n'avait presque pas quitté sa chambre, et dont ils savaient l'humeur plus pacifique que batailleuse ; mais, lorsqu'il leur eut dit qu'il s'agissait d'un combat à mort pour un motif qui ne devait pas être révélé, ils ne firent plus d'objections et se rendirent à l'hôtel Labinski.

Les conditions furent bientôt réglées. Une pièce d'or jetée en l'air décida de l'arme, les adversaires ayant déclaré que l'épée ou le pistolet leur convenait également. On devait se rendre au bois de Boulogne à six heures du matin dans l'avenue des Poteaux, près de ce toit de chaume soutenu par des piliers rustiques, à cette place libre d'arbres où le sable tassé présente une arène propre à ces sortes de combats.

Losque tout fut convenu, il était près de minuit, et Octave se dirigea vers la porte de l'appartement de Prascovie. Le verrou était tiré comme la veille, et la voix moqueuse de la comtesse lui jeta cette raillerie à travers la porte :

« Revenez quand vous saurez le polonais, je suis trop patriote pour recevoir un étranger chez moi. »

Le matin, le docteur Cherbonneau, qu'Octave avait prévenu, arriva portant une trousse d'instruments de chirurgie et un paquet de bandelettes. — Ils montèrent ensemble en voiture. MM. Zamoieczki et de Sepulveda suivaient dans leur coupé.

« Eh bien, mon cher Octave, dit le docteur, l'aventure tourne donc déjà au tragique ? J'aurais dû laisser dormir le comte dans votre corps une huitaine de jours sur mon divan. J'ai prolongé au-delà de cette limite des sommeils magnétiques. Mais on a beau avoir étudié la sagesse chez les brahmes, les pandits et les sannyâsis de l'Inde, on oublie toujours quelque chose, et il se trouve des imperfections au plan le mieux combiné. Mais comment la comtesse Prascovie a-t-elle accueilli son amoureux de Florence ainsi déguisé ?

— Je crois, répondit Octave, qu'elle m'a reconnu malgré ma métamorphose, ou bien c'est son ange gardien qui lui a soufflé à l'oreille de se méfier de moi ; je l'ai trouvée aussi chaste, aussi froide, aussi pure que la neige du pôle. Sous une forme aimée, son âme exquise devinait sans doute une âme étrangère. — Je vous disais bien que vous ne pouviez rien pour moi ; je suis plus malheureux encore que lorsque vous m'avez fait votre première visite.

— Qui pourrait assigner une borne aux facultés de l'âme, dit le docteur Balthazar Cherbonneau d'un air pensif, surtout lorsqu'elle n'est altérée par aucune pensée terrestre, souillée par aucun limon humain, et se maintient telle qu'elle est sortie des mains du Créateur dans la lumière, la contemplation de l'amour ? — Oui, vous avez raison, elle vous a reconnu ; son angélique pudeur a frissonné sous le regard du désir et, par instinct, s'est voilée de ses ailes blanches. Je vous plains, mon pauvre Octave ! votre mal est en effet irrémédiable. — Si nous étions au Moyen Age, je vous dirais : Entrez dans un cloître.

— J'y ai souvent pensé », répondit Octave.

On était arrivé. — Le coupé du faux Octave stationnait déjà à l'endroit désigné.

Le bois présentait à cette heure matinale un aspect véritablement pittoresque que la fashion lui fait perdre dans la journée : l'on était à ce point de l'été où le soleil n'a pas encore eu le temps d'assombrir le vert du feuillage ; des teintes fraîches, transparentes, lavées par la rosée de la nuit, nuançaient les massifs, et il s'en dégageait un parfum de jeune végétation. Les arbres, à cet endroit, sont particulièrement beaux, soit qu'ils aient rencontré un terrain plus favorable, soit qu'ils survivent seuls d'une plantation ancienne, leurs troncs vigoureux, plaqués de mousse ou satinés d'une écorce d'argent, s'agrafent au sol par des racines noueuses, projettent des branches aux coudes bizarres, et pourraient servir de modèles aux études des peintres et des décorateurs qui vont bien loin en chercher de moins remarquables. Quelques oiseaux que les bruits du jour font taire pépiaient gaiement sous la feuillée ; un lapin furtif traversait en trois bonds le sable de l'allée et courait se cacher dans l'herbe, effrayé du bruit des roues.

Ces poésies de la nature surprise en déshabillé occupaient peu, comme vous le pensez, les deux adversaires et leurs témoins.

La vue du docteur Cherbonneau fit une impression désagréable sur le comte Olaf Labinski ; mais il se remit bien vite.

L'on mesura les épées, l'on assigna les places aux combattants, qui, après avoir mis habit bas, tombèrent en garde pointe contre pointe.

Les témoins crièrent : « Allez ! »

Dans tout duel, quel que soit l'acharnement des adversaires, il y a un moment d'immobilité solennelle ; chaque combattant étudie son ennemi en silence et fait son plan, méditant l'attaque et se préparant à la riposte ; puis les épées se cherchent, s'agacent, se tâtent pour ainsi dire sans se quitter : cela dure quelques secondes, qui paraissent des minutes, des heures, à l'anxiété des assistants.

Ici, les conditions du duel, en apparence ordinaires pour les spectateurs, étaient si étranges pour les combattants, qu'ils restèrent ainsi en garde plus longtemps que de coutume. En effet, chacun avait devant soi son propre corps et devait enfoncer l'acier dans une chair qui lui appartenait encore la veille. — Le combat se compliquait d'une sorte de suicide non prévue, et, quoique braves tous deux, Octave et le comte éprouvaient une instinctive horreur à se trouver l'épée à la main en face de leurs fantômes et prêts à fondre sur eux-mêmes.

Les témoins impatientés allaient crier encore une fois : «Messieurs, mais allez donc !» lorsque les fers se froissèrent ennenfin sur leurs carres.

Quelques attaques furent parées avec prestesse de part et d'autre.

Le comte, grâce à son éducation militaire, était un habile tireur; il avait moucheté le plastron des maîtres les plus célèbres; mais, s'il possédait toujours la théorie, il n'avait plus pour l'exécution ce bras nerveux habitué à tailler des croupières aux Mourides de Schamyl; c'était le faible poignet d'Octave qui tenait son épée.

Au contraire, Octave, dans le corps du comte, se trouvait une vigueur inconnue, et, quoique moins savant, il écartait toujours de sa poitrine le fer qui la cherchait.

Vainement Olaf s'efforçait d'atteindre son adversaire et risquait des bottes hasardeuses. Octave, plus froid et plus ferme, déjouait toutes les feintes.

La colère commençait à s'emparer du comte, dont le jeu devenait nerveux et désordonné. Quitte à rester Octave de Saville, il voulait tuer ce corps imposteur qui pouvait tromper Prascovie, pensée qui le jetait en d'inexprimables rages.

Au risque de se faire transpercer, il essaya un coup droit pour arriver, à travers son propre corps, à l'âme et à la vie de son rival; mais l'épée d'Octave se lia autour de la sienne avec un mouvement si preste, si sec, si irrésistible, que le fer, arraché de son poing, jallit en l'air et alla tomber quelques pas plus loin.

La vie d'Olaf était à la discrétion d'Octave : il n'avait qu'à se fendre pour le percer de part en part. — La figure du comte se crispa, non qu'il eût peur de la mort, mais il pensait qu'il allait laisser sa femme à ce voleur de corps, que rien désormais ne pourrait démasquer.

Octave, loin de profiter de son avantage, jeta son épée,

et, faisant signe aux témoins de ne pas intervenir, marcha vers le comte stupéfait, qu'il prit par le bras et qu'il entraîna dans l'épaisseur du bois.

« Que me voulez-vous ? dit le comte. Pourquoi ne pas me tuer lorsque vous pouvez le faire ? Pourquoi ne pas continuer le combat, après m'avoir laissé reprendre mon épée, s'il vous répugnait de frapper un homme sans armes ? Vous savez bien que le soleil ne doit pas projeter ensemble nos deux ombres sur le sable, et qu'il faut que la terre absorbe l'un de nous. »

— Écoutez-moi patiemment, répondit Octave. Votre bonheur est entre mes mains. Je puis garder toujours ce corps où je loge aujourd'hui et qui vous appartient en propriété légitime : je me plais à le reconnaître maintenant qu'il n'y a pas de témoins près de nous, et que les oiseaux seuls, qui n'iront pas le redire, peuvent nous entendre ; si nous recommençons le duel, je vous tuerai. Le comte Olaf Labinski, que je représente du moins·mal que je peux, est plus fort à l'escrime qu'Octave de Saville, dont vous avez maintenant la figure, et que je serai forcé, bien à regret, de supprimer ; et cette mort, quoique non réelle, puisque mon âme y survivrait, désolerait ma mère. »

Le comte, reconnaissant la vérité de ces observations, garda un silence qui ressemblait à une sorte d'acquiescement.

« Jamais, continua Octave, vous ne parviendrez, si je m'y oppose, à vous réintégrer dans votre individualité ; vous voyez à quoi ont abouti vos deux essais. D'autres tentatives vous feraient prendre pour un monomane. Personne ne croira un mot de vos allégations, et, lorsque vous prétendrez être le comte Olaf Labinski, tout le monde vous éclatera de rire au nez, comme vous avez déjà pu vous en convaincre. On vous enfermera, et vous passerez le reste de votre vie à protester, sous les douches, que vous êtes effectivement l'époux de la belle comtesse Prascovie Labinska. Les âmes compatissantes diront en vous entendant : « Ce pauvre Octave ! » Vous serez méconnu comme le Chabert de Balzac, qui voulait prouver qu'il n'était pas mort. »

Cela était si mathématiquement vrai, que le comte abattu laissa tomber sa tête sur sa poitrine.

«Puisque vous êtes pour le moment Octave de Saville, vous avez sans doute fouillé ses tiroirs, feuilleté ses papiers; et vous n'ignorez pas qu'il nourrit depuis trois ans pour la comtesse Prascovie Labinska un amour éperdu, sans espoir, qu'il a vainement tenté de s'arracher du cœur et qui ne s'en ira qu'avec sa vie, s'il ne le suit pas encore dans la tombe.

— Oui, je le sais, fit le comte en se mordant les lèvres.

— Eh bien, pour parvenir à elle j'ai employé un moyen horrible, effrayant, et qu'une passion délirante pouvait seule risquer; le docteur Cherbonneau a tenté pour moi une œuvre à faire reculer les thaumaturges de tous les pays et de tous les siècles. Après nous avoir tous deux plongés dans le sommeil, il a fait magnétiquement changer nos âmes d'enveloppe. Miracle inutile! Je vais vous rendre votre corps: Prascovie ne m'aime pas! Dans la forme de l'époux elle a reconnu l'âme de l'amant; son regard s'est glacé sur le seuil de la chambre conjugale comme au jardin de la villa Salviati.»

Un chagrin si vrai se trahissait dans l'accent d'Octave, que le comte ajouta foi à ses paroles.

«Je suis un amoureux, ajouta Octave en souriant, et non pas un voleur; et, puisque le seul bien que j'aie désiré sur cette terre ne peut m'appartenir, je ne vois pas pourquoi je garderai vos titres, vos châteaux, vos terres, votre argent, vos chevaux, vos armes. — Allons, donnez-moi le bras, ayons l'air réconciliés, remercions nos témoins, prenons avec nous le docteur Cherbonneau, et retournons au laboratoire magique d'où nous sommes sortis transfigurés; le vieux brahme saura bien défaire ce qu'il a fait.»

«Messieur, dit Octave, soutenant pour quelques minutes encore le rôle du comte Olaf Labinski, nous avons échangé, mon adversaire et moi, des explications confidentielles qui rendent la continuation du combat inutile. Rien n'éclaircit les idées entre honnêtes gens comme de froisser un peu le fer.»

MM. Zamoieczki et Sepulveda remontèrent dans leur voiture. Alfred Humbert et Gustave Raimbaud regagnèrent leur coupé. — Le comte Olaf Labinski, Octave de Saville et le docteur Balthazar se dirigèrent grand train vers la rue du Regard.

XII

Pendant le trajet du bois du Boulogne à la rue du Regard, Octave de Saville dit au docteur Cherbonneau :

« Mon cher docteur, je vais mettre encore une fois votre science à l'épreuve : il faut réintégrer nos âmes chacune dans son domicile habituel. — Cela ne doit pas vous être difficile ; j'espère que M. le comte Labinski ne vous en voudra pas pour lui avoir fait changer un palais contre une chaumière et loger quelques heures sa personnalité brillante dans mon pauvre individu. Vous possédez d'ailleurs une puissance à ne craindre aucune vengeance. »

Après avoir fait un signe d'acquiescement, le docteur Balthazar Cherbonneau dit : « L'opération sera beaucoup plus simple cette fois-ci que l'autre ; les imperceptibles filaments qui retiennent l'âme au corps ont été brisés récemment chez vous et n'ont pas eu le temps de se renouer, et vos volontés ne feront pas cet obstacle qu'oppose au magnétiseur la résistance instinctive du magnétisé. M. le comte pardonnera sans doute à un vieux savant comme moi de n'avoir pu résister au plaisir de pratiquer une expérience pour laquelle on ne trouve pas beaucoup de sujets, puisque cette tentative n'a servi d'ailleurs qu'à confirmer avec éclat une vertu qui pousse la délicatesse jusqu'à la divination, et triomphe là où toute autre eût succombé. Vous regarderez, si vous voulez, comme un rêve bizarre cette transformation passagère, et peut-être plus tard ne serez-vous pas fâché d'avoir éprouvé cette sensation étrange que très peu d'hommes ont connue, celle d'avoir habité deux corps. — La métempsychose n'est pas une doctrine nouvelle ; mais, avant de transmigrer dans une autre existence, les âmes boivent la coupe d'oubli, et tout le monde ne peut

pas, comme Pythagore, se souvenir d'avoir assisté à la
guerre de Troie.

— Le bienfait de me réinstaller dans mon individualité, répondit poliment le comte, équivaut au désagrément
d'en avoir été exproprié, cela soit dit sans aucune mauvaise intention pour M. Octave de Saville que je suis
encore et que je vais cesser d'être. »

Octave sourit avec les lèvres du comte Labinski à cette
phrase, qui n'arrivait à son adresse qu'à travers une
enveloppe étrangère, et le silence s'établit entre ces trois
personnages, à qui leur situation anormale rendait toute
conversation difficile.

Le pauvre Octave songeait à son espoir évanoui, et ses
pensées n'étaient pas, il faut l'avouer, précisément couleur de rose. Comme tous les amants rebutés, il se demandait encore pourquoi il n'était pas aimé, — comme si
l'amour avait un pourquoi ! la seule raison qu'on en
puisse donner est le *parce que,* réponse logique dans son
laconisme entêté, que les femmes opposent à toutes les
questions embarrassantes. Cependant il se reconnaissait
vaincu et sentait que le ressort de la vie, retendu chez lui
un instant par le docteur Cherbonneau, était de nouveau
brisé et bruissait dans son cœur comme celui d'une montre qu'on a laissée tomber à terre. Octave n'aurait pas
voulu causer à sa mère le chagrin de son suicide, et il
cherchait un endroit où s'éteindre silencieusement de son
chagrin inconnu sous le nom scientifique d'une maladie
plausible. S'il eût été peintre, poète ou musicien, il aurait
cristallisé sa douleur en chefs-d'œuvre, et Prascovie vêtue de blanc, couronnée d'étoiles, pareille à la Béatrice de
Dante, aurait plané sur son inspiration comme un ange
lumineux ; mais, nous l'avons dit en commençant cette
histoire, bien qu'instruit et distingué, Octave n'était pas
un de ces esprits d'élite qui impriment sur ce monde la
trace de leur passage. Ame obscurément sublime, il ne
savait qu'aimer et mourir.

La voiture entra dans la cour du vieil hôtel de la rue du
Regard, cour au pavé serti d'herbe verte où les pas des
visiteurs avaient frayé un chemin et que les hautes murailles grises des constructions inondaient d'ombres froi-

des comme celles qui tombent des arcades d'un cloître : le Silence et l'Immobilité veillaient sur le seuil comme deux statues invisibles pour protéger la méditation du savant.

Octave et le comte descendirent, et le docteur franchit le marchepied d'un pas plus leste qu'on n'aurait pu l'attendre de son âge et sans s'appuyer au bras que le valet de pied lui présentait avec cette politesse que les laquais de grande maison affectent pour les personnes faibles ou âgées.

Dès que les doubles portes se furent refermées sur eux, Olaf et Octave se sentirent enveloppés par cette chaude atmosphère qui rappelait au docteur celle de l'Inde et où seulement il pouvait respirer à l'aise, mais qui suffoquait presque les gens qui n'avaient pas été comme lui torréfiés trente ans aux soleils tropicaux. Les incarnations de Wishnou grimaçaient toujours dans leurs cadres, plus bizarres au jour qu'à la lumière ; Shiva, le dieu bleu, ricanait sur son socle, et Dourga [70], mordant sa lèvre calleuse de ses dents de sanglier, semblait agiter son chapelet de crânes. Le logis gardait son impression mystérieuse et magique.

Le docteur Balthazar Cherbonneau conduisit ses deux sujets dans la pièce où s'était opérée la première transformation ; il fit tourner le disque de verre de la machine électrique, agita les tiges de fer du baquet mesmérien, ouvrit les bouches de chaleur de façon à faire monter rapidement la température, lut deux ou trois lignes sur des papyrus si anciens qu'ils ressemblaient à de vieilles écorces prêtes à tomber en poussière, et, lorsque quelques minutes furent écoulées, il dit à Octave et au comte :

« Messieurs, je suis à vous ; voulez-vous que nous commencions ? »

Pendant que le docteur se livrait à ces préparatifs, des réflexions inquiétantes passaient par la tête du comte.

« Lorsque je serai endormi, que va faire de mon âme ce vieux magicien à figure de macaque qui pourrait bien être le diable en personne ? — La restituera-t-il à mon corps

---

70. *Dourga*, l'épouse de Shiva et la mère de Ganésa dans la mythologie hindoue. Elle est « l'Inaccessible », la déesse farouche et redoutable à laquelle on offre des sacrifices sanglants.

ou l'emportera-t-il en enfer avec lui ? Cet échange qui
doit me rendre mon bien n'est-il qu'un nouveau piège,
une combinaison machiavélique pour quelque sorcellerie
dont le but m'échappe ? Pourtant, ma position ne saurait
guère empirer. Octave possède mon corps, et, comme il
le disait très bien ce matin, en le réclamant sous ma figure
actuelle je me ferais enfermer comme fou. S'il avait
voulu se débarrasser définitivement de moi, il n'avait
qu'à pousser la pointe de son épée ; j'étais désarmé, à sa
merci ; la justice des hommes n'avait rien à y voir ; les
formes du duel étaient parfaitement régulières et tout
s'était passé selon l'usage. — Allons ! pensons à Prascovie, et pas de terreur enfantine ! Essayons du seul moyen
qui me reste de la reconquérir ! »

Et il prit comme Octave la tige de fer que le docteur
Balthazar Cherbonneau lui présentait.

Fulgurés par les conducteurs de métal chargés à outrance de fluide magnétique, les deux jeunes gens tombèrent bientôt dans un anéantissement si profond qu'il eût
ressemblé à la mort pour toute personne non prévenue : le
docteur fit les passes, accomplit les rites, prononça les
syllabes comme la première fois, et bientôt deux petites
étincelles apparurent au-dessus d'Octave et du comte
avec un tremblement lumineux ; le docteur reconduisit à
sa demeure primitive l'âme du comte Olaf Labinski, qui
suivit d'un vol empressé le geste du magnétiseur.

Pendant ce temps, l'âme d'Octave s'éloignait lentement du corps d'Olaf, et, au lieu de rejoindre le sien,
s'élevait, s'élevait comme toute joyeuse d'être libre, et ne
paraissait pas se soucier de rentrer dans sa prison. Le
docteur se sentit pris de pitié pour cette Psyché qui palpitait des ailes, et se demanda si c'était un bienfait de la
ramener vers cette vallée de misère. Pendant cette minute
d'hésitation, l'âme montait toujours. Se rappelant son
rôle, M. Cherbonneau répéta de l'accent le plus impérieux l'irrésistible monosyllabe et fit une passe fulgurante
de volonté ; la petite lueur tremblotante était déjà hors du
cercle d'attraction, et, traversant la vitre supérieure de la
croisée, elle disparut.

Le docteur cessa des efforts qu'il savait superflus et

réveilla le comte, qui, en se voyant dans un miroir avec ses traits habituels, poussa un cri de joie, jeta un coup d'œil sur le corps toujours immobile d'Octave comme pour se prouver qu'il était bien définitivement débarrassé de cette enveloppe, et s'élança dehors, après avoir salué de la main M. Balthazar Cherbonneau.

Quelques instants après, le roulement sourd d'une voiture sous la voûte se fit entendre, et le docteur Balthazar Cherbonneau resta seul face à face avec le cadavre d'Octave de Saville.

« Par la trompe de Ganésa ! s'écria l'élève du brahme d'Éléphanta lorsque le comte fut parti, voilà une fâcheuse affaire ; j'ai ouvert la porte de la cage, l'oiseau s'est envolé, et le voilà déjà hors de la sphère de ce monde, si loin que le sannyâsi Brahma-Logum lui-même ne le rattraperait pas ; je reste avec un corps sur les bras. Je puis bien le dissoudre dans un bain corrosif si énergique qu'il n'en resterait pas un atome appréciable, ou en faire en quelques heures une momie de Pharaon pareille à celles qu'enferment ces boîtes bariolées d'hiéroglyphes ; mais on commencerait des enquêtes, on fouillerait mon logis, on ouvrirait mes caisses, on me ferait toutes sortes d'interrogatoires ennuyeux… »

Ici, une idée lumineuse traversa l'esprit du docteur ; il saisit une plume et traça rapidement quelques lignes sur une feuille de papier qu'il serra dans le tiroir de sa table.

Le papier contenait ces mots :

« N'ayant ni parents, ni collatéraux, je lègue tous mes biens à M. Octave de Saville, pour qui j'ai une affection particulière, — à la charge de payer un legs de cent mille francs à l'hôpital brahminique de Ceylan, pour les animaux vieux, fatigués ou malades, de servir douze cents francs de rente viagère à mon domestique indien et à mon domestique anglais, et de remettre à la bibliothèque Mazarine le manuscrit des lois de Manou. »

Ce testament fait à un mort par un vivant n'est pas une des choses les moins bizarres de ce conte invraisemblable et pourtant réel ; mais cette singularité va s'expliquer sur-le-champ.

Le docteur toucha le corps d'Octave de Saville, que la

chaleur de la vie n'avait pas encore abandonné, regarda dans la glace son visage ridé, tanné et rugueux comme une peau de chagrin, d'un air singulièrement dédaigneux, et faisant sur lui le geste avec lequel on jette un vieil habit lorsque le tailleur vous en apporte un neuf, il murmura la formule du sannyâsi Brahma-Logum.

Aussitôt le corps du docteur Balthazar Cherbonneau roula comme foudroyé sur le tapis, et celui d'Octave de Saville se redressa fort, alerte et vivace.

Octave-Cherbonneau se tint debout quelques minutes devant cette dépouille maigre, osseuse et livide qui, n'étant plus soutenue par l'âme puissante qui la vivifiait tout à l'heure, offrit presque aussitôt les signes de la plus extrême sénilité, et prit rapidement une apparence cadavéreuse.

« Adieu, pauvre lambeau humain, misérable guenille percée au coude, élimée sur toutes les coutures, que j'ai traînée soixante-dix ans dans les cinq parties du monde ! tu m'as fait un assez bon service, et je ne te quitte pas sans quelque regret. On s'habitue l'un et l'autre à vivre si longtemps ensemble ! mais avec cette jeune enveloppe, que ma science aura bientôt rendue robuste, je pourrai étudier, travailler, lire encore quelques mots du grand livre, sans que la mort le ferme au paragraphe le plus intéressant en disant : « C'est assez ! »

Cette oraison funèbre adressée à lui-même, Octave-Cherbonneau sortit d'un pas tranquille pour aller prendre possession de sa nouvelle existence.

Le comte Olaf Labinski était retourné à son hôtel et avait fait demander tout de suite si la comtesse pouvait le recevoir.

Il la trouva assise sur un banc de mousse, dans la serre, dont les panneaux de cristal relevés à demi laissaient passer un air tiède et lumineux, au milieu d'une véritable forêt vierge de plantes exotiques et tropicales ; elle lisait Novalis, un des auteurs les plus subtils, les plus raréfiés, les plus immatériels qu'ait produits le spiritualisme allemand ; la comtesse n'aimait pas les livres qui peignent la vie avec des couleurs réelles et fortes, — et la vie lui paraissait un peu grossière à force d'avoir vécu dans un monde d'élégance, d'amour et de poésie

Elle jeta son livre et leva lentement les yeux vers le comte. Elle craignait de rencontrer encore dans les prunelles noires de son mari ce regard ardent, orageux, chargé de pensées mystérieuses, qui l'avait si péniblement troublée et qui lui semblait — appréhension folle, idée extravagante — le regard d'un autre !

Dans les yeux d'Olaf éclatait une joie sereine, brûlait d'un feu égal un amour chaste et pur ; l'âme étrangère qui avait changé l'expression de ses traits s'était envolée pour toujours : Prascovie reconnut aussitôt son Olaf adoré, et une rapide rougeur de plaisir nuança ses joues transparentes. — Quoiqu'elle ignorât les transformations opérées par le docteur Cherbonneau, sa délicatesse de sensitive avait pressenti tous ces changements sans pourtant qu'elle s'en rendît compte.

« Que lisiez-vous là, chère Prascovie ? dit Olaf en ramassant sur la mousse le livre relié de maroquin bleu. — Ah ! l'histoire de Henri d'Ofterdingen[71], — c'est le même volume que je suis allé vous chercher à franc étrier à Mohilev[72], — un jour que vous aviez manifesté à table le désir de l'avoir. A minuit il était sur votre guéridon, à côté de votre lampe ; mais aussi Ralph en est resté poussif !

— Et je vous ai dit que jamais plus je ne manifesterais la moindre fantaisie devant vous. Vous êtes du caractère de ce grand d'Espagne qui priait sa maîtresse de ne pas regarder les étoiles, puisqu'il ne pouvait les lui donner.

— Si tu en regardais une, répondit le comte, j'es-

---

71. *Henri d'Ofterdingen*, le nom de Novalis, absent de l'œuvre de Nerval et de Baudelaire, apparaît chez Gautier dans son étude sur *Les Contes d'Hoffmann* (1836). Mme de Staël la première a parlé de Novalis dans *De l'Allemagne* (IV, 9) à propos de la religion, en citant *Les Disciples à Saïs*. La *Nouvelle Revue germanique* publia entre 1832 et 1834 une traduction des *Hymnes à la nuit* et d'extraits d'*Henri d'Ofterdingen*. Mais c'est à *De l'Allemagne* (1835) de Heine que Gautier doit la révélation de Novalis et d'*Henri d'Ofterdingen*, ce roman où « respire le parfum et brille l'éclat de la fleur d'azur ». Chez Heine, l'œuvre est un « livre de maroquin rouge à tranches dorées » — ce qui confirme que Gautier avait lu *De l'Allemagne*.

72. *Mohilev*, ville de la Russie blanche sur le Dniepr.

sayerais de monter au ciel et de l'aller demander à Dieu. »

Tout en écoutant son mari, la comtesse repoussait une mèche révoltée de ses bandeaux qui scintillait comme une flamme dans un rayon d'or. Ce mouvement avait fait glisser sa manche et mis à nu son beau bras que cerclait au poignet le lézard constellé de turquoises qu'elle portait le jour de cette apparition aux Cascines, si fatale pour Octave.

« Quelle peur, dit le comte, vous a causée jadis ce pauvre petit lézard que j'ai tué d'un coup de badine lorsque, pour la première fois, vous êtes descendue au jardin sur mes instantes prières ! Je le fis mouler en or et orner de quelques pierres ; mais, même à l'état de bijou, il vous semblait toujours effrayant, et ce n'est qu'au bout d'un certain temps que vous vous décidâtes à le porter.

— Oh ! j'y suis habituée tout à fait maintenant, et c'est de mes joyaux celui que je préfère, car il me rappelle un bien cher souvenir.

— Oui, reprit le comte ; ce jour-là, nous convînmes que, le lendemain, je vous ferais demander officiellement en mariage à votre tante. »

La comtesse, qui retrouvait le regard, l'accent du vrai Olaf, se leva, rassurée d'ailleurs par ces détails intimes, lui sourit, lui prit le bras et fit avec lui quelques tours dans la serre, arrachant au passage, de sa main restée libre, quelques fleurs dont elle mordait les pétales de ses lèvres fraîches, comme cette Vénus de Schiavone [73] qui mange des roses.

« Puisque vous avez si bonne mémoire aujourd'hui, dit-elle en jetant la fleur qu'elle coupait de ses dents de perle, vous devez avoir retrouvé l'usage de votre langue maternelle... que vous ne saviez plus hier.

— Oh ! répondit le comte en polonais, c'est celle que mon âme parlera dans le ciel pour te dire que je t'aime, si les âmes gardent au paradis un langage humain. »

Prascovie, tout en marchant, inclina doucement sa tête sur l'épaule d'Olaf.

---

73. *Schiavone*, Andrea Meldolla, dit Schiavone (l'Esclavon) (1522-1582), peintre et graveur italien, qui fut le disciple de Titien.

« Cher cœur, murmura-t-elle, vous voilà tel que je vous aime. Hier vous me faisiez peur, et je vous ai fui comme un étranger. »

Le lendemain, Octave de Saville, animé par l'esprit du vieux docteur, reçut une lettre lisérée de noir, qui le priait d'assister aux service, convoi et enterrement de M. Balthazar Cherbonneau.

Le docteur, revêtu de sa nouvelle apparence, suivit son ancienne dépouille au cimetière, se vit enterrer, écouta d'un air de componction fort bien joué les discours que l'on prononça sur sa fosse, et dans lesquels on déplorait la perte irréparable que venait de faire la science ; puis il retourna rue Saint-Lazare et attendit l'ouverture du testament qu'il avait écrit en sa faveur.

Ce jour-là on lut aux *faits divers* dans les journaux du soir :

M. le docteur Balthazar Cherbonneau, connu par le long séjour qu'il a fait aux Indes, ses connaissances philologiques et ses cures merveilleuses, a été trouvé mort, hier, dans son cabinet de travail. L'examen minutieux du corps éloigne entièrement l'idée d'un crime. M. Cherbonneau a sans doute succombé à des fatigues intellectuelles excessives ou péri dans quelque expérience audacieuse. On dit qu'un testament olographe découvert dans le bureau du docteur lègue à la bibliothèque Mazarine des manuscrits extrêmement précieux, et nomme pour son héritier un jeune homme appartenant à une famille distinguée, M. O. de S. »

JETTATURA [1]

1. *Jettatura* a paru sous le titre *Paul d'Aspremont, conte,* dans *Le Moniteur universel,* les 25, 26, 27, 28, 29 juin, 5, 9, 10, 11, 16, 17, 18, 19, 20 et 23 juillet 1856. Il a été publié simultanément à Bruxelles, Méline et Cans, 1857, et à Paris, Michel Lévy, 1857. Il a été repris dans *Romans et contes,* Charpentier, 1863.

Gautier a égalemnt composé un « fragment de poème », intitulé *Jettatura* et paru dans *Le Parnasse contemporain,* 1870, sous le titre *Marine, fragment d'un poème inédit.* Selon Spoelberch de Lovenjoul, la rédaction du poème serait antérieure à celle du récit. Gautier exprime dans *Jettatura* un aspect spécifique de sa superstition et le souci de « protéger un pauvre poète superstitieux contre le *fascino* et les mauvais présages » (*L'Orient,* t. II, p. 127).

I

Le *Léopold,* superbe bateau à vapeur toscan qui fait le trajet de Marseille à Naples, venait de doubler la pointe de Procida. Les passagers étaient tous sur le pont, guéris du mal de mer par l'aspect de la terre, plus efficace que les bonbons de Malte et autres recettes employées en pareil cas.

Sur le tillac, dans l'enceinte réservée aux premières places, se tenaient des Anglais tâchant de se séparer les uns des autres le plus possible et de tracer autour d'eux un cercle de démarcation infranchissable ; leurs figures splénétiques étaient soigneusement rasées, leurs cravates ne faisaient pas un faux pli, leurs cols de chemises roides et blancs ressemblaient à des angles de papier Bristol ; des gants de peau de Suède tout frais recouvraient leurs mains, et le vernis de lord Elliot miroitait sur leurs chaussures neuves. On eût dit qu'ils sortaient d'un des compartiments de leurs nécessaires ; dans leur tenue correcte, aucun des petits désordres de toilette, conséquence ordinaire du voyage. Il y avait là des lords, des membres de la chambre des Communes, des marchands de la Cité, des tailleurs de Regent's street et des couteliers de Sheffields tous convenables, tous graves, tous immobiles, tous ennuyés. Les femmes ne manquaient pas non plus, car les Anglaises ne sont pas sédentaires comme les femmes des autres pays, et profitent du plus léger prétexte pour quitter leur île. Auprès des ladies et des mistresses, beautés à leur automne, vergetées des couleurs de la couperose, rayonnaient, sous leur voile de gaze bleue, de jeunes misses au teint pétri de crème et de fraises, aux brillantes spirales de cheveux blonds, aux dents longues et blanches, rappelant les types affectionnés par les keepsakes [2] et justifiant les gravures d'outre-Manche du reproche de mensonge qu'on leur adresse souvent. Ces charmantes personnes modulaient, chacune de son côté, avec le plus délicieux accent britannique, la phrase sacramentelle : *« Vedi Napoli e poi mori »*, consultaient leur Guide de voyage ou prenaient note de leurs impressions sur leur carnet, sans faire la moindre attention aux œillades à la don Juan de quelques fats parisiens qui rôdaient autour d'elles, pendant que les mamans irritées murmuraient à demi-voix contre l'impropriété française.

Sur la limite du quartier aristocratique se promenaient, fumant des cigares, trois ou quatre jeunes gens qu'à leur chapeau de paille ou de feutre gris, à leurs paletots-sacs constellés de larges boutons de corne, à leur vaste pantalon de coutil, il était facile de reconnaître pour des artistes, indication que confirmaient d'ailleurs leurs moustaches à la Van Dyck, leurs cheveux bouclés à la Rubens ou coupés en brosse à la Paul Véronèse ; ils tâchaient, mais dans un tout autre but que les dandies, de saisir quelques profils de ces beautés que leur peu de fortune les empêchait d'approcher de plus près, et cette préoccupation les distrayait un peu du magnifique panorama étalé devant leurs yeux.

A la pointe du navire, appuyés au bastingage ou assis sur des paquets de cordages enroulés, étaient groupés les pauvres gens des troisièmes places, achevant les provisions que les nausées leur avaient fait garder intactes, et n'ayant pas un regard pour le plus admirable spectacle du monde, car le sentiment de la nature est le privilège des esprits cultivés, que les nécessités matérielles de la vie n'absorbent pas entièrement.

Il faisait beau ; les vagues bleues se déroulaient à larges

----

2. *keepsakes*, objets donnés en guise de souvenir, en particulier des livres illustrés, offerts à l'occasion des fêtes. Cette mode se répandit d'Angleterre en France entre 1820 et 1850, sous forme de recueils rassemblant des textes d'écrivains romantiques.

plis, ayánt à peine la force d'effacer le sillage du bâti-
ment; la fumée du tuyau, qui formait les nuages de ce ciel
splendide, s'en allait lentement en légers flocons d'ouate,
et les palettes des roues, se démenant dans une poussière
diamantée où le soleil suspendait des iris, brassaient l'eau
avec une activité joyeuse, comme si elles eussent eu la
conscience de la proximité du port.

Cette longue ligne de collines qui, de Pausilippe au
Vésuve, dessine le golfe merveilleux au fond duquel
Naples se repose comme une nymphe marine se séchant
sur la rive après le bain, commençait à prononcer ses
ondulations violettes, et se détachait en traits plus fermes
de l'azur éclatant du ciel; déjà quelques points de blancheur, piquant le fond plus sombre des terres, trahissaient
la présence des villas répandues dans la campagne. Des
voiles de bateaux pêcheurs rentrant au port glissaient sur
le bleu uni comme des plumes de cygne promenées par la
brise, et montraient l'activité humaine sur la majestueuse
solitude de la mer.

Après quelques tours de roue, le château Saint-Elme et
le couvent Saint-Martin se profilèrent d'une façon distincte au sommet de la montagne où Naples s'adosse,
par-dessus les dômes des églises, les terrasses des hôtels,
les toits des maisons, les façades des palais, et les verdures des jardins encore vaguement ébauchés dans une
vapeur lumineuse. — Bientôt le château de l'Œuf, accroupi sur son écueil lavé d'écume, sembla s'avancer
vers le bateau à vapeur, et le môle avec son phare s'allongea comme un bras tenant un flambeau.

A l'extrémité de la baie, le Vésuve, plus rapproché,
changea les teintes bleuâtres dont l'éloignement le revêtait pour des tons plus vigoureux et plus solides; ses
flancs se sillonnèrent de ravines et de coulées de laves
refroidies, et de son cône tronqué comme des trous d'une
cassolette, sortirent très visiblement de petits jets de fumée blanche qu'un souffle de vent faisait tomber.

On distinguait nettement Chiatamone, Pizzo Falcone,
le quai de Santa Lucia, tout bordé d'hôtels, le Palazzo
Reale avec ses rangées de balcons, le Palazzo Nuovo
flanqué de ses tours à moucharabys, l'Arsenal, et les

vaisseaux de toutes nations, entremêlant leurs mâts et leurs espars comme les arbres d'un bois dépouillé de feuilles, lorsque sortit de sa cabine un passager qui ne s'était pas fait voir de toute la traversée, soit que le mal de mer l'eût retenu dans son cadre, soit que par sauvagerie il n'eût pas voulu se mêler au reste des voyageurs, ou bien que ce spectacle, nouveau pour la plupart, lui fût dès longtemps familier et ne lui offrît plus d'intérêt.

C'était un jeune homme de vingt-six à vingt-huit ans, ou du moins auquel on était tenté d'attribuer cet âge au premier abord, car lorsqu'on le regardait avec attention on le trouvait ou plus jeune ou plus vieux, tant sa physionomie énigmatique mélangeait la fraîcheur et la fatigue. Ses cheveux d'un blond obscur tiraient sur cette nuance que les Anglais appellent *auburn,* et s'incendiaient au soleil de reflets cuivrés et métalliques, tandis que dans l'ombre ils paraissaient presque noirs; son profil offrait des lignes purement accusées, un front dont un phrénologue eût admiré les protubérances, un nez d'une noble courbe aquiline, des lèvres bien coupées, et un menton dont la rondeur puissante faisait penser aux médailles antiques; et cependant tous ces traits, beaux en eux-mêmes, ne composaient point un ensemble agréable. Il leur manquait cette mystérieuse harmonie qui adoucit les contours et les fond les uns dans les autres. La légende parle d'un peintre italien qui, voulant représenter l'archange rebelle, lui composa un masque de beautés disparates, et arriva ainsi à un effet de terreur bien plus grand qu'au moyen des cornes, des sourcils circonflexes et de la bouche en rictus. Le visage de l'étranger produisait une impression de ce genre. Ses yeux surtout étaient extraordinaires; les cils noirs qui les bordaient contrastaient avec la couleur gris pâle des prunelles et le ton châtain brûlé des cheveux. Le peu d'épaisseur des os du nez les faisait paraître plus rapprochés que les mesures des principes de dessin ne le permettent, et, quant à leur expression, elle était vraiment indéfinissable. Lorsqu'ils ne s'arrêtaient sur rien, une vague mélancolie, une tendance languissante s'y peignaient dans une lueur humide; s'ils se fixaient sur quelque personne ou quelque objet, les sourcils se rapprochaient, se crispaient, et modelaient une ride perpendiculaire dans la peau du front : les prunelles, de grises devenaient vertes, se tigraient de points noirs, se striaient de fibrilles jaunes ; le regard en jaillissait aigu, presque blessant ; puis tout reprenait sa placidité première, et le personnage à tournure méphistophélique redevenait un jeune homme du monde — membre du Jockey-Club, si vous voulez — allant passer la saison à Naples, et satisfait de mettre le pied sur un pavé de lave moins mobile que le pont du *Léopold*.

Sa tenue était élégante sans attirer l'œil par aucun détail voyant : une redingote bleu foncé, une cravate noire à pois dont le nœud n'avait rien d'apprêté ni de négligé non plus, un gilet de même dessin que la cravate, un pantalon gris clair, tombant sur une botte fine, composaient sa toilette ; la chaîne qui retenait sa montre était d'or tout uni, et un cordon de soie plate suspendait son pince-nez ; sa main bien gantée agitait une petite canne mince en cep de vigne tordu terminé par un écusson d'argent.

Il fit quelques pas sur le pont, laissant errer vaguement son regard vers la rive qui se rapprochait et sur laquelle on voyait rouler des voitures, fourmiller la population et stationner ces groupes d'oisifs pour qui l'arrivée d'une diligence ou d'un bateau à vapeur est un spectacle toujours intéressant et toujours neuf quoiqu'ils l'aient contemplé mille fois.

Déjà se détachait du quai une escadrille de canots, de chaloupes, qui se préparaient à l'assaut du *Léopold*, chargés d'un équipage de garçons d'hôtel, de domestiques de place, de facchini et autres canailles variées habituées à considérer l'étranger comme une proie ; chaque barque faisait force de rames pour arriver la première, et les mariniers échangeaient, selon la coutume, des injures, des vociférations capables d'effrayer des gens peu au fait des mœurs de la basse classe napolitaine.

Le jeune homme aux cheveux *auburn* avait, pour mieux saisir les détails du point de vue qui se déroulait devant lui, posé son lorgnon double sur son nez ; mais son attention, détournée du spectacle sublime de la baie par le

concert de criailleries qui s'élevait de la flottille, se
concentra sur les canots; sans doute le bruit l'importu-
nait, car ses sourcils se contractèrent, la ride de son front
se creusa, et le gris des prunelles prit une teinte jaune.

Une vague inattendue, venue du large et courant sur la
mer, ourlée d'une frange d'écume, passa sous le bateau à
vapeur, qu'elle souleva et laissa retomber lourdement, se
brisa sur le quai en millions de paillettes, mouilla les
promeneurs tout surpris de cette douche subite, et fit, par
la violence de son ressac, s'entrechoquer si rudement les
embarcations, que trois ou quatre facchini tombèrent à
l'eau. L'accident n'était pas grave, car ces drôles nagent
tous comme des poissons ou des dieux marins, et quelques secondes après ils reparurent, les cheveux collés aux
tempes, crachant l'eau amère par la bouche et les narines,
et aussi étonnés, à coup sûr, de ce plongeon, que put
l'être Télémaque, fils d'Ulysse, lorsque Minerve, sous la
figure du sage Mentor, le lança du haut d'une roche à la
mer pour l'arracher à l'amour d'Eucharis [3].

Derrière le voyageur bizarre, à distance respectueuse,
restait debout, auprès d'un entassement de malles, un
petit groom, espèce de vieillard de quinze ans, gnome en
livrée, ressemblant à ces nains que la patience chinoise
élève dans des potiches pour les empêcher de grandir; sa
face plate, où le nez faisait à peine saillie, semblait avoir
été comprimée dès l'enfance, et ses yeux à fleur de tête
avaient cette douceur que certains naturalistes trouvent à
ceux du crapaud. Aucune gibbosité n'arrondissait ses
épaules ni ne bombait sa poitrine; cependant il faisait
naître l'idée d'un bossu, quoiqu'on eût vainement cherché sa bosse. En somme, c'était un groom très convenable, qui eût pu se présenter sans entraînement aux races
d'Ascott ou aux courses de Chantilly; tout gentleman-
rider l'eût accepté sur sa mauvaise mine. Il était déplai-
sant, mais irréprochable en son genre, comme son maître.

L'on débarqua; les porteurs, après des échanges d'injures plus qu'homériques, se divisèrent les étrangers et

---

3. *Eucharis*, l'une des nymphes, compagnes de Calypso dans *Le
Télémaque* de Fénelon (voir livre VI).

les bagages, et prirent le chemin des différents hôtels dont Naples est abondamment pourvu.

Le voyageur au lorgnon et son groom se dirigèrent vers l'hôtel de Rome, suivis d'une nombreuse phalange de robustes facchini qui faisaient semblant de suer et de haleter sous le poids d'un carton à chapeau ou d'une légère boîte, dans l'espoir naïf d'un plus large pourboire, tandis que quatre ou cinq de leurs camarades, mettant en relief des muscles aussi puissants que ceux de l'Hercule qu'on admire au Studj, poussaient une charrette à bras où ballottaient deux malles de grandeur médiocre et de pesanteur modérée.

Quand on fut arrivé aux portes de l'hôtel et que le *padron di casa* eut désigné au nouveau survenant l'appartement qu'il devait occuper, les porteurs, bien qu'ils eussent reçu environ le triple du prix de leur course, se livrèrent à des gesticulations effrénées et à des discours où les formules suppliantes se mêlaient aux menaces dans la proportion la plus comique; ils parlaient tous à la fois avec une volubilité effrayante, réclamant un surcroît de paie, et jurant leurs grands dieux qu'ils n'avaient pas été suffisamment récompensés de leur fatigue. — Paddy, resté seul pour leur tenir tête, car son maître, sans s'inquiéter de ce tapage, avait déjà gravi l'escalier, ressemblait à un singe entouré par une meute de dogues: il essaya, pour calmer cet ouragan de bruit, un petit bout de harangue dans sa langue maternelle, c'est-à-dire en anglais. La harangue obtint peu de succès. Alors, fermant les poings et ramenant ses bras à la hauteur de sa poitrine, il prit une pose de boxe très correcte, à la grande hilarité des facchini, et, d'un coup droit digne d'Adams ou de Tom Cribbs et porté au creux de l'estomac, il envoya le géant de la bande rouler les quatre fers en l'air sur les dalles de lave du pavé.

Cet exploit mit en fuite la troupe; le colosse se releva lourdement, tout brisé de sa chute; et sans chercher à tirer vengeance de Paddy, il s'en alla frottant de sa main, avec force contorsions, l'empreinte bleuâtre qui commençait à irriser sa peau, persuadé qu'un démon devait être caché sous la jaquette de ce macaque, bon tout au plus à faire de l'équitation sur le dos d'un chien, et qu'il aurait cru pouvoir renverser d'un souffle.

L'étranger, ayant fait appeler le *padron di casa,* lui demanda si une lettre à l'adresse de M. Paul d'Aspremont n'avait pas été remise à l'hôtel de Rome ; l'hôtelier répondit qu'une lettre portant cette suscription attendait, en effet, depuis une semaine, dans le casier des correspondances, et il s'empressa de l'aller chercher.

La lettre, enfermée dans une épaisse enveloppe de papier cream-lead azuré et vergé, scellée d'un cachet de cire aventurine, était écrite de ce caractère penché aux pleins anguleux, aux déliés cursifs, qui dénote une haute éducation aristocratique, et que possèdent, un peu trop uniformément peut-être, les jeunes Anglaises de bonne famille.

Voici ce que contenait ce pli, ouvert par M. d'Aspremont avec une hâte qui n'avait peut-être pas la seule curiosité pour motif :

« Mon cher monsieur Paul,

« Nous sommes arrivés à Naples depuis deux mois. Pendant le voyage fait à petites journées mon oncle s'est plaint amèrement de la chaleur, des moustiques, du vin, du beurre, des lits ; il jurait qu'il faut être véritablement fou pour quitter un confortable cottage, à quelques milles de Londres, et se promener sur des routes poussiéreuses bordées d'auberges détestables, où d'honnêtes chiens anglais ne voudraient pas passer une nuit ; mais tout en grognant il m'accompagnait, et je l'aurais mené au bout du monde ; il ne se porte pas plus mal et moi je me porte mieux. — Nous sommes installés sur le bord de la mer, dans une maison blanchie à la chaux et enfouie dans une sorte de forêt vierge d'orangers, de citronniers, de myrtes, de lauriers-roses et autres végétations exotiques. — Du haut de la terrasse on jouit d'une vue merveilleuse, et vous y trouverez tous les soirs une tasse de thé ou une limonade à la neige, à votre choix. Mon oncle, que vous avez fasciné, je ne sais pas comment, sera enchanté de vous serrer la main. Est-il nécessaire d'ajouter que votre servante n'en sera pas fâchée non plus, quoique vous lui ayez coupé les doigts avec votre bague, en lui disant adieu sur la jetée de Folkestone ?

« ALICIA W. »

II

Paul d'Aspremont, après s'être fait servir à dîner dans sa chambre, demanda une calèche. Il y en a toujours qui stationnent autour des grands hôtels, n'attendant que la fantaisie des voyageurs ; le désir de Paul fut donc accompli sur-le-champ. Les chevaux de louage napolitains sont maigres à faire paraître Rossinante surchargée d'embonpoint ; leurs têtes décharnées, leurs côtes apparentes comme des cercles de tonneaux, leur échine saillante toujours écorchée, semblent implorer à titre de bienfait le couteau de l'équarrisseur, car donner de la nourriture aux animaux est regardé comme un soin superflu par l'insouciance méridionale ; les harnais, rompus la plupart du temps, ont des suppléments de corde, et quand le cocher a rassemblé ses guides et fait clapper sa langue pour décider le départ, on croirait que les chevaux vont s'évanouir et la voiture se dissiper en fumée comme le carrosse de Cendrillon lorsqu'elle revient du bal passé minuit, malgré l'ordre de la fée. Il n'en est rien cependant ; les rosses se roidissent sur leurs jambes et, après quelques titubations, prennent un galop qu'elles ne quittent plus : le cocher leur communique son ardeur, et la mèche de son fouet sait faire jaillir la dernière étincelle de vie cachée dans ces carcasses. Cela piaffe, agite la tête, se donne des airs fringants, écarquille l'œil, élargit la narine, et soutient une allure que n'égaleraient pas les plus rapides trotteurs anglais. Comment ce phénomène s'accomplit-il, et quelle puissance fait courir ventre à terre des bêtes mortes ? C'est ce que nous [4] n'expliquerons pas. Toujours est-il

---

4. *Nous*, c'est dans *Jettatura* que le *Nous* du narrateur et le *Vous* du lecteur reviennent avec la plus grande fréquence dans les récits fantastiques de Gautier.

que ce miracle a lieu journellement à Naples et que personne n'en témoigne de surprise.

La calèche de M. Paul d'Aspremont volait à travers la foule compacte, rasant les boutiques d'acquajoli [5] aux guirlandes de citrons, les cuisines de fritures ou de macaronis en plein vent, les étalages de fruits de mer et les tas de pastèques disposés sur la voie publique comme les boulets dans les parcs d'artillerie. A peine si les lazzaroni couchés le long des murs, enveloppés de leurs cabans, daignaient retirer leurs jambes pour les soustraire à l'atteinte des attelages ; de temps à autre, un corricolo, filant entre ses grandes roues écarlates, passait encombré d'un monde de moines, de nourrices, de facchini et de polissons, à côté de la calèche dont il frisait l'essieu au milieu d'un nuage de poussière et de bruit. Les corricoli sont proscrits maintenant, et il est défendu d'en créer de nouveaux ; mais on peut ajouter une caisse neuve à de vieilles roues, ou des roues neuves à une vieille caisse : moyen ingénieux qui permet à ces bizarres véhicules de durer longtemps encore à la grande satisfaction des amateurs de couleur locale.

Notre voyageur ne prêtait qu'une attention fort distraite à ce spectacle animé et pittoresque qui eût certes absorbé un touriste n'ayant pas trouvé à l'hôtel de Rome un billet à son adresse, signé ALICIA W.

Il regardait vaguement la mer limpide et bleue, où se distinguaient, dans une lumière brillante, et nuancées par le lointain de teintes d'améthyste et de saphir, les belles îles semées en éventail à l'entrée du golfe, Capri, Ischia, Nisida, Procida, dont les noms harmonieux résonnent comme des dactyles grecs, mais son âme n'était pas là ; elle volait à tire-d'aile du côté de Sorrente, vers la petite maison blanche enfouie dans la verdure dont parlait la lettre d'Alicia. En ce moment la figure de M. d'Aspremont n'avait pas cette expression indéfinissablement déplaisante qui la caractérisait quand une joie intérieure n'en harmonisait pas les perfections disparates : elle était vraiment belle et sympathique, pour nous servir d'un mot

_____
5. *acquajoli* : marchands, vendeurs d'eau.

cher aux Italiens; l'arc de ses sourcils était détendu; les coins de sa bouche ne s'abaissaient pas dédaigneusement, et une lueur tendre illuminait ses yeux calmes; — on eût parfaitement compris en le voyant alors les sentiments que semblaient indiquer à son endroit les phrases demi-tendres, demi-moqueuses écrites sur le papier cream-lead. Son originalité soutenue de beaucoup de distinction ne devait pas déplaire à une jeune miss, librement élevée à la manière anglaise par un vieil oncle très indulgent.

Au train dont le cocher poussait ses bêtes, l'on eût bientôt dépassé Chiaja, la Marinella, et la calèche roula dans la campagne sur cette route remplacée aujourd'hui par un chemin de fer. Une poussière noire, pareille à du charbon pilé, donne un aspect plutonique à toute cette plage que recouvre un ciel étincelant et que lèche une mer du plus suave azur; c'est la suie du Vésuve tamisée par le vent qui saupoudre cette rive, et fait ressembler les maisons de Portici et de Torre del Greco à des usines de Birmingham. M. d'Aspremont ne s'occupa nullement du contraste de la terre d'ébène et du ciel de saphir, il lui tardait d'être arrivé. Les plus beaux chemins sont longs lorsque miss Alicia vous attend au bout, et qu'on lui a dit adieu il y a six mois sur la jetée de Folkestone : le ciel et la mer de Naples y perdent leur magie.

· La calèche quitta la route, prit un chemin de traverse, et s'arrêta devant une porte formée de deux piliers de briques blanchies, surmontées d'urnes de terre rouge, où des aloès épanouissaient leurs feuilles pareilles à des lames de fer blanc et pointues comme des poignards. Une claire-voie peinte en vert servait de fermeture. La muraille était remplacée par une haie de cactus, dont les pousses faisaient des coudes difformes et entremêlaient inextricablement leurs raquettes épineuses.

Au-dessus de la haie, trois ou quatre énormes figuiers étalaient par masses compactes leurs larges feuilles d'un vert métallique avec une vigueur de végétation tout afri-caine; un grand pin parasol balançait son ombrelle, et c'est à peine si, à travers les interstices de ces frondaisons luxuriantes, l'œil pouvait démêler la façade de la maison brillant par plaques blanches derrière ce rideau touffu.

Une servante basanée, aux cheveux crépus, et si épais
que le peigne s'y serait brisé, accourut au bruit de la
voiture, ouvrit la claire-voie, et, précédant M. d'Aspremont dans une allée de lauriers-roses dont les branches lui
caressaient la joue avec leurs fleurs, elle le conduisit à la
terrasse où miss Alicia Ward prenait le thé en compagnie
de son oncle.

Par un caprice très convenable chez une jeune fille
blasée sur tous les conforts et toutes les élégances, et
peut-être aussi pour contrarier son oncle, dont elle raillait
les goûts bourgeois, miss Alicia avait choisi, de préférence à des logis civilisés, cette villa, dont les maîtres
voyageaient, et qui était restée plusieurs années sans
habitants. Elle trouvait dans ce jardin abandonné, et presque revenu à l'état de nature, une poésie sauvage qui lui
plaisait; sous l'actif climat de Naples, tout avait poussé
avec une activité prodigieuse. Orangers, myrtes, grenadiers, limons, s'en étaient donné à cœur joie, et les
branches, n'ayant plus à craindre la serpette de l'émon-
deur, se donnaient la main d'un bout de l'allée à l'autre,
ou pénétraient familièrement dans les chambres par quelque vitre brisée. — Ce n'était pas, comme dans le Nord,
la tristesse d'une maison déserte, mais la gaieté folle et la
pétulance heureuse de la nature du Midi livrée à elle-
même; en l'absence du maître, les végétaux exubérants
se donnaient le plaisir d'une débauche de feuilles, de
fleurs, de fruits et de parfums; ils reprenaient la place que
l'homme leur dispute.

Lorsque le commodore — c'est ainsi qu'Alicia appelait familièrement son oncle — vit ce fourré impénétrable
et à travers lequel on n'aurait pu s'avancer qu'à l'aide
d'un sabre d'abatage, comme dans les forêts d'Amérique,
il jeta les hauts cris et prétendit que sa nièce était décidément folle. Mais Alicia lui promit gravement de faire
pratiquer de la porte d'entrée au salon et du salon à la
terrasse un passage suffisant pour un tonneau de malvoi-
sie, — seule concession qu'elle pouvait accorder au po-
sitivisme avunculaire. — Le commodore se résigna,
car il ne savait pas résister à sa nièce, et en ce moment,
assis vis-à-vis d'elle sur la terrasse, il buvait à petits

coups, sous prétexte de thé, une grande tasse de rhum.

Cette terrasse, qui avait principalement séduit la jeune miss, était en effet fort pittoresque, et mérite une description particulière, car Paul d'Aspremont y reviendra souvent, et il faut peindre le décor des scènes que l'on raconte.

On montait à cette terrasse, dont les pans à pic dominaient un chemin creux, par un escalier de larges dalles disjointes où prospéraient de vivaces herbes sauvages. Quatre colonnes frustes, tirées de quelque ruine antique et dont les chapiteaux perdus avaient été remplacés par des dés de pierre, soutenaient un treillage de perches enlacées et plafonnées de vigne. Des garde-fous tombaient en nappes et en guirlandes les lambruches et les plantes pariétaires. Au pied des murs, le figuier d'Inde, l'aloès, l'arbousier poussaient dans un désordre charmant, et au-delà d'un bois que dépassaient un palmier et trois pins d'Italie, la vue s'étendait sur des ondulations de terrain semées de blanches villas, s'arrêtait sur la silhouette violâtre du Vésuve, ou se perdait sur l'immensité bleue de la mer.

Lorsque M. Paul d'Aspremont parut au sommet de l'escalier, Alicia se leva, poussa un petit cri de joie et fit quelques pas à sa rencontre. Paul lui prit la main à l'anglaise, mais la jeune fille éleva cette main prisonnière à la hauteur des lèvres de son ami avec un mouvement plein de gentillesse enfantine et de coquetterie ingénue.

Le commodore essaya de se dresser sur ses jambes un peu goutteuses, et il y parvint après quelques grimaces de douleur qui contrastaient comiquement avec l'air de jubilation épanoui sur sa large face ; il s'approcha, d'un pas assez alerte pour lui, du charmant groupe des deux jeunes gens, et tenailla la main de Paul de manière à lui mouler les doigts en creux les uns contre les autres, ce qui est la suprême expression de la vieille cordialité britannique.

Miss Alicia Ward appartenait à cette variété d'Anglaises brunes qui réalisent un idéal dont les conditions semblent se contrarier : c'est-à-dire une peau d'une blancheur éblouissante à rendre jaune le lait, la neige, le lis, l'albâ-

tre, la cire vierge, et tout ce qui sert aux poètes à faire des
comparaisons blanches ; des lèvres de cerise, et des cheveux aussi noirs que la nuit sur les ailes du corbeau.
L'effet de cette opposition est irrésistible et produit une
beauté à part dont on ne saurait trouver l'équivalent
ailleurs. — Peut-être quelques Circassiennes élevées dès
l'enfance au sérail offrent-elles ce teint miraculeux, mais
il faut nous en fier là-dessus aux exagérations de la poésie
orientale et aux gouaches de Lewis [6] représentant les
harems du Caire. Alicia était assurément le type le plus
parfait de ce genre de beauté.

L'ovale allongé de sa tête, son teint d'une incomparable pureté, son nez fin, mince, transparent, ses yeux d'un
bleu sombre frangés de longs cils qui palpitaient sur ses
joues rosées comme des papillons noirs lorsqu'elle abaissait ses paupières, ses lèvres colorées d'une pourpre
éclatante, ses cheveux tombant en volutes brillantes
comme des rubans de satin de chaque côté de ses joues et
de son col de cygne, témoignaient en faveur de ces
romanesques figures de femmes de Maclise [7], qui, à
l'Exposition universelle, semblaient de charmantes im-
postures.

Alicia portait une robe de grenadine à volants festonnés
et brodés de palmettes rouges, qui s'accordaient à merveille avec les tresses de corail à petits grains composant
sa coiffure, son collier et ses bracelets ; cinq pampilles
suspendues à une perle de corail à facettes tremblaient au
lobe de ses oreilles petites et délicatement enroulées.
— Si vous blâmez cet abus du corail, songez que nous
sommes à Naples, et que les pêcheurs sortent tout exprès
de la mer pour vous présenter ces branches que l'air
rougit.

Nous vous devons, après le portrait de miss Alicia
Ward, ne fût-ce que pour faire opposition, tout au moins

6. *Lewis,* John-Frederik (1806-1876), peintre et aquarelliste anglais,
inspiré dans son œuvre par le séjour qu'il fit au Caire et auquel Gautier
consacre plusieurs pages dans *Les Beaux-Arts en Europe.*
7. *Maclise,* Daniel Mac Lise (1806-1870), peintre de l'école anglaise
qui s'est inspiré du théâtre de Shakespeare et dont Gautier parle dans
Les Beaux-Arts en Europe.

une caricature du commodore à la manière de Hogarth [8].

Le commodore, âgé de quelque soixante ans, présentait cette particularité d'avoir la face d'un cramoisi uniformément enflammé, sur lequel tranchaient des sourcils blancs et des favoris de même couleur, et taillés en côtelettes, ce qui le rendait pareil à un vieux Peau Rouge qui se serait tatoué avec de la craie. Les coups de soleil, inséparables d'un voyage d'Italie, avaient ajouté quelques couches de plus à cette ardente coloration, et le commodore faisait involontairement penser à une grosse praline entourée de coton. Il était habillé des pieds à la tête, veste, gilet, pantalon et guêtres, d'une étoffe vigogne d'un gris vineux, et que le tailleur avait dû affirmer, sur son honneur, être la nuance la plus à la mode et la mieux portée, en quoi peut-être ne mentait-il pas. Malgré ce teint enluminé et ce vêtement grotesque, le commodore n'avait nullement l'air commun. Sa propreté rigoureuse, sa tenue irréprochable et ses grandes manières indiquaient le parfait gentleman, quoiqu'il eût plus d'un rapport extérieur avec les Anglais de vaudeville comme les parodient Hoffmann ou Levassor [9]. Son caractère, c'était d'adorer sa nièce et de boire beaucoup de porto et de rhum de la Jamaïque pour entretenir l'humide radical, d'après la méthode du caporal Trimm [10].

« Voyez comme je me porte bien maintenant et comme je suis belle ! Regardez mes couleurs ; je n'en ai pas encore autant que mon oncle ; cela ne viendra pas, il faut l'espérer. — Pourtant ici j'ai du rose, du vrai rose, dit Alicia en passant sur sa joue son doigt effilé terminé par un ongle luisant comme l'agate ; j'ai engraissé aussi, et l'on ne sent plus ces pauvres petites salières qui me faisaient tant de peine lorsque j'allais au bal. Dites, faut-il

---

8. *Hogarth,* Gautier écrivit une importante étude sur William Hogarth qui a été recueillie dans .le *Guide de l'amateur du musée du Louvre.*

9. *Pierre Levassor* (1808-1870), acteur français qui s'est distingué par son don de la caricature dans le théâtre de vaudeville et dans les rôles impliquant des travestissements.

10. *caporal Trimm,* personnage du roman de Laurence Sterne, *Vie et opinions de Tristram Shandy.*

être coquette pour se priver pendant trois mois de la compagnie de son fiancé, afin qu'après l'absence il vous retrouve fraîche et superbe ! »

Et en débitant cette tirade du ton enjoué et sautillant qui lui était familier, Alicia se tenait debout devant Paul comme pour provoquer et défier son examen.

« N'est-ce pas, ajouta le commodore, qu'elle est robuste à présent et superbe comme ces filles de Procida qui portent des amphores grecques sur la tête ?

— Assurément, commodore, répondit Paul ; miss Alicia n'est pas devenue plus belle, c'était impossible, mais elle est visiblement en meilleure santé que lorsque, par coquetterie, à ce qu'elle prétend, elle m'a imposé cette pénible séparation. »

Et son regard s'arrêtait avec une fixité étrange sur la jeune fille posée devant lui.

Soudain les jolies couleurs roses qu'elle se vantait d'avoir conquises disparurent des joues d'Alicia, comme la rougeur du soir quitte les joues de neige de la montagne quand le soleil s'enfonce à l'horizon ; toute tremblante, elle porta la main à son cœur ; sa bouche charmante et pâlie se contracta.

Paul alarmé se leva, ainsi que le commodore ; les vives couleurs d'Alicia avaient reparu ; elle souriait avec un peu d'effort.

« Je vous ai promis une tasse de thé ou un sorbet ; quoique Anglaise, je vous conseille le sorbet. La neige vaut mieux que l'eau chaude, dans ce pays voisin de l'Afrique, et où le sirocco arrive en droite ligne. »

Tous les trois prirent place autour de la table de pierre, sous le plafond des pampres ; le soleil s'était plongé dans la mer, et le jour bleu qu'on appelle la nuit à Naples succédait au jour jaune. La lune semait des pièces d'argent sur la terrasse, par les déchiquetures du feuillage ; — la mer bruissait sur la rive comme un baiser, et l'on entendait au loin le frisson de cuivre des tambours de basque accompagnant les tarentelles…

Il fallut se quitter ; — Vicè, la fauve servante à chevelure crépue, vint avec un falot pour reconduire Paul à travers les dédales du jardin. Pendant qu'elle servait les

sorbets et l'eau de neige, elle avait attaché sur le nouveau
venu un regard mélangé de curiosité et de crainte. Sans
doute, le résultat de l'examen n'avait pas été favorable
pour Paul, car le front de Vicè, jaune déjà comme un
cigare, s'était rembruni encore, et, tout en accompagnant
l'étranger, elle dirigeait contre lui, de façon qu'il ne pût
l'apercevoir, le petit doigt et l'index de sa main, tandis
que les deux autres doigts, repliés sous la paume, se
joignaient au pouce comme pour former un signe cabalistique.

III

L'ami d'Alicia revint à l'hôtel de Rome par le même
chemin : la beauté de la soirée était incomparable ; une
lune pure et brillante versait sur l'eau d'un azur diaphane
une longue traînée de paillettes d'argent dont le fourmillement perpétuel, causé par le clapotis des vagues, multi-
pliait l'éclat. Au large, les barques de pêcheurs, portant à
la proue un fanal de fer rempli d'étoupes enflammées,
piquaient la mer d'étoiles rouges et traînaient après elles des
sillages écarlates ; la fumée du Vésuve, blanche le jour,
s'était changée en colonne lumineuse et jetait aussi son
reflet sur le golfe. En ce moment la baie présentait cet
aspect invraisemblable pour des yeux septentrionaux et
que lui donnent ces gouaches italiennes encadrées de
noir, si répandues il y a quelques années, et plus fidèles
qu'on ne pense dans leur exagération crue.

Quelques lazzaroni noctambules vaguaient encore sur
la rive, émus, sans le savoir, de ce spectacle magique, et
plongeaient leurs grands yeux noirs dans l'étendue
bleuâtre. D'autres, assis sur le bordage d'une barque
échouée, chantaient l'air de *Lucie* [11] ou la romance populaire alors en vogue : « *Ti voglio ben' assai* », d'une
voix qu'auraient enviée bien des ténors payés cent mille

---

11. *Lucie de Lammermoor*, opéra en trois actes de Donizetti, représenté pour la première fois au théâtre San Carlo de Naples en septembre 1835. Il s'agit probablement de l'air de Lucie dans l'acte I de
l'opéra.

francs. Naples se couche tard, comme toutes les villes méridionales; cependant les fenêtres s'éteignaient peu à peu, et les seuls bureaux de loterie, avec leurs guirlandes de papier de couleur, leurs numéros favoris et leur éclairage scintillant, étaient ouverts encore, prêts à recevoir l'argent des joueurs capricieux que la fantaisie de mettre quelques carlins ou quelques ducats sur un chiffre rêvé pouvait prendre en rentrant chez eux.

Paul se mit au lit, tira sur lui les rideaux de gaze de la moustiquaire, et ne tarda pas à s'endormir. Ainsi que cela arrive aux voyageurs après une traversée, sa couche, quoique immobile, lui semblait tanguer et rouler, comme si l'hôtel de Rome eût été le *Léopold*. Cette impression lui fit rêver qu'il était encore en mer et qu'il voyait, sur le môle, Alicia très pâle, à côté de son oncle cramoisi, et qui lui faisait signe de la main de ne pas aborder; le visage de la jeune fille exprimait une douleur profonde, et en le repoussant elle paraissait obéir contre son gré à une fatalité impérieuse.

Ce songe, qui prenait d'images toutes récentes une réalité extrême, chagrina le dormeur au point de l'éveiller, et il fut heureux de se retrouver dans sa chambre où tremblotait, avec un reflet d'opale, une veilleuse illuminant une petite tour de porcelaine qu'assiégeaient les moustiques en bourdonnant. Pour ne pas retomber sous le coup de ce rêve pénible, Paul lutta contre le sommeil et se mit à penser aux commencements de sa liaison avec miss Alicia, reprenant une à une toutes ces scènes puérilement charmantes d'un premier amour.

Il revit la maison de briques roses, tapissée d'églantiers et de chèvrefeuilles, qu'habitait à Richmond miss Alicia avec son oncle, et où l'avait introduit, à son premier voyage en Angleterre, une de ces lettres de recommandation dont l'effet se borne ordinairement à une invitation à dîner. Il se rappela la robe blanche de mousseline des Indes, ornée d'un simple ruban, qu'Alicia, sortie la veille de pension, portait ce jour-là, et la branche de jasmin qui roulait dans la cascade de ses cheveux comme une fleur de la couronne d'Ophélie, emportée par le courant, et ses yeux d'un bleu de velours, et sa bouche un peu entrouverte, laissant entrevoir de petites dents de nacre et son col frêle qui s'allongeait comme celui d'un oiseau attentif, et ses rougeurs soudaines lorsque le regard du jeune gentleman français rencontrait le sien.

Le parloir à boiseries brunes, à tentures de drap vert, orné de gravures de chasse au renard et de steeple-chases coloriés des tons tranchants de l'enluminure anglaise, se reproduisait dans son cerveau comme dans une chambre noire. Le piano allongeait sa rangée de touches pareilles à des dents de douairière. La cheminée, festonnée d'une brindille de lierre d'Irlande, faisait luire sa coquille de fonte frottée de mine de plomb; les fauteuils de chêne à pieds tournés ouvraient leurs bras garnis de maroquin, le tapis étalait ses rosaces, et miss Alicia, tremblante comme la feuille, chantait de la voix la plus adorablement fausse du monde la romance d'*Anna Bolena* [12] *« deh, non voler costringere »*, que Paul, non moins ému, accompagnait à contretemps, tandis que le commodore, assoupi par une digestion laborieuse et plus cramoisi encore que de coutume, laissait glisser à terre un colossal exemplaire du *Times* avec supplément.

Puis la scène changeait : Paul, devenu plus intime, avait été prié par le commodore de passer quelques jours à son cottage dans le Lincolnshire... Un ancien château féodal, à tours crénelées, à fenêtres gothiques, à demi enveloppé par un immense lierre, mais arrangé intérieurement avec tout le confortable moderne, s'élevait au bout d'une pelouse dont le ray-grass, soigneusement arrosé et foulé, était uni comme du velours; une allée de sable jaune s'arrondissait autour du gazon et servait de manège à miss Alicia, montée sur un de ces ponies d'Écosse à crinière échevelée qu'aime à peindre sir Edward Landseer [13], et auxquels il donne un regard presque humain. Paul, sur un cheval bai-cerise que lui avait prêté le commodore, accompagnait miss Ward dans sa

---

12. *Anna Bolena* est le premier opéra, en deux actes, de Donizetti, créé à Milan en 1830. (« Hé, tu ne veux pas me forcer. »)

13. *Edwin-Henry Landseer* (1802-1873), peintre animalier anglais, auquel Gautier s'attarde dans *Les Beaux-Arts en Europe*.

promenade circulaire, car le médecin, qui l'avait trouvée un peu faible de poitrine, lui ordonnait l'exercice.

Une autre fois un léger canot glissait sur l'étang, déplaçant les lis d'eau et faisant envoler le martin-pêcheur sous le feuillage argenté des saules. C'était Alicia qui ramait et Paul qui tenait le gouvernail; qu'elle était jolie dans l'auréole d'or que dessinait autour de sa tête son chapeau de paille traversé par un rayon de soleil! elle se renversait en arrière pour tirer l'aviron; le bout verni de sa bottine grise s'appuyait à la planche du banc; miss Ward n'avait pas un de ces pieds andalous tout courts et ronds comme des fers à repasser que l'on admire en Espagne, mais sa cheville était fine, son cou-de-pied bien cambré, et la semelle de son brodequin, un peu longue peut-être, n'avait pas deux doigts de large.

Le commodore restait *attaché* au rivage, non à cause de sa *grandeur,* mais de son poids qui eût fait sombrer la frêle embarcation; il attendait sa nièce au débarcadère, et lui jetait avec un soin maternel un mantelet sur les épaules, de peur qu'elle ne se refroidît, — puis la barque rattachée à son piquet, on revenait *luncher* au château. C'était plaisir de voir comme Alicia, qui ordinairement mangeait aussi peu qu'un oiseau, coupait à l'emporte-pièce de ses dents perlées une rose tranche de jambon d'York mince comme une feuille de papier, et grignotait un petit pain sans en laisser une miette pour les poissons dorés du bassin.

Les jours heureux passent si vite! De semaine en semaine Paul retardait son départ, et les belles masses de verdure du parc commençaient à revêtir des teintes safranées; des fumées blanches s'élevaient le matin de l'étang. Malgré le râteau sans cesse promené du jardinier, les feuilles mortes jonchaient le sable de l'allée; des millions de petites perles gelées scintillaient sur le gazon vert du boulingrin, et le soir on voyait les pies sautiller en se querellant à travers le sommet des arbres chauves.

Alicia pâlissait sous le regard inquiet de Paul et ne conservait de coloré que deux petites taches roses au sommet des pommettes. Souvent elle avait froid, et le feu le plus vif de charbon de terre ne la réchauffait pas. Le docteur avait paru soucieux, et sa dernière ordonnance prescrivait à miss Ward de passer l'hiver à Pise et le printemps à Naples.

Des affaires de famille avaient rappelé Paul en France ; Alicia et le commodore devaient partir pour l'Italie, et la séparation s'était faite à Folkestone. Aucune parole n'avait été prononcée, mais miss Ward regardait Paul comme son fiancé, et le commodore avait serré la main au jeune homme d'une façon significative : on n'écrase ainsi que les doigts d'un gendre.

Paul, ajourné à six mois, aussi longs que six siècles pour son impatience, avait eu le bonheur de trouver Alicia guérie de sa langueur et rayonnante de santé. Ce qui restait encore de l'enfant dans la jeune fille avait disparu ; et il pensait avec ivresse que le commodore n'aurait aucune objection à faire lorsqu'il lui demanderait sa nièce en mariage.

Bercé par ces riantes images, il s'endormit et ne s'éveilla qu'au jour. Naples commençait déjà son vacarme ; les vendeurs d'eau glacée criaient leur marchandise ; les rôtisseurs tendaient aux passants leurs viandes enfilées dans une perche : penchées à leurs fenêtres, les ménagères paresseuses descendaient au bout d'une ficelle les paniers de provisions qu'elles remontaient chargés de tomates, de poissons et de grands quartiers de citrouille. Les écrivains publics, en habit noir râpé et la plume derrière l'oreille, s'asseyaient à leurs échoppes ; les changeurs disposaient en piles, sur leurs petites tables, les grani, les carlins et les ducats ; les cochers faisaient galoper leurs haridelles quêtant les pratiques matinales, et les cloches de tous les campaniles carillonnaient joyeusement l'*Angelus*.

Notre voyageur, enveloppé de sa robe de chambre, s'accouda au balcon ; de la fenêtre on apercevait Santa Lucia, le fort de l'Œuf, et une immense étendue de mer jusqu'au Vésuve et au promontoire bleu où blanchissaient les vastes casini de Castellamare et où pointaient au loin les villas de Sorrente.

Le ciel était pur, seulement un léger nuage blanc s'avançait sur la ville, poussé par une brise nonchalante.

Paul fixa sur lui ce regard étrange que nous avons déjà remarqué; ses sourcils se froncèrent. D'autres vapeurs se joignirent au flocon unique, et bientôt un rideau épais de nuées étendit ses plis noirs au-dessus du château de Saint-Elme. De larges gouttes tombèrent sur le pavé de lave, et en quelques minutes se changèrent en une de ces pluies diluviennes qui font des rues de Naples autant de torrents et entraînent les chiens et même les ânes dans les égouts. La foule surprise se dispersa, cherchant des abris; les boutiques en plein vent déménagèrent à la hâte, non sans perdre une partie de leurs denrées, et la pluie, maîtresse du champ de bataille, courut en bouffées blanches sur le quai désert de Santa Lucia.

Le facchino gigantesque à qui Paddy avait appliqué un si beau coup de poing, appuyé contre un mur sous un balcon dont la saillie le protégeait un peu, ne s'était pas laissé emporter par la déroute générale, et il regardait d'un œil profondément méditatif la fenêtre où s'était accoudé M. Paul d'Aspremont.

Son monologue intérieur [14] se résuma dans cette phrase, qu'il grommela d'un air irrité :

« Le capitaine du *Léopold* aurait bien fait de flanquer ce *forestiere* [15] à la mer » ; et, passant sa main par l'interstice de sa grosse chemise de toile, il toucha le paquet d'amulettes suspendu à son col par un cordon.

IV

Le beau temps ne tarda pas à se rétablir, un vif rayon de soleil sécha en quelques minutes les dernières larmes de l'ondée, et la foule recommença à fourmiller joyeuse-

---

14. *monologue intérieur*, l'expression figure à trois reprises dans *Jettatura*. On voit que Dujardin et les tenants de la technique nouvelle n'ont pas inventé la formule. Mais, chez Gautier, il conviendrait de parler de discours intérieur que le personnage s'adresse à lui-même pour traduire sa pensée consciente, à la différence du monologue intérieur qui se présente comme le film de la pensée inconsciente, indépendamment de toute intervention logique. La formule de monologue intérieur se rencontre antérieurement dans *Militona* (1847).

15. *forestiere* : étranger.

ment sur le quai. Mais Timberio, le portefaix, n'en parut pas moins garder son idée à l'endroit du jeune étranger français, et prudemment il transporta ses pénates hors de la vue des fenêtres de l'hôtel : quelques lazzaroni de sa connaissance lui témoignèrent leur surprise de ce qu'il abandonnait une station excellente pour en choisir une beaucoup moins favorable.

«Je la donne à qui veut la prendre, répondit-il en hochant la tête d'un air mystérieux ; on sait ce qu'on sait.»

Paul déjeuna dans sa chambre, car, soit timidité, soit dédain, il n'aimait pas à se trouver en public ; puis il s'habilla, et pour attendre l'heure convenable de se rendre chez miss Ward, il visita le musée des Studj : il admira d'un œil distrait la précieuse collection de vases campaniens, les bronzes retirés des fouilles de Pompéi, le casque grec d'airain vert-de-grisé contenant encore la tête du soldat qui le portait, le morceau de boue durcie conservant comme un moule l'empreinte d'un charmant torse de jeune femme surprise par l'éruption dans la maison de campagne d'Arrius Diomedès [16], l'Hercule Farnèse et sa prodigieuse musculature, la Flore, la Minerve archaïque, les deux Balbus [17], et la magnifique statue d'Aristide, le morceau le plus parfait peut-être que l'Antiquité nous ait laissé. Mais un amoureux n'est pas un appréciateur bien enthousiaste des monuments de l'art ; pour lui le moindre profil de la tête adorée vaut tous les marbres grecs ou romains.

Étant parvenu à user tant bien que mal deux ou trois heures aux Studj, il s'élança dans sa calèche et se dirigea vers la maison de campagne où demeurait miss Ward. Le cocher, avec cette intelligence des passions qui caractérise les natures méridionales, poussait à outrance ses

---

16. *Arrius Diomedès,* allusion à l'objet du rêve d'Octavien dans *Arria Marcella.*

17. *les deux Balbus,* Cornelius Balbus, l'aîné et le jeune, l'oncle et le neveu sont nés à Cadix et ont vécu au Ier siècle avant J.-C. Tous deux ont été citoyens romains, le premier ami de César et de Cicéron, le second lié à Auguste. Les statues de marbre proviennent des fouilles d'Herculanum.

haridelles et bientôt la voiture s'arrêta devant les piliers
surmontés de vases de plantes grasses que nous avons
déjà décrits. La même servante vint entrouvrir la claire-
voie ; ses cheveux s'entortillaient toujours en boucles
indomptables ; elle n'avait, comme la première fois, pour
tout costume qu'une chemise de grosse toile brodée aux
manches et au col d'agréments en fil de couleur et qu'un
jupon en étoffe épaisse et bariolée transversalement,
comme en portent les femmes de Procida ; ses jambes,
nous devons l'avouer, étaient dénuées de bas, et elle
posait à nu sur la poussière des pieds qu'eût admirés un
sculpteur. Seulement un cordon noir soutenait sur sa
poitrine un paquet de petites breloques de forme singulière en corne et en corail, sur lequel, à la visible satisfaction de Vicè, se fixa le regard de Paul.

Miss Alicia était sur la terrasse, le lieu de la maison où
elle se tenait de préférence. Un hamac indien de coton
rouge et blanc, orné de plumes d'oiseau, accroché à deux
des colonnes qui supportaient le plafond de pampres,
balançait la nonchalance de la jeune fille, enveloppée
d'un léger peignoir de soie écrue de la Chine, dont elle
fripait impitoyablement les garnitures tuyautées. Ses
pieds, dont on apercevait la pointe à travers les mailles du
hamac, étaient chaussés de pantoufles en fibres d'aloès,
et ses beaux bras nus se recroisaient au-dessus de sa tête,
dans l'attitude de la Cléopâtre antique, car, bien qu'on ne
fût qu'au commencement de mai, il faisait déjà une chaleur extrême, et des milliers de cigales grinçaient en
chœur sous les buissons d'alentour.

Le commodore, en costume de planteur et assis sur un
fauteuil de jonc, tirait à temps égaux la corde qui mettait
le hamac en mouvement.

Un troisième personnage complétait le groupe : c'était
le comte Altavilla, jeune élégant napolitain dont la présence amena sur le front de Paul cette contraction qui
donnait à sa physionomie une expression de méchanceté
diabolique.

Le comte était, en effet un de ces hommes qu'on ne
voit pas volontiers auprès d'une femme qu'on aime. Sa
haute taille avait des proportions parfaites, des cheveux

noirs comme le jais, massés par des touffes abondantes, accompagnaient son front uni et bien coupé ; une étincelle du soleil de Naples scintillait dans ses yeux, et ses dents larges et fortes, mais pures comme des perles, paraissaient encore avoir plus d'éclat à cause du rouge vif de ses lèvres et de la nuance olivâtre de son teint. La seule critique qu'un goût méticuleux eût pu formuler contre le comte, c'est qu'il était trop beau.

Quant à ses habits, Altivilla les faisait venir de Londres, et le dandy le plus sévère eût approuvé sa tenue. Il n'y avait d'italien dans toute sa toilette que des boutons de chemise d'un trop grand prix. Là le goût bien naturel de l'enfant du Midi pour les joyaux se trahissait. Peut-être aussi que partout ailleurs qu'à Naples on eût remarqué comme d'un goût médiocre le faisceau de branches de corail bifurquées, de mains de lave de Vésuve aux doigts repliés ou brandissant un poignard, de chiens allongés sur leurs pattes, de cornes blanches et noires, et autres menus objets analogues qu'un anneau commun suspendait à la chaîne de sa montre ; mais un tour de promenade dans la rue de Tolède ou à la Villa Reale eût suffi pour démontrer que le comte n'avait rien d'excentrique en portant à son gilet ces breloques bizarres.

Lorsque Paul d'Aspremont se présenta, le comte, sur l'instante prière de miss Ward, chantait une de ces délicieuses mélodies populaires napolitaines, sans nom d'auteur, et, dont une seule, recueillie par un musicien, suffirait à faire la fortune d'un opéra. — A ceux qui ne les ont pas entendues, sur la rive de Chiaja ou sur le môle, de la bouche d'un lazzarone, d'un pêcheur ou d'une trovatelle, les charmantes romances de Gordigiani [18] en pourront donner une idée. Cela est fait d'un soupir de brise, d'un rayon de lune, d'un parfum d'oranger et d'un battement de cœur.

Alicia, avec sa jolie voix anglaise un peu fausse, suivait le motif qu'elle voulait retenir, et elle fit, tout en continuant, un petit signe amical à Paul, qui la regardait

---

18. *Luigi Gordigiani* (1814-1860), compositeur florentin, auteur d'opéras, de *canzonnette* et de chants populaires.

d'un air assez peu aimable, froissé de la présence de ce
beau jeune homme.

Une des cordes du hamac se rompit, et miss Ward
glissa à terre, mais sans se faire mal; six mains se tendi-
rent vers elle simultanément. La jeune fille était déjà
debout, toute rose de pudeur, car il est *improper* de
tomber devant des hommes. Cependant, pas un des
chastes plis de sa robe ne s'était dérangé.

« J'avais pourtant essayé ces cordes moi-même, dit le
commodore, et miss Ward ne pèse guère plus qu'un
colibri. »

Le comte Altavilla hocha la tête d'un air mystérieux :
en lui-même évidemment il expliquait la rupture de la
corde par une tout autre raison que celle de la pesanteur;
mais, en homme bien élevé, il garda le silence, et se
contenta d'agiter la grappe de breloques de son gilet.

Comme tous les hommes qui deviennent maussades et
farouches lorsqu'ils se trouvent en présence d'un rival
qu'ils jugent redoutable, au lieu de redoubler de grâce et
d'amabilité, Paul d'Aspremont, quoiqu'il eût l'usage du
monde, ne parvint pas à cacher sa mauvaise humeur; il ne
répondait que par monosyllabes, laissait tomber la
conversation, et en se dirigeant vers Altavilla, son regard
prenait son expression sinistre; les fibrilles jaunes se
tortillaient sous la transparence grise de ses prunelles
comme des serpents d'eau dans le fond d'une source.

Toutes les fois que Paul le regardait ainsi, le comte, par
un geste en apparence machinal, arrachait une fleur d'une
jardinière placée près de lui et la jetait de façon à couper
l'effluve de l'œillade irritée.

« Qu'avez-vous donc à fourrager ainsi ma jardinière ?
s'écria miss Alicia Ward, qui s'aperçut de ce manège.
Que vous ont fait mes fleurs pour les décapiter ?

— Oh! rien, miss; c'est un tic involontaire, répondit
Altavilla en coupant de l'ongle une rose superbe qu'il
envoya rejoindre les autres.

— Vous m'agacez horriblement, dit Alicia; et sans le
savoir vous choquez une de mes manies. Je n'ai jamais
cueilli une fleur. Un bouquet m'inspire une sorte d'épouvante : ce sont des fleurs mortes, des cadavres de roses,

de verveines ou de pervenches, dont le parfum a pour moi
quelque chose de sépulcral.

— Pour expier les meurtres que je viens de commettre,
dit le comte Altavilla en s'inclinant, je vous enverrai cent
corbeilles de fleurs vivantes. »

Paul s'était levé, et d'un air contraint tortillait le bord
de son chapeau comme minutant une sortie.

« Quoi ! vous partez déjà ? dit miss Ward.

— J'ai des lettres à écrire, des lettres importantes.

— Oh ! le vilain mot que vous venez de prononcer là !
dit la jeune fille avec une petite moue ; est-ce qu'il y a des
lettres importantes quand ce n'est pas à moi que vous
écrivez ?

— Restez donc, Paul, dit le commodore ; j'avais arrangé
dans ma tête un plan de soirée, sauf l'approbation de ma
nièce : nous serions allés d'abord boire un verre d'eau de la
fontaine de Santa Lucia, qui sent les œufs gâtés, mais qui
donne l'appétit ; nous aurions mangé une ou deux douzaines
d'huîtres, blanches et rouges, à la poissonnerie, dîné sous
une treille dans quelque osteria bien napolitaine, bu du
falerne et du lacryma-christi, et terminé le divertissement
par une visite au seigneur Pulcinella. Le comte nous eût
expliqué les finesses du dialecte. »

Ce plan parut peu séduire M. d'Aspremont, et il se
retira après avoir salué froidement.

Altavilla resta encore quelques instants ; et comme
miss Ward, fâchée du départ de Paul, n'entra pas dans
l'idée du commodore, il prit congé.

Deux heures après, miss Alicia recevait une immense
quantité de pots de fleurs, des plus rares, et, ce qui la
surprit davantage, une monstrueuse paire de cornes de
bœuf de Sicile, transparentes comme le jaspe, polies
comme l'agate, qui mesuraient bien trois pieds de long et
se terminaient par de menaçantes pointes noires. Une
magnifique monture de bronze doré permettait de poser
les cornes, le piton en l'air, sur une cheminée, une
console ou une corniche.

Vicè, qui avait aidé les porteurs à déballer fleurs et
cornes, parut comprendre la portée de ce cadeau bizarre.

Elle plaça bien en évidence, sur la table de pierre, les

superbes croissants, qu'on aurait pu croire arrachés au front du taureau divin qui portait Europe, et dit : « Nous voilà maintenant en bon état de défense.

— Que voulez-vous dire, Vicè ? demanda miss Ward.

— Rien… sinon que le signor français a de bien singuliers yeux. »

V

L'heure des repas était passée depuis longtemps, et les feux de charbon qui, pendant le jour changeaient en cratère du Vésuve la cuisine de l'hôtel de Rome, s'éteignaient lentement en braise sous les étouffoirs de tôle ; les casseroles avaient repris leur place à leurs clous respectifs et brillaient en rang comme les boucliers sur le bordage d'une trirème antique ; — une lampe de cuivre jaune, semblable à celles qu'on retire des fouilles de Pompéi et suspendue par une triple chaînette à la maîtresse poutre du plafond, éclairait de ses trois mèches plongeant naïvement dans l'huile le centre de la vaste cuisine dont les angles restaient baignés d'ombre.

Les rayons lumineux tombant de haut modelaient avec des jeux d'ombre et de clair très pittoresques un groupe de figures caractéristiques réunies autour de l'épaisse table de bois, toute hachée et sillonnée de coups de tranche-lard, qui occupait le milieu de cette grande salle dont la fumée des préparations culinaires avait glacé les parois de ce bitume si cher aux peintres de l'école de Caravage. Certes, l'Espagnolet [19] ou Salvator Rosa, dans leur robuste amour du vrai, n'eussent pas dédaigné les modèles rassemblés là par le hasard, où, pour parler plus exactement, par une habitude de tous les soirs.

Il y avait d'abord le chef Virgilio Falsacappa, personnage fort important, d'une stature colossale et d'un embonpoint formidable, qui aurait pu passer pour un des convives de Vitellius si, au lieu d'une veste de basin blanc, il eût porté une toge romaine bordée de pourpre :

---

19. *l'Espagnolet*, voir la note 13 d'*Arria Marcella*.

ses traits prodigieusement accentués formaient comme une espèce de caricature sérieuse de certains types des médailles antiques ; d'épais sourcils noirs saillants d'un demi-pouce couronnaient ses yeux, coupés comme ceux des masques de théâtre ; un énorme nez jetait son ombre sur une large bouche qui semblait garnie de trois rangs de dents comme la gueule du requin. Un fanon puissant comme celui du taureau Farnèse unissait le menton, frappé d'une fossette à y fourrer le poing, à un col d'une vigueur athlétique tout sillonné de veines et de muscles. Deux touffes de favoris, dont chacun eût pu fournir une barbe raisonnable à un sapeur, encadraient cette large face martelée de tons violents : des cheveux noirs frisés, luisants, où se mêlaient quelques fils argentés, se tordaient sur son crâne en petites mèches courtes, et sa nuque plissée de trois boursouflures transversales débordait du collet de sa veste ; aux lobes de ses oreilles, relevées par les apophyses de mâchoires capables de broyer un bœuf dans une journée, brillaient des boucles d'argent grandes comme le disque de la lune ; tel était maître Virgilio Falsacappa, que son tablier retroussé sur la hanche et son couteau plongé dans une gaîne de bois faisaient ressembler à un victimaire plus qu'à un cuisinier.

Ensuite apparaissait Timberio le portefaix, que la gymnastique de sa profession et la sobriété de son régime, consistant en une poignée de macaroni demi-cru et saupoudré de cacio-cavallo [20], une tranche de pastèque et un verre d'eau à la neige, maintenait dans un état de maigreur relative, et qui, bien nourri, eût certes atteint l'embonpoint de Falsacappa, tant sa robuste charpente paraissait faite pour supporter un poids énorme de chair. Il n'avait d'autre costume qu'un caleçon, un long gilet d'étoffe brune et un grossier caban jeté sur l'épaule.

Appuyé sur le bord de la table, Scazziga, le cocher de la calèche de louage dont se servait M. Paul d'Aspremont, présentait aussi une physionomie frappante ; ses traits irréguliers et spirituels étaient empreints d'une as-

20. *cacio-cavallo,* voir la note 12 d'*Arria Marcella.*

tuce naïve ; un sourire de commande errait sur ses lèvres moqueuses, et l'on voyait à l'aménité de ses manières qu'il vivait en relation perpétuelle avec les gens comme il faut ; ses habits achetés à la friperie simulaient une espèce de livrée dont il n'était pas médiocrement fier et qui, dans son idée, mettait une grande distance sociale entre lui et le sauvage Timberio ; sa conversation s'émaillait de mots anglais et français qui ne cadraient pas toujours heureusement avec le sens de ce qu'il voulait dire, mais qui n'en excitaient pas moins l'admiration des filles de cuisine et des marmitons, étonnés de tant de science.

Un peu en arrière se tenaient deux jeunes servantes dont les traits rappelaient avec moins de noblesse, sans doute, ce type si connu des monnaies syracusaines : front bas, nez tout d'une pièce avec le front, lèvres un peu épaisses, menton empâté et fort ; des bandeaux de cheveux d'un noir bleuâtre allaient se rejoindre derrière leur tête à un pesant chignon traversé d'épingles terminées par des boules de corail ; des colliers de même matière cerclaient à triple rang leurs cols de cariatide, dont l'usage de porter les fardeaux sur la tête avait renforcé les muscles. — Des dandies eussent à coup sûr méprisé ces pauvres filles qui conservaient pur de mélange le sang des belles races de la grande Grèce ; mais tout artiste, à leur aspect, eût tiré son carnet de croquis et taillé son crayon.

Avez-vous vu à la galerie du maréchal Soult le tableau de Murillo où des chérubins font la cuisine ? Si vous l'avez vu, cela nous dispensera de peindre ici les têtes des trois ou quatre marmitons bouclés et frisés qui complétaient le groupe.

Le conciliabule traitait une question grave. Il s'agissait de M. Paul d'Aspremont, le voyageur français arrivé par le dernier vapeur : la cuisine se mêlait de juger l'appartement.

Timberio le portefaix avait la parole, et il faisait des pauses entre chacune de ses phrases, comme un acteur en vogue, pour laisser à son auditoire le temps d'en bien saisir toute la portée, d'y donner son assentiment ou d'élever des objections.

« Suivez bien mon raisonnement, disait l'orateur ; le

Léopold est un honnête bateau à vapeur toscan, contre lequel il n'y a rien à objecter, sinon qu'il transporte trop d'hérétiques anglais...

— Les hérétiques anglais paient bien, interrompit Scazziga, rendu plus tolérant par les pourboires.

— Sans doute ; c'est bien le moins que lorsqu'un hérétique fait travailler un chrétien, il le récompense généreusement, afin de diminuer l'humiliation.

— Je ne suis pas humilié de conduire un *forestiere* dans ma voiture ; je ne fais pas, comme toi, métier de bête de somme, Timberio.

— Est-ce que je ne suis pas baptisé aussi bien que toi ? répliqua le portefaix en fronçant le sourcil et en fermant les poings.

— Laissez parler Timberio, s'écria en chœur l'assemblée, qui craignait de voir cette dissertation intéressante tourner en dispute.

— Vous m'accorderez, reprit l'orateur calmé, qu'il faisait un temps superbe lorsque le *Léopold* est entré dans le port ?

— On vous l'accorde, Timberio, fit le chef avec une majesté condescendante.

— La mer était unie comme une glace, continua le facchino, et pourtant une vague énorme a secoué si rudement la barque de Gennaro qu'il est tombé à l'eau avec deux ou trois de ses camarades. — Est-ce naturel ? Gennaro a le pied marin cependant, et il danserait la tarentelle sans balancier sur une vergue.

— Il avait peut-être bu un fiasque d'Asprino de trop, objecta Scazziga, le rationaliste de l'assemblée.

— Pas même un verre de limonade, poursuivit Timberio ; mais il y avait à bord du bateau à vapeur un monsieur qui le regardait d'une certaine manière, — vous m'entendez !

— Oh ! parfaitement, répondit le chœur en allongeant avec un ensemble admirable l'index et le petit doigt.

— Et ce monsieur, dit Timberio, n'était autre que M. Paul d'Aspremont.

— Celui qui loge au numéro 3, demanda le chef, et à qui j'envoie son dîner sur un plateau ?

— Précisément, répondit la plus jeune et la plus jolie des servantes ; je n'ai jamais vu de voyageur plus sauvage, plus désagréable et plus dédaigneux ; il ne m'a adressé ni un regard, ni une parole, et pourtant je vaux un compliment, disent tous ces messieurs.

— Vous valez mieux que cela, Gelsomina, ma belle, dit galamment Timberio ; mais c'est un bonheur pour vous que cet étranger ne vous ait pas remarquée.

— Tu es aussi par trop superstitieux, objecta le sceptique Scazziga, que ses relations avec les étrangers avaient rendu légèrement voltairien.

— A force de fréquenter les hérétiques tu finiras par ne plus même croire à saint Janvier.

— Si Gennaro s'est laissé tomber à la mer, ce n'est pas une raison, continua Scazziga qui défendait sa pratique, pour que M. Paul d'Aspremont ait l'influence que tu lui attribues.

— Il te faut d'autres preuves : ce matin je l'ai vu à la fenêtre, l'œil fixé sur un nuage pas plus gros que la plume qui s'échappe d'un oreiller décousu, et aussitôt des vapeurs noires se sont assemblées, et il est tombé une pluie si forte que les chiens pouvaient boire debout. »

Scazziga n'était pas convaincu et hochait la tête d'un air de doute.

« Le groom ne vaut d'ailleurs pas mieux que le maître, continua Timberio, et il faut que ce singe botté ait des intelligences avec le diable pour m'avoir jeté par terre, moi qui le tuerais d'une chiquenaude.

— Je suis de l'avis de Timberio, dit majestueusement le chef de cuisine ; l'étranger mange peu ; il a renvoyé les zuchettes farcies, la friture de poulet et le macaroni aux tomates que j'avais pourtant apprêtés de ma propre main ! Quelque secret étrange se cache sous cette sobriété. Pourquoi un homme riche se priverait-il de mets savoureux et ne prendrait-il qu'un potage aux œufs et une tranche de viande froide ?

— Il a les cheveux roux, dit Gelsomina en passant les doigts dans la noire forêt de ses bandeaux.

— Et les yeux un peu saillants, continua Pepina, l'autre servante.

— Très rapprochés du nez, appuya Timberio.

— Et la ride qui se forme entre ses sourcils se creuse en fer à cheval, dit en terminant l'instruction le formidable Virgilio Falsacappa; donc il est...

— Ne prononcez pas le mot, c'est inutile, cria le chœur moins Scazziga, toujours incrédule; nous nous tiendrons sur nos gardes.

— Quand je pense que la police me tourmenterait, dit Timberio, si par hasard je lui laissais tomber une malle de trois cents livres sur sur la tête, à ce *forestiere* de malheur !

— Scazziga est bien hardi de le conduire, dit Gelsomina.

— Je suis sur mon siège, il ne me voit que le dos, et ses regards ne peuvent faire avec les miens l'angle voulu. D'ailleurs, je m'en moque.

— Vous n'avez pas de religion, Scazziga, dit le colossal Palforio, le cuisinier à formes herculéennes; vous finirez mal. »

Pendant que l'on dissertait de la sorte sur son compte à la cuisine de l'hôtel de Rome, Paul, que la présence du comte Altavilla chez miss Ward avait mis de mauvaise humeur, était allé se promener à la Villa Reale; et plus d'une fois la ride de son front se creusa, et ses yeux prirent leur regard fixe. Il crut voir Alicia passer en calèche avec le comte et le commodore, et il se précipita vers la portière en posant son lorgnon sur son nez pour être sûr qu'il ne se trompait pas : ce n'était pas Alicia, mais une femme qui lui ressemblait un peu de loin. Seulement, les chevaux de la calèche, effrayés sans doute du mouvement brusque de Paul, s'emportèrent.

Paul prit une glace au café de l'Europe sur le largo du palais : quelques personnes l'examinèrent avec attention, et changèrent de place en faisant un geste singulier.

Il entra au théâtre de Pulcinella, où l'on donnait un spectacle *tutto da ridere*. L'acteur se troubla au milieu de son improvisation bouffonne et resta court; il se remit pourtant; mais au beau milieu d'un lazzi, son nez de carton noir se détacha, et il ne put venir à bout de le rajuster, et comme pour s'excuser, d'un signe rapide il

expliqua la cause de ses mésaventures, car le regard de
Paul, arrêté sur lui, lui ôtait tous ses moyens.

Les spectateurs voisins de Paul s'éclipsèrent un à un;
M. d'Aspremont se leva pour sortir, ne se rendant pas
compte de l'effet bizarre qu'il produisait, et dans le cou-
loir il entendait prononcer à voix basse ce mot étrange et
dénué de sens pour lui : un jettatore ! un jettatore !

VI

Le lendemain de l'envoi des cornes, le comte Altavilla
fit une visite à miss Ward. La jeune Anglaise prenait le
thé en compagnie de son oncle, exactement comme si elle
eût été à Ramsgate dans une maison de briques jaunes, et
non à Naples sur une terrasse blanchie à la chaux et
entourée de figuiers, de cactus et d'aloès; car un des
signes caractéristiques de la race saxonne est la persistance de ses habitudes, quelque contraires qu'elles soient
au climat. Le commodore rayonnait : au moyen de morceaux de glace fabriquée chimiquement avec un appareil,
car on n'apporte que de la neige des montagnes qui
s'élève derrière Castellamare, il était parvenu à maintenir
son beurre à l'état solide, et il en étalait une couche avec
une satisfaction visible sur une tranche de pain coupée en
sandwich.

Après ces quelques mots vagues qui précèdent toute
conversation et ressemblent aux préludes par lesquels les
pianistes tâtent leur clavier avant de commencer leur
morceau, Alicia, abandonnant tout à coup les lieux com-
muns d'usage, s'adressa brusquement au jeune comte
napolitain :

« Que signifie ce bizarre cadeau de cornes dont vous
avez accompagné vos fleurs ? Ma servante Vicè m'a dit
que c'était un préservatif contre le *fascino ;* voilà tout ce
que j'ai pu tirer d'elle.

— Vicè a raison, répondit le comte Altavilla en s'inclinant.

— Mais qu'est-ce que le *fascino ?* poursuivit la jeune

miss; je ne suis pas au courant de vos superstitions... africaines, car cela doit se rapporter sans doute à
quelque croyance populaire.

— Le *fascino* est l'influence pernicieuse qu'exerce la
personne douée, ou plutôt affligée du mauvais œil.

— Je fais semblant de vous comprendre, de peur de
vous donner une idée défavorable de mon intelligence si
j'avoue que le sens de vos paroles m'échappe, dit miss
Alicia Ward; vous m'expliquez l'inconnu par l'inconnu :
mauvais œil traduit fort mal, pour moi, *fascino ;* comme
le personnage de la comédie je sais le latin, mais faites
comme si je ne le savais pas.

— Je vais m'expliquer avec toute la clarté possible,
répondit Altavilla; seulement, dans votre dédain britannique, n'allez pas me prendre pour un sauvage et vous
demander si mes habits ne cachent pas une peau tatouée
de rouge et de bleu. Je suis un homme civilisé; j'ai été
élevé à Paris; je parle anglais et français; j'ai lu Voltaire;
je crois aux machines à vapeur, aux chemins de fer, aux
deux chambres comme Stendhal; je mange le macaroni
avec une fourchette; — je porte le matin des gants de
Suède, l'après-midi des gants de couleur, le soir des gants
paille. »

L'attention du commodore, qui beurrait sa deuxième
tartine, fut attirée par ce début étrange, et il resta le
couteau à la main, fixant sur Altavilla ses prunelles d'un
bleu polaire, dont la nuance formait un bizarre contraste
avec son teint rouge brique.

« Voilà des titres rassurants, fit miss Alicia Ward avec
un sourire; et après cela je serais bien défiante si je vous
soupçonnais de *barbarie*. Mais ce que vous avez à me
dire est donc bien terrible ou bien absurde, que vous
prenez tant de circonlocutions pour arriver au fait?

— Oui, bien terrible, bien absurde et même bien ridicule, ce qui est pire, continua le comte; si j'étais à
Londres ou à Paris, peut-être en rirais-je avec vous, mais
ici, à Naples...

— Vous garderez votre sérieux; n'est-ce pas cela que
vous voulez dire?

— Précisément.

— Arrivons au *fascino,* dit miss Ward, que la gravité
d'Altavilla impressionnait malgré elle.

— Cette croyance remonte à la plus haute Antiquité. Il
y est fait allusion dans la Bible. Virgile en parle d'un ton
convaincu [21]; les amulettes de bronze trouvées à Pompeïa,
à Herculanum, à Stabies, les signes préservatifs dessinés
sur les murs des maisons déblayées, montrent combien
cette superstition était jadis répandue (Altavilla souligna
le mot *superstition* avec une intention maligne). L'Orient
tout entier y ajoute foi encore aujourd'hui. Des mains
rouges ou vertes sont appliquées de chaque côté de l'une
des maisons mauresques pour détourner la mauvaise influence. On voit une main sculptée sur le claveau de la
porte du Jugement à l'Alhambra; ce qui prouve que ce
préjugé est du moins fort ancien s'il n'est pas fondé.
Quand des millions d'hommes ont pendant des milliers
d'années partagé une opinion, il est probable que cette
opinion si généralement reçue s'appuyait sur des faits
positifs, sur une longue suite d'observations justifiées par
l'événement... J'ai peine à croire, quelque idée avanta-
geuse que j'aie de moi-même, que tant de personnes, dont
plusieurs à coup sûr étaient illustres, éclairées et savan-
tes, se soient trompées grossièrement dans une chose où
seul je verrais clair...

— Votre raisonnement est facile à rétorquer, interrompit miss Alicia Ward : le polythéisme n'a-t-il pas été
la religion d'Hésiode, d'Homère, d'Aristote, de Platon,
de Socrate même, qui a sacrifié un coq à Esculape, et
d'une foule d'autres personnages d'un génie incontestable ?

— Sans doute, mais il n'y a plus personne aujourd'hui
qui sacrifie des bœufs à Jupiter.

— Il vaut bien mieux en faire des beefsteaks et
des rumpsteaks, dit sentencieusement le commodore,
que l'usage de brûler les cuisses grasses des victimes

---

21. *un ton convaincu,* Ménalque dans la IIIe *Bucolique* s'exprime
ainsi (v. 103): «Je ne sais quel mauvais œil jette un sort à mes jeunes
agneaux.» C'est la seule occurrence de ce verbe *(fascinare)* dans son
œuvre et le narrateur exagère sensiblement en attribuant au poète «un
ton convaincu».

sur les charbons avait toujours choqué dans Homère.

— On n'offre plus de colombes à Vénus, ni de paons à Junon, ni de boucs à Bacchus ; le christianisme a remplacé ces rêves de marbre blanc dont la Grèce avait peuplé son Olympe ; la vérité a fait évanouir l'erreur, et une infinité de gens redoutent encore les effets du *fascino*, ou, pour lui donner son nom populaire, de la *jettatura*.

— Que le peuple ignorant s'inquiète de pareilles influences, je le conçois, dit miss Ward ; mais qu'un homme de votre naissance et de votre éducation partage cette croyance, voilà ce qui m'étonne.

— Plus d'un qui fait l'esprit fort, répondit le comte, suspend à sa fenêtre une corne, cloue un massacre au-dessus de sa porte, et ne marche que couvert d'amulettes ; moi, je suis franc, et j'avoue sans honte que lorsque je rencontre un *jettatore*, je prends volontiers l'autre côté de la rue, et que si je ne puis éviter son regard, je le conjure de mon mieux par le geste consacré. Je n'y mets pas plus de façon qu'un lazzarone, et je m'en trouve bien. Des mésaventures nombreuses m'ont appris à ne pas dédaigner ces précautions. »

Miss Alicia Ward était une protestante, élevée avec une grande liberté d'esprit philosophique, qui n'admettait rien qu'après examen, et dont la raison droite répugnait à tout ce qui ne pouvait s'expliquer mathématiquement. Les discours du comte la surprenaient. Elle voulut d'abord n'y voir qu'un simple jeu d'esprit ; mais le ton calme et convaincu d'Altavilla lui fit changer d'idée sans la persuader en aucune façon.

« Je vous accorde, dit-elle, que ce préjugé existe, qu'il est fort répandu, que vous êtes sincère dans votre crainte du mauvais œil, et ne cherchez pas à vous jouer de la simplicité d'une pauvre étrangère ; mais donnez-moi quelque raison physique de cette idée superstitieuse, car, dussiez-vous me juger comme un être entièrement dénué de poésie, je suis très incrédule : le fantastique, le mystérieux, l'occulte, l'inexplicable ont fort peu de prise sur moi.

— Vous ne nierez pas, miss Alicia, reprit le comte, la

puissance de l'œil humain ; la lumière du ciel s'y combine avec le reflet de l'âme ; la prunelle est une lentille qui concentre les rayons de la vie, et l'électricité intellectuelle jaillit par cette étroite ouverture : le regard d'une femme ne traverse-t-il pas le cœur le plus dur ? Le regard d'un héros n'aimante-t-il pas toute une armée ? Le regard du médecin ne dompte-t-il pas le fou comme une douche froide ? Le regard d'une mère ne fait-il pas reculer les lions ?

— Vous plaidez votre cause avec éloquence, répondit miss Ward, en secouant sa jolie tête ; pardonnez-moi s'il me reste des doutes.

— Et l'oiseau qui, palpitant d'horreur et poussant des cris lamentables, descend du haut d'un arbre, d'où il pourrait s'envoler, pour se jeter dans la gueule du serpent qui le fascine, obéit-il à un préjugé ? a-t-il entendu, dans les nids, des commères emplumées raconter des histoires de jettatura ? — Beaucoup d'effets n'ont-ils pas eu lieu par des causes inappréciables pour nos organes ? Les miasmes de la fièvre paludéenne, de la peste, du choléra, sont-ils visibles ? Nul œil n'aperçoit le fluide électrique sur la broche du paratonnerre, et pourtant la foudre est soutirée ! Qu'y a-t-il d'absurde à supposer qu'il se dégage de ce disque noir, bleu ou gris, un rayon propice ou fatal ? Pourquoi cette effluve ne serait-elle pas heureuse ou malheureuse d'après le mode d'émission et l'angle sous lequel l'objet la reçoit ?

— Il me semble, dit le commodore, que la théorie du comte a quelque chose de spécieux ; je n'ai jamais pu, moi, regarder les yeux d'or d'un crapaud sans me sentir à l'estomac une chaleur intolérable, comme si j'avais pris de l'émétique ; et pourtant le pauvre reptile avait plus de raison de craindre que moi qui pouvais l'écraser d'un coup de talon.

— Ah ! mon oncle ! si vous vous mettez avec M. d'Altavilla, fit miss Ward, je vais être battue. Je ne suis pas de force à lutter. Quoique j'eusse peut-être bien des choses à objecter contre cette électricité oculaire dont aucun physicien n'a parlé, je veux bien admettre son existence pour un instant, mais quelle efficacité peuvent avoir pour se préserver de leurs funestes effets les immenses cornes dont vous m'avez gratifiée ?

— De même que le paratonnerre avec sa pointe soutire la foudre, répondit Altavilla, ainsi les pitons aigus de ces cornes sur lesquelles se fixe le regard du jettatore détournent le fluide malfaisant et le dépouillent de sa dangereuse électricité. Les doigts tendus en avant et les amulettes de corail rendent le même service.

— Tout ce que vous me contez là est bien fou, monsieur le comte, reprit miss Ward ; et voici ce que j'y crois comprendre : selon vous, je serais sous le coup du fascino d'un jettatore bien dangereux ; et vous m'avez envoyé des cornes comme moyens de défense ?

— Je le crains, miss Alicia, répondit le comte avec un ton de conviction profonde.

— Il ferait beau voir, s'écria le commodore, qu'un de ces drôles à l'œil louche essayât de fasciner ma nièce ! Quoique j'aie dépassé la soixantaine, je n'ai pas encore oublié mes leçons de boxe. »

Et il fermait son poing en serrant le pouce contre les doigts pliés.

« Deux doigts suffisent, milord, dit Altavilla en faisant prendre à la main du commodore la position voulue. Le plus ordinairement la jettatura est involontaire ; elle s'exerce à l'insu de ceux qui possèdent ce don fatal, et souvent même, lorsque les jettatori arrivent à la conscience de leur funeste pouvoir, ils en déplorent les effets plus que personne ; il faut donc les éviter et non les maltraiter. D'ailleurs, avec les cornes, les doigts en pointe, les branches de corail bifurquées, on peut neutraliser ou du moins atténuer leur influence.

— En vérité, c'est fort étrange, dit le commodore, que le sang-froid d'Altavilla impressionnait malgré lui.

— Je ne me savais pas si fort obsédée par les jettatori ; je ne quitte guère cette terrasse, si ce n'est pour aller faire, le soir, un tour en calèche le long de la Villa Reale, avec mon oncle, et je n'ai rien remarqué qui pût donner lieu à votre supposition, dit la jeune fille dont la curiosité s'éveillait, quoique son incrédulité fût toujours la même. Sur qui se portent vos soupçons ?

— Ce ne sont pas des soupçons, miss Ward ; ma certitude est complète, répondit le jeune comte napolitain.

— De grâce, révélez-nous le nom de cet être fatal ? » dit miss Ward avec une légère nuance de moquerie.

Altavilla garda le silence.

« Il est bon de savoir de qui l'on doit se défier », ajouta le commodore.

Le jeune comte napolitain parut se recueillir ; — puis il se leva, s'arrêta devant l'oncle de miss Ward, lui fit un salut respectueux et lui dit :

« Milord Ward, je vous demande la main de votre nièce. »

A cette phrase inattendue, Alicia devint toute rose, et le commodore passa du rouge à l'écarlate.

Certes, le comte Altavilla pouvait prétendre à la main de miss Ward ; il appartenait à une des plus anciennes et plus nobles familles de Naples ; il était beau, jeune, riche, très bien en cour, parfaitement élevé, d'une élégance irréprochable ; sa demande, en elle-même, n'avait donc rien de choquant ; mais elle venait d'une manière si soudaine, si étrange ; elle ressortait si peu de la conversation entamée, que la stupéfaction de l'oncle et de la nièce était tout à fait convenable. Aussi Altavilla n'en parut-il ni surpris ni découragé, et attendit-il la réponse de pied ferme.

« Mon cher comte, dit enfin le commodore, un peu remis de son trouble, votre proposition m'étonne — autant qu'elle m'honore. — En vérité, je ne sais que vous répondre ; je n'ai pas consulté ma nièce. — On parlait de fascino, de jettatura, de cornes, d'amulettes, de mains ouvertes ou fermées, de toutes sortes de choses qui n'ont aucun rapport au mariage, et puis voilà que vous me demandez la main d'Alicia ! — Cela ne se suit pas du tout, et vous ne m'en voudrez pas si je n'ai pas des idées bien nettes à ce sujet. Cette union serait à coup sûr très convenable, mais je croyais que ma nièce avait d'autres intentions. Il est vrai qu'un vieux loup de mer comme moi ne lit pas bien couramment dans le cœur des jeunes filles... »

Alicia, voyant son oncle s'embrouiller, profita du

temps d'arrêt qu'il prit après sa dernière phrase pour faire cesser une scène qui devenait gênante, et dit au Napolitain :

« Comte, lorsqu'un galant homme demande loyalement la main d'une honnête jeune fille, il n'y a pas lieu pour elle de s'offenser, mais elle a droit d'être étonnée de la forme bizarre donnée à cette demande. Je vous priais de me dire le nom du prétendu jettatore dont l'influence peut, selon vous, m'être nuisible, et vous faites brusquement à mon oncle une proposition dont je ne démêle pas le motif.

— C'est, répondit Altavilla, qu'un gentilhomme ne se fait pas volontiers dénonciateur, et qu'un mari seul peut défendre sa femme. Mais prenez quelques jours pour réfléchir. Jusque-là, les cornes exposées d'une façon bien visible suffiront, je l'espère, à vous garantir de tout événement fâcheux. »

Cela dit, le comte se leva et sortit après avoir salué profondément.

Vicè, la fauve servante aux cheveux crépus, qui venait pour emporter la théière et les tasses, avait, en montant lentement l'escalier de la terrasse, entendu la fin de la conversation ; elle nourrissait contre Paul d'Aspremont toute l'aversion qu'une paysanne des Abruzzes apprivoisée à peine par deux ou trois ans de domesticité, peut avoir à l'endroit d'un *forestiere* soupçonné de jettature ; elle trouvait d'ailleurs le comte Altavilla superbe, et ne concevait pas que miss Ward pût lui préférer un jeune homme chétif et pâle dont elle, Vicè, n'eût pas voulu, quand même il n'aurait pas eu le fascino. Aussi, n'appréciant pas la délicatesse de procédé du comte, et désirant soustraire sa maîtresse, qu'elle aimait, à une nuisible influence, Vicè se pencha vers l'oreille de miss Ward et lui dit :

« Le nom que vous cache le comte Altavilla, je le sais, moi.

— Je vous défends de me le dire, Vicè, si vous tenez à mes bonnes grâces, répondit Alicia. Vraiment toutes ces superstitions sont honteuses, et je les braverai en fille chrétienne qui ne craint que Dieu. »

VII

« Jettatore ! jettatore ! Ces mots s'adressaient bien à moi, se disait Paul d'Aspremont en rentrant à l'hôtel ; j'ignore ce qu'ils signifient, mais ils doivent assurément renfermer un sens injurieux ou moqueur. Qu'ai-je dans ma personne de singulier, d'insolite ou de ridicule pour attirer ainsi l'attention d'une manière défavorable ? Il me semble, quoique l'on soit assez mauvais juge de soi-même, que je ne suis ni beau, ni laid, ni grand, ni petit, ni maigre, ni gros, et que je puis passer inaperçu dans la foule. Ma mise n'a rien d'excentrique ; je ne suis pas coiffé d'un turban illuminé de bougies comme M. Jourdain dans la cérémonie du *Bourgeois gentilhomme* ; je ne porte pas une veste brodée d'un soleil d'or dans le dos ; un nègre ne me précède pas jouant des timbales ; mon individualité, parfaitement inconnue, du reste, à Naples, se dérobe sous le vêtement uniforme, domino de la civilisation moderne, et je suis dans tout pareil aux élégants qui se promènent rue de Tolède ou au largo du Palais, sauf un peu moins de cravate, un peu moins d'épingle, un peu moins de chemise brodée, un peu moins de gilet, un peu moins de chaînes d'or et beaucoup moins de frisure.

« Peut-être ne suis-je pas assez frisé ! — Demain je me ferai donner un coup de fer par le coiffeur de l'hôtel. Cependant l'on a ici l'habitude de voir des étrangers, et quelques imperceptibles différences de toilette ne suffisent pas à justifier le mot mystérieux et le geste bizarre que ma présence provoque. J'ai remarqué, d'ailleurs, une expression d'antipathie et d'effroi dans les yeux des gens qui s'écartaient de mon chemin. Que puis-je avoir fait à ces gens que je rencontre pour la première fois ? Un voyageur, ombre qui passe pour ne plus revenir, n'excite partout que l'indifférence, à moins qu'il n'arrive de quelque région éloignée et ne soit l'échantillon d'une race inconnue : mais les paquebots jettent, toutes les semaines, sur le môle des milliers de touristes dont je ne diffère en rien. Qui s'en inquiète, excepté les facchini, les hôteliers et les domestiques de place ? Je n'ai pas tué mon frère, puisque je n'en avais pas, et je ne dois pas être marqué par Dieu du signe de Caïn, et pourtant les hommes se troublent et s'éloignent à mon aspect : à Paris, à Londres, à Vienne, dans toutes les villes que j'ai habitées, je ne me suis jamais aperçu que je produisisse un effet semblable ; l'on m'a trouvé quelquefois fier, dédaigneux, sauvage ; l'on m'a dit que j'affectais le *sneer* [22] anglais, que j'imitais lord Byron, mais j'ai reçu partout l'accueil dû à un gentleman, et mes avances, quoique rares, n'en étaient que mieux appréciées. Une traversée de trois jours de Marseille à Naples ne peut pas m'avoir changé à ce point d'être devenu odieux ou grotesque, moi que plus d'une femme a distingué et qui ai su toucher le cœur de miss Alicia Ward, une délicieuse jeune fille, une créature céleste, un ange de Thomas Moore [23] ! »

Ces réflexions, raisonnables assurément, calmèrent un peu Paul d'Aspremont, et il se persuada qu'il avait attaché à la mimique exagérée des Napolitains, le peuple le plus gesticulateur du monde, un sens dont elle était dénuée.

Il était tard. — Tous les voyageurs, à l'exception de Paul, avaient regagné leurs chambres respectives ; Gelsomina, l'une des servantes dont nous avons esquissé la physionomie dans le conciliabule tenu à la cuisine sous la présidence de Virgilio Falsacappa, attendait que Paul fût rentré pour mettre les barres de clôture à la porte. Nanella, l'autre fille, dont c'était le tour de veiller, avait prié sa compagne plus hardie de tenir sa place, ne voulant pas se rencontrer avec le *forestiere* soupçonné de jettature ; aussi Gelsomina était-elle sous les armes : un énorme paquet d'amulettes se hérissait sur sa poitrine, et cinq petites cornes de corail tremblaient au lieu de pampilles à la perle taillée de ses boucles d'oreilles ; sa main, repliée d'avance, tendait l'index et le petit doigt avec une correction que le révérend curé Andréa de Jorio, auteur de la *Mimica degli antichi investigata nel gestire napoletano* [24], eût assurément approuvée.

22. *sneer*, rire moqueur, ricanement, sarcasme.
23. *Thomas Moore*, voir la note 18 d'*Avatar*.
24. *napoletano*, La Mimique des anciens étudiée dans la gestuelle napolitaine, ouvrage paru à Naples en 1832.

La brave Gelsomina, dissimulant sa main derrière un pli de sa jupe, présenta le flambeau à M. d'Aspremont, et dirigea sur lui un regard aigu, persistant, presque provocateur, d'une expression si singulière, que le jeune homme en baissa les yeux : circonstance qui parut faire beaucoup de plaisir à cette belle fille.

A la voir immobile et droite, allongeant le flambeau avec un geste de statue, le profil découpé par une ligne lumineuse, l'œil fixe et flamboyant, on eût dit la Némésis antique cherchant à déconcerter un coupable.

Lorsque le voyageur eut monté l'escalier et que le bruit de ses pas se fut éteint dans le silence, Gelsomina releva la tête d'un air de triomphe, et dit : « Je lui ai joliment fait rentrer son regard dans la prunelle, à ce vilain monsieur, que saint Janvier confonde ; je suis sûre qu'il ne m'arrivera rien de fâcheux. »

Paul dormit mal et d'un sommeil agité ; il fut tourmenté par toutes sortes de rêves bizarres se rapportant aux idées qui avaient préoccupé sa veille : il se voyait entouré de figures grimaçantes et monstrueuses, exprimant la haine, la colère et la peur ; puis les figures s'évanouissaient ; les doigts longs, maigres, osseux, à phalanges noueuses, sortant de l'ombre et rougis d'une clarté infernale, le menaçaient en faisant des signes cabalistiques ; les ongles de ces doigts, se recourbant en griffes de tigre, en serres de vautour, s'approchaient de plus en plus de son visage et semblaient chercher à lui vider l'orbite des yeux. Par un effort suprême, il parvint à écarter ces mains, voltigeant sur des ailes de chauve-souris ; mais aux mains crochues succédèrent des massacres de bœufs, de buffles et de cerfs, crânes blanchis animés d'une vie morte, qui l'assaillaient de leurs cornes et de leurs ramures et le forçaient à se jeter à la mer, où il se déchirait le corps sur une forêt de corail aux branches pointues ou bifurquées ; — une vague le rapportait à la côte, moulu, brisé, à demi mort ; et, comme le don Juan de lord Byron, il entrevoyait à travers son évanouissement une tête charmante qui se penchait vers lui ; — ce n'était pas Haydée [25], mais Ali-

---

25. *Haydée*, personnage du poème de Byron, *Don Juan*, qui vit dans le sérail.

cia, plus belle encore que l'être imaginaire créé par le poète. La jeune fille faisait de vains efforts pour tirer sur le sable le corps que la mer voulait reprendre, et demandait à Vicè, la fauve servante, une aide que celle-ci lui refusait en riant d'un rire féroce : les bras d'Alicia se fatiguaient, et Paul retombait au gouffre.

Ces fantasmagories confusément effrayantes, vaguement horribles, et d'autres plus insaisissables encore rappelant les fantômes informes ébauchés dans l'ombre opaque des aquatintes de Goya torturèrent le dormeur jusqu'aux premières lueurs du matin ; son âme, affranchie par l'anéantissement du corps, semblait deviner ce que sa pensée éveillée ne pouvait comprendre, et tâchait de traduire ses pressentiments en image dans la chambre noire du rêve.

Paul se leva brisé, inquiet, comme mis sur la trace d'un malheur caché par ces cauchemars dont il craignait de sonder le mystère ; il tournait autour du fatal secret, fermant les yeux pour ne pas voir et les oreilles pour ne pas entendre ; jamais il n'avait été plus triste ; il doutait même d'Alicia ; l'air de fatuité heureuse du comte napolitain, la complaisance avec laquelle la jeune fille l'écoutait, la mine approbative du commodore, tout cela lui revenait en mémoire enjolivé de mille détails cruels, lui noyait le cœur d'amertume et ajoutait encore à sa mélancolie.

La lumière a ce privilège de dissiper le malaise causé par les visions nocturnes. Smarra [26], offusqué, s'enfuit en agitant ses ailes membraneuses, lorsque le jour tire ses flèches d'or dans la chambre par l'interstice des rideaux. — Le soleil brillait d'un éclat joyeux, le ciel était pur, et sur le bleu de la mer scintillaient des millions de paillettes : peu à peu Paul se rasséréna ; il oublia ses rêves fâcheux et les impressions bizarres de la veille, ou, s'il y pensait, c'était pour s'accuser d'extravagance.

Il alla faire un tour à Chiaja pour s'amuser du spectacle de la pétulance napolitaine : les marchands criaient leurs denrées sur des mélopées bizarres en dialecte populaire,

---

26. *Smarra ou les démons de la nuit de* Charles Nodier (1821) est dans la littérature française la première œuvre évoquant le fantastique du cauchemar et de l'épouvante nocturne.

inintelligible pour lui qui ne savait que l'italien, avec des
gestes désordonnés et une furie d'action inconnue dans le
Nord; mais toutes les fois qu'il s'arrêtait près d'une
boutique, le marchand prenait un air alarmé, murmurait
quelque imprécation à mi-voix, et faisait le geste d'allon-
ger les doigts comme s'il eût voulu le poignarder de
l'auriculaire et de l'index; les commères, plus hardies,
l'accablaient d'injures et lui montraient le poing.

VIII

M. d'Aspremont crut, en s'entendant injurier par la
populace de Chiaja, qu'il était l'objet de ces litanies
grossièrement burlesques dont les marchands de poisson
régalent les gens bien mis qui traversent le marché; mais
une répulsion si vive, un effroi si vrai se peignaient dans
tous les yeux, qu'il fut bien forcé de renoncer à cette
interprétation; le mot *jettatore,* qui avait déjà frappé ses
oreilles au théâtre de San Carlino, fut encore prononcé, et
avec une expression menaçante cette fois; il s'éloigna
donc à pas lents, ne fixant plus sur rien ce regard, cause
de tant de trouble. En longeant les maisons pour se
soustraire à l'attention publique, Paul arriva à un étalage
de bouquiniste; il s'y arrêta, remua et ouvrit quelques
livres, en manière de contenance : il tournait ainsi le dos
aux passants, et sa figure à demi cachée par les feuillets
évitait toute occasion d'insulte. Il avait bien pensé un
instant à charger cette canaille à coups de canne; la vague
terreur superstitieuse qui commençait à s'emparer de lui
l'en avait empêché. Il se souvint qu'ayant une fois frappé
un cocher insolent d'une légère badine, il l'avait attrapé à
la tempe et tué sur le coup, meurtre involontaire dont il ne
s'était pas consolé. Après avoir pris et reposé plusieurs
volumes dans leur case, il tomba sur le traité de la
jettatura du signor Niccolo Valetta [27]; ce titre rayonna à

27. *Niccolo Valetta* (1738-1814), jurisconsulte italien, professeur de
droit civil, puis de droit romain. Il est l'auteur de *Cicalata sul fascino
volgarmente detto jettatura* (Naples, 1787 — *Discussion sur le charme
appelé ordinairement jettatura*) où, en usant de l'érudition, il raille le
phénomène de l'influence magnétique.

ses yeux en caractères de flamme, et le livre lui parut
placé là par la main de la fatalité ; il jeta au bouquiniste,
qui le regardait d'un air narquois, en faisant brimbaler
deux ou trois cornes noires mêlées aux breloques de sa
montre, les six ou huit carlins, prix du volume, et courut
à l'hôtel s'enfermer dans sa chambre pour commencer
cette lecture qui devait éclaircir et fixer les doutes dont il
était obsédé depuis son séjour à Naples.

Le bouquin du signor Valetta est aussi répandu à Naples que les *Secrets du grand Albert,* l'*Etteila* [28] ou la
Clef des songes peuvent l'être à Paris. Valetta définit la
jettature, enseigne à quelles marques on peut la reconnaître, par quels moyens on s'en préserve ; il divise les
jettatori en plusieurs classes, d'après leur degré de malfaisance, et agite toutes les questions qui se rattachent à
cette grave matière.

S'il eût trouvé ce livre à Paris, d'Aspremont l'eût
feuilleté distraitement comme un vieil almanach farci
d'histoire ridicules, et eût ri du sérieux avec lequel l'auteur traite ces billevesées ; dans la disposition d'esprit où
il était, hors de son milieu naturel, préparé à la crédulité
par une foule de petits incidents, il le lut avec une secrète
horreur, comme un profane épelant sur un grimoire des
évocations d'esprits et des formules de cabale. Quoiqu'il
n'eût pas cherché à les pénétrer, les secrets de l'enfer se
révélaient à lui ; il ne pouvait plus s'empêcher de les
savoir, et il avait maintenant la conscience de son pouvoir
fatal : il était jettatore ! Il fallait bien en convenir vis-à-vis
de lui-même : tous les signes distinctifs décrits par Valetta, il les possédait.

Quelquefois il arrive qu'un homme qui jusque-là s'était
cru doué d'une santé parfaite, ouvre par hasard ou par

---

28. *Etteila,* le perruquier Alliette (vers 1750-1810) publia sous le
pseudonyme d'Etteila (en retournant son nom) des essais sur le jeu de
Tarot, dont *Manière de se récréer avec le jeu de cartes nommé les
Tarots* (Paris, 1783). Il prétendit d'une part restaurer les figures origi-
nales du Tarot, de l'autre les embellir et les rectifier. Il supprima
certaines lames, en ajouta d'autres et modifia leur succession. Il a été
vivement attaqué par Éliphas Lévi dans *Dogme et rituel de la haute
magie.* Sur les *Secrets du grand Albert,* voir la note 8 d'*Onuphrius.*

distraction un livre de médecine, et, en lisant la description pathologique d'une maladie, s'en reconnaisse atteint ; éclairé par une lueur fatale, il sent à chaque symptôme rapporté tressaillir douloureusement en lui quelque organe obscur, quelque fibre cachée dont le jeu lui échappait, et il pâlit en comprenant si prochaine une mort qu'il croyait bien éloignée. — Paul éprouva un effet analogue.

Il se mit devant une glace et se regarda avec une intensité effrayante : cette perfection disparate, composée de beautés qui ne se trouvent pas ordinairement ensemble, le faisait plus que jamais ressembler à l'archange déchu, et rayonnait sinistrement dans le fond noir du miroir ; les fibrilles de ses prunelles se tordaient comme des vipères convulsives ; ses sourcils vibraient pareils à l'arc d'où vient de s'échapper la flèche mortelle ; la ride blanche de son front faisait penser à la cicatrice d'un coup de foudre, et dans ses cheveux rutilants paraissaient flamber des flammes infernales ; la pâleur marmoréenne de la peau donnait encore plus de relief à chaque trait de cette physionomie vraiment terrible[29].

Paul se fit peur à lui-même : il lui semblait que les effluves de ses yeux, renvoyées par le miroir, lui revenaient en dards empoisonnés : figurez-vous Méduse regardant sa tête horrible et charmante dans le fauve reflet d'un bouclier d'airain.

L'on nous objectera peut-être qu'il est difficile de croire qu'un jeune homme du monde, imbu de la science moderne, ayant vécu au milieu du scepticisme de la civilisation, ait pu prendre au sérieux un préjugé populaire, et s'imaginer être doué fatalement d'une malfaisance mystérieuse. Mais nous répondrons qu'il y a un magnétisme irrésistible dans la pensée générale, qui vous pénètre malgré vous, et contre lequel une volonté unique ne lutte pas toujours efficacement : tel arrive à Naples se moquant de la jettatura, qui finit par se hérisser de précautions cornues et fuir avec terreur tout individu à l'œil

---

29. *terrible*, le fantastique est dans ce paragraphe associé à la thématique du miroir. C'est dans *Spirite* que ce phénomène s'exprimera sous sa forme la plus accomplie.

suspect. Paul d'Aspremont se trouvait dans une position encore plus grave : — il avait lui-même le fascino, — et chacun l'évitait, ou faisait en sa présence les signes préservatifs recommandés par le signor Valetta. Quoique sa raison se révoltât contre une pareille appréciation, il ne pouvait s'empêcher de reconnaître qu'il présentait tous les indices dénonciateurs de la jettature. — L'esprit humain, même le plus éclairé, garde toujours un coin sombre, où s'accroupissent les hideuses chimères de la crédulité, où s'accrochent les chauves-souris de la superstition. La vie ordinaire elle-même est si pleine de problèmes insolubles, que l'impossible y devient probable. On peut croire ou nier tout : à un certain point de vue, le rêve existe autant que la réalité [30].

Paul se sentit pénétré d'une immense tristesse. — Il était un monstre ! — Bien que doué des instincts les plus affectueux et de la nature la plus bienveillante, il portait le malheur avec lui ; son regard, involontairement chargé de venin, nuisait à ceux sur qui il s'arrêtait, quoique dans une intention sympathique. Il avait l'affreux privilège de réunir, de concentrer, de distiller les miasmes morbides, les électricités dangereuses, les influences fatales de l'atmosphère, pour les darder autour de lui. Plusieurs circonstances de sa vie, qui jusque-là lui avaient semblé obscures et dont il avait vaguement accusé le hasard, s'éclairaient maintenant d'un jour livide : il se rappelait toutes sortes de mésaventures énigmatiques, de malheurs inexpliqués, de catastrophes sans motifs dont il tenait à présent le mot ; des concordances bizarres s'établissaient dans son esprit et les confirmaient dans la triste opinion qu'il avait prise de lui-même.

Il remonta sa vie année par année : il se rappela sa mère morte en lui donnant le jour, la fin malheureuse de ses petits amis de collège, dont le plus cher s'était tué en tombant d'un arbre, sur lequel lui, Paul, le regardait grimper ; cette partie de canot si joyeusement commencée

---

30. *la réalité,* la digression du narrateur traduit le point de vue de l'auteur sur la permanence de la superstition, la virtualité de l'impossible et le pouvoir du rêve. La dernière phrase contient des accents nervaliens.

avec deux camarades, et d'où il était revenu seul, après
des efforts inouïs pour arracher des herbes les corps des
pauvres enfants noyés par le chavirement de la barque ;
l'assaut d'armes où son fleuret, brisé près du bouton et
transformé ainsi en épée, avait blessé si dangereusement
son adversaire, — un jeune homme qu'il aimait beaucoup : — à coup sûr, tout cela pouvait s'expliquer ration-
nellement, et Paul l'avait fait ainsi jusqu'alors ; pourtant,
ce qu'il y avait d'accidentel et de fortuit dans ces événements lui paraissait dépendre d'une autre cause depuis
qu'il connaissait le livre de Valetta : l'influence fatale, le
fascino, la jettatura, devaient réclamer leur part de ces
catastrophes. Une telle continuité de malheurs autour du
même personnage n'était pas *naturelle*.

Une autre circonstance plus récente lui revint en mémoire, avec tous ses détails horribles, et ne contribua pas
peu à l'affermir dans sa désolante croyance.

A Londres, il allait souvent au théâtre de la Reine, où
la grâce d'une jeune danseuse anglaise l'avait particulièrement frappé. Sans en être plus épris qu'on ne l'est
d'une gracieuse figure de tableau ou de gravure, il la
suivait du regard parmi ses compagnes du corps de ballet,
à travers le tourbillon des manœuvres chorégraphiques ; il
aimait ce visage doux et mélancolique, cette pâleur délicate que ne rougissait jamais l'animation de la danse, ces
beaux cheveux d'un blond soyeux et lustré, couronnés,
suivant le rôle, d'étoiles ou de fleurs, ce long regard
perdu dans l'espace, ces épaules d'une chasteté virginale
frissonnant sous la lorgnette, ces jambes qui soulevaient à
regret leurs nuages de gaze et luisaient sous la soie
comme le marbre d'une statue antique ; chaque fois
qu'elle passait devant la rampe, il la saluait de quelque
petit signe d'admiration furtif, ou s'armait de son lorgnon
pour la mieux voir.

Un soir, la danseuse, emportée par le vol circulaire
d'une valse, rasa de plus près cette étincelante ligne de
feu qui sépare au théâtre le monde idéal du monde réel ;
ses légères draperies de sylphide palpitaient comme des
ailes de colombe prêtes à prendre l'essor. Un bec de gaz
tira sa langue bleue et blanche, et atteignit l'étoffe aé-

rienne. En un moment la flamme environna la jeune fille, qui dansa quelques secondes comme un feu follet au milieu d'une lueur rouge, et se jeta vers la coulisse, éperdue, folle de terreur, dévorée vive par ses vêtements incendiés. — Paul avait été très douloureusement ému de ce malheur, dont parlèrent tous les journaux du temps, où l'on pourrait retrouver le nom de la victime, si l'on était curieux de le savoir. Mais son chagrin n'était pas mélangé de remords. Il ne s'attribuait aucune part dans l'accident qu'il déplorait plus que personne.

Maintenant il était persuadé que son obstination à la poursuivre du regard n'avait pas été étrangère à la mort de cette charmante créature. Il se considérait comme son assassin; il avait horreur de lui-même et aurait voulu n'être jamais né.

A cette prostration succéda une réaction violente; il se mit à rire d'un rire nerveux, jeta au diable le livre de Valetta et s'écria: « Vraiment je deviens imbécile ou fou! Il faut que le soleil de Naples m'ait tapé sur la tête. Que diraient mes amis du club s'ils apprenaient que j'ai sérieusement agité dans ma conscience cette belle question — à savoir si je suis ou non jettatore!

Paddy frappa discrètement à la porte. — Paul ouvrit, et le groom, formaliste dans son service, lui présenta sur le cuir verni de sa casquette, en s'excusant de ne pas avoir de plateau d'argent, une lettre de la part de miss Alicia.

M. d'Aspremont rompit le cachet et lut ce qui suit:

« Est-ce que vous me boudez, Paul? — Vous n'êtes pas venu hier soir, et votre sorbet au citron s'est fondu mélancoliquement sur la table. Jusqu'à neuf heures j'ai eu l'oreille aux aguets, cherchant à distinguer le bruit des roues de votre voiture à travers le chant obstiné des grillons et les ronflements des tambours de basque; alors il a fallu perdre tout espoir, et j'ai querellé le commodore. Admirez comme les femmes sont justes! — Pulcinella avec son nez noir, don Limon et donna Pangrazia[31] ont donc bien du charme pour vous? car je sais par ma police

---

31. *Pangrazia*, personnages de la comédie italienne, issus de la province napolitaine.

que vous avez passé votre soirée à San Carlino. De ces
prétendues lettres importantes, vous n'en avez pas écrit
une seule. Pourquoi ne pas avouer tout bonnement et tout
bêtement que vous êtes jaloux du comte Altavilla? Je
vous croyais plus orgueilleux, et cette modestie de votre
part me touche. — N'ayez aucune crainte, M. d'Altavilla est trop beau, et je n'ai pas le goût des Apollons à
breloques. Je devrais afficher à votre endroit un mépris
superbe et vous dire que je ne me suis pas aperçue de
votre absence; mais la vérité est que j'ai trouvé le temps
fort long, que j'étais de très mauvaise humeur, très nerveuse, et que j'ai manqué de battre Vicè, qui riait comme
une folle — je ne sais pourquoi, par exemple. A. W. »

Cette lettre enjouée et moqueuse ramena tout à fait les
idées de Paul aux sentiments de la vie réelle. Il s'habilla,
ordonna de faire avancer la voiture, et bientôt le voltairien Scazziga fit claquer son fouet incrédule aux oreilles
de ses bêtes qui se lancèrent au galop sur le pavé de lave,
à travers la foule toujours compacte sur le quai de Santa
Lucia.

« Scazziga, quelle mouche vous pique? vous allez causer quelque malheur! » s'écria M. d'Aspremont. Le cocher se retourna vivement pour répondre, et le regard
irrité de Paul l'atteignit en plein visage. — Une pierre
qu'il n'avait pas vue souleva une des roues de devant, et
il tomba de son siège par la violence du heurt, mais sans
lâcher ses rênes. — Agile comme un singe, il remonta
d'un saut à sa place, ayant au front une bosse grosse
comme un œuf de poule.

« Du diable si je me retourne maintenant quand tu me
parleras! — grommela-t-il entre ses dents. Timberio,
Falsacappa et Gelsomina avaient raison, — c'est un jettatore! Demain, j'achèterai une paire de cornes. Si ça ne
peut pas faire de bien, ça ne peut pas faire de mal. »

Ce petit incident fut désagréable à Paul; il le ramenait
dans le cercle magique dont il voulait sortir: une pierre se
trouve tous les jours sous la roue d'une voiture, un cocher
maladroit se laisse choir de son siège, — rien n'est plus
simple et plus vulgaire. Cependant l'*effet* avait suivi la
cause de si près, la chute de Scazziga coïncidait si juste-

ment avec le *regard* qu'il lui avait lancé, que ses appréhensions lui revinrent :

« J'ai bien envie, se dit-il, de quitter dès demain ce pays extravagant, où je sens ma cervelle ballotter dans mon crâne comme une noisette sèche dans sa coquille. Mais si je confiais mes craintes à miss Ward, elle en rirait, et le climat de Naples est favorable à sa santé. — Sa santé ! mais elle se portait bien avant de me connaître ! Jamais ce nid de cygnes balancé sur les eaux, qu'on nomme l'Angleterre, n'avait produit une enfant plus blanche et plus rose ! La vie éclatait dans ses yeux pleins de lumière, s'épanouissait sur ses joues fraîches et satinées ; un sang riche et pur courait en veines bleues sous sa peau transparente ; on sentait à travers sa beauté une force gracieuse ! Comme sous mon regard elle a pâli, maigri, changé ! comme ses mains délicates devenaient fluettes ! Comme ses yeux si vifs s'entouraient de pénombres attendries ! On eût dit que la consomption lui posait ses doigts osseux sur l'épaule. — En mon absence, elle a bien vite repris ses vives couleurs ; le souffle joue librement dans sa poitrine que le médecin interrogeait avec crainte ; délivrée de mon influence funeste, elle vivrait de longs jours. — N'est-ce pas moi qui la tue ? — L'autre soir, n'a-t-elle pas éprouvé, pendant que j'étais là, une souffrance si aiguë, que ses joues se sont décolorées comme au souffle froid de la mort ? — Ne lui fais-je pas la jettatura sans le vouloir ? — Mais peut-être aussi n'y a-t-il là rien que de naturel. — Beaucoup de jeunes Anglaises ont des prédispositions aux maladies de poitrine. »

Ces pensées occupèrent Paul d'Aspremont pendant la route. Lorsqu'il se présenta sur la terrasse, séjour habituel de miss Ward et du commodore, les immenses cornes des bœufs de Sicile, présent du comte Altavilla, recourbaient leurs croissants jaspés à l'endroit le plus en vue. Voyant que Paul les remarquait, le commodore devint bleu : ce qui était sa manière de rougir, car, moins délicat que sa nièce, il avait reçu les confidences de Vicè...

Alicia, avec un geste de parfait dédain, fit signe à la

servante d'emporter les cornes et fixa sur Paul son bel œil
plein d'amour, de courage et de foi.

« Laissez-les à leur place, dit Paul à Vicè ; elles sont
fort belles. »

                                    IX

L'observation de Paul sur les cornes données par le
comte Altavilla parut faire plaisir au commodore ; Vicè
sourit, montrant sa denture dont les canines séparées et
pointues brillaient d'une blancheur féroce ; Alicia, d'un
coup de paupière rapide, sembla poser à son ami une
question qui resta sans réponse.

Un silence gênant s'établit.

Les premières minutes d'une visite même cordiale,
familière, attendue et renouvelée tous les jours, sont
ordinairement embarrassées. Pendant l'absence, n'eût-
elle duré que quelques heures, il s'est reformé autour de
chacun une atmosphère invisible contre laquelle se brise
l'effusion. C'est comme une glace parfaitement transparente qui laisse apercevoir le paysage et que ne traverse-
rait pas le vol d'une mouche. Il n'y a rien en apparence,
et pourtant on sent l'obstacle.

Une arrière-pensée dissimulée par un grand usage du
monde préoccupait en même temps les trois personnages
de ce groupe habituellement plus à son aise. Le commodore tournait ses pouces avec un mouvement machinal ;
d'Aspremont regardait obstinément les pointes noires et
polies des cornes qu'il avait défendu à Vicè d'emporter,
comme un naturaliste cherchant à classer, d'après un
fragment, une espèce inconnue ; Alicia passait son doigt
dans la rosette du large ruban qui ceignait son peignoir de
mousseline, faisant mine d'en resserrer le nœud.

Ce fut miss Ward qui rompit la glace la première, avec
cette liberté enjouée des jeunes filles anglaises, si mo-
destes et si réservées, cependant, après le mariage.

« Vraiment, Paul, vous n'êtes guère aimable depuis
quelque temps. Votre galanterie est-elle une plante de
serre froide qui ne peut s'épanouir qu'en Angleterre, et

dont la haute température de ce climat gêne le développement? Comme vous étiez attentif, empressé, toujours aux petits soins, dans notre cottage du Lincolnshire! Vous m'abordiez la bouche en cœur, la main sur la poitrine, irréprochablement frisé, prêt à mettre un genou à terre devant l'idole de votre âme; — tel, enfin, qu'on représente les amoureux sur les vignettes de roman.

— Je vous aime toujours, Alicia, répondit d'Aspremont d'une voix profonde, mais sans quitter des yeux les cornes suspendues à l'une des colonnes antiques qui soutenaient le plafond de pampres.

— Vous dites cela d'un ton si lugubre, qu'il faudrait être bien coquette pour le croire, continua miss Ward; — j'imagine que ce qui vous plaisait en moi, c'était mon teint pâle, ma diaphanéité, ma grâce ossianesque et vaporeuse; mon état de souffrance me donnait un certain charme romantique que j'ai perdu.

— Alicia! jamais vous ne fûtes plus belle.

— Des mots, des mots, des mots, comme dit Shakspeare [32]. Je suis si belle que vous ne daignez pas me regarder. »

En effet, les yeux de M. d'Aspremont ne s'étaient pas dirigés une seule fois vers la jeune fille.

« Allons, fit-elle avec un grand soupir comiquement exagéré, je vois que je suis devenue une grosse et forte paysanne, bien fraîche, bien colorée, bien rougeaude, sans la moindre distinction, incapable de figurer au bal d'Almack's, ou dans un livre de beautés, séparée d'un sonnet admiratif par une feuille de papier de soie.

— Miss Ward, vous prenez plaisir à vous calomnier, dit Paul les paupières baissées.

— Vous feriez mieux de m'avouer franchement que je suis affreuse. — C'est votre faute aussi, commodore; avec vos ailes de poulet, vos noix de côtelettes, vos filets de bœuf, vos petits verres de vin des Canaries, vos promenades à cheval, vos bains de mer, vos exercices gymnastiques, vous m'avez fabriqué cette fatale santé

32. *Shakespeare, Hamlet,* acte II, scène 2.

bourgeoise qui dissipe les illusions poétiques de
M. d'Aspremont.

— Vous tourmentez M. d'Aspremont et vous vous
moquez de moi, dit le commodore interpellé ; mais certainement, le filet de bœuf est substantiel et le vin des
Canaries n'a jamais nui à personne.

— Quel désappointement, mon pauvre Paul ! quitter
une nixe, un elfe, une willis, et retrouver ce que les
médecins et les parents appellent une jeune personne bien
constituée ! — Mais écoutez-moi, puisque vous n'avez
plus le courage de m'envisager, et frémissez d'horreur.
— Je pèse sept onces de plus qu'à mon départ d'Angleterre.

— Huit onces ! interrompit avec orgueil le commodore, qui soignait Alicia comme eût pu le faire la mère la
plus tendre.

— Est-ce huit onces précisément ? Oncle terrible, vous
voulez donc désenchanter à tout jamais M. d'Aspremont ? » fit Alicia en affectant un découragement moqueur.

Pendant que la jeune fille le provoquait par ces co-
quetteries, qu'elle ne se fût pas permises, même envers
son fiancé, sans de graves motifs, M. d'Aspremont, en
proie à son idée fixe et ne voulant pas nuire à miss Ward
par son regard fatal, attachait ses yeux aux cornes talis-
maniques ou les laissait errer vaguement sur l'immense
étendue bleue qu'on découvrait du haut de la terrasse.

Il se demandait s'il n'était pas de son devoir de fuir
Alicia, dût-il passer pour un homme sans foi et sans
honneur, et d'aller finir sa vie dans quelque île déserte
où, du moins, sa jettature s'éteindrait faute d'un regard
humain pour l'absorber.

« Je vois, dit Alicia continuant sa plaisanterie, ce qui
vous rend si sombre et si sérieux ; l'époque de notre
mariage est fixée à un mois ; et vous reculez à l'idée
de devenir le mari d'une pauvre campagnarde qui n'a
plus la moindre élégance. Je vous rends votre parole :
vous pourrez épouser mon amie miss Sarah Templeton,
qui mange des pickles et boit du vinaigre pour être
mince ! »

Cette imagination la fit rire de ce rire argentin et clair de la jeunesse. Le commodore et Paul s'associèrent franchement à son hilarité.

Quand la dernière fusée de sa gaieté nerveuse se fut éteinte, elle vint à d'Aspremont, le prit par la main, le conduisit au piano placé à l'angle de la terrasse, et lui dit en ouvrant un cahier de musique sur le pupitre :

« Mon ami, vous n'êtes pas en train de causer aujourd'hui et, « ce qui ne vaut pas la peine d'être dit, on le chante » ; vous allez donc faire votre partie dans ce duettino, dont l'accompagnement n'est pas difficile : ce ne sont presque que des accords plaqués. »

Paul s'assit sur le tabouret, miss Alicia se mit debout près de lui, de manière à pouvoir suivre le chant sur la partition. Le commodore renversa sa tête, allongea ses jambes et prit une pose de béatitude anticipée, car il avait des prétentions au dilettantisme et affirmait adorer la musique ; mais dès la sixième mesure il s'endormait du sommeil des justes, sommeil qu'il s'obstinait, malgré les railleries de sa nièce, à appeler une extase, — quoiqu'il lui arrivât quelquefois de ronfler, symptôme médiocrement extatique.

Le duettino était une vive et légère mélodie, dans le goût de Cimarosa, sur des paroles de Métastase, et que nous ne saurions mieux définir qu'en la comparant à un papillon traversant à plusieurs reprises un rayon de soleil.

La musique a le pouvoir de chasser les mauvais esprits : au bout de quelques phrases, Paul ne pensait plus aux doigts conjurateurs, aux cornes magiques, aux amulettes de corail ; il avait oublié le terrible bouquin du signor Valetta et toutes les rêveries de la jettatura. Son âme montait gaiement, avec la voix d'Alicia, dans un air pur et lumineux.

Les cigales faisaient silence comme pour écouter, et la brise de mer qui venait de se lever emportait les notes avec les pétales des fleurs tombées des vases sur le rebord de la terrasse.

« Mon oncle dort comme les sept dormants dans leur grotte. S'il n'était pas coutumier du fait, il y aurait de quoi froisser notre amour-propre de virtuoses, dit Alicia en refermant le cahier. Pendant qu'il repose, voulez-vous faire un tour de jardin avec moi, Paul? je ne vous ai pas encore montré mon paradis. »

Et elle prit à un clou planté dans l'une des colonnes, où il était suspendu par des brides, un large chapeau de paille de Florence.

Alicia professait en fait d'horticulture les principes les plus bizarres; elle ne voulait pas qu'on cueillît les fleurs ni qu'on taillât les branches; et ce qui l'avait charmée dans la villa, c'était, comme nous l'avons dit, l'état sauvagement inculte du jardin.

Les deux jeunes gens se frayaient une route au milieu des massifs qui se rejoignaient aussitôt après leur passage. Alicia marchait devant et riait de voir Paul cinglé derrière elle par les branches de lauriers-roses qu'elle déplaçait. A peine avait-elle fait une vingtaine de pas, que la main verte d'un rameau, comme pour faire une espièglerie végétale, saisit et retint son chapeau de paille en l'élevant si haut, que Paul ne put le reprendre.

Heureusement, le feuillage était touffu, et le soleil jetait à peine quelques sequins d'or sur le sable à travers les interstices des ramures.

« Voici ma retraite favorite », dit Alicia, en désignant à Paul un fragment de roche aux cassures pittoresques, que protégeait un fouillis d'orangers, de cédrats, de lentisques et de myrtes.

Elle s'assit dans une anfractuosité taillée en forme de siège, et fit signe à Paul de s'agenouiller devant elle sur l'épaisse mousse sèche qui tapissait le pied de la roche.

« Mettez vos deux mains dans les miennes et regardez-moi bien en face. Dans un mois, je serai votre femme. Pourquoi vos yeux évitent-ils les miens? »

En effet, Paul, revenu à ses rêveries de jettature, détournait la vue.

« Craignez-vous d'y lire une pensée contraire ou coupable? Vous savez que mon âme est à vous depuis le jour où vous avez apporté à mon oncle la lettre de recommandation dans le parloir de Richmond. Je suis de la race de ces Anglaises tendres, romanesques et fières, qui prennent en une minute un amour qui dure toute la vie, —

plus que la vie peut-être, — et qui sait aimer, sait mourir. Plongez vos regards dans les miens, je le veux ; n'essayez pas de baisser la paupière, ne vous détournez pas, ou je penserai qu'un gentleman qui ne doit craindre que Dieu se laisse effrayer par de viles superstitions. Fixez sur moi cet œil que vous croyez si terrible et qui m'est si doux, car j'y vois votre amour, et jugez si vous me trouvez assez jolie encore pour me mener, quand nous serons mariés, promener à Hyde Park en calèche découverte.

Paul, éperdu, fixait sur Alicia un long regard plein de passion et d'enthousiasme. — Tout à coup la jeune fille pâlit ; une douleur lancinante lui traversa le cœur comme un fer de flèche : il sembla que quelque fibre se rompait dans sa poitrine, et elle porta vivement son mouchoir à ses lèvres. Une goutte rouge tacha la fine batiste, qu'Alicia replia d'un geste rapide.

« Oh ! merci, Paul ; vous m'avez rendue bien heureuse, car je croyais que vous ne m'aimiez plus ! »

X

Le mouvement d'Alicia pour cacher son mouchoir n'avait pu être si prompt que M. d'Aspremont ne l'aperçût ; une pâleur affreuse couvrit les traits de Paul, car une preuve irrécusable de son fatal pouvoir venait de lui être donnée, et les idées les plus sinistres lui traversaient la cervelle ; la pensée du suicide se présenta même à lui ; n'était-il pas de son devoir de se supprimer comme un être malfaisant et d'anéantir ainsi la cause involontaire de tant de malheurs ? Il eût accepté pour son compte les épreuves les plus dures et porté courageusement le poids de la vie ; mais donner la mort à ce qu'il aimait le mieux au monde, n'était-ce pas aussi par trop horrible ?

L'héroïque jeune fille avait dominé la sensation de douleur, suite du regard de Paul, et qui coïncidait si étrangement avec les avis du comte Altavilla. — Un esprit moins ferme eût pu se frapper de ce résultat, sinon surnaturel, du moins difficilement explicable ; mais, nous l'avons dit, l'âme d'Alicia était religieuse et non superstitieuse. Sa foi inébranlable en ce qu'il faut croire rejetait comme des contes de nourrice toutes ces histoires d'influences mystérieuses, et se riait des préjugés populaires les plus profondément enracinés. — D'ailleurs, eût-elle admis la jettature comme réelle, en eût-elle reconnu chez Paul les signes évidents, son cœur tendre et fier n'aurait pas hésité une seconde. — Paul n'avait commis aucune action où la susceptibilité la plus délicate pût trouver à reprendre, et miss Ward eût préféré tomber morte sous ce regard, prétendu si funeste, à reculer devant un amour accepté par elle avec le consentement de son oncle et que devait couronner bientôt le mariage. Miss Alicia Ward ressemblait un peu à ces héroïnes de Shakspeare chastement hardies, virginalement résolues, dont l'amour subit n'en est pas moins pur et fidèle, et qu'une seule minute lie pour toujours ; sa main avait pressé celle de Paul, et nul homme au monde ne devait plus l'enfermer dans ses doigts. Elle regardait sa vie comme enchaînée, et sa pudeur se fût révoltée à l'idée seule d'un autre hymen.

Elle montra donc une gaieté réelle ou si bien jouée qu'elle eût trompé l'observateur le plus fin, et, relevant Paul, toujours à genoux à ses pieds, elle le promena à travers les allées obstruées de fleurs et de plantes de son jardin inculte, jusqu'à une place où la végétation, en s'écartant, laissait apercevoir la mer comme un rêve bleu d'infini. — Cette sérénité lumineuse dispersa les pensées sombres de Paul : Alicia s'appuyait sur le bras du jeune homme avec un abandon confiant, comme si déjà elle eût été sa femme. Par cette pure et muette caresse, insignifiante de la part de toute autre, décisive de la sienne, elle se donnait à lui plus formellement encore, le rassurant contre ses terreurs, et lui faisant comprendre combien peu la touchaient les dangers dont on la menaçait. Quoiqu'elle eût imposé silence d'abord à Vicè, ensuite à son oncle, et que le comte Altavilla n'eût nommé personne, tout en recommandant de se préserver d'une influence mauvaise, elle avait vite compris qu'il s'agissait de Paul d'Aspremont ; les obscurs discours du beau Napolitain ne pouvaient faire allusion qu'au jeune Français. Elle avait vu aussi que Paul, cédant au préjugé si répandu à Naples,

qui fait un jettatore de tout homme d'une physionomie un
peu singulière, se croyait, par une inconcevable faiblesse
d'esprit, atteint du fascino, et détournait d'elle ses yeux
pleins d'amour, de peur de lui nuire par un regard ; pour
combattre ce commencement d'idée fixe, elle avait provoqué la scène que nous venons de décrire, et dont le
résultat contrariait l'intention, car il ancra Paul plus que
jamais dans sa fatale monomanie.

Les deux amants regagnèrent la terrasse, où le commodore, continuant à subir l'effet de la musique, dormait
encore mélodieusement sur son fauteuil de bambou. —
Paul prit congé, et miss Ward, parodiant le geste d'adieu
napolitain, lui envoya du bout des doigts un imperceptible baiser en disant : « A demain, Paul, n'est-ce pas ? »
d'une voix toute chargée de suaves caresses.

Alicia était en ce moment d'une beauté radieuse, alarmante, presque surnaturelle, qui frappa son oncle réveillé
en sursaut par la sortie de Paul. — Le blanc de ses yeux
prenait des tons d'argent bruni et faisait étinceler les
prunelles comme des étoiles d'un noir lumineux ; ses
joues se nuançaient aux pommettes d'un rose idéal, d'une
pureté et d'une ardeur célestes, qu'aucun peintre ne pos-
séda jamais sur sa palette ; ses tempes, d'une transparence
d'agate, se veinaient d'un réseau de petits filets bleus, et
toute sa chair semblait pénétrée de rayons : on eût dit que
l'âme lui venait à la peau.

« Comme vous êtes belle aujourd'hui, Alicia ! dit le
commodore.

— Vous me gâtez, mon oncle ; et si je ne suis pas la
plus orgueilleuse petite fille des trois royaumes, ce n'est
pas votre faute. Heureusement, je ne crois pas aux flatte-
ries, même désintéressées.

— Belle, dangereusement belle, continua en lui-même
le commodore ; elle me rappelle, trait pour trait, sa mère,
la pauvre Nancy, qui mourut à dix-neuf ans. De tels
anges ne peuvent rester sur terre : il semble qu'un souffle
les soulève et que des ailes invisibles palpitent à leurs
épaules ; c'est trop blanc, trop rose, trop pur, trop parfait ;
il manque à ces corps éthérés le sang rouge et grossier de
la vie. Dieu, qui les prête au monde pour quelques jours,

se hâte de les reprendre. Cet éclat suprême m'attriste comme un adieu.

— Eh bien, mon oncle, puisque je suis si jolie, reprit miss Ward, qui voyait le front du commodore s'assombrir, c'est le moment de me marier : le voile et la couronne m'iront bien.

— Vous marier ! êtes-vous donc si pressée de quitter votre vieux peau-rouge d'oncle, Alicia ?

— Je ne vous quitterai pas pour cela ; n'est-il pas convenu avec M. d'Aspremont que nous demeurerons ensemble ? Vous savez bien que je ne puis vivre sans vous.

— M. d'Aspremont ! M. d'Aspremont !... La noce n'est pas encore faite.

— N'a-t-il pas votre parole... et la mienne ? — Sir Joshua Ward n'y a jamais manqué.

— Il a ma parole, c'est incontestable, répondit le commodore évidemment embarrassé.

— Le terme de six mois que vous avez fixé n'est-il pas écoulé... depuis quelques jours ? dit Alicia, dont les joues pudiques rosirent encore davantage, car cet entretien, nécessaire au point où en étaient les choses, effarouchait sa délicatesse de sensitive.

— Ah ! tu as compté les mois, petite fille ; fiez-vous donc à ces mines discrètes !

— J'aime M. d'Aspremont, répondit gravement la jeune fille.

— Voilà l'éclouure[33], fit sir Joshua Ward, qui, tout imbu des idées de Vicè et d'Altavilla, se souciait médiocrement d'avoir pour gendre un jettatore. — Que n'en aimes-tu un autre !

— Je n'ai pas deux cœurs, dit Alicia ; je n'aurai qu'un amour, dussé-je, comme ma mère, mourir à dix-neuf ans.

— Mourir ! ne dites pas de ces vilains mots, je vous en supplie, s'écria le commodore.

— Avez-vous quelque reproche à faire à M. d'Aspremont ?

33. *éclouure* ou plus exactement enclouure, empêchement, nœud de la difficulté.

— Aucun, assurément.

— A-t-il forfait à l'honneur de quelque manière que ce soit ? S'est-il montré une fois lâche, vil, menteur ou perfide ? Jamais a-t-il insulté une femme ou reculé devant un homme ? Son blason est-il terni de quelque souillure secrète ? Une jeune fille, en prenant son bras pour paraître dans le monde, a-t-elle à rougir ou à baisser les yeux ?

— M. Paul d'Aspremont est un parfait gentleman, il n'y a rien à dire sur sa respectabilité.

— Croyez, mon oncle, que si un tel motif existait, je renoncerais à M. d'Aspremont sur l'heure, et m'ensevelirais dans quelque retraite inaccessible ; mais nulle autre raison, entendez-vous, nulle autre ne me fera manquer à une promesse sacrée », dit miss Alicia Ward d'un ton ferme et doux.

Le commodore tournait ses pouces, mouvement habituel chez lui lorsqu'il ne savait que répondre, et qui lui servait de contenance.

« Pourquoi montrez-vous maintenant tant de froideur à Paul ? continua miss Ward. Autrefois vous aviez tant d'affection pour lui ; vous ne pouviez vous en passer dans notre cottage du Lincolnshire, et vous disiez, en lui serrant la main à lui couper les doigts, que c'était un digne garçon, à qui vous confieriez volontiers le bonheur d'une jeune fille.

— Oui, certes, je l'aimais, ce bon Paul, dit le commodore qu'émouvaient ces souvenirs rappelés à propos ; mais ce qui est obscur dans les brouillards de l'Angleterre devient clair au soleil de Naples...

— Que voulez-vous dire ? fit d'une voix tremblante Alicia abandonnée subitement par ses vives couleurs, et devenue blanche comme une statue d'albâtre sur un tombeau.

— Que ton Paul est un jettatore.

— Comment ! vous ! mon oncle ; vous, sir Joshua Ward, un gentilhomme, un chrétien, un sujet de Sa Majesté Britannique, un ancien officier de la marine anglaise, un être éclairé et civilisé, que l'on consulterait sur toutes choses, vous qui avez l'instruction et la sagesse, qui lisez chaque soir la Bible et l'Évangile, vous ne

craignez pas d'accuser Paul de jettature! Oh! je n'attendais pas cela de vous!

— Ma chère Alicia, répondit le commodore, je suis
peut-être tout ce que vous dites là lorsqu'il ne s'agit pas
de vous, mais lorsqu'un danger, même imaginaire, vous
menace, je deviens plus superstitieux qu'un paysan des
Abruzzes, qu'un lazzarone du Môle, qu'un ostricajo [34] de
Chiaja, qu'une servante de la Terre de Labour ou même
qu'un comte napolitain. Paul peut bien me dévisager tant
qu'il voudra avec ses yeux dont le rayon visuel se croise,
je resterai aussi calme que devant la pointe d'une épée ou
le canon d'un pistolet. Le fascino ne mordra pas sur ma
peau tannée, hâlée et rougie par tous les soleils de l'univers. Je ne suis crédule que pour vous, chère nièce, et
j'avoue que je sens une sueur froide me baigner les
tempes quand le regard de ce malheureux garçon se pose
sur vous. Il n'a pas d'intentions mauvaises, je le sais, et il
vous aime plus que sa vie; mais il me semble que, sous
cette influence, vos traits s'altèrent, vos couleurs dispa-
raissent, et que vous tâchez de dissimuler une souffrance
aiguë; et alors il me prend de furieuses envies de lui
crever les yeux, à votre M. Paul d'Aspremont, avec la
pointe des cornes données par Altavilla.

— Pauvre cher oncle, dit Alicia attendrie par la cha-
leureuse explosion du commandeur; nos existences sont
dans les mains de Dieu: il ne meurt pas un prince sur son
lit de parade, ni un passereau des toits sous sa tuile, que
son heure ne soit marquée là-haut; le fascino n'y fait rien,
et c'est une impiété de croire qu'un regard plus ou moins
oblique puisse avoir une influence. Voyons, n'oncle,
continua-t-elle en prenant le terme d'affection familière
du fou dans *Le Roi Lear,* vous ne parliez pas sérieusement
tout à l'heure; votre affection pour moi troublait votre
jugement toujours si droit. N'est-ce pas, vous n'oseriez
lui dire, à M. Paul d'Aspremont, que vous lui retirez la
main de votre nièce, mise par vous dans la sienne, et que
vous n'en voulez plus pour gendre, sous le beau prétexte
qu'il est — jettatore!

_____

34. *ostricajo :* marchand d'huîtres.

« — Par Joshua ! mon patron, qui arrêta le soleil, s'écria le commodore, je ne le mâcherai pas, à ce joli M. Paul. Cela m'est bien égal d'être ridicule, absurde, déloyal même, quand il y va de votre santé, de votre vie peut-être ! J'étais engagé avec un homme, et non avec un fascinateur. J'ai promis ; eh bien, je fausse ma promesse, voilà tout ; s'il n'est pas content, je lui rendrai raison. »

Et le commodore, exaspéré, fit le geste de se fendre, sans faire la moindre attention à la goutte qui lui mordait les doigts du pied.

« Sir Joshua Ward, vous ne ferez pas cela », dit Alicia avec une dignité calme.

Le commodore se laissa tomber tout essouflé dans son fauteuil de bambou et garda le silence.

« Eh bien, mon oncle, quand même cette accusation odieuse et stupide serait vraie, faudra-t-il pour cela repousser M. d'Aspremont et lui faire un crime d'un malheur ? N'avez-vous pas reconnu que le mal qu'il pouvait produire ne dépendait pas de sa volonté, et que jamais âme ne fut plus aimante, plus généreuse et plus noble ?

— On n'épouse pas les vampires [35], quelque bonnes que soient leurs intentions, répondit le commodore.

— Mais tout cela est chimère, extravagance, superstition ; ce qu'il y a de vrai, malheureusement, c'est que Paul s'est frappé de ces folies, qu'il a prises au sérieux ; il est effrayé, halluciné ; il croit à son pouvoir fatal, il a peur de lui-même, et chaque petit accident qu'il ne remarquait pas autrefois, et dont aujourd'hui il s'imagine être la cause, confirme en lui cette conviction. N'est-ce pas à moi, qui suis sa femme devant Dieu, et qui le serai bientôt devant les hommes, — bénie par vous, mon cher oncle, — de calmer cette imagination surexcitée, de chasser ces vains fantômes, de rassurer, par ma sécurité apparente et réelle, cette anxiété hagarde, sœur de la monomanie, et de sauver, au moyen du bonheur, cette belle âme troublée, cet esprit charmant en péril ?

— Vous avez toujours raison, miss Ward, dit le

35. *vampires*, la jettatura apparaît comme une forme du vampirisme exercé par la puissance maléfique du regard.

commodore; et moi, que vous appelez sage, je ne suis qu'un vieux fou. Je crois que cette Vicè est sorcière; elle m'avait tourné la tête avec toutes ses histoires. Quant au comte Altavilla, ses cornes et sa bimbeloterie cabalistique me semblent à présent assez ridicules. Sans doute, c'était un stratagème imaginé pour faire éconduire Paul et t'épouser lui-même.

— Il se peut que le comte Altavilla soit de bonne foi, dit miss Ward en souriant; — tout à l'heure vous étiez encore de son avis sur la jettature.

— N'abusez pas de vos avantages, miss Alicia; d'ailleurs je ne suis pas encore si bien revenu de mon erreur que je n'y puisse retomber. Le meilleur serait de quitter Naples par le premier départ de bateau à vapeur, et de retourner tout tranquillement en Angleterre. Quand Paul ne verra plus les cornes de bœuf, les massacres de cerf, les doigts allongés en pointe, les amulettes de corail et tous ces engins diaboliques, son imagination se tranquillisera, et moi-même j'oublierai ces sornettes qui ont failli me faire fausser ma parole et commettre une action indigne d'un galant homme. — Vous épouserez Paul, puisque c'est convenu. Vous me garderez le parloir et la chambre du rez-de-chaussée dans la maison de Richmond, la tourelle octogone au castel de Lincolnshire, et nous vivrons heureux ensemble. Si votre santé exige un air plus chaud, nous louerons une maison de campagne aux environs de Tours, ou bien encore à Cannes, où lord Brougham possède une belle propriété, et où ces damnables superstitions de jettature sont inconnues, Dieu merci. — Que dites-vous de mon projet, Alicia?

— Vous n'avez pas besoin de mon approbation, ne suis-je pas la plus obéissante des nièces?

— Oui, lorsque je fais ce que vous voulez, petite masque», dit en souriant le commodore qui se leva pour regagner sa chambre.

Alicia resta quelques minutes encore sur la terrasse; mais, soit que cette scène eût déterminé chez elle quelque excitation fébrile, soit que Paul exerçât réellement sur la jeune fille l'influence que redoutait le commodore, la brise tiède, en passant sur ses épaules protégées d'une

simple gaze, lui causa une impression glaciale, et, le soir,
se sentant mal à l'aise, elle pria Vicè d'étendre sur ses
pieds froids et blancs comme le marbre une de ces couvertures arlequinées qu'on fabrique à Venise.

Cependant les lucioles scintillaient dans le gazon, les
grillons chantaient, et la lune large et jaune montait au
ciel dans une brume de chaleur.

XI

Le lendemain de cette scène, Alicia, dont la nuit
n'avait pas été bonne, effleura à peine des lèvres le
breuvage que lui offrait Vicè tous les matins, et le reposa
languissamment sur le guéridon près de son lit. Elle
n'éprouvait précisément aucune douleur, mais elle se
sentait brisée ; c'était plutôt une difficulté de vivre qu'une
maladie, et elle eût été embarrassée d'en accuser les
symptômes à un médecin. Elle demanda un miroir à
Vicè, car une jeune fille s'inquiète plutôt de l'altération
que la souffrance peut apporter à sa beauté que de la
souffrance elle-même. Elle était d'une blancheur extrême ; seulement deux petites taches semblables à deux
feuilles de rose du Bengale tombées sur une coupe de lait
nageaient sur sa pâleur. Ses yeux brillaient d'un éclat
insolite, allumés par les dernières flammes de la fièvre ;
mais le cerise de ses lèvres était beaucoup moins vif, et
pour y faire revenir la couleur, elle les mordit de ses
petites dents de nacre.

Elle se leva, s'enveloppa d'une robe de chambre en
cachemire blanc, tourna une écharpe de gaze autour de sa
tête, — car, malgré la chaleur qui faisait crier les cigales,
elle était encore un peu frileuse, — et se rendit sur la
terrasse à l'heure accoutumée, pour ne pas éveiller la sollicitude toujours aux aguets du commodore. Elle toucha
du bout des lèvres au déjeuner, bien qu'elle n'eût pas
faim, mais le moindre indice de malaise n'eût pas manqué d'être attribué à l'influence de Paul par sir Joshua
Ward, et c'est ce qu'Alicia voulait éviter avant toute
chose.

Puis, sous prétexte que l'éclatante lumière du jour la fatiguait, elle se retira dans sa chambre, non sans avoir réitéré plusieurs fois au commodore, soupçonneux en pareille matière, l'assurance qu'elle se portait à ravir.

« A ravir… j'en doute, se dit le commodore à lui-même lorsque sa nièce s'en fut allée. — Elle avait des tons nacrés près de l'œil, de petites couleurs vives au haut des joues, — juste comme sa pauvre mère, qui, elle aussi, prétendait ne s'être jamais mieux portée. — Que faire ? Lui ôter Paul, ce serait la tuer d'une autre manière ; laissons agir la nature. Alicia est si jeune ! Oui, mais c'est aux plus jeunes et aux plus belles que la vieille Mob [36] en veut ; elle est jalouse comme une femme. Si je faisais venir un docteur ? mais que peut la médecine sur un ange ! Pourtant tous les symptômes fâcheux avaient disparu… Ah ! si c'était toi, damné Paul, dont le souffle fit pencher cette fleur divine, je t'étranglerais de mes propres mains. Nancy ne subissait le regard d'aucun jettatore, et elle est morte. — Si Alicia mourait ! Non, cela n'est pas possible. Je n'ai rien fait à Dieu pour qu'il me réserve cette affreuse douleur. Quand cela arrivera, il y aura longtemps que je dormirai sous ma pierre avec le *Sacred to the memory of sir Joshua Ward,* à l'ombre de mon clocher natal. C'est elle qui viendra pleurer et prier sur la pierre grise pour le vieux commodore… Je ne sais ce que j'ai, mais je suis mélancolique et funèbre en diable ce matin ! »

Pour dissiper ces idées noires, le commodore ajouta un peu de rhum de la Jamaïque au thé refroidi dans sa tasse, et se fit apporter son hooka [37], distraction innocente qu'il ne se permettait qu'en l'absence d'Alicia, dont la délicatesse eût pu être offusquée même par cette fumée légère mêlée de parfums.

Il avait déjà fait bouillonner l'eau aromatisée du récipient et chassé devant lui quelques nuages bleuâtres, lorsque Vicè parut annonçant le comte Altavilla.

36. *Mob,* la populace personnifiée.
37. *hooka* ou plutôt *houka,* pipe orientale en usage chez les Hindous, comparable au narguilé des Turcs, qui était à la mode à l'époque romantique. Voir le v. 38 du poème liminaire des *Fleurs du mal, Au lecteur :* « Il rêve d'échafauds en fumant son houka. »

« Sir Joshua, dit le comte après les premières civilités, avez-vous réfléchi à la demande que je vous ai faite l'autre jour ?

— J'y ai réfléchi, reprit le commodore ; mais, vous le savez, M. Paul d'Aspremont a ma parole.

— Sans doute ; pourtant il y a des cas où une parole se retire ; par exemple, lorsque l'homme à qui on l'a donnée, pour une raison ou pour une autre, n'est pas tel qu'on le croyait d'abord.

— Comte, parlez plus clairement.

— Il me répugne de charger un rival ; mais, d'après la conversation que nous avons eue ensemble, vous devez me comprendre. Si vous rejetiez M. Paul d'Aspremont, m'accepteriez-vous pour gendre ?

— Moi, certainement ; mais il n'est pas aussi sûr que miss Ward s'arrangeât de cette substitution. — Elle est entêtée de ce Paul, et c'est un peu ma faute, car moi-même je favorisais ce garçon avant toutes ces sottes histoires. — Pardon, comte, de l'épithète, mais j'ai vraiment la cervelle à l'envers.

— Voulez-vous que votre nièce meure ? dit Altavilla d'un ton ému et grave.

— Tête et sang ! ma nièce mourir ! » s'écria le commodore en bondissant de son fauteuil et en rejetant le tuyau de maroquin de son hooka.

Quand on attaquait cette corde chez sir Joshua Ward, elle vibrait toujours.

« Ma nièce est-elle donc dangereusement malade ?

— Ne vous alarmez pas si vite, milord ; miss Alicia peut vivre, et même très longtemps.

— A la bonne heure ! vous m'aviez bouleversé.

— Mais à une condition, continua le comte Altavilla : c'est qu'elle ne voie plus M. Paul d'Aspremont.

— Ah ! voilà la jettature qui revient sur l'eau ! Par malheur, miss Ward n'y croit pas.

— Écoutez-moi, dit posément le comte Altavilla. — Lorsque j'ai rencontré pour la première fois miss Alicia au bal chez le prince de Syracuse, et que j'ai conçu pour elle une passion aussi respectueuse qu'ardente, c'est de la santé étincelante, de la joie d'existence, de la fleur

de vie qui éclataient dans toute sa personne que je fus
d'abord frappé. Sa beauté en devenait lumineuse et nageait comme dans une atmosphère de bien-être. — Cette
phosphorescence la faisait briller comme une étoile ; elle
éteignait Anglaises, Russes, Italiennes, et je ne vis plus
qu'elle. — A la distinction britannique elle joignait la
grâce pure et forte des anciennes déesses ; excusez cette
mythologie chez le descendant d'une colonie grecque.

— C'est vrai qu'elle était superbe ! Miss Edwina
O'Herty, lady Eleonor Lilly, mistress Jane Strangford, la
princesse Véra Fédorowna Bariatinski faillirent en avoir
la jaunisse de dépit, dit le commodore enchanté.

— Et maintenant ne remarquez-vous pas que sa beauté
a pris quelque chose de languissant, que ses traits s'atté-
nuent en délicatesses morbides, que les veines de ses
mains se dessinent plus bleues qu'il ne faudrait, que sa
voix a des sons d'harmonica d'une vibration inquiétante
et d'un charme douloureux ? L'élément terrestre s'efface
et laisse dominer l'élément angélique. Miss Alicia devient d'une perfection éthérée que, dussiez-vous me trouver matériel, je n'aime pas voir aux filles de ce globe. »

Ce que disait le comte répondait si bien aux préoccu-
pations secrètes de sir Joshua Ward, qu'il resta quelques
minutes silencieux et comme perdu dans une rêverie
profonde.

« Tout cela est vrai ; bien que parfois je cherche à me
faire illusion, je ne puis en disconvenir.

— Je n'ai pas fini, dit le comte ; la santé de miss Alicia avant l'arrivée de M. d'Aspremont en Angleterre
avait-elle fait naître des inquiétudes ?

— Jamais : c'était la plus fraîche et la plus rieuse
enfant des trois royaumes.

— La présence de M. d'Aspremont coïncide, comme
vous le voyez, avec les périodes maladives qui altèrent la
précieuse santé de miss Ward. Je ne vous demande pas, à
vous, homme du Nord, d'ajouter une foi implicite à
une croyance, à un préjugé, à une superstition, si vous
voulez, de nos contrées méridionales, mais convenez
cependant que ces faits sont étranges et méritent toute
votre attention...

— Alicia ne peut-elle être malade… naturellement ?
dit le commodore, ébranlé par les raisonnements captieux
d'Altavilla, mais que retenait une sorte de honte anglaise
d'adopter la croyance populaire napolitaine.

— Miss Ward n'est pas malade ; elle subit une sorte
d'empoisonnement par le regard, et si M. d'Aspremont
n'est pas jettatore, au moins il est funeste.

— Qu'y puis-je faire ? elle aime Paul, se rit de la
jettature et prétend qu'on ne peut donner une pareille
raison à un homme d'honneur pour le refuser.

— Je n'ai pas le droit de m'occuper de votre nièce : je
ne suis ni son frère, ni son parent, ni son fiancé ; mais si
j'obtenais votre aveu, peut-être tenterais-je un effort pour
l'arracher à cette influence fatale. Oh ! ne craignez rien ;
je ne commettrai pas d'extravagance ; — quoique jeune,
je sais qu'il ne faut pas faire de bruit autour de la réputa-
tion d'une jeune fille ; — seulement permettez-moi de me
taire sur mon plan. Ayez assez de confiance en ma
loyauté pour croire qu'il ne renferme rien que l'honneur
le plus délicat ne puisse avouer.

— Vous aimez donc bien ma nièce ? dit le commodore.

— Oui, puisque je l'aime sans espoir ; mais m'accor-
derez-vous la licence d'agir ?

— Vous êtes un terrible homme, comte Altavilla ; eh
bien ! tâchez de sauver Alicia à votre manière, je ne le
trouverai pas mauvais, et même je le trouverai fort bon. »

Le comte se leva, salua, regagna sa voiture et dit au
cocher de le conduire à l'hôtel de Rome.

Paul, les coudes sur la table, la tête dans ses mains,
était plongé dans les plus douloureuses réflexions ; il avait
vu les deux ou trois gouttelettes rouges sur le mouchoir d'Alicia, et, toujours infatué de son idée fixe, il se
reprochait son amour meurtrier ; il se blâmait d'accepter le dévouement de cette belle jeune fille décidée à mourir pour lui, et se demandait par quel sacrifice surhumain il pourrait payer cette sublime abnégation.

Paddy, le jockey-gnome, interrompit cette méditation
en apportant la carte du comte Altavilla.

« Le comte Altavilla ! que peut-il me vouloir ? fit Paul excessivement surpris. Faites-le entrer. »

Lorsque le Napolitain parut sur le seuil de la porte, M. d'Aspremont avait déjà posé sur son étonnement ce masque d'indifférence glaciale qui sert aux gens du monde à cacher leurs impressions.

Avec une politesse froide il désigna un fauteuil au comte, s'assit lui-même, et attendit en silence, les yeux fixés sur le visiteur.

« Monsieur, commença le comte en jouant avec les breloques de sa montre, ce que j'ai à vous dire est si étrange, si déplacé, si inconvenant, que vous auriez le droit de me jeter par la fenêtre. — Épargnez-moi cette brutalité, car je suis prêt à vous rendre raison en galant homme.

— J'écoute, monsieur, sauf à profiter plus tard de l'offre que vous me faites, si vos discours ne me conviennent pas, répondit Paul, sans qu'un muscle de sa figure bougeât.

— Vous êtes jettatore ! »

A ces mots, une pâleur verte envahit subitement la face de M. d'Aspremont, une auréole rouge cercla ses yeux ; ses sourcils se rapprochèrent, la ride de son front se creusa, et de ses prunelles jaillirent comme des lueurs sulfureuses ; il se souleva à demi, déchirant de ses mains crispées les bras d'acajou du fauteuil. Ce fut si terrible qu'Altavilla, tout brave qu'il était, saisit une des petites branches de corail bifurquées suspendues à la chaîne de sa montre, et en dirigea instinctivement les pointes vers son interlocuteur.

Par un effort suprême de volonté, M. d'Aspremont se rassit et dit : « Vous aviez raison, monsieur ; telle est, en effet, la récompense que mériterait une pareille insulte ; mais j'aurai la patience d'attendre une autre réparation.

— Croyez, continua le comte, que je n'ai pas fait à un gentleman cet affront, qui ne peut se laver qu'avec du sang, sans les plus graves motifs. J'aime miss Alicia Ward.

— Que m'importe ?

— Cela vous importe, en effet, fort peu, car vous êtes

aimé ; mais moi, don Felipe Altavilla, je vous défends de
voir miss Alicia Ward.

— Je n'ai pas d'ordre à recevoir de vous.

— Je le sais, répondit le comte napolitain ; aussi je
n'espère pas que vous m'obéissiez.

— Alors quel est le motif qui vous fait agir ? dit Paul.

— J'ai la conviction que le fascino dont malheureusement vous êtes doué influe d'une manière fatale sur miss
Alicia Ward. C'est là une idée absurde, un préjugé digne
du Moyen Age, qui doit vous paraître profondément
ridicule ; je ne discuterai pas là-dessus avec vous. Vos
yeux se portent vers miss Ward et lui lancent malgré vous
ce regard funeste qui la fera mourir. Je n'ai aucun autre
moyen d'empêcher ce triste résultat que de vous chercher
une querelle d'Allemand. Au XVIe siècle, je vous aurais
fait tuer par quelqu'un de mes paysans de la montagne ;
mais aujourd'hui ces mœurs ne sont plus de mise. ai bien
pensé à vous prier de retourner en France ; c'était trop
naïf : vous auriez ri de ce rival qui vous eût dit de vous en
alle et de le laisser seul auprès de votre fiancée sous
prétexte de jettature. »

Pendant que le comte Altavilla parlait, Paul d'Aspremont se sentait pénétré d'une secrète horreur ; il était
donc, lui chrétien, en proie aux puissances de l'enfer, et
le mauvais ange regardait par ses prunelles ! il semait les
catastrophes, son amour donnait la mort ! Un instant sa
raison tourbillonna dans son cerveau, et la folie battit de
ses ailes les parois intérieures de son crâne.

« Comte, sur l'honneur, pensez-vous ce que vous dites ? s'écria d'Aspremont après quelques minutes d'une
rêverie que le Napolitain respecta.

— Sur l'honneur, je le pense.

— Oh ! alors ce serait donc vrai ! dit Paul à demi-voix :
je suis donc un assassin, un démon, un vampire ! je tue
cet être céleste, je désespère ce vieillard ! » Et il fut sur le
point de promettre au comte de ne pas revoir Alicia ; mais
le respect humain et la jalousie qui s'éveillaient dans son
cœur retinrent ses paroles sur ses lèvres.

« Comte, je ne vous cache point que je vais de ce pas
chez miss Ward.

— Je ne vous prendrai pas au collet pour vous en empêcher ; vous m'avez tout à l'heure épargné les voies de fait, j'en suis reconnaissant ; mais je serai charmé de vous voir demain, à six heures, dans les ruines de Pompéi, à la salle des thermes, par exemple ; on y est fort bien. Quelle arme préférez-vous ? Vous êtes l'offensé : épée, sabre ou pistolet ?

— Nous nous battrons au couteau et les yeux bandés, séparés par un mouchoir dont nous tiendrons chacun un bout. Il faut égaliser les chances : je suis jettatore ; je n'aurais qu'à vous tuer en vous regardant, monsieur le comte ! »

Paul d'Aspremont partit d'un éclat de rire strident, poussa une porte et disparut.

XII

Alicia s'était établie dans une salle basse de la maison, dont les murs étaient ornés de ces paysages à fresques qui, en Italie, remplacent les papiers. Des nattes de paille de Manille couvraient le plancher. Une table sur laquelle était jeté un bout de tapis turc et que jonchaient les poésies de Coleridge, de Shelley, de Tennyson et de Longfellow, un miroir à cadre antique et quelques chaises de canne composaient tout l'ameublement ; des stores de jonc de la Chine historiés de pagodes, de rochers, de saules, de grues et de dragons, ajustés aux ouvertures et relevés à demi, tamisaient une lumière douce ; une branche d'oranger, toute chargée de fleurs que les fruits, en se nouant, faisaient tomber, pénétrait familièrement dans la chambre et s'étendait comme une guirlande au-dessus de la tête d'Alicia, en secouant sur elle sa neige parfumée.

La jeune fille, toujours un peu souffrante, était couchée sur un étroit canapé près de la fenêtre ; deux ou trois coussins du Maroc la soulevaient à demi ; la couverture vénitienne enveloppait chastement ses pieds ; arrangée ainsi, elle pouvait recevoir Paul sans enfreindre les lois de la pudeur anglaise.

Le livre commencé avait glissé à terre de la main

distraite d'Alicia ; ses prunelles nageaient vaguement
sous leurs longs cils et semblaient regarder au-delà du
monde ; elle éprouvait cette lassitude presque voluptueuse
qui suit les accès de fièvre, et toute son occupation était
de mâcher les fleurs de l'oranger qu'elle ramassait sur sa
couverture et dont le parfum amer lui plaisait. N'y a-t-il
pas une Vénus mâchant des roses, du Schiavone ? Quel
gracieux pendant un artiste moderne eût pu faire au tableau du vieux Vénitien en représentant Alicia mordillant
des fleurs d'oranger !

Elle pensait à M. d'Aspremont et se demandait si
vraiment elle vivrait assez pour être sa femme ; non
qu'elle ajoutât foi à l'influence de la jettature, mais elle se
sentait envahie malgré elle de pressentiments funèbres : la
nuit même, elle avait fait un rêve dont l'impression ne
s'était pas dissipée au réveil.

Dans son rêve, elle était couchée, mais éveillée, et
dirigeait ses yeux vers la porte de sa chambre, pressentant
que *quelqu'un* allait apparaître. — Après deux ou trois
minutes d'attente anxieuse, elle avait vu se dessiner sur le
fond sombre qu'encadrait le chambranle de la porte une
forme svelte et blanche, qui, d'abord transparente et
laissant, comme un léger brouillard, apercevoir les objets
à travers elle, avait pris plus de consistance en avançant
vers le lit.

L'ombre était vêtue d'une robe de mousseline dont les
plis traînaient à terre ; de longues spirales de cheveux
noirs, à moitié détordues, pleuraient le long de son visage
pâle, marqué de deux petites taches roses aux pommettes ;
la chair du col et de la poitrine était si blanche qu'elle se
confondait avec la robe, et qu'on n'eût pu dire où finissait
la peau et où commençait l'étoffe ; un imperceptible jaseron de Venise cerclait le col mince d'une étroite ligne
d'or ; la main fluette et veinée de bleu tenait une fleur —
une rose-thé — dont les pétales se détachaient et tombaient à terre comme des larmes.

Alicia ne connaissait pas sa mère, morte un an après lui
avoir donné le jour ; mais bien souvent elle s'était tenue
en contemplation devant une miniature dont les couleurs
presque évanouies, montrant le ton jaune d'ivoire, et

pâles comme le souvenir des morts, faisaient songer au portrait d'une ombre plutôt qu'à celui d'une vivante, et elle comprit que cette femme qui entrait ainsi dans la chambre était Nancy Ward, — sa mère. — La robe blanche, le jaseron, la fleur à la main, les cheveux noirs, les joues marbrées de rose, rien n'y manquait, — c'était bien la miniature agrandie, développée, se mouvant avec toute la réalité du rêve.

Une tendresse mêlée de terreur faisait palpiter le sein d'Alicia. Elle voulait tendre ses bras à l'ombre, mais ses bras, lourds comme du marbre, ne pouvaient se détacher de la couche sur laquelle ils reposaient. Elle essayait de parler, mais sa langue ne bégayait que des syllabes confuses.

Nancy, après avoir posé la rose-thé sur le guéridon, s'agenouilla près du lit et mit sa tête contre la poitrine d'Alicia, écoutant le souffle des poumons, comptant les battements du cœur; la joue froide de l'ombre causait à la jeune fille, épouvantée de cette auscultation silencieuse, la sensation d'un morceau de glace.

L'apparition se releva, jeta un regard douloureux sur la jeune fille, et, comptant les feuilles de la rose dont quelques pétales encore s'étaient séparés, elle dit : « Il n'y en a plus qu'une. »

Puis le sommeil avait interposé sa gaze noire entre l'ombre et la dormeuse, et tout s'était confondu dans la nuit.

L'âme de sa mère venait-elle l'avertir et la chercher? Que signifiait cette phrase mystérieuse tombée de la bouche de l'ombre : — « Il n'y en a plus qu'une? » — Cette pâle rose effeuillée était-elle le symbole de sa vie? Ce rêve étrange avec ses terreurs gracieuses et son charme effrayant, ce spectre charmant drapé de mousseline et comptant des pétales de fleurs préoccupaient l'imagination de la jeune fille, un nuage de mélancolie flottait sur son beau front, et d'indéfinissables pressentiments l'effleuraient de leurs ailes noires.

Cette branche d'oranger qui secouait sur elle ses fleurs n'avait-elle pas aussi un sens funèbre? les petites étoiles virginales ne devaient donc pas s'épanouir sous son voile de mariée ? Attristée et pensive, Alicia retira de ses lèvres la fleur qu'elle mordait ; la fleur était jaune et flétrie déjà...

L'heure de la visite de M. d'Aspremont approchait. Miss Ward fit un effort sur elle-même, rasséréna son visage, tourna du doigt les boucles de ses cheveux, rajusta les plis froissés de son écharpe de gaze, et reprit en main son livre pour se donner une contenance.

Paul entra, et miss Ward le reçut d'un air enjoué, ne voulant pas qu'il s'alarmât de la trouver couchée, car il n'eût pas manqué de se croire la cause de sa maladie. La scène qu'il venait d'avoir avec le comte Altavilla donnait à Paul une physionomie irritée et farouche qui fit faire à Vicè le signe conjurateur, mais le sourire affectueux d'Alicia eut bientôt dissipé le nuage.

«Vous n'êtes pas malade sérieusement, je l'espère, dit-il à miss Ward en s'asseyant près d'elle.

— Oh ! ce n'est rien, un peu de fatigue seulement : il a fait sirocco hier, et ce vent d'Afrique m'accable ; mais vous verrez comme je me porterai bien dans notre cottage du Lincolnshire ! Maintenant que je suis forte, nous ramerons chacun notre tour sur l'étang !»

En disant ces mots, elle ne put comprimer tout à fait une petite toux convulsive.

M. d'Aspremont pâlit et détourna les yeux.

Le silence régna quelques minutes dans la chambre.

«Paul, je ne vous ai jamais rien donné, reprit Alicia en ôtant de son doigt déjà maigri une bague d'or toute simple ; prenez cet anneau, et portez-le en souvenir de moi ; vous pourrez peut-être le mettre, car vous avez une main de femme ; — adieu ! je me sens lasse et je voudrais essayer de dormir ; venez me voir demain. »

Paul se retira navré ; les efforts d'Alicia pour cacher sa souffrance avaient été inutiles ; il aimait éperdument miss Ward, et il la tuait ! cette bague qu'elle venait de lui donner, n'était-ce pas un anneau de fiançailles pour l'autre vie ?

Il errait sur le rivage à demi fou, rêvant de fuir, de s'aller jeter dans un couvent de trappistes et d'y attendre la mort assis sur son cercueil, sans jamais relever le

capuchon de son froc. Il se trouvait ingrat et lâche de ne
pas sacrifier son amour et d'abuser ainsi de l'héroïsme
d'Alicia : car elle n'ignorait rien, elle savait qu'il n'était
qu'un jettatore, comme l'affirmait le comte Altavilla, et,
prise d'une angélique pitié, elle ne le repoussait pas !

« Oui, se disait-il, ce Napolitain, ce beau comte qu'elle
dédaigne, est véritablement amoureux. Sa passion fait
honte à la mienne : pour sauver Alicia, il n'a pas craint de
m'attaquer, de me provoquer, moi, un jettatore, c'est-
à-dire, dans ses idées, un être aussi redoutable qu'un démon. Tout en me parlant, il jouait avec ses amulettes, et
le regard de ce duelliste célèbre qui a couché trois hommes sur le carreau, se baissait devant le mien ! »

Rentré à l'hôtel de Rome, Paul écrivit quelques lettres,
fit un testament par lequel il laissait à miss Alicia Ward
tout ce qu'il possédait, sauf un legs pour Paddy, et prit les
dispositions indispensables à un galant homme qui doit
avoir un duel à mort le lendemain.

Il ouvrit les boîtes de palissandre où ses armes étaient
renfermées dans les compartiments garnis de serge verte,
remua épées, pistolets, couteaux de chasse, et trouva
enfin deux stylets corses parfaitement pareils qu'il avait
achetés pour en faire don à des amis.

C'étaient deux lames de pur acier, épaisses près du
manche, tranchantes des deux côtés vers la pointe, da-
masquinées, curieusement terribles et montées avec soin.
Paul choisit aussi trois foulards et fit du tout un paquet.

Puis il prévint Scazziga de se tenir prêt de grand matin
pour une excursion dans la campagne.

« Oh ! dit-il, en se jetant tout habillé sur son lit, Dieu
fasse que ce combat me soit fatal ! Si j'avais le bonheur
d'être tué, — Alicia vivrait ! »

XIII

Pompéi, la ville morte, ne s'éveille pas le matin
comme les cités vivantes, et quoiqu'elle ait rejeté à demi
le drap de cendre qui la couvrait depuis tant de siècles,

même quand la nuit s'efface, elle reste endormie sur sa couche funèbre.

Les touristes de toutes nations qui la visitent pendant le jour sont à cette heure encore étendus dans leur lit, tout moulus des fatigues de leurs excursions, et l'aurore, en se levant sur les décombres de la ville-momie, n'y éclaire pas un seul visage humain. Les lézards seuls, en frétillant de la queue, rampent le long des murs, filent sur les mosaïques disjointes, sans s'inquiéter du *cave canem* inscrit au seuil des maisons désertes, et saluent joyeusement les premiers rayons du soleil. Ce sont les habitants qui ont succédé aux citoyens antiques, et il semble que Pompéi n'ait été exhumée que pour eux.

C'est un spectacle étrange de voir à la lueur azurée et rose du matin ce cadavre de ville saisie au milieu de ses plaisirs, de ses travaux et de sa civilisation, et qui n'a pas subi la dissolution lente des ruines ordinaires ; on croit involontairement que les propriétaires de ces maisons conservées dans leurs moindres détails vont sortir de leurs demeures avec leurs habits grecs ou romains ; les chars, dont on aperçoit les ornières sur les dalles, se remettre à rouler ; les buveurs à entrer dans ces thermopoles où la marque des tasses est encore empreinte sur le marbre du comptoir. — On marche comme dans un rêve au milieu du passé ; on lit en lettres rouges, à l'angle des rues, l'affiche du spectacle du jour ! — seulement le jour est passé depuis plus de dix-sept siècles [38]. — Aux clartés naissantes de l'aube, les danseuses peintes sur les murs semblent agiter leurs crotales, et du bout de leur pied blanc soulever comme dans une écume rose le bord de leur draperie, croyant sans doute que les lampadaires se rallument pour les orgies du triclinium ; les Vénus, les Satyres, les figures héroïques ou grotesques, animées d'un rayon, essaient de remplacer les habitants disparus, et de faire à la cité morte une population peinte. Les ombres colorées tremblent le long des parois, et l'esprit

---

38. *dix-sept siècles,* l'intervention du narrateur insiste sur cette vision rétrospective qui constitue la dimension du fantastique dans *Arria Marcella.*

peut quelques minutes se prêter à l'illusion d'une fantasmagorie antique. Mais ce jour-là, au grand effroi des
lézards, la sérénité matinale de Pompéi fut troublée par
un visiteur étrange : une voiture s'arrêta à l'entrée de la
voie des Tombeaux ; Paul en descendit et se dirigea à pied
vers le lieu du rendez-vous.

Il était en avance, et, bien qu'il dût être préoccupé
d'autre chose que d'archéologie, il ne pouvait s'empêcher, tout en marchant, de remarquer mille petits détails
qu'il n'eût peut-être pas aperçus dans une situation habituelle. Les sens que ne surveille plus l'âme, et qui s'exer-
cent alors pour leur compte, ont quelquefois une lucidité
singulière. Des condamnés à mort, en allant au supplice,
distinguent une petite fleur entre les fentes du pavé, un
numéro au bouton d'un uniforme, une faute d'orthographe sur une enseigne, ou toute autre circonstance puérile
qui prend pour eux une importance énorme. — M. d'Aspremont passa devant la villa de Diomèdes, le sépulcre de
Mammia, les hémicycles funéraires, la porte antique de la
cité, les maisons et les boutiques qui bordent la voie
Consulaire, presque sans y jeter les yeux, et pourtant des
images colorées et vives de ces monuments arrivaient à
son cerveau avec une netteté parfaite ; il voyait tout, et les
colonnes cannelées enduites à mi-hauteur de stuc rouge
ou jaune, et les peintures à fresque, et les inscriptions
tracées sur les murailles ; une annonce de location à la
rubrique s'était même écrite si profondément dans sa
mémoire, que ses lèvres en répétaient machinalement les
mots latins sans y attacher aucune espèce de sens.

Était-ce donc la pensée du combat qui absorbait Paul à
ce point ? Nullement, il n'y songeait même pas ; son esprit
était ailleurs : — dans le parloir de Richmond. Il tendait
au commodore sa lettre de recommandation, et miss
Ward le regardait à la dérobée ; elle avait une robe blanche, et des fleurs de jasmin étoilaient ses cheveux.
Qu'elle était jeune, belle et vivace... alors !

Les bains antiques sont au bout de la voie Consulaire,
près de la rue de la Fortune ; M. d'Aspremont n'eut pas
de peine à les trouver. Il entra dans la salle voûtée
qu'entoure une rangée de niches formées par des atlas de

terre cuite, supportant une architrave ornée d'enfants et de feuillages. Les revêtements de marbre, les mosaïques, les trépieds de bronze ont disparu. Il ne reste plus de l'ancienne splendeur que les atlas d'argile et des murailles nues comme celles d'un tombeau; un jour vague provenant d'une petite fenêtre ronde qui découpe en disque le bleu du ciel, glisse en tremblant sur les dalles rompues du pavé.

C'était là que les femmes de Pompéi venaient, après le bain, sécher leurs beaux corps humides, rajuster leurs coiffures, reprendre leurs tuniques et se sourire dans le cuivre bruni des miroirs. Une scène d'un genre bien différent allait s'y passer, et le sang devait couler sur le sol où ruisselaient jadis les parfums.

Quelques instants après, le comte Altavilla parut: il tenait à la main une boîte à pistolets, et sous le bras deux épées, car il ne pouvait croire que les conditions proposées par M. Paul d'Aspremont fussent sérieuses; il n'y avait vu qu'une raillerie méphistophélique, un sarcasme infernal.

« Pourquoi faire ces pistolets et ces épées, comte? dit Paul en voyant cette panoplie; n'étions-nous pas convenus d'un autre mode de combat?

— Sans doute; mais je pensais que vous changeriez peut-être d'avis; on ne s'est jamais battu de cette façon.

— Notre adresse fût-elle égale, ma position me donne sur vous trop d'avantages, répondit Paul avec un sourire amer; je n'en veux pas abuser. Voilà des stylets que j'ai apportés; examinez-les; ils sont parfaitement pareils; voici des foulards pour nous bander les yeux. — Voyez, ils sont épais, et *mon regard* n'en pourra percer le tissu. »

Le comte Altavilla fit un signe d'acquiescement.

« Nous n'avons pas de témoins, dit Paul, et l'un de nous ne doit pas sortir vivant de cette cave. Écrivons chacun un billet attestant la loyauté du combat; le vainqueur le placera sur la poitrine du mort.

— Bonne précaution! » répondit avec un sourire le Napolitain en traçant quelques lignes sur une feuille du carnet de Paul qui remplit à son tour la même formalité.

Cela fait, les adversaires mirent bas leurs habits, se

bandèrent les yeux, s'armèrent de leurs stylets, et saisirent chacun par une extrémité le mouchoir, trait d'union terrible entre leurs haines.

— Êtes-vous prêt? dit M. d'Aspremont au comte Altavilla.

— Oui », répondit le Napolitain d'une voix parfaitement calme.

Don Felipe Altavilla était d'une bravoure éprouvée, il ne redoutait au monde que la jettature, et ce combat aveugle, qui eût fait frissonner tout autre d'épouvante, ne lui causait pas le moindre trouble; il ne faisait ainsi que jouer sa vie à pile ou face, et n'avait pas le désagrément de voir l'œil fauve de son adversaire darder sur lui son regard jaune.

Les deux combattants brandirent leurs couteaux, et le mouchoir qui les reliait l'un à l'autre dans ces épaisses ténèbres se tendit fortement. Par un mouvement instinctif, Paul et le comte avaient rejeté leur torse en arrière, seule parade possible dans cet étrange duel; leurs bras retombèrent sans avoir atteint autre chose que le vide.

Cette lutte obscure, où chacun pressentait la mort sans la voir venir, avait un caractère horrible. Farouches et silencieux, les deux adversaires reculaient, tournaient, sautaient, se heurtaient quelquefois, manquant ou dépassant le but; on n'entendait que le trépignement de leurs pieds et le souffle haletant de leurs poitrines.

Une fois Altavilla sentit la pointe de son stylet rencontrer quelque chose; il s'arrêta croyant avoir tué son rival, et attendit la chute du corps : — il n'avait frappé que la muraille !

« Pardieu ! je croyais bien vous avoir percé de part en part, dit-il en se remettant en garde.

— Ne parlez pas, dit Paul, votre voix me guide. »

Et le combat recommença.

Tout à coup les deux adversaires se sentirent détachés.
— Un coup du stylet de Paul avait tranché le foulard.

« Trêve ! cria le Napolitain; nous ne nous tenons plus, le mouchoir est coupé.

— Qu'importe ! continuons », dit Paul.

Un silence morne s'établit. En loyaux ennemis, ni

M. d'Aspremont ni le comte ne voulaient profiter des
indications données par leur échange de paroles. — Ils
firent quelques pas pour se dérouter, et se remirent à se
chercher dans l'ombre.

Le pied de M. d'Aspremont déplaça une petite pierre ;
ce léger choc révéla au Napolitain, agitant son couteau au
hasard, dans quel sens il devait marcher. Se ramassant sur
ses jarrets pour avoir plus d'élan, Altavilla s'élança d'un
bond de tigre et rencontra le stylet de M. d'Aspremont.

Paul toucha la pointe de son arme et la sentit mouillée... des pas incertains résonnèrent lourdement sur les
dalles ; un soupir oppressé se fit entendre et un corps
tomba tout d'une pièce à terre.

Pénétré d'horreur, Paul abattit le bandeau qui lui couvrait les yeux, et il vit le comte Altavilla pâle, immobile,
étendu sur le dos et la chemise tachée à l'endroit du cœur
d'une large plaque rouge.

Le beau Napolitain était mort !

M. d'Aspremont mit sur la poitrine d'Altavilla le billet
qui attestait la loyauté du duel, et sortit des bains antiques
plus pâle au grand jour qu'au clair de lune le criminel que
Prud'hon fait poursuivre par les Erinnyes vengeresses [39].

XIV

Vers deux heures de l'après-midi, une bande de touristes anglais, guidée par un cicerone, visitait les ruines
de Pompéi ; la tribu insulaire, composée du père, de la
mère, de trois grandes filles, de deux petits garçons et
d'un cousin, avait déjà parcouru d'un œil glauque et
froid, où se lisait ce profond ennui qui caractérise la race
britannique, l'amphithéâtre, le théâtre de tragédie et de
chant, si curieusement juxtaposés ; le quartier militaire,
crayonné de caricatures par l'oisiveté du corps de garde ;

39. *vengeresses,* allusion au tableau de P.-P. Prud'hon, *La Justice et
la vengeance divine poursuivant le crime,* exposé au Salon de 1808 et
propriété du musée du Louvre. Gautier le décrit dans son *Guide de
l'amateur au musée du Louvre.*

le Forum, surpris au milieu d'une réparation, la basilique, les temples de Vénus et de Jupiter, le Panthéon et les boutiques qui les bordent. Tous suivaient en silence dans leur *Murray* [40] les explications bavardes du cicerone et jetaient à peine un regard sur les colonnes, les fragments de statues, les mosaïques, les fresques et les inscriptions.

Ils arrivèrent enfin aux bains antiques, découverts en 1824, comme le guide le leur faisait remarquer. « Ici étaient les étuves, là le four à chauffer l'eau, plus loin la salle à température modérée » ; ces détails donnés en patois napolitain mélangé de quelques désinences anglaises paraissaient intéresser médiocrement les visiteurs, qui déjà opéraient une volte-face pour se retirer, lorsque miss Ethelwina, l'aînée des demoiselles, jeune personne aux cheveux blonds filasse, et à la peau truitée de taches de rousseur, fit deux pas en arrière, d'un air moitié choqué, moitié effrayé, et s'écria : « Un homme ! »

— Ce sera sans doute quelque ouvrier des fouilles à qui l'endroit aura paru propice pour faire la sieste ; il y a sous cette voûte de la fraîcheur et de l'ombre : n'ayez aucune crainte, mademoiselle, dit le guide en poussant du pied le corps étendu à terre. Holà ! réveille-toi, fainéant, et laisse passer Leurs Seigneuries. »

Le prétendu dormeur ne bougea pas.

« Ce n'est pas un homme endormi, c'est un mort », dit un des jeunes garçons, qui, vu sa petite taille, démêlait mieux dans l'ombre l'aspect du cadavre.

Le cicerone se baissa sur le corps et se releva brusquement, les traits bouleversés.

« Un homme assassiné ! s'écria-t-il.

— Oh ! c'est vraiment désagréable de se trouver en présence de tels objets ; écartez-vous, Ethelwina, Kitty, Bess, dit mistress Bracebridge, il ne convient pas à de jeunes personnes bien élevées de regarder un spectacle si impropre. Il n'y a donc pas de police dans ce pays-ci ! Le coroner [41] aurait dû relever le corps.

---

40. *Murray*, le fils de John Murray, l'éditeur anglais de Byron, publia une vaste collection de *Guides du voyageur*.

41. *coroner*, officier de police judiciaire qui, dans les pays anglo-saxons, enquête au nom de la Couronne, avec l'assistance d'un jury.

— Un papier! fit laconiquement le cousin, roide, long et embarrassé de sa personne comme le laird de Dumbidike de *La Prison d'Édimbourg* [42].

— En effet, dit le guide en prenant le billet placé sur la poitrine d'Altavilla, un papier avec quelques lignes d'écriture.

— Lisez», dirent en chœur les insulaires, dont la curiosité était surexcitée.

«Qu'on ne recherche ni n'inquiète personne pour ma mort. Si l'on trouve ce billet sur ma blessure, j'aurai succombé dans un duel loyal.

«*Signé* FELIPE, comte D'ALTAVILLA. »

«C'était un homme comme il faut; quel dommage! soupira mistress Bracebridge, que la qualité de comte du mort impressionnait.

— Et un joli garçon, murmura tout bas Ethelwina, la demoiselle aux taches de rousseur.

— Tu ne te plaindras plus, dit Bess à Kitty, du manque d'imprévu dans les voyages : nous n'avons pas, il est vrai, été arrêtés par des brigands sur la route de Terracine à Fondi; mais un jeune seigneur percé d'un coup de stylet dans les ruines de Pompéi, voilà une aventure. Il y a sans doute là-dessous une rivalité d'amour; — au moins nous aurons quelque chose d'italien, de pittoresque et de romantique à raconter à nos amies. Je ferai de la scène un dessin sur mon album, et tu joindras au croquis des stances mystérieuses dans le goût de Byron.

— C'est égal, fit le guide, le coup est bien donné, de bas en haut, dans toutes les règles; il n'y a rien à dire. »

Telle fut l'oraison funèbre du comte Altavilla.

Quelques ouvriers, prévenus par le cicerone, allèrent chercher la justice, et le corps du pauvre Altavilla fut reporté à son château, près de Salerne.

Quant à M. d'Aspremont, il avait regagné sa voiture, les yeux ouverts comme un somnambule et ne voyant rien. On eût dit une statue qui marchait. Quoiqu'il eût

---

42. *La Prison d'Édimbourg*, roman de Walter Scott, paru en 1818.

éprouvé à la vue du cadavre cette horreur religieuse qu'inspire la mort, il ne se sentait pas coupable, et le remords n'entrait pour rien dans son désespoir. Provoqué de manière à ne pouvoir refuser, il n'avait accepté ce duel qu'avec l'espérance d'y laisser une vie désormais odieuse. Doué d'un regard funeste, il avait voulu un combat aveugle pour que la fatalité seule fût responsable. Sa main même n'avait pas frappé; son ennemi s'était enferré! Il plaignait le comte Altavilla comme s'il eût été étranger à sa mort. «C'est mon stylet qui l'a tué, se disait-il, mais si je l'avais regardé dans un bal, un lustre se fût détaché du plafond et lui eût fendu la tête. Je suis innocent comme la foudre, comme l'avalanche, comme le mancenillier, comme toutes les forces destructives et inconscientes. Jamais ma volonté ne fut malfaisante, mon cœur n'est qu'amour et bienveillance, mais je sais que je suis nuisible. Le tonnerre ne sait pas qu'il tue; moi, homme, créature intelligente, n'ai-je pas un devoir sévère à remplir vis-à-vis de moi-même? je dois me citer à mon propre tribunal et m'interroger. Puis-je rester sur cette terre où je ne cause que des malheurs? Dieu me damnerait-il si je me tuais par amour pour mes semblables? Question terrible et profonde que je n'ose résoudre; il me semble que, dans la position où je suis, la mort volontaire est excusable. Mais si je me trompais? pendant l'éternité, je serais privé de la vue d'Alicia, qu'alors je pourrais regarder sans lui nuire, car les yeux de l'âme n'ont pas le fascino. — C'est une chance que je ne veux pas courir.»

Une idée subite traversa le cerveau du malheureux jettatore et interrompit son monologue intérieur. Ses traits se détendirent; la sérénité immuable qui suit les grandes résolutions dérida son front pâle: il avait pris un parti suprême.

«Soyez condamnés, mes yeux, puisque vous êtes meurtriers; mais, avant de vous fermer pour toujours, saturez-vous de lumière, contemplez le soleil, le ciel bleu, la mer immense, les chaînes azurées des montagnes, les arbres verdoyants, les horizons indéfinis, les colonnades des palais, la cabane du pêcheur, les îles lointaines du golfe, la voile blanche rasant l'abîme, le

Vésuve, avec son aigrette de fumée ; regardez, pour vous en souvenir, tous ces aspects charmants que vous ne verrez plus ; étudiez chaque forme et chaque couleur, donnez-vous une dernière fête. Pour aujourd'hui, funestes ou non, vous pouvez vous arrêter sur tout ; enivrez-vous du splendide spectacle de la création ! Allez, voyez, promenez-vous. Le rideau va tomber entre vous et le décor de l'univers ! »

La voiture, en ce moment, longeait le rivage ; la baie radieuse étincelait, le ciel semblait taillé dans un seul saphir ; une splendeur de beauté revêtait toutes choses.

Paul dit à Scazziga d'arrêter ; il descendit, s'assit sur une roche et regarda longtemps, longtemps, longtemps, comme s'il eût voulu accaparer l'infini. Ses yeux se noyaient dans l'espace et la lumière, se renversaient comme en extase, s'imprégnaient de lueurs, s'imbibaient de soleil ! La nuit qui allait suivre ne devait pas avoir d'aurore pour lui.

S'arrachant à cette contemplation silencieuse, M. d'Aspremont remonta en voiture et se rendit chez miss Alicia Ward.

Elle était, comme la veille, allongée sur son étroit canapé, dans la salle basse que nous avons déjà décrite. Paul se plaça en face d'elle, et cette fois ne tint pas ses yeux baissés vers la terre, ainsi qu'il le faisait depuis qu'il avait acquis la conscience de sa jettature.

La beauté si parfaite d'Alicia se spiritualisait par la souffrance : la femme avait presque disparu pour faire place à l'ange : ses chairs étaient transparentes, éthérées, lumineuses ; on apercevait l'âme à travers comme une lueur dans une lampe d'albâtre. Ses yeux avaient l'infini du ciel et la scintillation de l'étoile ; à peine si la vie mettait sa signature rouge dans l'incarnat de ses lèvres.

Un sourire divin illumina sa bouche, comme un rayon de soleil éclairant une rose, lorsqu'elle vit les regards de son fiancé l'envelopper d'une longue caresse. Elle crut que Paul avait enfin chassé ses funestes idées de jettature et lui revenait heureux et confiant comme aux premiers jours, et elle tendit à M. d'Aspremont, qui la garda, sa petite main pâle et fluette.

« Je ne vous fais donc plus peur ? dit-elle avec une douce moquerie à Paul qui tenait toujours les yeux fixés sur elle.

— Oh ! laissez-moi vous regarder, répondit M. d'Aspremont d'un ton de voix singulier en s'agenouillant près du canapé ; laissez-moi m'enivrer de cette beauté ineffable ! » et il contemplait avidement les cheveux lustrés et noirs d'Alicia, son beau front pur comme un marbre grec, ses yeux d'un bleu noir comme l'azur d'une belle nuit, son nez d'une coupe si fine, sa bouche dont un sourire languissant montrait à demi les perles, son col de cygne onduleux et flexible, et semblait noter chaque trait, chaque détail, chaque perfection comme un peintre qui voudrait faire un portrait de mémoire ; il se rassasiait de l'aspect adoré, il se faisait une provision de souvenirs, arrêtant les profils, repassant les contours.

Sous ce regard ardent, Alicia, fascinée et charmée, éprouvait une sensation voluptueusement douloureuse, agréablement mortelle ; sa vie s'exaltait et s'évanouissait ; elle rougissait et pâlissait, devenait froide, puis brûlante.
— Une minute de plus, et l'âme l'eût quittée.

Elle mit sa main sur les yeux de Paul, mais les regards du jeune homme traversaient comme une flamme les doigts transparents et frêles d'Alicia.

« Maintenant mes yeux peuvent s'éteindre, je la verrai toujours dans mon cœur », dit Paul en se relevant.

Le soir, après avoir assisté au coucher du soleil, — le dernier qu'il dût contempler, — M. d'Aspremont, en rentrant à l'hôtel de Rome, se fit apporter un réchaud et du charbon.

« Veut-il s'asphyxier ? dit en lui-même Virgilio Falsacappa en remettant à Paddy ce qu'il lui demandait de la part de son maître ; c'est ce qu'il pourrait faire de mieux, ce maudit jettatore ! »

Le fiancé d'Alicia ouvrit la fenêtre, contrairement à la conjecture de Falsacappa, alluma les charbons, y plongea la lame d'un poignard et attendit que le fer devînt rouge.

La mince lame, parmi les braises incandescentes, arriva bientôt au rouge blanc ; Paul, comme pour prendre congé de lui-même, s'accouda sur la cheminée en face d'un grand miroir où se projetait la clarté d'un flambeau à plusieurs bougies ; il regarda cette espèce de spectre qui était lui, cette enveloppe de sa pensée qu'il ne devait plus apercevoir, avec une curiosité mélancolique : « Adieu, fantôme pâle que je promène depuis tant d'années à travers la vie, forme manquée et sinistre où la beauté se mêle à l'horreur, argile scellée au front d'un cachet fatal, masque convulsé d'une âme douce et tendre ! tu vas disparaître à jamais pour moi : vivant, je te plonge dans les ténèbres éternelles, et bientôt je t'aurai oublié comme le rêve d'une nuit d'orage. Tu auras beau dire, misérable corps, à ma volonté inflexible : « Hubert, Hubert, mes pauvres yeux ! » tu ne l'attendriras point. Allons, à l'œuvre, victime et bourreau ! » Et il s'éloigna de la cheminée pour s'asseoir sur le bord de son lit.

Il aviva de son souffle les charbons du réchaud posé sur un guéridon voisin, et saisit par le manche la lame d'où s'échappaient en pétillant de blanches étincelles.

A ce moment suprême, quelle que fût sa résolution, M. d'Aspremont sentit comme une défaillance : une sueur froide baigna ses tempes ; mais il domina bien vite cette hésitation purement physique et approcha de ses yeux le fer brûlant.

Une douleur aiguë, lancinante, intolérable, faillit lui arracher un cri ; il lui sembla que deux jets de plomb fondu lui pénétraient par les prunelles jusqu'au fond du crâne ; il laissa échapper le poignard, qui roula par terre et fit une marque brune sur le parquet.

Une ombre épaisse, opaque, auprès de laquelle la nuit la plus sombre est un jour splendide, l'encapuchonnait de son voile noir ; il tourna la tête vers la cheminée sur laquelle devaient brûler encore les bougies ; il ne vit que des ténèbres denses, impénétrables, où ne tremblaient même pas ces vagues lueurs que les voyants perçoivent encore, les paupières fermées, lorsqu'ils sont en face d'une lumière. — Le sacrifice était consommé !

« Maintenant, dit Paul, noble et charmante créature, je pourrai devenir ton mari sans être un assassin. Tu ne dépériras plus héroïquement sous mon regard funeste : tu reprendras ta belle santé ; hélas ! je ne t'apercevrai plus, mais ton image céleste rayonnera d'un éclat immortel dans mon souvenir; je te verrai avec l'œil de l'âme, j'entendrai ta voix plus harmonieuse que la plus suave musique, je sentirai l'air déplacé par tes mouvements, je saisirai le frisson soyeux de ta robe, l'imperceptible craquement de ton brodequin, j'aspirerai le parfum léger qui émane de toi et te fait comme une atmosphère. Quelquefois tu laisseras ta main entre les miennes pour me convaincre de ta présence, tu daigneras guider ton pauvre aveugle lorsque son pied hésitera sur son chemin obscur; tu lui liras les poètes, tu lui raconteras les tableaux et les statues. Par ta parole, tu lui rendras l'univers évanoui; tu seras sa seule pensée, son seul rêve; privé de la distraction des choses et de l'éblouissement de la lumière, son âme volera vers toi d'une aile infatigable!

«Je ne regrette rien, puisque tu es sauvée: qu'ai-je perdu, en effet? le spectacle monotone des saisons et des jours, la vue des décorations plus ou moins pittoresques où se déroulent les cent actes divers de la triste comédie humaine [43]. — La terre, le ciel, les eaux, les montagnes, les arbres, les fleurs: vaines apparences, redites fastidieuses, formes toujours les mêmes! Quand on a l'amour, on possède le vrai soleil, la clarté qui ne s'éteint pas!»

Ainsi parlait, dans son monologue intérieur, le malheureux Paul d'Aspremont, tout enfiévré d'une exaltation lyrique où se mêlait parfois le délire de la souffrance.

Peu à peu ses douleurs s'apaisèrent; il tomba dans ce sommeil noir, frère de la mort et consolateur comme elle.

Le jour, en pénétrant dans la chambre, ne le réveilla pas. — Midi et minuit devaient désormais, pour lui, avoir la même couleur; mais les cloches tintant l'*Angelus* à joyeuses volées bourdonnaient vaguement à travers son sommeil, et, peu à peu devenant plus distinctes, le tirèrent de son assoupissement.

---

43. *comédie humaine*, paraphrase de la fable de La Fontaine, *Le Bûcheron et Mercure* (V, 1, v. 27-28):
        «Une ample comédie à cent actes divers,
        Et dont la scène est l'univers.»

Il souleva ses paupières, et, avant que son âme endormie encore se fût souvenue, il eut une sensation horrible. Ses yeux s'ouvraient sur le vide, sur le noir, sur le néant, comme si, enterré vivant, il se fût réveillé de léthargie dans un cercueil ; mais il se remit bien vite. N'en serait-il pas toujours ainsi ? ne devait-il point passer, chaque matin, des ténèbres du sommeil aux ténèbres de la veille ?

Il chercha à tâtons le cordon de la sonnette.

Paddy accourut.

Comme il manifestait son étonnement de voir son maître se lever avec les mouvements incertains d'un aveugle :

« J'ai commis l'imprudence de dormir la fenêtre ouverte, lui dit Paul, pour couper court à toute explication, et je crois que j'ai attrapé une goutte sereine, mais cela se passera ; conduis-moi à mon fauteuil et mets près de moi un verre d'eau fraîche. »

Paddy, qui avait une discrétion tout anglaise, ne fit aucune remarque, exécuta les ordres de son maître et se retira.

Resté seul, Paul trempa son mouchoir dans l'eau froide, et le tint sur ses yeux pour amortir l'ardeur causée par la brûlure.

Laissons M. d'Aspremont dans son immobilité douloureuse et occupons-nous un peu des autres personnages de notre histoire.

La nouvelle de la mort étrange du comte Altavilla s'était promptement répandue dans Naples et servait de thème à mille conjectures plus extravagantes les unes que les autres. L'habileté du comte à l'escrime était célèbre ; Altavilla passait pour un des meilleurs tireurs de cette école napolitaine si redoutable sur le terrain ; il avait tué trois hommes et en avait blessé grièvement cinq ou six. Sa renommée était si bien établie en ce genre, qu'il ne se battait plus. Les duellistes les plus sur la hanche le saluaient poliment et, les eût-il regardés de travers, évitaient de lui marcher sur le pied. Si quelqu'un de ces rodomonts eût tué Altavilla, il n'eût pas manqué de se faire honneur d'une telle victoire. Restait la supposition d'un assassinat, qu'écartait le billet trouvé sur la poitrine du mort. On contesta d'abord l'authenticité de l'écriture ;

mais la main du comte fut reconnue par des personnes qui
avaient reçu de lui plus de cent lettres. La circonstance
des yeux bandés, car le cadavre portait encore un foulard
noué autour de la tête, semblait toujours inexplicable. On
retrouva, outre le stylet planté dans la poitrine du comte,
un second stylet échappé sans doute de sa main défail-
lante : mais si le combat avait eu lieu au couteau,
pourquoi ces épées et ces pistolets qu'on reconnut
pour avoir appartenu au comte, dont le cocher déclara
qu'il avait amené son maître à Pompéi, avec ordre
de s'en retourner si au bout d'une heure il ne reparais-
sait pas ?

C'était à s'y perdre.

Le bruit de cette mort arriva bientôt aux oreilles de
Vicè, qui en instruisit sir Joshua Ward. Le commodore, à
qui revint tout de suite en mémoire l'entretien mystérieux
qu'Altavilla avait eu avec lui au sujet d'Alicia, entrevit
confusément quelque tentative ténébreuse, quelque lutte
horrible et désespérée où M. d'Aspremont devait se trouver mêlé volontairement ou involontairement. Quant à
Vicè, elle n'hésitait pas à attribuer la mort du beau comte
au vilain jettatore, et en cela sa haine la servait comme
une seconde vue. Cependant M. d'Aspremont avait fait
sa visite à miss Ward à l'heure accoutumée, et rien dans
sa contenance ne trahissait l'émotion d'un drame terrible,
il paraissait même plus calme qu'à l'ordinaire.

Cette mort fut cachée à miss Ward, dont l'état devenait
inquiétant, sans que le médecin anglais appelé par sir
Joshua pût constater de maladie bien caractérisée : c'était
comme une sorte d'évanouissement de la vie, de palpita-
tion de l'âme battant des ailes pour prendre son vol, de
suffocation d'oiseau sous la machine pneumatique, plutôt
qu'un mal réel, possible à traiter par les moyens ordinaires. On eût dit un ange retenu sur terre et ayant la
nostalgie du ciel ; la beauté d'Alicia était si suave, si
délicate, si diaphane, si immatérielle, que la grossière
atmosphère humaine ne devait plus être respirable pour
elle ; on se la figurait planant dans la lumière d'or du
Paradis, et le petit oreiller de dentelles qui soutenait sa
tête rayonnait comme une auréole. Elle ressemblait, sur

son lit, à cette mignonne Vierge de Schoorel[44], le plus
fin joyau de la couronne de l'art gothique.

M. d'Aspremont ne vint pas ce jour-là : pour cacher
son sacrifice, il ne voulait pas paraître les paupières
rougies, se réservant d'attribuer sa brusque cécité à une
tout autre cause.

Le lendemain, ne sentant plus de douleur, il monta
dans sa calèche, guidé par son groom Paddy.

La voiture s'arrêta comme d'habitude à la porte en
claire-voie. L'aveugle volontaire la poussa, et, sondant le
terrain du pied, s'engagea dans l'allée connue. Vicè
n'était pas accourue selon sa coutume au bruit de la
sonnette mise en mouvement par le ressort de la porte ;
aucun de ces mille petits bruits joyeux qui sont comme la
respiration d'une maison vivante ne parvenait à l'oreille
attentive de Paul ; un silence morne, profond, effrayant,
régnait dans l'habitation, que l'on eût pu croire abandonnée. Ce silence qui eût été sinistre, même pour un homme
clairvoyant, devenait plus lugubre encore dans les ténèbres qui enveloppaient le nouvel aveugle.

Les branches qu'il ne distinguait plus semblaient vouloir le retenir comme des bras suppliants et l'empêcher
d'aller plus loin. Les lauriers lui barraient le passage ; les
rosiers s'accrochaient à ses habits, les lianes le prenaient
aux jambes, le jardin lui disait dans sa langue muette :
« Malheureux ! que viens-tu faire ici ? Ne force pas les
obstacles que je t'oppose, va-t'en ! » Mais Paul n'écoutait
pas et, tourmenté de pressentiments terribles, se roulait
dans le feuillage, repoussait les masses de verdure, brisait
les rameaux et avançait toujours du côté de la maison.

Déchiré et meurtri par les branches irritées, il arriva
enfin au bout de l'allée. Une bouffée d'air libre le frappa
au visage, et il continua sa route les mains tendues en
avant.

Il rencontra le mur et trouva la porte en tâtonnant.

Il entra ; nulle voix amicale ne lui donna la bienvenue.

---

44. *Schoorel*, Jean Schoreel (1495-1562), peintre hollandais, disciple de Mabuse, qui travailla auprès de Dürer. Après un voyage en
Orient, il se fixa à Utrecht.

N'entendant aucun son qui pût le guider, il resta quelques minutes hésitant sur le seuil. Une senteur d'éther, une exhalaison d'aromates, une odeur de cire en combustion, tous les vagues parfums des chambres mortuaires saisirent l'odorat de l'aveugle pantelant d'épouvante ; une idée affreuse se présenta à son esprit, et il pénétra dans la chambre.

Après quelques pas, il heurta quelque chose qui tomba avec grand bruit ; il se baissa et reconnut au toucher que c'était un chandelier de métal pareil aux flambeaux d'église et portant un long cierge.

Éperdu, il poursuivit sa route à travers l'obscurité. Il lui sembla entendre une voix qui murmurait tout bas des prières ; il fit un pas encore, et ses mains rencontrèrent le bord d'un lit ; il se pencha, et ses doigts tremblants effleurèrent d'abord un corps immobile et droit sous une fine tunique, puis une couronne de roses et un visage pur et froid comme le marbre.

C'était Alicia allongée sur sa couche funèbre.

« Morte ! s'écria Paul avec un râle étranglé ! morte ! et c'est moi qui l'ai tuée ! »

Le commodore, glacé d'horreur, avait vu ce fantôme aux yeux éteints entrer en chancelant, errer au hasard et se heurter au lit de mort de sa nièce : il avait tout compris. La grandeur de ce sacrifice inutile fit jaillir deux larmes des yeux rougis du vieillard, qui croyait bien ne plus pouvoir pleurer.

Paul se précipita à genoux près du lit et couvrit de baisers la main glacée d'Alicia ; les sanglots secouaient son corps par saccades convulsives. Sa douleur attendrit même la féroce Vicè, qui se tenait silencieuse et sombre contre la muraille, veillant le dernier sommeil de sa maîtresse.

Quand ces adieux muets furent terminés, M. d'Aspremont se releva et se dirigea vers la porte, roide, tout d'une pièce, comme un automate mû par des ressorts ; ses yeux ouverts et fixes, aux prunelles atones, avaient une expression surnaturelle : quoique aveugles, on aurait dit qu'ils voyaient. Il traversa le jardin d'un pas lourd comme celui des apparitions de marbre, sortit dans la campagne et marcha devant lui, dérangeant les pierres du pied, trébuchant quelquefois, prêtant l'oreille comme pour saisir un bruit dans le lointain, mais avançant toujours.

La grande voix de la mer résonnait de plus en plus distincte ; les vagues, soulevées par un vent d'orage, se brisaient sur la rive avec des sanglots immenses, expression de douleurs inconnues, et gonflaient, sous les plis de l'écume, leurs poitrines désespérées ; des millions de larmes amères ruisselaient sur les roches, et les goélands inquiets poussaient des cris plaintifs.

Paul arriva bientôt au bord d'une roche qui surplombait. Le fracas des flots, la pluie salée que la rafale arrachait aux vagues et lui jetait au visage auraient dû l'avertir du danger ; il n'en tint aucun compte ; un sourire étrange crispa ses lèvres pâles, et il continua sa marche sinistre, quoique sentant le vide sous son pied suspendu.

Il tomba ; une vague monstrueuse le saisit, le tordit quelques instants dans sa volute et l'engloutit.

La tempête éclata alors avec furie : les lames assaillirent la plage en files pressées, comme des guerriers montant à l'assaut, et lançant à cinquante pieds en l'air des fumées d'écume ; les nuages noirs se lézardèrent comme des murailles d'enfer, laissant apercevoir par leurs fissures l'ardente fournaise des éclairs ; des lueurs sulfureuses, aveuglantes, illuminèrent l'étendue ; le sommet du Vésuve rougit, et un panache de vapeur sombre, que le vent rabattait, ondula au front du volcan. Les barques amarrées se choquèrent avec des bruits lugubres, et les cordages trop tendus se plaignirent douloureusement. Bientôt la pluie tomba en faisant siffler ses hachures comme des flèches, — on eût dit que le chaos voulait reprendre la nature et en confondre de nouveau les éléments.

Le corps de M. Paul d'Aspremont ne fut jamais retrouvé, quelques recherches que fît faire le commodore.

Un cercueil de bois d'ébène à fermoirs et à poignées d'argent, doublé de satin capitonné, et tel enfin que celui dont miss Clarisse Harlowe recommande les détails avec une grâce si touchante « à monsieur le menuisier[45] », fut embarqué à bord d'un yacht par les soins du commodore, et placé dans la sépulture de famille du cottage du Lincolnshire. Il contenait la dépouille terrestre d'Alicia Ward, belle jusque dans la mort.

Quant au commodore, un changement remarquable s'est opéré dans sa personne. Son glorieux embonpoint a disparu. Il ne met plus de rhum dans son thé, mange du bout des dents, dit à peine deux paroles en un jour, le contraste de ses favoris blancs et de sa face cramoisie n'existe plus, — le commodore est devenu pâle !

45. *le menuisier*, dans le roman de Richardson, l'héroïne se préoc-cupe de ses funérailles et commande à « Monsieur l'ouvrier en bières » un cercueil d'ébène muni de plaques d'argent et capable d'être fermé à clef.

TABLE DES MATIÈRES

GF — TEXTE INTÉGRAL — GF

8509-1981. — Impr.-Reliure Maison Mame, Tours.
Nº d'édition 11033. — 3e trimestre 1981. — Printed in France.